臨床心理学と心理学を学ぶ人のための

心理学基礎事典

監修　上里一郎

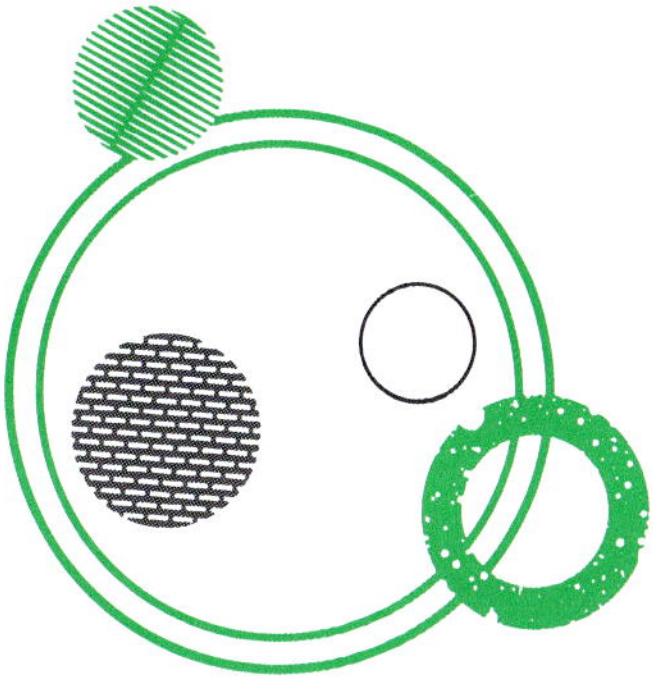

至文堂

目次

認知心理学

生理心理学

学習心理学

人格心理学・発達心理学

社会心理学

産業・組織心理学

臨床心理学

家族心理学
コミュニティ心理学

精神医学

心身医学

＊

凡例

一　本事典では、心理学の基礎を理解するための224項目を、10の分野に分けて記載している。

二　10分野の構成（項目数）は、認知心理学（25項目）、生理心理学（10項目）、学習心理学（25項目）、人格心理学・発達心理学（36項目）、社会心理学（20項目）、産業心理学・組織心理学（20項目）、臨床心理学（43項目）、家族心理学（15項目）、精神医学（15項目）、心身医学（15項目）となっている。

三　各分野の中扉には、当該分野の編者による編集の意図として「この分野で考え、学んでほしいこと」が記載されている。

四　各項目には、「キーワード」が付記されている。

五　「文献」は重複を避けるため、各分野ごとに区分し、一貫番号を付した「文献一覧」として、巻末に一括掲載した。したがって各項目の末尾には、〔文献〕として各分野ごとの「文献一覧」に記載した一貫番号だけが示されている。

六　文献一覧は、著者名のアルファベット順（外国人名はファミリーネームのアルファベット順、日本人名は訓令式ローマ字綴りのアルファベット順）に配列されている。
記載順は原則として、単行本は著者名（訳者名）・発行年・書名・発行所名、論文は執筆者名・発表年・論文タイトル・掲載誌名・巻号の順に示してある。

七　巻末には「索引」と「キーワード索引」を設けた。

八　各項目の執筆者名は項目の末尾の（　）内に記されている。また、巻末に執筆者一覧を掲載した。

認 知 心 理 学

編集・岩崎庸男

われわれ人間は、われわれをとり巻く環境の事象を、情報として取り込み、処理し、そしてまた環境に必要な働きかけを行って、生活している。しかしわれわれは、情報の取り込みにあたって、環境情報のすべてを取り込んでいるわけではないし、また環境情報をそのままコピーするように取り込んでいるわけではない。

認知心理学は、人間がどの範囲の環境情報を取り込み、どのように取り込んで処理をし、またどのように保存しているのかということについて研究している。この章では、人間の基本的な認知機能について、これまで明らかになっている主要な項目がまとめられている。これらは心理学の基礎的分野であるから、用語も内容もなじみがないことが多いかもしれない。しかし、人間はこんな特徴を持ちながら環境情報の処理を行っているのだということを考えつつ、じっくりお読みいただければ、また新たな人間像を捉えることが可能となるだろう。

実《じっ》験《けん》計《けい》画《かく》法《ほう》

実験とは、任意の事象間の因果関係を検証するために、統制された状況下で人為的な要因操作を加えて、その効果の有無や強弱を測定する研究法である。心理学における研究法には自然観察法や調査研究法もあるが、因果関係を直接的に検討できるのは実験法のみといえる。

適切な実験を行うためには、実験計画法にのっとって実験を設計する必要がある。実験計画法は基本的に、「被験者（体）の割り当て」「操作」「測定」の三つから構成されている（図1）。具体的に手続きを説明すると、まず被験者を実験操作を受ける実験群と実験操作を受けない統制群に割り当てる。図1でいえば、睡眠薬を投与される群が実験群、何も投与されない群が統制群である。ただしこの実験例の場合、薬物を投与されたという手続き自体が被験者に何らかの心理的影響を与えて、それがその後の睡眠時間に影響を及ぼす可能性も考えられる（プラセボ効果）。そこでそれ自体は睡眠薬としての効果を持たない偽薬を投与する群が対照群として設定されているが、基本的な実験計画としては、実験群と統制群を比較する「統制群法」が用いられる。統制群を設定せずに、ある操作と別の操作を比べる場合は「対照群法」と呼ばれる。ここでの実験例は、統制群法と対照群法をミックスしたものである。

どのように被験者を割り当てるかには二つの方法がある。それぞれの条件に異なる被験者が割り当てられる「被験者間計画」と、各被験者がすべての条件に割り当てられる「被験者内計画」である。図1の場合、睡眠薬投与群、統制群および偽薬投与群のそれぞれの被験者が異なる場合が被験者間計画であり、各被験者がすべての処置を経験する（たとえば最初に薬物を投与され、また別の日には何も投与されない）場合が被験者内計画である。被験者内計画の場合、被験者数が少なくてすみ、各条件を同じ被験者に割り当てるので、被験者の個人的な特性や状態（たとえば日常の睡眠時間など）を等質化する必要はない。しかし被

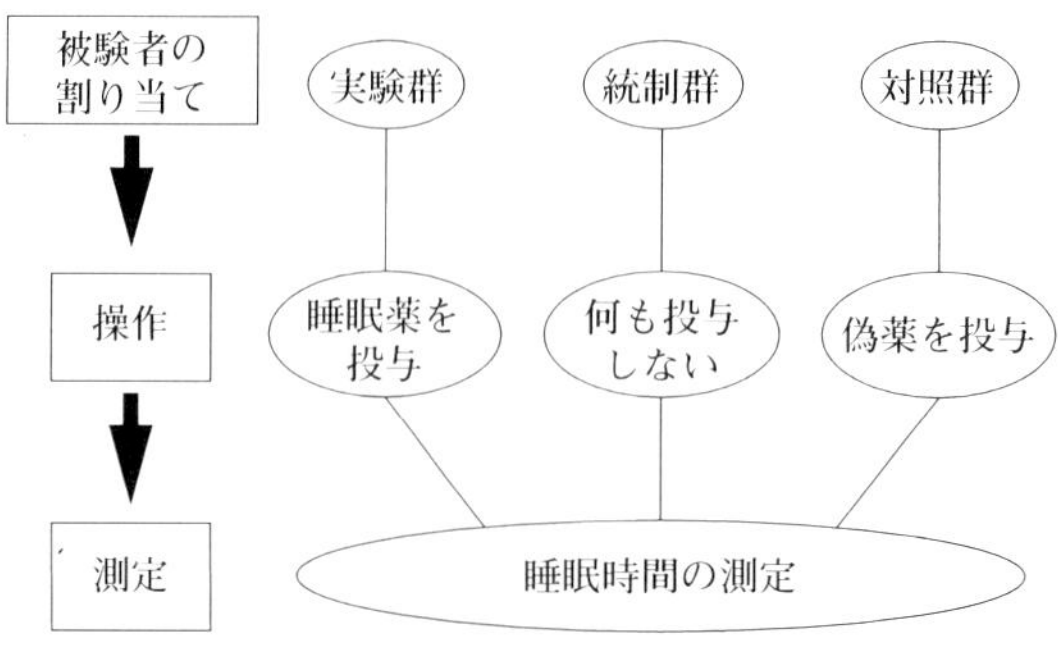

図1　睡眠薬の効果を調べる実験例

表1　被験者内計画でのカウンターバランスの例

6人の被験者（A～F）に対して、3つの条件（①～③）で実験を行う場合。各被験者はすべての条件を経験するが、どの条件から経験するかという順序を均等に割り当てる。

被験者＼順序	1回目	2回目	3回目
A	条件①	条件②	条件③
B	条件①	条件③	条件②
C	条件②	条件①	条件③
D	条件②	条件③	条件①
E	条件③	条件①	条件②
F	条件③	条件②	条件①

験者がどの条件から経験するかという順序の問題などについては、カウンターバランスの手続きを行って解決する必要がある（表1）。

それに対して被験者間計画の場合は、実験前の被験者の個人的な特性や状態は等質でないと考えられるため、「無作為化」と「ブロック化（マッチング）」と呼ばれる二つの方法で被験者が割り当てられる（図2）。無作為化とは、各条件に完全に無作為に被験者を割り当てる方法で、この手続きによって各条件に等質の被験者が割り当てられていると仮定される。ブロック化（マッチング）とは等質である被験者のグループをあらかじめ作っておき、各グループからそれぞれの条件に均等に割り当てる方法である。たとえば、あらかじめ被験者の日常の睡眠時間を調査しておき、睡眠時間が同程度の二人の被験者を一つのグループとして、各グループから実験群、対照群、統制群のそれぞれに一人ずつ割り当てるようにする。

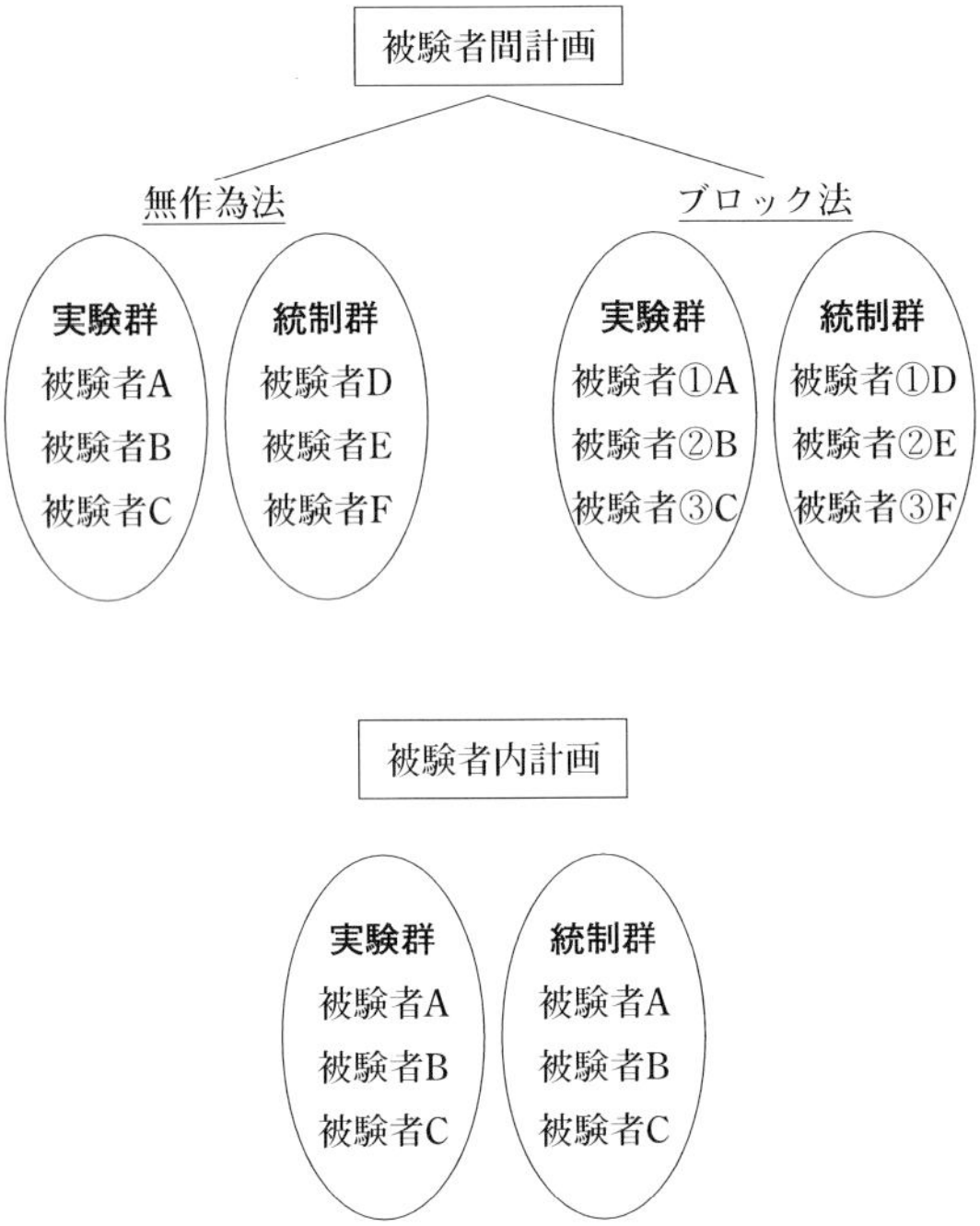

図2　被験者の割り当て方の例

アルファベットが同じであれば、同一人物であることを意味している。ブロック化における数字は、等質グループを示している。

以上のような方法で被験者を振り分けたら、次にそれぞれの群に対して特定の操作を行う。図1の例でいえば、実験群には効果を検証したい睡眠薬を、対照群には偽薬を投与して、統制群には何も投与しない。そして睡眠時間を測定して各群間で比較することになる。ここで注意しなければいけないことの一つに、「実験者効果」がある。これは実験者が潜在的に抱いている期待が、実験者の意図とは無関係に測定結果に影響することである。この影響を排除する方法としては、ダブル・ブラインド法が知られている。ダブル・ブラインド法では、実験の計画と実施、および測定結果の分析をそれぞれ異なる人が担当する。もちろん実験の計画者以外は、その実験で検証しようとしている仮説などを知らないことが前提であり、さらに実験の実施者は、各被験者がどの群に割り当てられているかを知らされていないことが望ましい。

（山田一夫）

キーワード 実験群／統制群／被験者間計画／被験者内計画

〔文　献〕 ㊱㊻52

変数《へんすう》と因果《いんが》・相関関係《そうかんかんけい》

実験や調査は、特定の変数間の関係を明らかにすることが目的である。実験において「変数(X)の変数(Y)に及ぼす影響」を検討する場合には、変数(X)が実験者によって人為的に操作され、それが変数(Y)にどのような影響を及ぼすかが測定されるわけである。ここでの実験者によって操作される変数(X)は「独立変数」、測定される側の変数(Y)は「従属変数」と呼ばれる。一方調査の場合では、変数(Y)の違いを説明するために設定される変数(X)は「説明変数」と呼ばれることが多い。

図1に示したように、独立変数は複数の条件（あるいは水準）から構成される必要があり、そうすることで条件間での従属変数の違いが比較・検討できる。ただそこで問題となるのが、従属変数の違いは純粋に独立変数の操作のみを反映しているのかということである。生体の行動（反応）を研究対象とする心理学では、独立変数以外で従属変数に影響を及ぼす可能性のある変数は数多く存在すると言える。睡眠薬の効果を調べる実験でいえば（3頁　図1）、年齢、性別、前夜の睡眠時間、疲労度、過去に睡眠薬を飲んだ経験等などは被験者の睡眠時間に影響を及ぼすであろうということが容易に想像できよう。このような変数のことを剰余変数（あるいは外的変数）という。実験や調査では、いかにしてこの剰余変数を統制できるかが重要とされる。

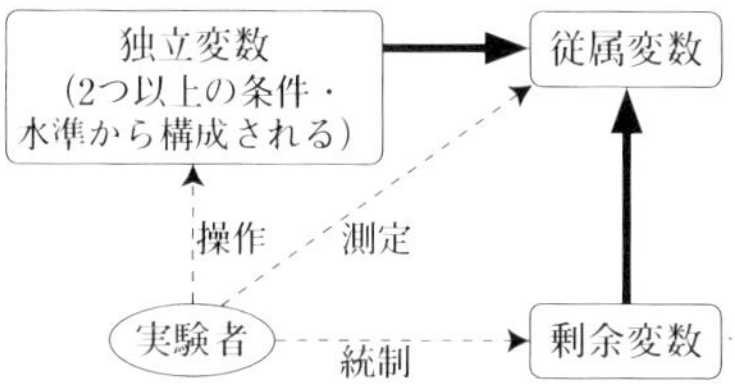

図1　独立変数・従属変数・剰余変数の関係

独立変数と剰余変数はどちらも従属変数に影響を及ぼす。実験者は独立変数を操作することで、剰余変数に対するその影響を検討する。その場合、剰余変数が従属変数にできるだけ影響を及ぼさないように統制する必要がある。

さて前述したように、実験や調査は特定の変数間の関係を明らかにすることであるが、実験と調査では、それぞれで実証されうる関係は異なる。実験の場合は、独立変数(X)を操作することによる従属変数(Y)への影響、すなわち原因(X)によって結果(Y)が生まれたというX→Yの「因果関係」をみることができる。

それに対して、調査では独立変数（説明変数）を操作してその影響を測定できるわけではないので、結果からはあくまで「変数(X)と変数(Y)には何らかの関係がある」あるいは「一方の変数が異なればもう一方の変数も変化する」という相関関係までしか言及できない。この相関関係には、二つの変数間に同方向の関係がある（一方が増加すれば他方も増加する）正の相関と逆方向の関係がある（一方が増加すれば他方は減少する）負の相関がある。相関関係は因果関係による産物であるとも考えられるが、必ずしもそうとも言えず、因果関係とは無関係の場合も多い。また相関関係からはどちらの変数が原因であるのかの特定はできないし、全く別の原因が両変数に影響を及ぼしている可能性もある。（山田一夫）

キーワード　独立変数／従属変数／説明変数

〔文　献〕㊱㊻(52)

尺度《しゃくど》、分布《ぶんぷ》、代表値《だいひょうち》

実験や調査によって得られたデータは、一定のルールに従って、適切な統計法で分析される。このルールの一つが尺度であり、あらゆるデータは次の四つの尺度に分類でき、それによって適用できる統計法が決まってくる。

1 間隔尺度：データが数値として表され、それぞれの値の間が等間隔であるが、比率計算が成立しない（ゼロを基点とできない）尺度。たとえば温度では、〇度と一度の間隔と二度と三度の間隔はどちらも一度で等しいが、〇度が熱の皆無を意味しているわけではなく、〇度×二＝〇度。という関係は成立しない。

2 比率尺度：間隔尺度の性質に加え、比率計算が成立する（ゼロを基点とできる）尺度。たとえば時間では、ゼロはまったく時間が存在しないことを意味しており、〇時間×二＝〇時間という関係が成立する。適用できる統計法に関しては、間隔尺度と比率尺度はまったく同じである。

3 順序尺度：それぞれの値の間に大小や後先といった順位はつけられるが、それが等間隔性であるという保証がない尺度。例として、一位・二位といった順位、優・良・可、五段階評定値などが挙げられる。また心理学での調査研究でよく用いられる尺度評定法（図1）において、それぞれの評定尺度から得点化されたデータも順序尺度である。しかし実際には、より質の高い統計法を適用できるという理由から、尺度評定得点は間隔尺度データとして扱われることが多い。

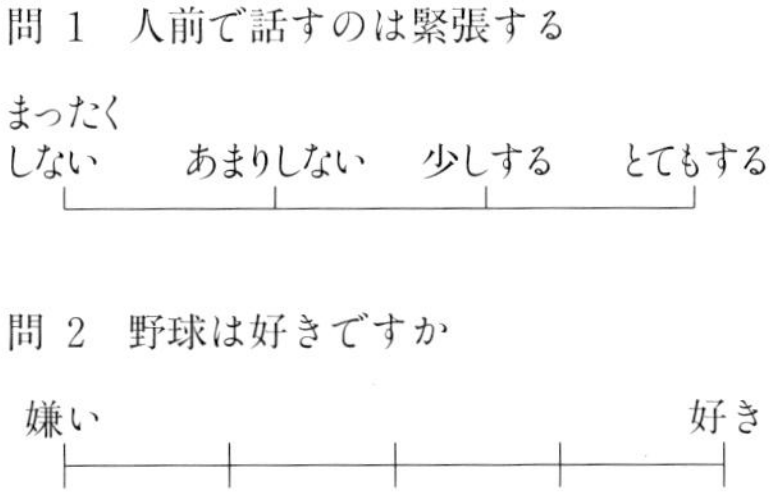

図 1　尺度評定法の例
問 1 は 4 段階、問 2 は 5 段階尺度評定法。

4 名義尺度：カテゴリーやグループとして分類されたデータで、そこには何ら数量的・序列的関係はない。例として、性別、出身大学、好きな球団、喫煙・非喫煙、支持政党などが挙げられる。

これらのどの尺度のデータであれ、実験や調査で得られたデータがすべてまったく同じ値のものから構成されていることはなく、ある程度のばらつきが存在する。どの値の測定値がどの程度あるのかといった全体的な様相を「分布」といい、得られたデータの中で最も一般的・典型的な値として分布の中心的な位置を表す測度のことを「代表値」をいう。主な代表値としては、平均値、中央値、最頻値（モード）の三つがあり、それらはデータの尺度に応じて使い分けられる。間隔・比率尺度データの代表値としては、これらのすべてを用いることができるが、順序尺度では平均値は適用できず、さらに名義尺度では最頻値のみしか適用できない。

（山田一夫）

キーワード 尺度評定法／平均値／中央値／最頻値（モード）

〔文献〕 ㊱㊻(52)

モダリティ(様相《ようそう》)、適刺激《てきしげき》、共感覚《きょうかんかく》

我々が住んでいる世界には、各種様々な物理的エネルギーが存在している。その様々な物理的エネルギーは、我々の感覚受容器を刺激する。その結果、ある種の感覚が生じる。それがどのような感覚かは、受容器の種類に依存する。感覚は受容器の違いから、以下のようなものに分けられる。外部感覚としては、視覚(目)、聴覚(耳)、味覚(舌)、嗅覚(鼻)、皮膚感覚［痛覚、温覚、冷覚］(皮膚)などがあり、内部感覚には内蔵感覚(口、咽喉、食道、腸、肺など)、自己受容感覚には、運動感覚(筋肉、腱、関節)や平衡感覚(筋肉、腱、関節など)がある。このような感覚の種類に応じて生じる感覚経験の種類を、モダリティ(様相:modality)という。また、同一感覚内の性質の違いは、感覚の質(quality)と呼ばれる。「黄色い」、「冷たい」、「甘い」はモダリティの違いであり、「甘い」と「辛い」や「黄色い」と「赤い」などはそれぞれ質の違いである。

このような感覚は、環境に存在する特定の物理的・化学的エネルギーによってのみ生じているとは限らないし、また、必ずしもその特定の刺激が特定の感覚受容器によってのみ受け取られているとは限らない。たとえば、通常、視覚を生じさせる刺激は一般には可視光線と呼ばれる波長が三八〇nm(ナノメーター:1nm＝10^{-9}m)から七八〇nmまでの範囲の電磁波であるが、それ以外の刺激(電気ショック、眼球の圧迫など)でも視覚を生じさせることはできる。この場合、光は視覚にとっての適刺激(adequate stimulus)であり、電気ショックや眼球の圧迫は不適刺激(inadequate stimulus)と呼ばれる。

ミューラー(Muller,J.P.1838)は、感覚受容器は刺激の種類が異なっても興奮することがあり、刺激が異なったものであってもそれによって興奮させられた感覚受容器は、その感覚特有のエネルギー(特殊神経エネルギー)を生じ、その結果としてもたらされる感覚は同じものが経験されるとした。この考えは、特殊神経エネルギー説(doctorine of specific energies of nerves)として知られている。モダリティの違いは、刺激の種類の違いとしてではなく、特殊神経エネルギーの違いとして考えることができる。

また、ある刺激によって本来生じる感覚の他に異なるモダリティの感覚経験が生じることは共感覚と呼ばれる。たとえば、視覚にとって音は適刺激でも不適刺激でもないので、音で視覚的な経験は生じないはずであるが、音を聞いて色彩感覚も生じるという人がいる。このような現象は共感覚の中でも特に色聴と呼ばれる。色聴以外にも、においや痛みなどから色や形が見える共感覚の例が報告されている。

(藤井輝男)

キーワード　感覚／特殊神経エネルギー／不適刺激

〔文献〕㉕㉛

刺激閾《しげきいき》、刺激頂《しげきちょう》、弁別閾《べんべついき》

　刺激があまりに弱すぎると、何も感覚は生じない。特定の感覚が生じるためには、最低限度の刺激の強さが必要である。このような感覚が生じるか生じないかのぎりぎりの物理的な刺激強度を、刺激閾（stimulus threshold）または絶対閾（absolute threshold）という（光に対する閾値は光覚閾とも呼ばれる）。理論的には刺激強度を徐々に弱くしていったときに、ある強度を境にそれまで生じていた感覚がまったく生じなくなるときの物理的な刺激強度が閾値である。しかし、実際には図1に示すように感覚も徐々に変化し、この刺激強度より少しでも強いと感覚が生じ、少しでも弱いと生じないといったはっきりした刺激強度が求められるわけではない。そこで、便宜上感覚が生じる場合と生じない場合が統計的に五〇％になるときの物理的刺激強度を刺激閾としている。測定にあたっては、主として精神物理学的測定法が用いられるが、信号検出理論によっても測定される。各感覚の刺激閾の具体例をあげると、光の場合約一〇光量子（月のない晴れた夜、約四八km遠方にあるろうそくの炎の明るさ）、音の場合約〇・〇〇〇二dynes/m²（静かな夜、約六m離れた時計の秒針の音）が刺激閾である。

　刺激閾とは逆に、刺激の強度が強すぎてこれ以上強くしたら正常な感覚が生じなくなったり、感覚の大きさがそれ以上変化しなくなるような刺激強度の限界を、刺激頂（terminal threshold）という。聴覚の刺激頂の場合、音の大きさが大きくなりすぎるともはや聴覚は生じなくなり痛覚が生じるようになる。

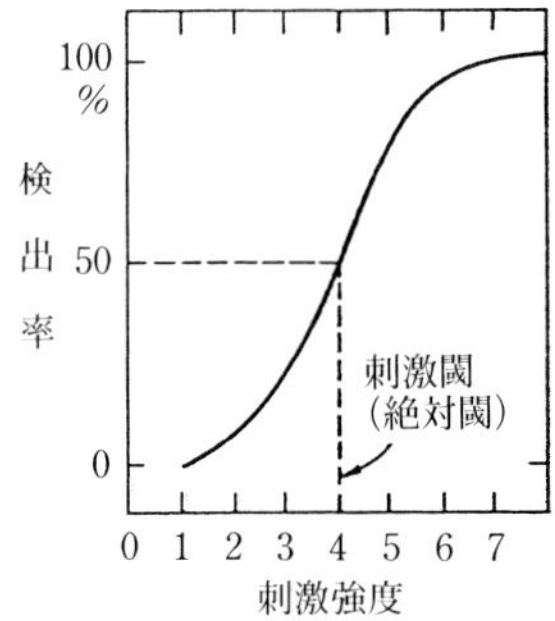

図1　刺激強度に対する検出率
(Shiffman,1982　文献㊳)
刺激の検出率が50％のときの刺激強度を便宜上刺激閾と考える。

　さらに、二つの刺激の強度に関しても、その違いがあまりに少なすぎると、二つの刺激の違いを感じることができない。刺激強度に関して、二つの刺激を区別できる最小の刺激差を、弁別閾（differential threshold）または丁度可知差異（jnd：just noticeable difference）と呼ぶ。弁別閾は一定の値をとるわけではなく、その比較の基準となる刺激（標準刺激）の強度が大きくなると弁別閾も増大する。たとえば、五〇gと五一gの違いは区別できても一〇〇gと一〇一gの違いは区別できない（一〇〇gの場合は二gの差が必要となる）。ウェーバー（Weber,E.H.）は、弁別閾（△I）は標準刺激の強度（I）に比例する、つまりその比はほぼ一定の値をとる（△I／I＝C（一定））ということを示した。この関係はウェーバーの法則と呼ばれ、この比はウェーバー比と呼ばれる。

（藤井輝男）

キーワード 精神物理学的測定法／刺激強度／ウェーバーの法則

〔文　献〕 ⑮㉛㊳

視感度曲線《しかんどきょくせん》、順応《じゅんのう》

空調やエンジンの音は、始めは耳障りでも、鳴り続けると気にならなくなる。熱く感じる風呂の湯でも、しばらくするとぬるく感じるようになる。このように、同じ種類の刺激にさらされ続けた結果、刺激に対する感度が鈍くなることを負の順応という。

また、環境における刺激の急激な強度変化に感覚が適応することを正の順応という。たとえば、映画館に入った直後と、映画館から出た直後は、一瞬、何も見えないが次第に回復する。この回復の過程が正の順応である。明るい照明環境（10^4ルクスから10^5ルクス）への順応を明順応、暗い照明環境（10^{-2}ルクス以下）への順応を暗順応という。完全に明順応した視覚を明所視という。明所視は色や形の知覚には非常に優れているが、ロウソクの炎のような弱い光を検出しにくい。一方、完全に暗順応した視覚を暗所視という。暗所視では、非常に弱い光でも検出できるが、色や形の知覚は難しい。

明所視はおもに網膜の錐体細胞の働きであり、暗所視はおもに桿体細胞の働きである。そのため明所視を錐体視、暗所視を桿体視と呼ぶこともある。錐体視と桿体視における暗順応の様子は、暗室における光の閾値を測定することで調べられる（図1）。閾値とは明るさが知覚されるために最低限必要な光の強度である。明所から暗室に入ると、閾値は最初の四、五分で急激に低下するが約一〇分までは横這いとなる。この時点までが錐体視の暗順応である。その後、閾値の低下が再開し、入室後約三〇分までにゆっくりと閾値が低下し続ける。後半が桿体視の暗順応である。

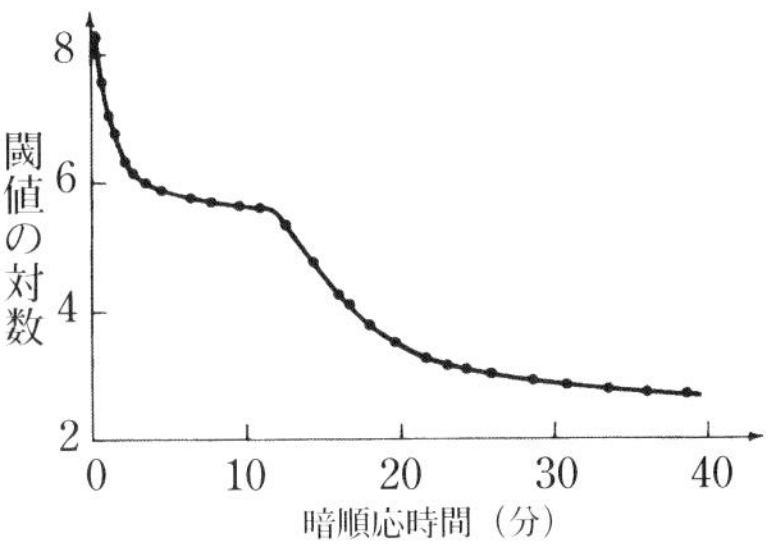

図1　大きいすみれ色のフラッシュ光に対する暗順応曲線（ヘクトら　文献⑪より）

桿体視と錐体視では、それぞれ光の波長に対する感度が異なる。波長に対し、感度（閾値の逆数）をプロットしたグラフが比視感度曲線である（図2）。明所視と暗所視は比視感度曲線の分布がずれており、ピーク感度は明所視（破線）が五五五nm（緑）、暗所視（実線）が五〇五nm（青緑）である。そのため、オレンジ色の花と青い花は、太陽光の下では同じ明るさに見えるが、月光の下ではオレンジが青よりも暗く見える。この効果をプルキンエシフトという。

（関根道昭）

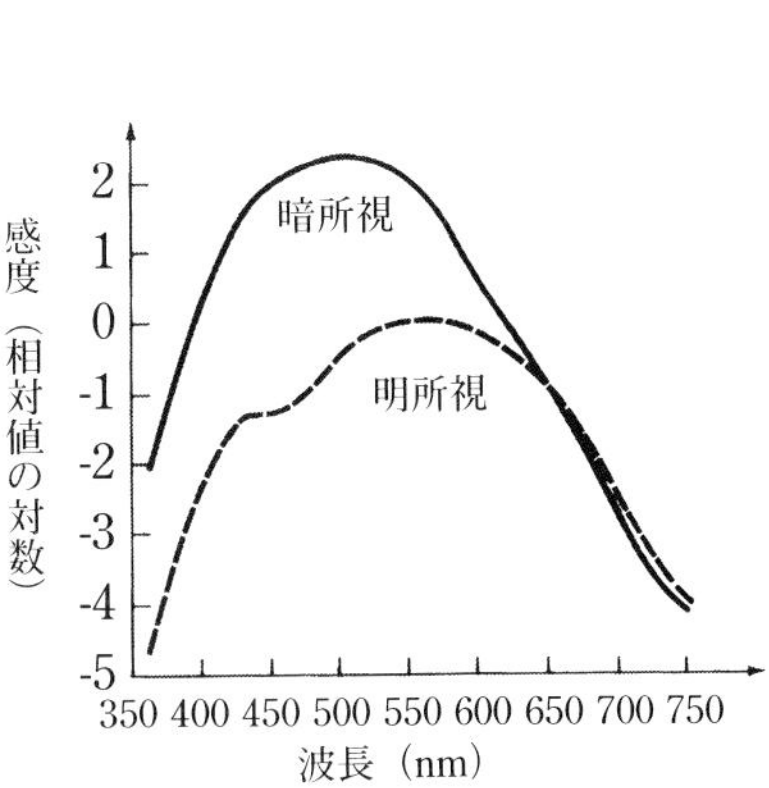

図2　明所視と暗所視における比視感度曲線（ワルド　文献⑩より）

キーワード　閾値／桿体／錐体／明所視／暗所視

〔文　献〕⑪⑩

感《かん》覚《かく》尺《しゃく》度《ど》
(ウェーバー・フェヒナーの法則など)

感覚の大きさは、はかりで測ったり長さを測ったりするように直接測定することはできないが、感覚量とそれをもたらしている物理的刺激との間には一定の関係が認められる。ただし、物理量が二倍、三倍に変化しても感覚量は同じように二倍、三倍と変化するわけではなく、一対一の対応関係ではない。物理的に測定可能な刺激量とそれに対応する感覚量との対応関係を明確にすることで、間接的に感覚量を数量化することができる。このような直接測定できない感覚量を測定する尺度(ものさし)を感覚尺度という。

G・T・フェヒナーは刺激(物理的世界)と感覚(心的世界)との間の関数関係を研究し、弁別閾に関するウェーバーの法則をもとにウェーバー・フェヒナーの法則を見いだし、感覚量の尺度化に貢献した。ウェーバー・フェヒナーの法則は、感覚の大きさ(S)の変化は、外的刺激の大きさ(I)の変化と対数関係(S=klogI:kは定数)になるというものである。言いかえれば、感覚の大きさは刺激の大きさの対数に比例するということである。ここでいう刺激の大きさとは、その感覚の絶対閾を基準とした大きさである。

一方、スティーブンスは、フェヒナーの精神物理学に代わる新しい精神物理学を唱え、心理学で用いられる様々な尺度を整理し、各尺度で扱える数量的範囲の明確化を行った。そして、フェヒナーが弁別閾を用いるという間接的手段によって感覚を測ろうとしたのに対して、彼は感覚の直接的な量判断を被験者に求めるマグニチュード推定法を用いてフェヒナーの法則に代わるものをつくろうとした。たとえば、一つの標準刺激によってもたらされる感覚を「10」とした場合に、それに対する比較刺激の比率を数値で答えさせるというもので、半分に感じるならば「5」、二倍に感じるならば「20」という数値を被験者は答えることになる。マグニチュード推定法を使って実験した結果、感覚の大きさ(E)が、刺激量(I)のベキ関数「$E=aI^b$」となることが見いだされた(a、bは定数)。これをスティーブンスの法則という。

(藤井輝男)

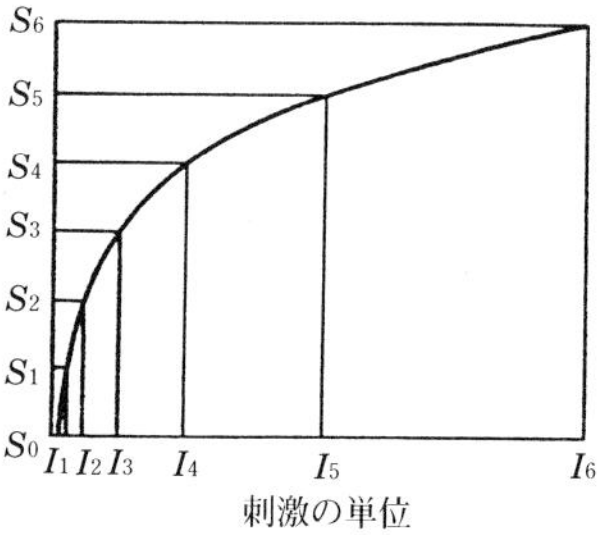

図1　ウェーバー・フェヒナーの法則

(Guilford,1954　文献⑩)

刺激の対数的変化によって感覚の大きさは等間隔に変化している。

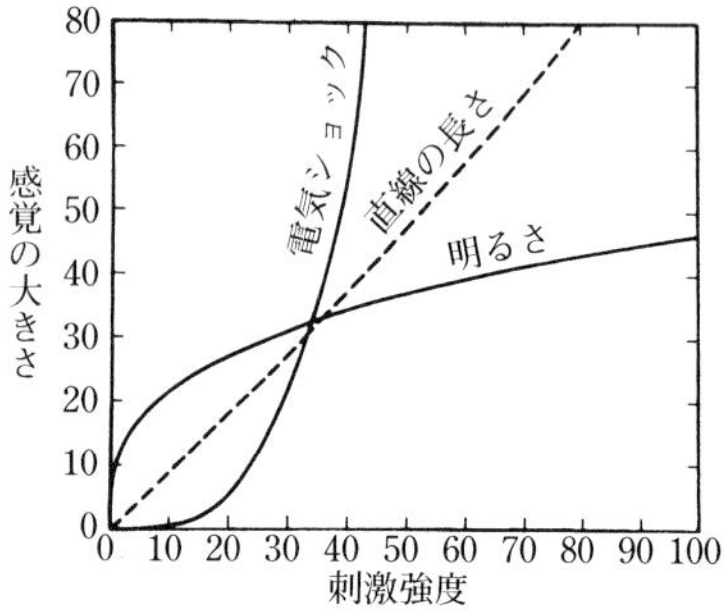

図2　スティーブンスの法則

(Steavens,1961　文献㊸)

刺激の変化に伴って感覚がベキ関数的に変化している。bの値は感覚によって異なり、明るさの場合0.33、直線の長さ1.1、電気ショック3.5という数値をとる。

キーワード　精神物理学/感覚の大きさ

〔文献〕⑩㉕㉛㊸

色《いろ》の知《ち》覚《かく》

色は私たちの生活に非常になじみ深い視覚属性である。果実の熟れ具合や鉄道の路線図などを調べる時、色は重要な手がかりとなる。色は、衣服や風景の美しさを修飾したり、感情を表現したり、民族国家のイデオロギーを象徴したりもする。従って、色は心理学における重要な研究対象である。

色は、眼に届く光の波長の組合せと、それらを分析する網膜や脳の神経の働きにより生じる感覚である。同じ波長でも、順応の状態によって異なる色に見えたり（視感度曲線、順応の項を参照）、配色の仕方により印象が変化するため、客観的な記述が難しい。しかしながら、塗料や照明の色を伝達するための実用的な必要性から、色を客観的に表示する方法（表色系）がいくつも考案されている。

マンセルの色立体（図1）は、カラー印刷や工業製品の色指定に用いられており、日本工業規格（ＪＩＳ）にも採用されている。この表色系は、色を色相、明度、彩度の三つの次元で表現する。色相は、赤、黄、緑、青、紫というように色名で表現される次元である。明度は、光を全部吸収する理想的な黒から、光を全部反射する理想的な白までの明るさを等間隔に分割した次元である。彩度は、色相、明度が一定のとき、色味のない無彩色から、鮮やかな有彩色までの間を等間隔に色味が増していくように並べた次元である。

また、国際照明委員会（ＣＩＥ）のＸＹＺ表色系は、テレビやＣＲＴの表示色および測光機器による測定値の基準となっている。この表色系は、全ての色光が三つの色光を混合することで表現できる性質（等色）に基づいている。ＸＹＺ表色系では、赤、緑、青の単色光（原刺激）を混色して、混合比の調整により、単一波長の色（スペクトル色）と同等の色を作る。このような等色実験の結果を総合して、全ての色をヨットの帆の形の中に配置したものがＣＩＥ色度図である（図2）。この図を基にすると、xとyの2値により全ての色を表わすことができる（金子⑱）。

色覚の生理学的機構を説明しようとする理論を色覚理論または色覚説という。代表的な色覚理論には三色説と反対色説がある。

ヤングとヘルムホルツ（Young, T., Hermann von Helmholtz）は等色の原理に基づき、色覚を三種類の受容器の働きに帰属させた。これを三色説という。事実、近年の電気生理学的研究から、網膜の錐体細胞は赤（五六五nm）、緑（五四五nm）、青（四四〇nm）に相当する波長に敏感な三種類に区別できる。

三色説は有力な理論であるが、色の見え方に関して説明できない現象が存在する。例えば、赤、緑、青、黄を三〇秒以上固視した後に白い紙や壁を見ると、それぞれ緑、赤、黄、青の残像が見える。三色説は赤と緑、黄と青に対応関係がある理由を説明できない。そこで、ヘリング（Hering, E.）は緑と赤、黄と青がそれぞれ拮抗的に働く神経機構を提唱した。これを反対色説という。

三色説と反対色説はどちらが正しいのであ

ろうか。前述の通り、網膜の錐体細胞は三色説的な特性を持つが、錐体以降の視覚経路である神経節細胞、外側膝状体、第一次視覚皮質、第二次視覚皮質などにおいて反対色型応答を示す細胞が数多く発見されている。従って現在では、三色説的過程が反対色説的過程に出力を送る神経機構の存在が推測されている。これを段階説という(阿山②)。(関根道昭)

キーワード　表色系／三色説／反対色説／段階説／色の次元／色覚説

〔文　献〕②⑱

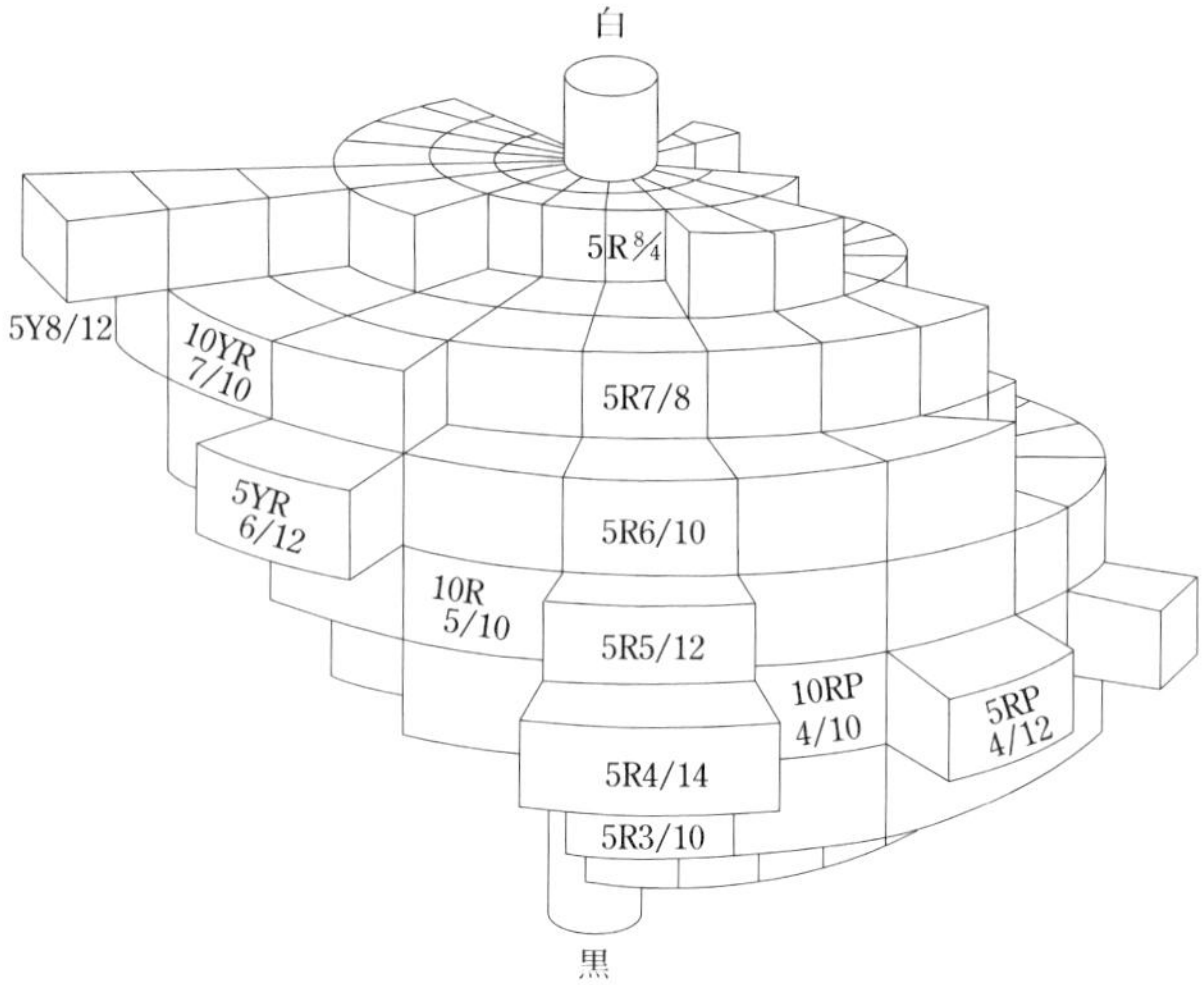

図1　マンセルの色立体

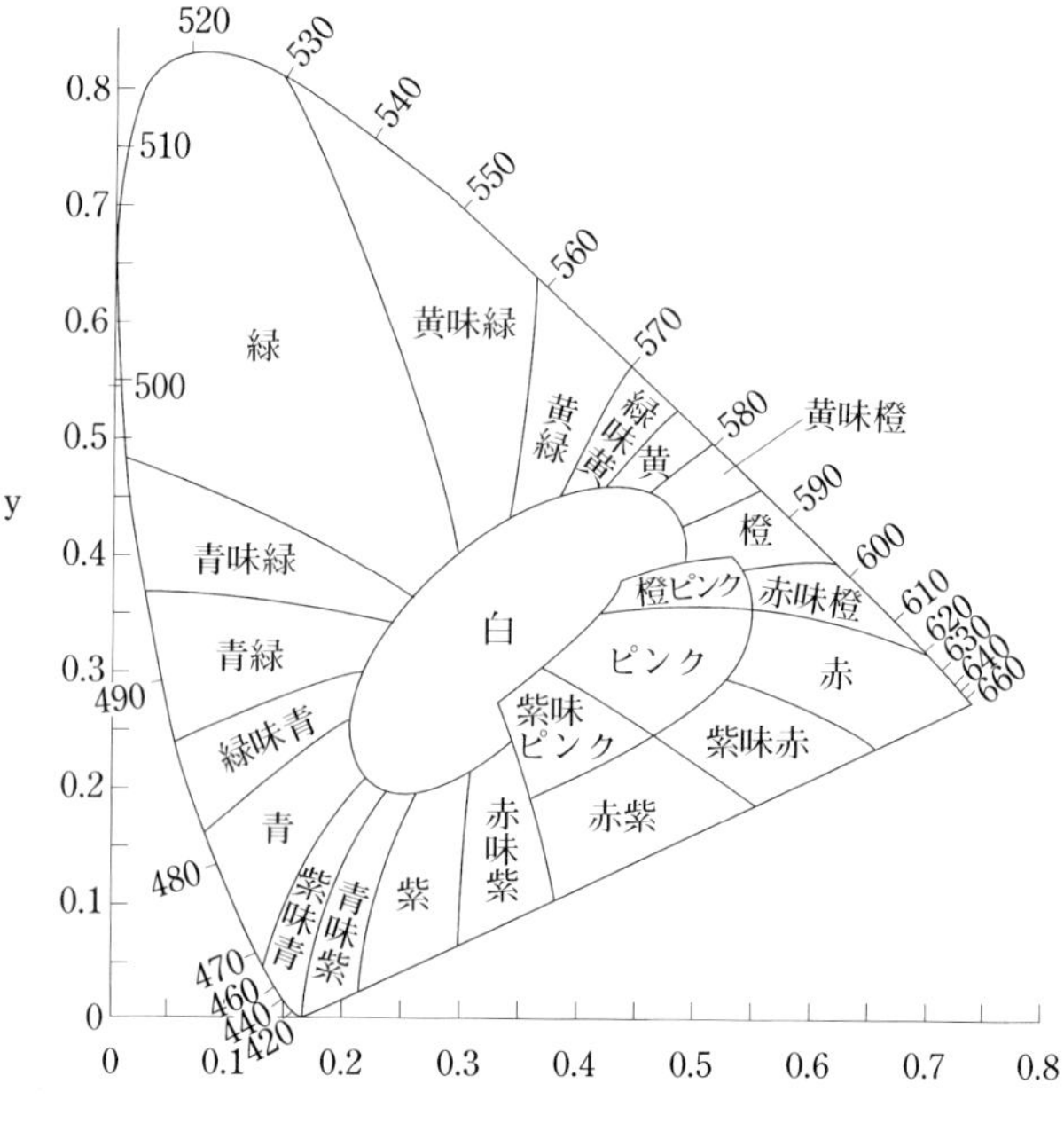

図2　CIE（国際照明委員会）の色度図

形《かたち》の知《ち》覚《かく》

形は視覚や触覚によって、ある物が他の物と区別して知覚され、その範囲や大きさが感じられるときの全体の様子である。視野全体が均一な光で満たされた状態（全体野）で形は知覚されない。形の知覚が生じるには視野が図と地に分離される必要がある。

図は視野の中で形を持って浮き出ているように見える領域であり、地は図の背景となって見える領域である。図1では向かい合った人の横顔と杯という二通りの形が交替して知覚される。この図版のように、客観的には一つの図形でありながら、主観的には二通り以上の形が知覚される図形を多義図形という。ルビン（Rubin, E.）はこの図版の観察により、図と地に次のような特性があることを指摘した。

(1) 図は形を持つが、地は形を持たない。(2) 二つの領域の境界線は輪郭線として図に所属し、地は図の背後に広がっているように見える。(3) 図は地よりも色が堅く、密で、しっかりと定位される。(4) 図は地よりも観察者の近くに定位される。(5) 図は注意を引きやすく、地は注意の対象になりにくい。

視野の中から切り出した図が複数あるとき、これらは知覚的に体制化され、まとまりを形成する。このまとめ上げる働きを群化という。群化された視野の領域はそれ以外の領域と区別されることから、群化自身が図と地の分離を促進させる働きを持っている。群化を規定する要因には次のようなものがある（図2）。

(1) 近接の要因、近い位置にある対象がまとまって見える（図2a）、(2) 類同の要因、色や形が類似した対象がまとまって見える（図2b）、(3) 閉合の要因、閉じた領域をつくる対象がまとまって見える（図2c）、(4) 良い連続の要因、なめらかな経過はまとまって見える。図2のdでは1—2、3—4とつながる二本の曲線が知覚されることが多いが、1—3、2—4として体制化されることは希である。(5) 共通運命の要因、運動や変化の運命をともにする対象物がまとまって見える（以上ウェルトハイマー、Wertheimer, M.）。(6) 結合の要因、つながりのある対象はまとまって見える（図2e、パーマーとロック〔Palmer, S. & Rock, I.〕）。

知覚された形は、物理的世界の正確なコピーではない。錯視現象はこの事実を端的に示している。図3には代表的な錯視の例を示した。紙の上に書かれた図形による錯視を幾何学的錯視という。(a) 開いた矢羽根の線分は、閉じた矢羽根の線分よりも長く見える（二線分は物理的に同じ長さ）。(b) 左の円は右の円よりも大きく見える（二つの円は物理的に同じ大きさ）。(c) 矩形の後ろを通過した直線は、ずれているように見える。(d) 中央に白い三角形が見えるが、客観的にはそのような形をした部分が周囲と明るさや色が違っていたり、輪郭線が引かれているわけでは

図1　ルビンの杯
（文献㉟）

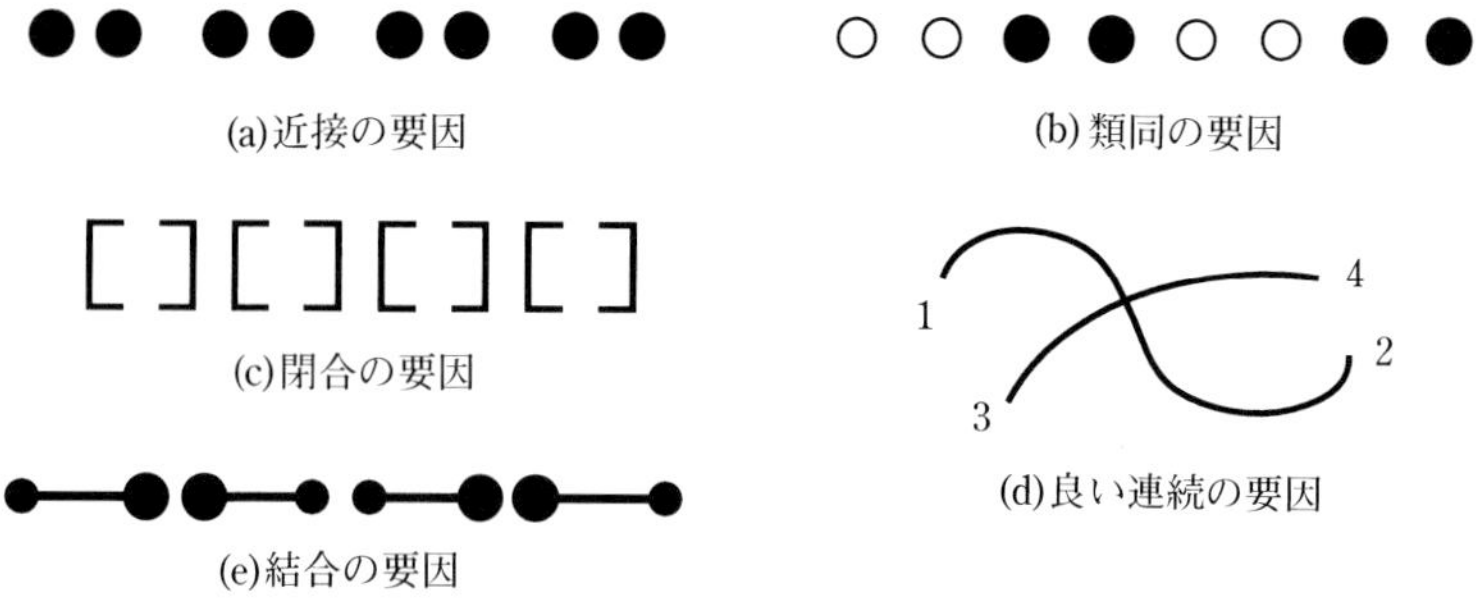

図 2　群化の要因の例

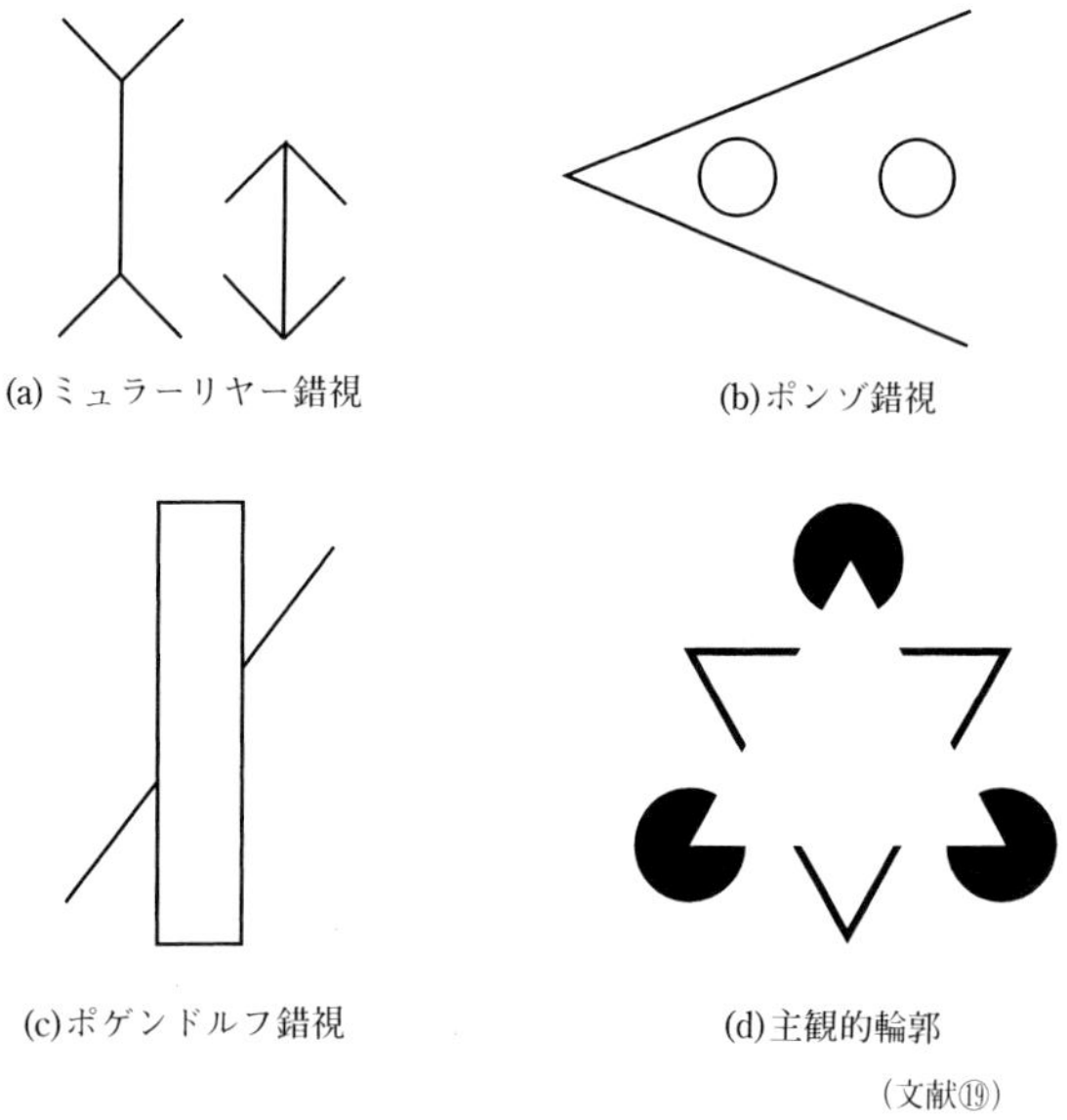

図 3　幾何学的錯視図形の例

ない。これを主観的輪郭という（カニッツァ〔Kanizsa, G.〕）。

また、自然の中にも錯視は存在する。地上から見る月は常に同じ大きさ（視角）である。しかし、地平線付近の月は天頂の月よりも大きく見える。

錯視は、私たちが図形を全体のまとまりとして捉えており、図形の構成する一部の要素の大きさや形を判断する際にも、図形全体の構造に影響を受けることを示している。また、錯視は、二次元的な図形に三次元的な解釈を無意識のうちに当てはめようとするために生じるという説がある。しかしながら、錯視を完全に説明できる理論は今のところ存在しない（椎名㊴）。錯視は知覚や脳のメカニズムを解明する格好の材料であるため、現在も精力的に研究されている。

（関根道昭）

キーワード 全体野／知覚的体制化／図と地／多義図形／群化の原理／錯視／主観的輪郭

〔文　献〕 ⑲㉝㉟㊴51

恒《こう》常《じょう》性《せい》

ある対象を見ているとき、外界にある対象そのものを遠刺激（distal stimulus）、その対象によってもたらされる網膜上に投影された刺激を近刺激（proximal stimulus）と呼んで区別している。我々は、対象（遠刺激）によって感覚器官にもたらされる情報（近刺激）やその他の情報をもとに遠刺激を知覚しようとしていると考えられる。その際、遠刺激自体に変化がなくても提示状況が異なれば、同じ近刺激がもたらされるとは限らない。たとえば、五m先にいた友人が二倍の距離の一〇m先に移動した場合、網膜像の大きさは二分の一に減少する（図1）。しかし、その友人が半分の大きさになったとは知覚しない。

　前述のように、対象までの距離が変化すると対象によってもたらされる網膜像の大きさ（視角）は、距離に反比例して増減する。しかし、知覚される大きさの変化は、視角の変化よりもゆるやかで知覚される大きさは比較的一定を保つ。このように、近刺激の変化にもかかわらず、遠刺激の特性（大きさ、形、明るさ）を不変のものとして知覚する傾向を知覚の恒常性という。いいかえれば、恒常性とは遠刺激の不変特性を知覚しようとする傾向ともいうことができる。

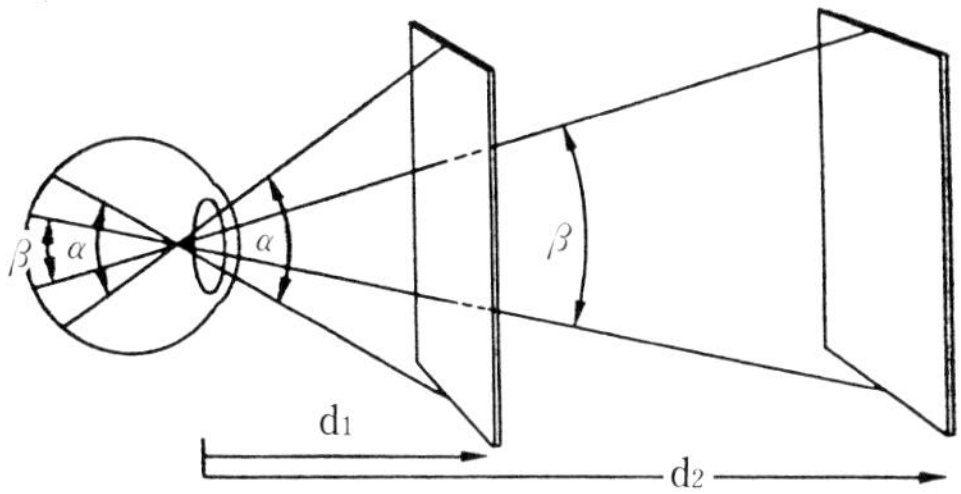

図1　観察距離と視角の関係

同一対象であっても、観察距離が変化すると網膜像の大きさ（視角）は変化する。対象が2倍の距離に移動すると視角は1/2に減少する。

大きさの恒常性に関しての古典的実験の一つに、ホールウェーとボーリング（Hol-way & Boring. 1941⑬）の実験がある。標準刺激を様々な距離に置く。その際、標準刺激の視角が一定になるようにその大きさを距

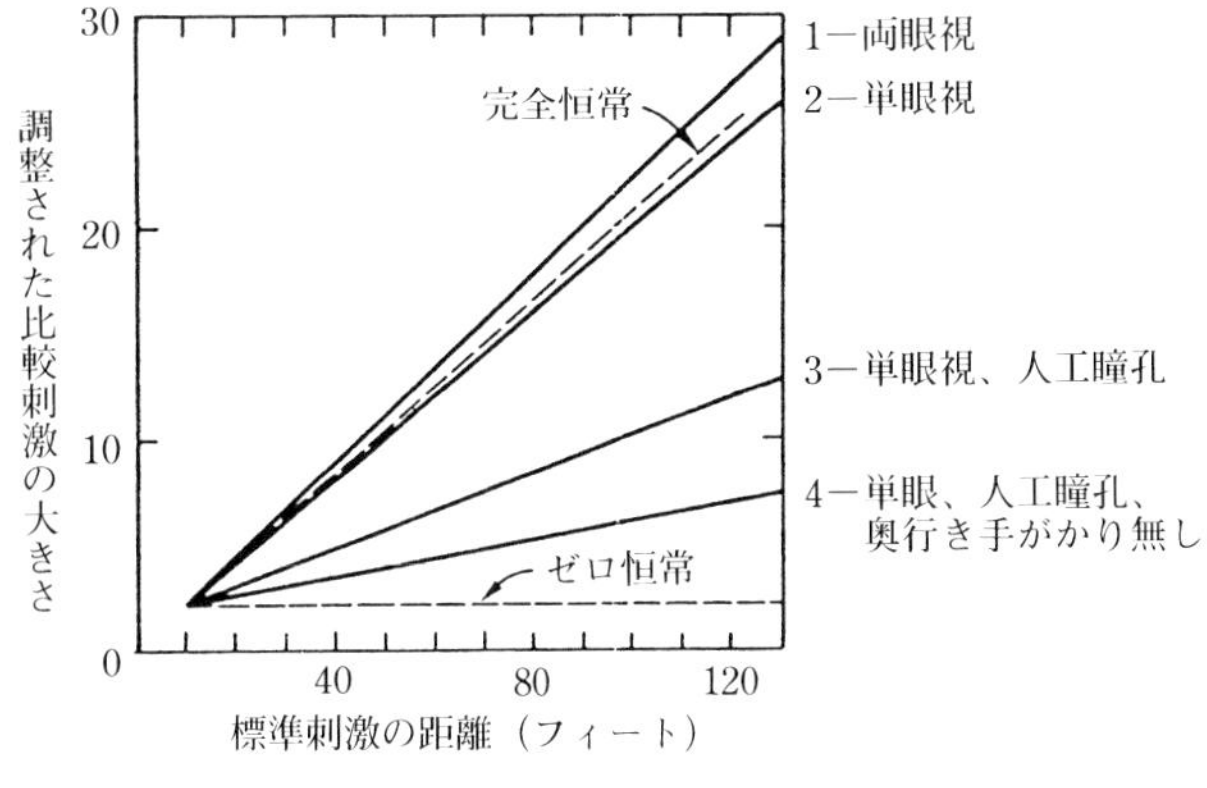

図2　大きさ恒常の実験結果（Holway & Boring.1941　文献⑬）

恒常の程度は奥行き情報の量によって変化している。

離に応じて遠いときは小さく近づいたら大きく変化させる。観察者から一〇フィートの距離に提示される比較刺激は、大きさを観察者が調整できるようになっている。様々な距離に置かれた標準刺激と等しい大きさに見えるときの比較刺激の大きさを求めたものが図2である。大きさの恒常性がまったく無ければ、つまり見えの大きさが網膜像に完全に依存するならば、標準刺激の視角は一定で変化しないのだから図2の水平破線のようにグラフの傾きは0になる。大きさの恒常性が完全なら、つまり網膜像とは無関係に対象の物理的大きさに依存するならば図中の斜めの破線のようにグラフの傾きは1となる。観察条件によって、恒常の程度が異なっているのがわかる。奥行き手がかりが豊富にある条件ほど、恒常の程度が高くなる。

　このような恒常性は、大きさだけでなく形、明るさ、色の知覚などにも見られる。

　丸い皿も、目に対して傾きを変えるといろいろな楕円形として網膜上に映っているはずであるが、ちゃんと丸く見えている。本、机なども、網膜上では台形に投影されているが、我々は長方形として知覚している。対象の位置や傾きなどによって網膜像の形が異なっていても、真正面から見たときの形に近づいて見えることを形の恒常性という。

　明るい日向でも暗い日陰でも白い紙は白いと感じ、真っ黒の紙は日向でも日陰でも黒いと感じる。実際に光の反射量を測定してみると、日陰の白い紙よりも日向にある黒い紙の方が、より多くの光を反射していて物理的には明るいはずなのに、そうは見えず相変わらず白い紙は白く黒い紙は黒く知覚される。このような傾向を、明るさの恒常性という。

　色の恒常性とは、青みがかった照明下でも黄色っぽい照明下でも、白い紙は白く赤いリンゴは赤く知覚される傾向をいう。

　この恒常性の程度を表す指標として、恒常度指数がある。二つの刺激対象（標準刺激と比較刺激）を異なる条件（たとえば異なる距離、異なる照明、異なる傾きなど）で提示し、両方の刺激が主観的に等しいと感じられる条件（大きさ、明るさ、形など）を求める二刺激比較法によって求められる。代表的なものにザウレスの「Z指数：$Z=(\log S-\log P)/(\log W-\log P)$」と、ブルンズウィックの「R指数：$R=(S-P)/(W-P)\times 100$」がある。それぞれの式で、Sは標準刺激と等しく見えると判断された比較刺激の物理的特性で、Wは標準刺激の物理的特性、Pは標準刺激と等しい近刺激をもたらす比較刺激の物理的特性である。ザウレスのZ指数は0から1までの値を、ブルンズウィックのR指数は0から100までの値をとる。完全恒常の時にはZは1、Rは100を、全く恒常性がないときにはZもRも0の値をとる。一般に、距離、方向、照明などの知覚的手がかりが豊富で明確なほど、恒常性は高くなる。

　こういった知覚の恒常性によって、われわれは安定した知覚世界をもち、事物の同一性の認知を行っている。　（藤井輝男）

キーワード　遠刺激／近刺激／恒常度指数

〔文　献〕⑫⑬㊼

空間《くうかん》（奥《おく》行《ゆ》き）知覚《ちかく》

奥行き知覚には、絶対的奥行き知覚（観察者から対象までの距離を知覚すること）と、相対的奥行き知覚（対象間の距離を知覚すること）とがある。この奥行き知覚が成立するための手がかりは、網膜像的手がかりと網膜像以外の手がかりとに大別される。

網膜像以外の手がかりには、調節（accommodation）、輻輳（convergence）、両眼視差（binocular parallax）、運動視差（motin parallax）があげられる。

調節とは、毛様体筋の緊張・弛緩によって眼球のレンズ（水晶体）の厚みを変えることで焦点距離を調節し、網膜上に明瞭な像を結ぶようにする働きのことである。このレンズの調節状態、つまり毛様体筋の状態から対象までの距離を知ることができる。ただし、調節の手がかりのみの場合、対象までの距離が約二m程度までしか有効ではないといわれている。

われわれが一つの対象を見つめるとき、視線が対象上で交差するように左右の目はそれぞれ鼻側に回転する。このような眼球の回転運動による変化を輻輳といい、視線のなす角度を輻輳角という。輻輳角は対象までの距離に応じて変化し、遠いと輻輳角は小さく、近いと大きくなる。

われわれの両眼は、左右に平均して約六cm程度離れている。そのために、右眼左眼それぞれに映る網膜像にはズレ（両眼非対応：binocular disparity）が生じる。このことを両眼視差という。両眼非対応の程度は、輻輳角と同様に凝視している対象までの距離の二乗に反比例して小さくなる。つまり、遠くの対象では両眼非対応は小さく、対象が近くになると大きくなる。眼帯をかけたときに距離感がうまくつかめず階段を踏み損ねたり物をつかみ損ねたりするのは、この両眼視差の情報が欠けているからである。

観察者が対象を注視しながら移動したり頭を左右に動かしている場合（図1）や、二つの対象が同じ方向へ同じ速さで動く場合（図2）、時間的に網膜像のズレが生じる。このようなズレを、運動視差（motion parallax）という。この運動視差は、両眼視差と違い時間的網膜像のズレであるから、単眼視状態でも両眼視状態でも奥行き手がかりとして有効である。

網膜像的手がかりには重なり（overlapping）、肌理《きめ》の勾配（texture gradient）、陰影（light and shade）、大きさ（perceived size）、線遠近法（linear perspective）、大気遠近法（aerial perspective）などがあげられる。

ある対象を別な対象が覆い隠している場合、隠している方が観察者により近くにあり、隠されている方がより遠くにあるということがわかる。これは重なりの手がかりとよばれる。

同じ大きさの石ころが一面にころがっている河原を見ているとすると、網膜上に映る石ころの大きさは遠くなるに従ってどんどん小さくなっていく。同じように、道路や体育館の床などのそれぞれの面で近くに見えるところは肌理が粗く、遠くに見えるところは肌理が細かく見える（図3）。ギブソン（Gibson, J.J）は、視空間内の面は肌理を持ち、その肌理は面の傾きなどに応じて網膜上で密度の勾配をつくるとした。そして、この肌理の勾配が奥行き知覚の手がかりになるとした。

肌理の勾配に類似した手がかりとして、大気遠近法や線遠近法があげられる。大気中の

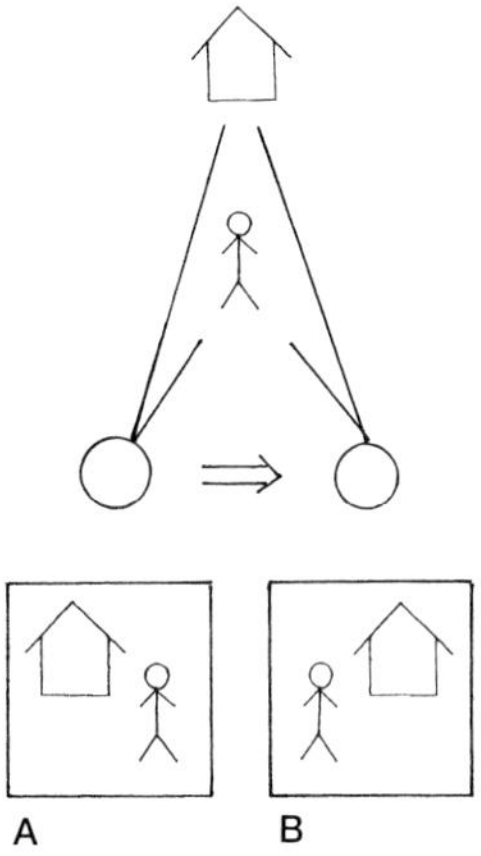

図 1　自分が移動することで網膜像内の位置関係が変化する。

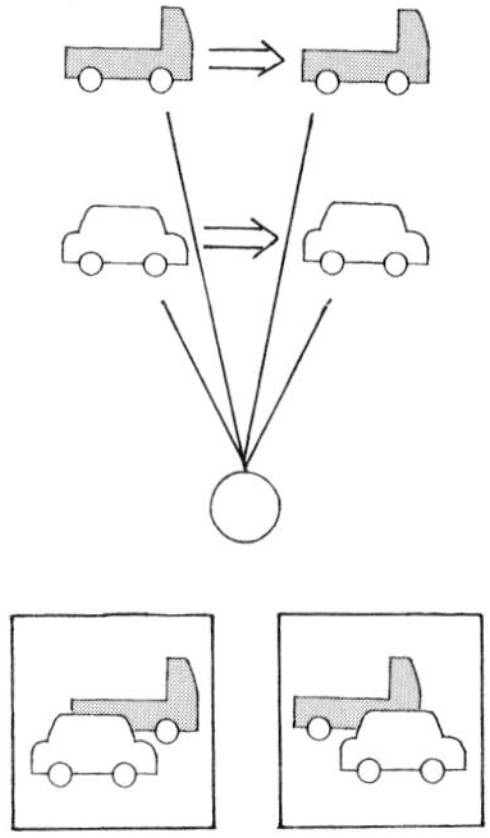

図 2　対象が動いても網膜像内の位置関係は変化する。

チリや水蒸気によって、遠くになるにつれて徐々に霞んで見え、色も近くの山は緑色に見えるが遠くの山は青みがかった色へと変化していく。また、対象の輪郭もぼやけてくる。これを大気遠近法的手がかりという。一方、鉄道の線路、街並みや道路といった遠方へのびる直線は、網膜上では一点に収束していく。このような、線遠近法的情報も奥行きを知覚する際に有効な手がかりとなる。

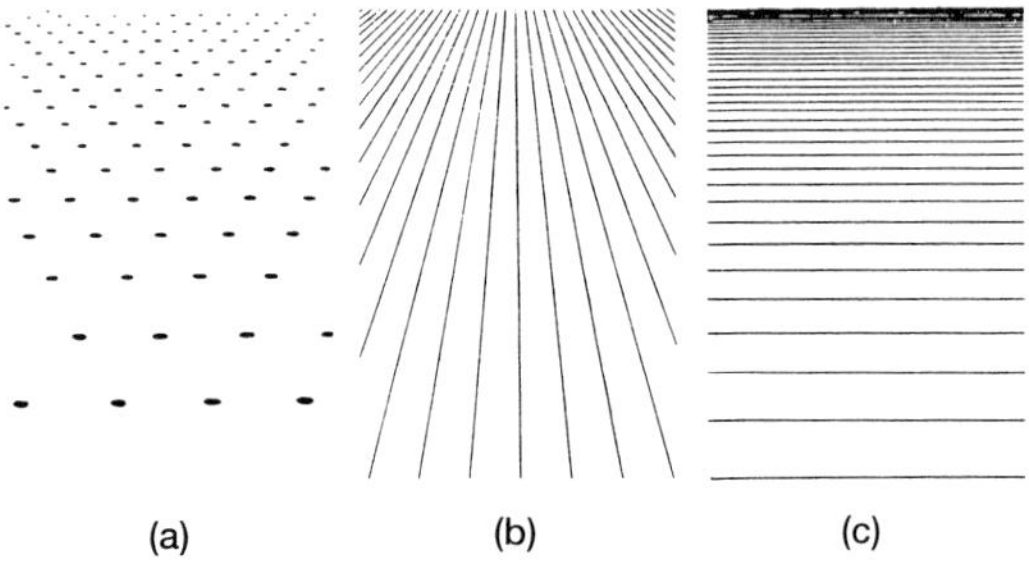

図 3　肌理の勾配

図4に示したように、陰影がつくことで二次元平面上に描かれた対象も立体的に見える。対象の下の方に陰影がある場合凸状に見え、上の方に陰影がある場合は凹状に見える。このような手がかりを、陰影の手がかりという。

身長がほぼ同じ友人が異なる距離に立っている場合、二人の見えの大きさでどちらがより遠くに立っているかを知ることができる。同じ大きさの対象であれば、より遠くにある方が網膜像は小さくなる。このような二つの対象がどちらが遠いか近いかといった相対的な距離（奥行き）の知覚には、相対的大きさの違い、つまり見えの大きさの手がかりが有効となる。

（藤井輝男）

キーワード　両眼視差／運動視差／肌理の勾配

〔文　献〕㉕㉜

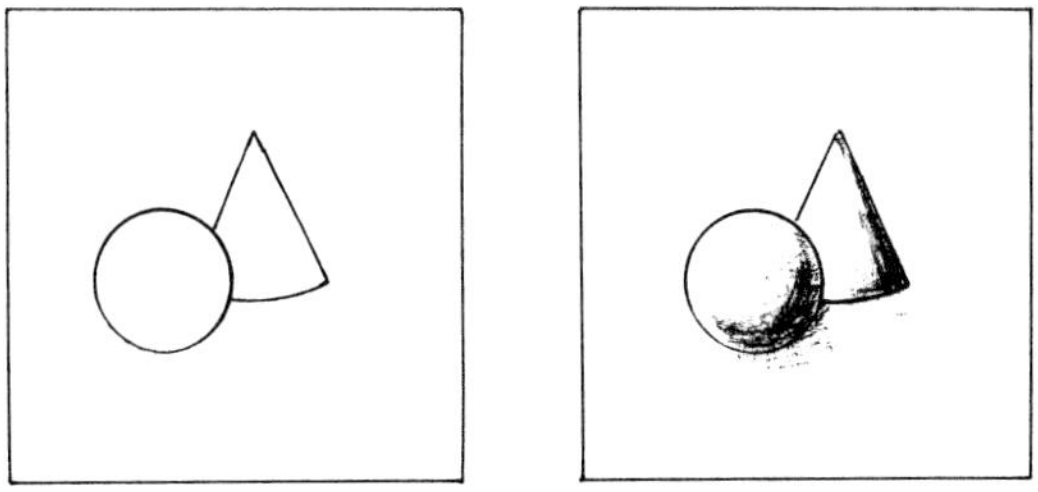

図 4　陰影の効果。陰影がつくことでより立体的に見える。

運《うん》動《どう》の知《ち》覚《かく》

運動の知覚は、対象が実際に動いている場合だけでなく、対象自体に動きがない場合でも、見ている世界にまったく動きがない場合にでも生じることがある。その生じ方に応じて、実際運動、誘導運動、自動運動、仮現運動、運動残効などに大別される。

実際運動：実際に動いている対象が存在しているときに生じる運動知覚を実際運動という。ただし、対象の動きがあまりに遅すぎると運動の知覚は生じない（たとえば、時計の長針や短針の動き）。これ以上遅いと運動の知覚が生じない速さを運動刺激閾と呼ぶが、約秒速一～二秒（視角）である。逆に、速度が速すぎても運動の知覚は生じない（たとえば高速で回転する円盤など）。運動刺激頂は、約秒速三〇度（視角）でこれ以上の速さになると運動印象はなくなる。

誘導運動：対象そのものの動きがないにも関わらず、それを取り囲む対象が運動することにより、静止しているはずの対象が動いて見えることを誘導運動という。たとえば、月にかかっている雲が流れていくと、月が動いているように見えたりする。これは対象間の誘導運動とも呼ばれる。また、自分の乗っている車は止まっているのに、両側の車が動くと自分の車が逆方向に動いているように感じたりすることがある。周りの状況によって自分が動き出して見えるこのような現象は、自体と対象間の誘導運動とも呼ばれる。

自動運動：暗闇の中で静止している光点を見つめていると、やがてその光点がいろいろな方向に動いているように見える。これを自動運動という。運動しているか静止しているかの判断をする手がかりが暗闇で少ないことや、眼球運動などが自動運動の成立に関与していると考えられている。

仮現運動：たとえば、二つの静止した光点を適当な時間間隔で継時的に提示すると、二つの光点の点滅ではなく、一つの光点のなめらかな運動印象が生じる。このような現象を仮現運動（ベータ運動とか驚き盤運動とも呼ばれる）という。一コマ一コマは静止画であるが連続して見るとスムーズな動きに見える映画や踏切の警報機の赤いランプの動きなどは、仮現運動の典型例である。最適条件で観察すると実際の運動とほぼ区別がつかないくらいの運動印象が生じる（ファイ現象と呼ばれる）。仮現運動は、光点の代わりに触刺激や音刺激を使うと触覚や聴覚でも観察される。

運動残効：一定方向への運動を一定時間凝視し続けた後に、静止対象に目を向けると、静止対象が逆方向に移動して見える現象を運動残効という。日常例として、滝の流れをしばらく見つめ続けた後に、周りの静止した風景に目を移すと、風景が上に動いて見えるという滝の錯覚（waterfall illusion）がよく知られている。

（藤井輝男）

キーワード 仮現運動／誘導運動／運動残効

〔文　献〕 ㉕㉜㊼

パターン認《にん》識《しき》

パターンとは、点や線、音声などの要素が、何らかの規則性をもって配置されることによって生じる形状、あるいはそれらの秩序を指すことが多い。私たちは日常生活において頻繁に、顔や声、文字や生活用品などの複雑なパターンを分析し、それが誰であるか、何であるかを同定している。このような働きをパターン認識という。

パターン認識は心理学的に大変興味深い機能であり、その内的過程を明らかにする研究が盛んに行われている。またこの機能は、郵送物の宛名を機械に読みとらせたり、機械の操作を音声で指示するなどの応用的側面が大きい。私たちにとって簡単な課題でも、同じことを機械にやらせるのは難しい。パターン認識は一般に、複雑な計算を速やかに行う演算回路と大量の記憶装置を必要とする。現在、パターン認識に関する具体的なモデルがいくつも提案されており、その多くは脳内の情報処理を推測する神経回路モデルである。

パターン認識のモデルは、基本的に鋳型照合モデルと特徴分析モデルに分けることができる。鋳型照合モデルとは、システムがあらかじめパターンのテーンプレート（鋳型）を記憶しておき、入力パターンと鋳型を照合する方法である。この方法は、あらかじめ特定の刺激しか現れない場合は特に有効である。しかし、日常的に私たちが接する刺激は、観察される距離や角度によって形状が変化するし、手書きの文字は様々な形をしている。これら全ての鋳型を記憶しておくには、膨大な記憶容量が必要となる。また図1に示すように、形をゆがめたAとRの鋳型は非常に似ている。鋳型モデルはこれらを同じ物と判断する可能性が高いが、人間がそのようなエラーを犯す可能性は低い。以上のような理由から、鋳型照合モデルは人間には当てはまらないと考えられている（スペアーとレムクール、Spoehr, K. T., Lehmkuhle, S. W.）。

図1　鋳型照合モデルの問題点
ゆがんだAはRと誤認されやすい？
（スペアー、レムクール　文献㊷より）

鋳型照合モデルの欠点を解消するために、プロトタイプモデルが考案された。このモデルは刺激をスキーマに基づいて分類する。スキーマは刺激の特徴を記述する規則の集合である。たとえば、Aのスキーマは、一端で交わっている二本の線分とそれを結ぶ線、というように記述される。また、Rのスキーマは、半円が一本の線の上部とつながり、もう一本の線がその半円から下方につきだしている、という具合である。従って、RとAが混同されることはない。プロトタイプは、記憶容量を節約するが、実際にどのようなメカニズムで内的に表現されているか不明であり、生理学的な知見との対応付けも難しい。

一方、特徴分析モデルは、入力パターンが持つ特徴を分析し、特徴を計数することで認識する方法である。その一つがセルフリッジ（Selfridge, O. G.）のパンデモニアムモデルである。このモデルは四段階の処理を仮定している（図2）。各段階の機能をデーモンといい、イメージデーモン、特徴デーモン、認知デーモン、決定デーモンがいる。イメージ

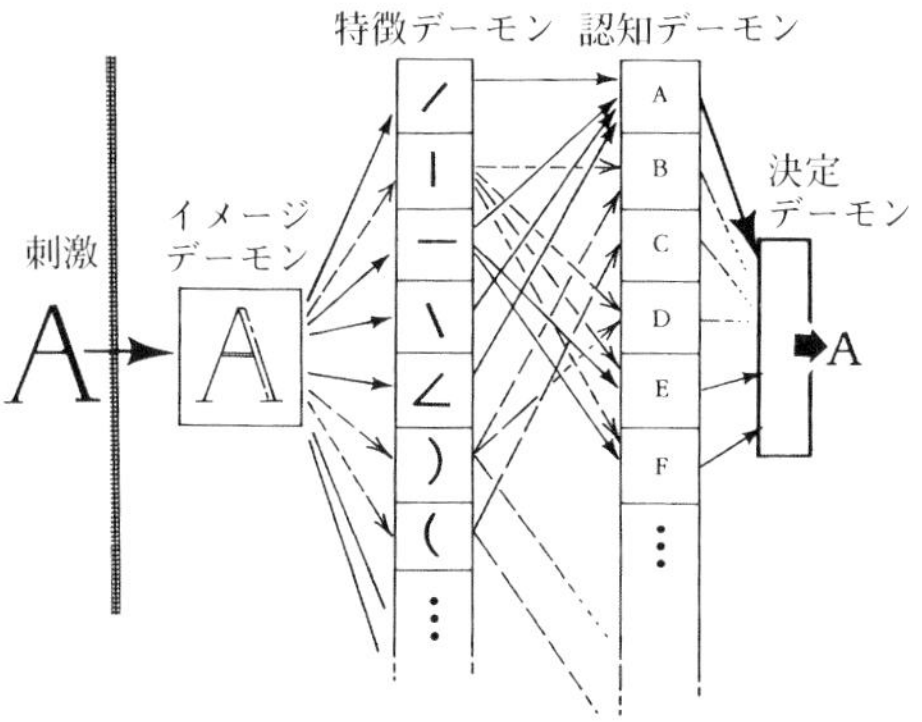

図2　セルフリッジのパンデモニアムモデルの図式
（クラッキー　文献㉑より）

デーモンは、網膜に投影された光を神経信号に変換し、信号を網膜から大脳皮質へと伝達している。特徴デーモンは、その表象に含まれる刺激特性を検索する。特徴には、垂直線分、水平線分、斜め線分、曲線、直角などがあり、それぞれの特徴を検出するデーモンがいる。認知デーモンは特徴デーモンが報告した特徴を計数し、分類する。Aの場合、斜め線分が二本、水平線分が一本という具合に特徴を分析し、登録する。最後に決定デーモンは、認知デーモンの活動を分析して、どれが一番活動的であるかを決定している。

　現在は、このような特徴分析モデルが広く支持されている。なぜなら、大脳では特徴分析に基づく段階的な処理が実際に行われているためである。大脳の第一次視覚皮質には、特定の線分の傾きや空間周波数に選択的に発火する細胞があり、その働きは特徴デーモンに似ている。また下側頭領域には、特定の刺激に選択的に反応する細胞があり、これは認知デーモンや決定デーモンの働きに近いと思われる。

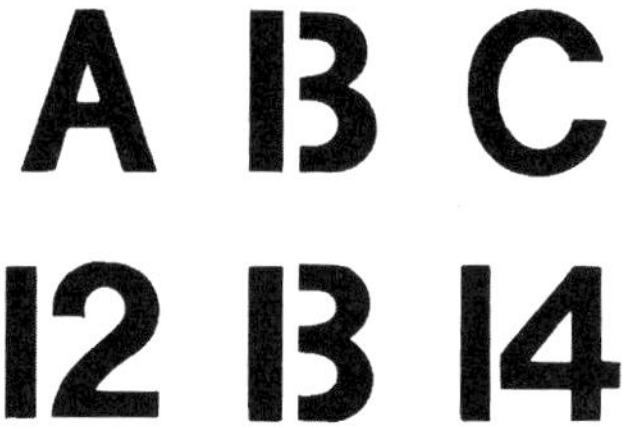

図3　パターン認識における
トップダウン処理の影響
（ゴルドシュタイン　文献⑨より）

　ただし、特徴を計数するだけでは認識できない問題もある。例えば、TとLはどちらも水平線と垂直線という特徴を持っている。そのため特徴の数だけでなく、「二等分」、「交え」といった、特徴の結合関係を同時に保持しておく構造記述モデルが必要である。

　パンデモニアムモデルは、入力されたデータの分析を順番に積み重ねることで解が求まるボトムアップ処理（データ駆動型処理）である。しかし、人間のパターン認識では、知識や予期といったトップダウン処理（概念駆動型処理）の影響を受ける。図3の中列の図形は上下とも同じ形であるが、上の配列の中だとBと認識されやすいが、下の配列の中では13として認識されやすい。ナイサー(Neisser, U.)は、トップダウン処理とボトムアップ処理が知覚循環という過程の中で交互に現れると述べた。つまり、特徴分析→スキーマの喚起→予測的探索→特徴抽出→スキーマの修正→……という一連のサイクルとしてパターン認識を捉えている。

（関根道昭）

キーワード　プロトタイプ／スキーマ／パンデモニアム／構造記述／知覚循環／鋳型照合モデル／特徴分析モデル

〔文献〕　⑨㉑㉗㊲㊷

選択的注意《せんたくてきちゅうい》・ストループ効果《こうか》

私たちは多くの情報の中から、いくつかの特定の情報のみを選択している。大勢の人が会話を交わす喧噪の中から、目的の相手の話を聞き分け、他を無視することをカクテルパーティ問題というが、これは選択的注意を代表する働きである。

チェリー（Cherry, E. C.）は追唱実験により選択的注意を組織的に研究した。二つの異なるメッセージを聞いて、聞こえた方をできるだけ早く大声で復唱する実験が行われた。これは、片方を選択的に注意して、もう一方を無視する状況である。片方ずつの耳に異なるメッセージが提示された場合、片方のメッセージをほぼ完全に追唱できた。しかし、注意していない方の耳からは単純な情報しか受け取ることができなかった。たとえば被験者は、音声が途中から単音に変化したり、話者が男性から女性に代わったことには気づいたが、英語からドイツ語に変わったことや、テープが逆に再生されたことには気づかなかった。これらの結果を受けて、ブロードベント（Broadbent, D. E.）は、多くの情報が一度に受容器に到達したとき、注意選択装置の一つがチャンネルを選択し、そのチャンネルを通してのみ情報が伝達されると考えた。これを初期選択説（フィルターモデル）という。

その後、このモデルでは説明できない現象が発見された。たとえば、無視している方の耳に自分の名前が提示された際に、被験者は高い確率で聞き取ることができた。また、一つの文章が一方の耳から他方の耳へと切り替えながら提示された場合、被験者は文のつながりを追唱することができた。そのため、注意を向けていないチャンネルの情報もある程度分析されていることになる。これらの事実からトリーズマン（Treisman, A. M.）は、多くの情報はたくさんのチャンネルを通過するが、注意を向けたチャンネル以外の入力は弱められるという減衰説を提唱した。

選択的注意は聴覚だけでなく、視覚的な処理についても研究されている。たとえば、言葉の意味とは異なる色のついた色名単語の色を呼称する際に（たとえば青色のインクで書かれた赤という文字に対して、アオと命名する）、単なるパッチの色名を呼称するよりも反応が遅くなる。これをストループ効果という（嶋田）。この効果は、インクの色を分析するチャンネルと、文字の意味を分析するチャンネルが独立して自動的に働いており、しかも、それぞれのチャンネルの分析結果が、反応や決定などの後の方の処理まで影響を及ぼすことを意味する。そのため、入力情報は意味レベルまでは注意による選択を受けず、決定や反応を行う段階で情報の選択がなされるとする後期選択説が提案された。

ナイサー（Neisser, U.）はフィルターが情報を選択するのではなく、まず刺激全体が素早く並列的に処理され、情報が粗くまとめ上げられ（前注意過程）、その後、特定の情報に注意が焦点化され、深く分析されるというモデルを提唱した。この二段階モデルは、現在の注意研究に大きい影響を与えている。

（関根道昭）

キーワード フィルターモデル／後期選択説／前注意過程／焦点的注意

〔文　献〕③④㉗㊵㊽

失認《しつにん》・失読《しつどく》症《しょう》

失認は、眼や耳などの感覚器官が正常でも、大脳の一部が事故や病気で破壊された場合、希に現れる対象認知の障害である。

視覚失認の患者は、見ている対象が何であるかが分かるだけの十分な視力を持ち、知能や精神状態、言語能力に問題がないのに、見ている物が何かが分からない。視覚失認は統覚型と連合型に区別できる。統覚型視覚失認の患者は、一つひとつの物品の形を区別できず、物品の絵を模写できない。対象の部分的な特徴をとらえることはできても、全体像をとらえることができない。例えば、患者がキリンを見たとき、長い首、足が四本という具合に特徴を順番に調べてゆくが、キリンという結論はなかなか得られない。一方、連合型視覚失認の患者は、対象の形をよく知覚しているが、見えている形の意味を説明できない。ある物品の形が長方形だと分かっても、それが本か箱か盆かが分からない。

視覚失認は他の視覚障害をともなうことが多い。地誌的失認症は身近な場所の道順が分からなくなる。これは、道しるべ（ポスト、建物など）を認知できないことに関係している。相貌失認症では顔の認知ができず、親しい人でも声を聞くまでは分からない。失読症は文字を読めなくなる。相貌失認や失読症の患者は、顔や文字の構成要素を全体として統合し、内容を認識する過程に障害があると考えられる（ハンフリーズとリドック、〔Humphreys, G. W., & Riddoch, M. J.〕）。

また、聴覚失認は、聴覚検査では異常がないにもかかわらず、聴覚認知に障害がある状態である。文章の読み書きや発話はできるが、口頭言語の理解、復唱、書取が選択的に障害される症状を純粋語聾という。この患者は日常会話が外国語のように聞こえ、早口で何を言っているか理解できないと訴える。また環境音失認では、車のエンジン音、時計の音、電話のベル音、流水音などが認知できなくなる。

失音楽症では、音楽に関する能力が選択的に障害される。失音楽は運動性と感覚性に大別される。運動性失音楽症は、口笛を吹いたり、ハミングをする能力が障害されるが、受容の能力は保たれる。楽器を演奏できなくなる演奏性失音楽、楽譜が書けなくなる楽譜失書も希に存在する。感覚性の失音楽症として、メロディやリズムがそれぞれ聞き取れなくなる、メロディ失認、リズム失認が確認されている（栗栖）。

失認は、知覚認知機能のモジュール性を裏付けている。モジュールは、特殊な機能を分担する独立した下位システムであり、それぞれ大脳皮質に局在している。失認とは、これらのモジュールが選択的に破壊された状態である。たとえば、両側の下部後頭葉が損傷されると色彩失認が生じ、全ての物が灰色に見えるが、運動や奥行きの知覚は正常に保たれる。これは色覚を司る部位が、運動と奥行きのモジュールから独立し、離れているためである。メロディ失認やリズム失認は、音楽聴取においてメロディとリズムは独立したモジュールで処理された後、統合されることを示唆している。

（関根道昭）

キーワード　視覚失認／聴覚失認／モジュール性

〔文献〕⑭㉓

感覚記憶《かんかくきおく》・短期記憶《たんききおく》・長期記憶《ちょうききおく》

記憶は、条件づけによって形成された連合であると考える立場と、われわれが行いうる能動的な活動であり、一連の情報処理過程ととらえる見方がある。前者の立場では、記銘、保持、想起という三段階を想定するが、後者の立場ではこれが符号化、貯蔵、検索という名称になる。近年は情報処理理論を組み入れた後者の立場が、記憶研究の主流となっている。符号化とは、記憶すべき情報の物理的特徴を抽出して分類したり、リハーサルや体制化を行って記憶として残りやすくすることまでを含んでおり、単純な記銘とは異なる。一方、思い出すことができなかった場合、貯えられていた連合が消失したというよりも、適切な手がかりが欠如していたことが原因である場合が指摘されるに至り、どのように思い出すかを念頭においた検索という概念が用いられるようになったのである。

記憶は、情報が脳の中に貯えられることが前提となる。この貯えられている時間的長さの相違をもとに、感覚記憶、短期記憶、長期記憶の三つに分けることができる。感覚記憶とは、入力された情報がそのままの形で数秒間だけ保持されているもので、視覚的な情報はアイコニック・メモリーとして、聴覚的な情報はエコイック・メモリーとしてそれぞれの感覚モダリティに応じた感覚登録器に貯えられる。音は音として、情景は情景として記憶されるが、すぐに衰退してしまう。アイコニック・メモリーは約五〇〇ミリ秒、エコイック・メモリーは約五秒しか保持できないという実験結果がある。

ところが、たとえ瞬間的に消えてしまうような情報であっても、興味を引くようなものであれば、われわれはそれに注意を向ける。こうして注意を向けられたほんの一部の情報だけが短期貯蔵庫に入ることができ、それが短期記憶となる。ただし、この短期貯蔵庫も容量が限られており、一五～三〇秒ほどで内容は消えてしまう。注意を向けた情報を半永久的に残し続けるには、それを長期貯蔵庫に転送し、長期記憶に変換しておかなければならない。そのためには、リハーサルのような処理が必要となる。

このように、短期貯蔵庫と長期貯蔵庫という処理過程をもとに記憶をとらえようとするのが、図1に示したアトキンソン（Atkinson,R.C.①）とシフリン（Shiffrin,R.M.）の記憶の二重貯蔵モデル（一九七一）である。このような大きく分けて二段階からなる貯蔵システムがあるからこそ、われわれはそのつど必要なことがらを膨大な量の情報の中から自ら選択して、記憶し、日常の活動に活かすことが可能になるといえる。

一方、クレイク（Craik,F.I.M.）とロックハート（Lockhart,R.S.⑤）は、処理水準モデル（一九七二）を提唱している。彼らは、二つの貯蔵庫を想定しなくても処理水準という概念で記憶というものを理解することができ、処理の深さで記憶の強さが決まると考えている。たとえば、リハーサルにも浅い水準の一次（維持）リハーサルと深い水準の二次

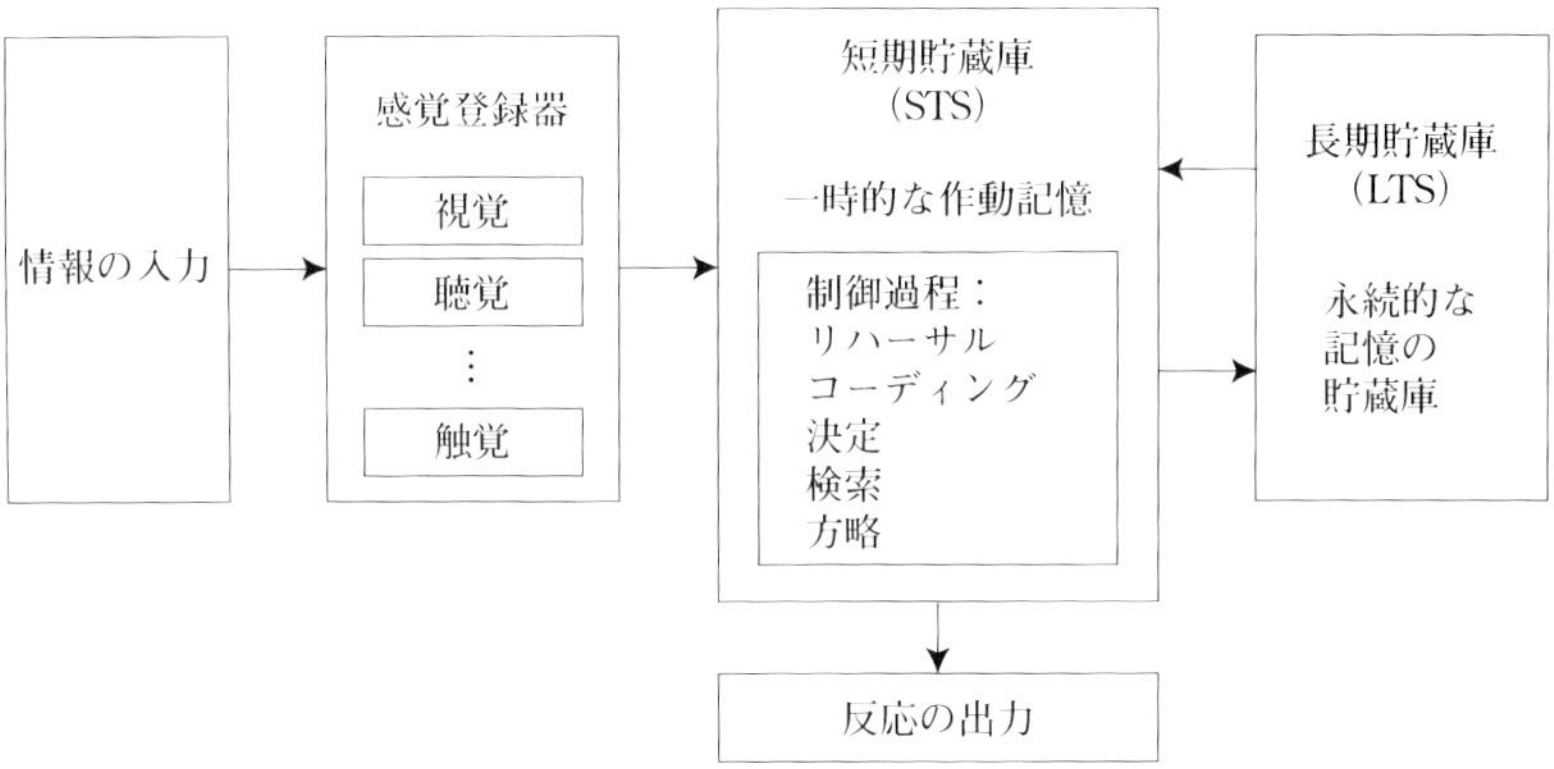

図１　記憶の二重貯蔵モデル（Atkinson & Shiffrin, 1971　文献①）

（精緻化）リハーサルがあり、一次リハーサルでは一時的に記憶を残すだけにとどまっており、深い水準の二次リハーサルを行って初めて記憶は強固になる。また、提示された情報をどのような観点で処理するかも重要な要素で、文字の大きさや色といった形態よりも、音韻や文章中での使われ方といった深い処理のほうがよく思い出すことができることが明らかになっている。

記憶を強固にする方略の一つに体制化がある。関連する情報を整理して覚える方法で、体制化によって情報を体系づけることができれば、覚えやすくなる。そして符号化が促進されてより多く覚えられるばかりでなく、ある情報を思い出すと体系づけられた他の情報も思い出しやすくなる。言い換えれば、検索も向上するといえる。たとえば、ランダムな順序で提示された多数の情報を、同じカテゴリーに属するものどうしでまとめてリハーサルしたり、あらかじめ出てくるカテゴリーを伝えておくと記憶の成績が高くなるのは、この体制化の一つである群化の働きなのである。

さらに、自己と関連づける方法がある。自己言及効果として知られる現象で、前述した形態や意味判断をもとにした処理よりも、記憶すべき情報が自分に当てはまるか、自分にとって有意義なものかを考えた情報のほうが再生されやすい。たとえば、自分が重要視する次元から自己を振り返ったとき、自分はどれほどの意味をなすかといったセルフ・スキーマを明確に持っている場合、そのスキーマに関連した情報は迅速に処理され、符号化されるため、より強固な記憶となるのである。

符号化したときと検索するときの文脈が同じほうが再生率は向上する。しかも、外的な文脈のみならず気分や生理的な状態といった内的な文脈も、再生を左右する要因となる。このような記憶の文脈効果は、記憶が日常生活と密接に関連していることを示している。

（古川　聡）

キーワード　二重貯蔵モデル／処理水準モデル／リハーサル

〔文　献〕①⑤㉚

顕在《けんざい》記《き》憶《おく》と潜在《せんざい》記《き》憶《おく》

ひとくちに長期記憶と言っても、その内容は多岐にわたる。図1に示すように、宣言的記憶と手続き的記憶に分けることもできる。宣言的記憶は、言葉やイメージで表現できるもので、タルヴィング（Tulving,E.）は、これを具体的に、「いつ」「どこで」という質問に答えられるような個人的な経験に関するエピソード記憶と、教科書や辞書に書いてあるような知識や言葉の使用に必要な意味記憶という二種類からなると主張した。もちろん、教科書に書いてあることを学んだ時点では、何曜日の何時間目に先生から学んだはずで、記憶した当初は日時が明らかな体験としてのエピソード記憶であった。しかし、それが長い時間をかけて普遍的な知識として残る中で、意味記憶に変化したと考えることができる。

このような宣言的記憶に対するものが手続き的記憶であり、必ずしも言葉で他者に伝えることができるとは限らない記憶である。具体的には、「l」と「r」の発音の聞き分け、効率よく記憶するための術、自動車の運転方法、さらには結婚式や葬儀の執り行われかたなどが該当する。明確に意識する必要がない記憶といえよう。

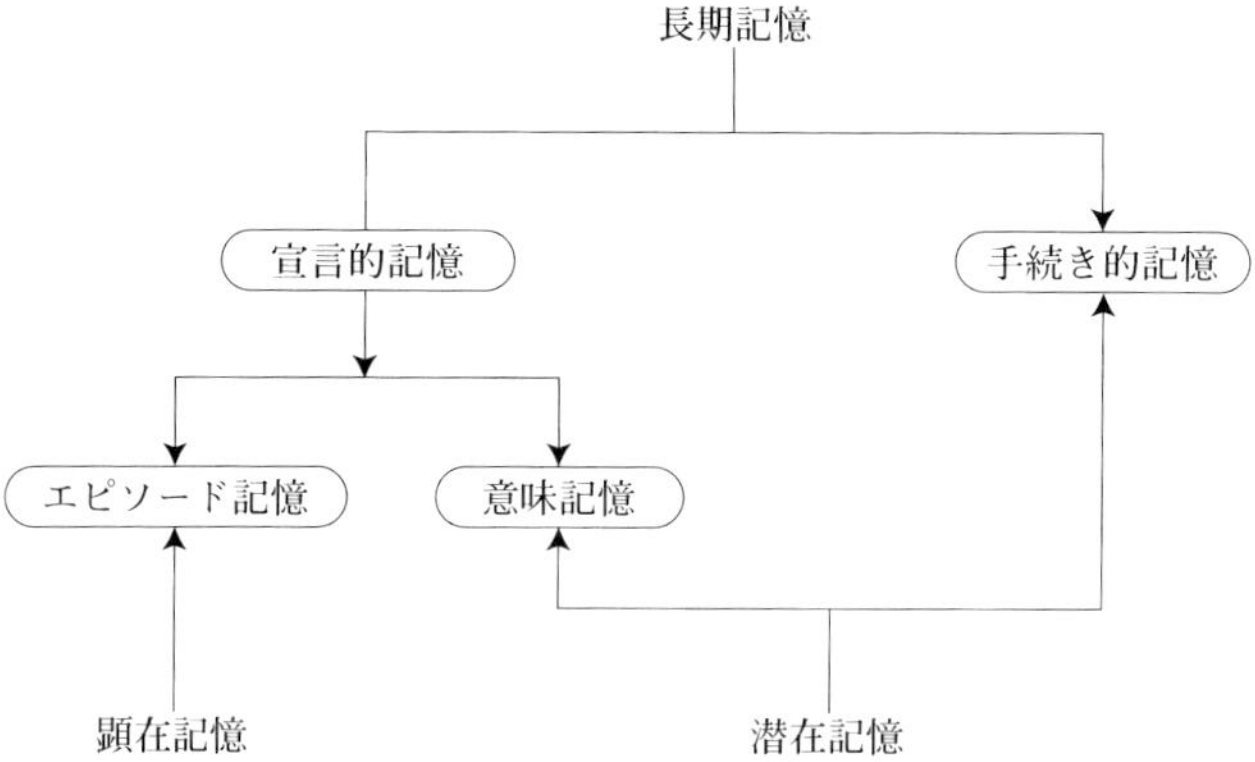

図1　記憶の区分

長期記憶を別の側面から捉えようとするのが、顕在記憶と潜在記憶の区分である。顕在記憶とは、思い出そうとして思い出すことができる記憶で、想起意識のある記憶ともいえる。テストで測定するのは、この顕在記憶である。これに対し潜在記憶とは、自分が体験したことを積極的に思い出そうとした記憶ではなく、われわれのさまざまな行動に影響を及ぼす過去経験の効果をさす。一度聴いた曲なら後日その一部を耳にしても聴いたことがあるとわかるのは、この潜在記憶の働きなのである。前述したタルヴィングの分類と対応させるならば、顕在記憶はエピソード記憶のみで、それ以外は潜在記憶になる。記憶の進化という面でとらえると、手続き的記憶がもっとも早くに発達し、その後に意味記憶やエピソード記憶が発達したと考えられており、潜在記憶は記憶、ひいてはわれわれの行動の基礎をなすものと考えられる。老化にともなって最初に機能が劣るのも、顕在記憶であるエピソード記憶なのである。

なぜ潜在記憶、中でも意味記憶の研究に多くの関心が向けられたかというと、メイヤーとシュベインベルト（Meyer & Schvanevelt, 1971）によって見い出されたプライミング効果がある。これは、意味記憶に関係した情報処理様式あるいは意味記憶の構造を反映する現象と考えられている。たとえば、直接プライミングを扱った実験を考えてみよう。

「た□き□お□」の□に文字を補って単語を作る単語完成課題を行う場合、あらかじめ何かを学んでおかなくても、解答を見つけることはできる。正解は「たんききおく」である。本書を前から順に読んだ読者にとっては、短期記憶について理解を深めたばかりであるため、容易に解答にたどりついたかも知れない。短期記憶の説明を読んだか読まなかったかによって正解までの時間に差があったとすれば、それは過去の経験、つまり直接プライミングの影響と考えられる。要するに、直接プライミングとは、あらかじめプライムと呼ばれる先行刺激を処理しておくと、その後にターゲットという後続刺激の処理が促進される現象で、直接プライミングの効果があるということは潜在記憶がかかわっていることを示す証拠となる。

なお、プライミングには、前述したような直接プライミングのほかに、間接プライミングもある。これは、先行刺激と後続刺激が異なる場合である。先行刺激として「学校」という語を見せておくと、「会社」という語を見せた場合と比べて、「先生」という単語を見せたときにどんな単語であったのかが早くにわかるような場合などである。

プライミングという現象のおもしろさは、その効果が長時間持続することである。小松伸一と太田信夫の実験（Komatsu & Ohta, 1984㉒）でも、少なくとも五週間はプライミング効果が認められており（図2）、先行刺激を処理してから、数週間あるいは数ヵ月後でも促進効果があることから、われわれの日常生活に多大な影響を及ぼしていることが推察される。

（古川　聡）

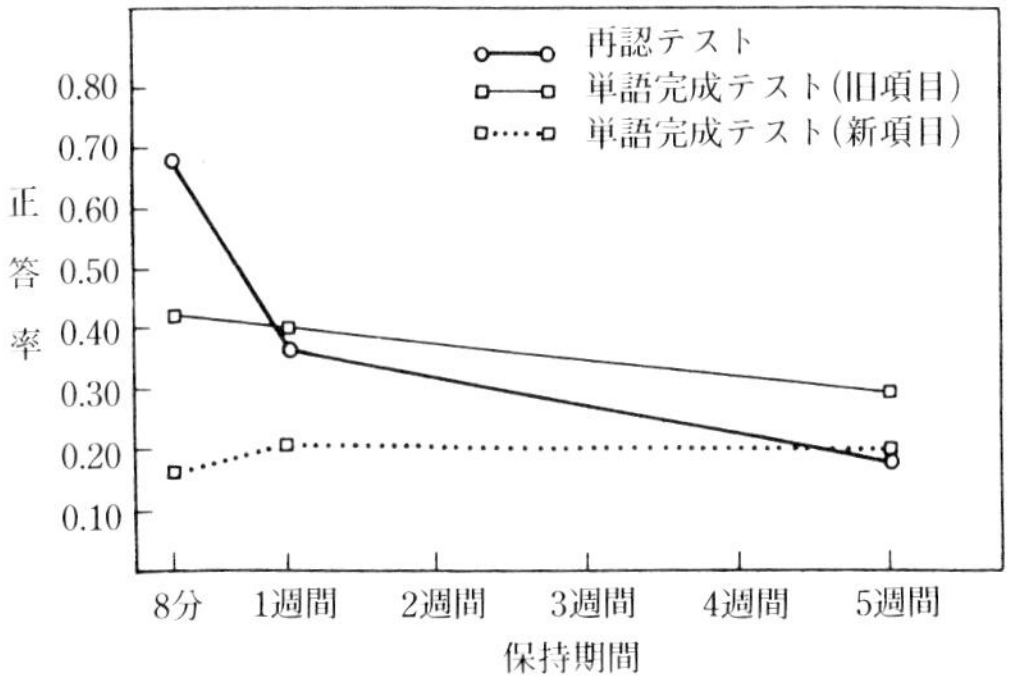

図2　プライミング効果の大きさ

旧項目の正答率から新項目の正答率を引いた値がプライミングの大きさとなる。(Komatsu & Ohta, 1984　文献㉒)

キーワード　エピソード記憶／意味記憶／潜在記憶／プライミング

〔文　献〕　㉒㉖㉚

集中学習《しゅうちゅうがくしゅう》・分散学習《ぶんさんがくしゅう》

一般的な学習は何度も練習を重ねることによって成立するが、練習をを行う際、最初から最後まで休憩を入れずに一気に学習するやり方を集中学習という。これに対して、途中途中で休憩を挟みながら学習するやり方を分散学習という。つまり、この分類は、学習を行う際の時間的な配分に関するものである。

これに対して、一定量の教材の練習スケジュールによる分類もある。教材のすべてをひとまとめにして繰り返し練習する方法を全習法といい、教材をいくつかの部分に区切ってその部分ごとに練習を繰り返す方法を分習法という。例えば、A～Dの教材があるとき、ABCDABCD……と休憩を挟まずに学習していくやり方は全習法による集中学習、AAA→休憩→BBB→休憩→……と練習していくやり方は分習法による分散学習である（図1）。

集中学習と分散学習を比べると、一般的には後者の方がより効果を上げやすい。年齢や性、知能の高さ、または学習の内容などによってその効果の現れ方が異なることを示した研究もある。

分散学習が効果的であることの原因を説明する有力な理論として、ハル（Hull,C.L.）の反応抑制説がある。この説によれば、練習を行う際、興奮過程と抑制過程の両方が形成されるが、休憩を挟むと抑制過程の一つである反応抑制が急速に消失するため、分散学習の効果が現れると考えられる。反応抑制の内容として具体的に考えられているものの一つは疲労である。

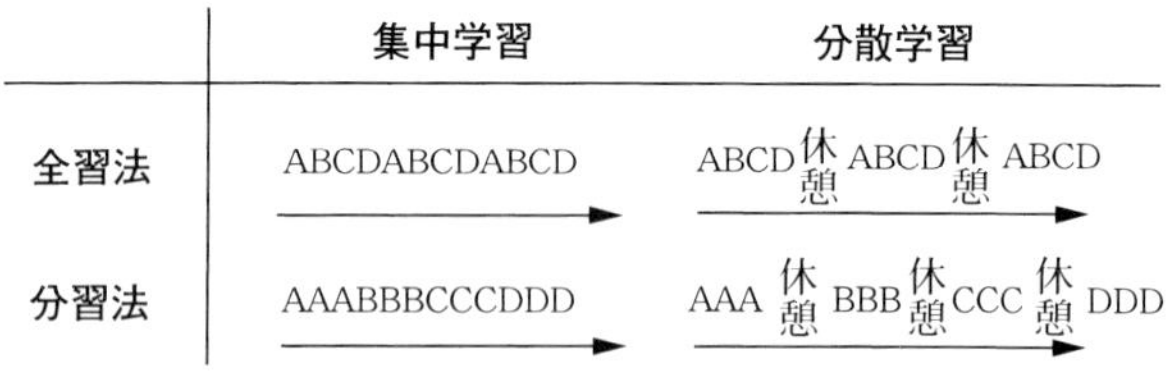

	集中学習	分散学習
全習法	ABCDABCDABCD	ABCD 休憩 ABCD 休憩 ABCD
分習法	AAABBBCCCDDD	AAA 休憩 BBB 休憩 CCC 休憩 DDD

A, B, C, D：それぞれ教材の一部分を表す

図1　集中学習・分散学習と全習法・分習法

反応抑制説はレミニッセンス効果を説明する上でも都合がよい。学習した内容は通常、学習の直後にもっとも保持成績がよいと考えられるが、条件によってはむしろ学習後しばらく時間がたってからの方がよい場合があり、これをレミニッセンス効果という。レミニッセンス効果には無意味綴りの記憶や運動学習の後、数分程度の短い時間で生じるワード・ホブランド現象と、詩のような有意味材料の記憶の後、数日程度の比較的長い時間がたってから起こるバラード・ウィリアム現象がある。レミニッセンス効果も、学習の終了時に反応抑制が急速に回復した結果であると説明することができる。レミニッセンス効果は、分散学習の後よりも集中学習の後に生じやすいことが知られているが、学習時に発生する反応抑制の回復が休憩ごとに起こった場合が分散学習の効果、すべての学習終了後に起こった場合がレミニッセンス効果と考えれば、一つの理論で両方が説明できる。

このほか分散学習の効果を説明する理論としては、分散学習の方が学習項目をより多くの文脈において符号化し、より多くの検索手がかりと連合させるためであると説明する符号化変動仮説などがある。（川崎勝義）

キーワード 反応抑制説／レミニッセンス効果

〔文献〕⑳㊺

系《けい》列《れつ》位《い》置《ち》効《こう》果《か》

記憶項目を系列にしたがって順番に覚え、これを自由再生（どんな項目があったか、思い出せる項目から自由な順番で再生）すると、覚えた順番（系列位置）によって記憶材料の再生率が異なる。これを系列位置効果という。一般には、記憶リストのはじめの方にある項目は再生率が高く（初頭効果）、リストの半ばにある項目は再生率が低い。また、リストの終盤にあり、自由再生テストの直前に覚えたものもよく覚えている（新近性効果）。図1は横軸に系列位置、縦軸に再生率をとって典型的に見られる系列位置効果を模式的に表したものである（図中①）。しかし、記憶材料の提示が終了してから自由再生テストが行われるまでに、数字の逆算などの妨害課題を被験者に与えると、新近性効果が消失してしまうことがよく知られている（図中②）。この場合でも初頭効果は観察される。

この現象は、アトキンソンとシフリン（Atkinson,R.C. & Shiffrin,R.M., 1971①）によって提出された記憶の二重貯蔵庫モデル（図2）にたいへん都合のよい証拠とされている。記憶の二重貯蔵庫モデルでは、短期貯蔵庫（STS：short-term store）と長期記憶貯蔵庫（LTS：long-term store）という二つの記憶貯蔵庫が仮定されている。STSはおよそ7±2チャンクという少ない情報を数秒から数十秒だけ蓄えることのできる貯蔵庫である。STSの情報は復唱するなど思い出す手続き（リハーサル）を繰り返しておかないと消失してしまう。しかし、リハーサルを繰り返すことによって情報は次第にLTSへと転送されていく。LTSは大量の情報を長期にわたって蓄えることができる貯蔵庫である。

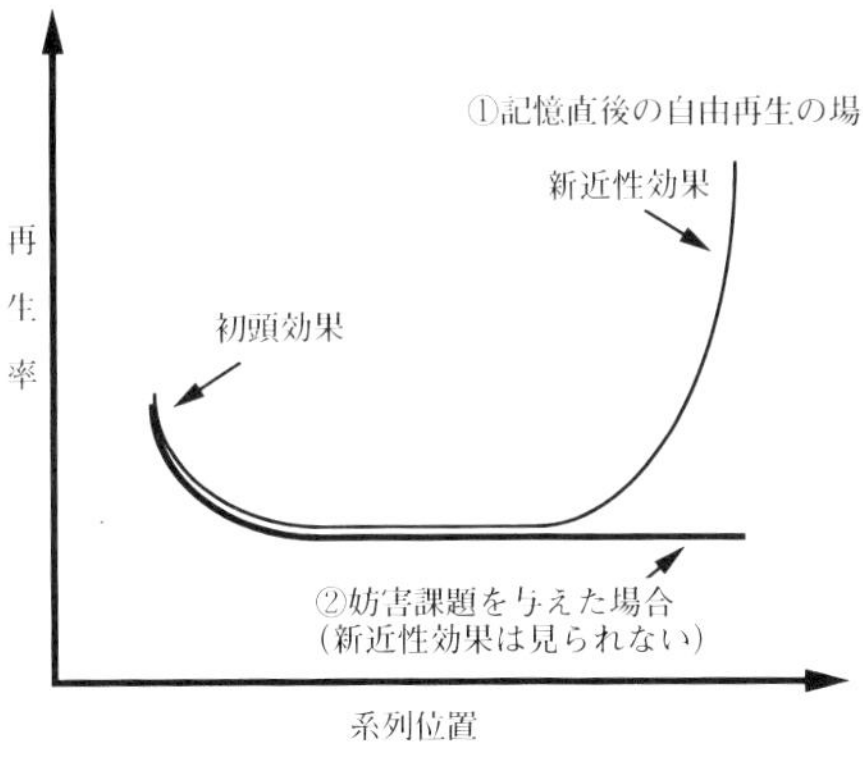

図1　系列位置曲線

系列のはじめのころの項目は、テストまでの間保持しておかなくてはならない時間が長いため、リハーサルの機会が多く、その分LTSへ転送されやすくなる。一方、系列の後の方の項目はリハーサルの機会が少なく、その分長期記憶へ転送されにくい。これが初頭効果の原因である。

一方、新近性効果はテストの直前に提示された項目がSTSに貯蔵されているために起こると考えられる。STSの保持時間は短く、そのため、リハーサルを妨げる妨害課題が挿入されると新近性効果が消失するのである。

（川崎勝義）

図2　記憶の二重貯蔵庫モデル
(Atkinson & Shitfrin, 1971より　文献①)

キーワード　初頭効果／新近性効果／短期貯蔵庫／長期貯蔵庫

〔文献〕①⑧㊶

記《き》憶《おく》の障《しょう》害《がい》

思い出そうとしても思い出せない症状を健忘症といい、原因に心理的要因と脳の損傷が挙げられる。前者には、ストレスが原因でそれから数時間以内に起こったことが思い出せない心因性健忘、家庭や職場から突然逃げ出して病的な旅行に行き外見上は普通に行動しているものの、我に返るとその間のできごとが思い出せない心因性遁走、さらに複数の人格が現れて個人の行動を支配してしまう多重人格障害（解離性同一性障害）などがある。

一方後者に、有名な症例HMがある。HMはてんかんの治療を目的に左右の脳にある海馬を切除した。その結果、手術以後のことが覚えられない順向性健忘、今日が何月何日か、今いる場所がどこかなどがわからない見当識障害が認められ、記憶にとって海馬が重要な役割を担っていることがわかった。海馬はパペッツの回路の一部を形成し（図1）、情報がこの回路を巡ることによって記憶が形成され、回路が損傷を受けると記憶に重い障害が現れる。

記憶の衰退が著しい場合を痴呆と呼ぶ。その代表のアルツハイマー病では記憶障害、失語や失認といった高次機能障害、人格崩壊に加えて抑うつ感や幻覚などが現れてくる（図2）。脳内に老人斑というしみ状のものや神経原線維変化が異常に出現することを特徴としているが、明確な原因はわかっていない。

（古川　聡）

キーワード 健忘症／見当識障害／アルツハイマー病

〔文献〕 ⑦㉚

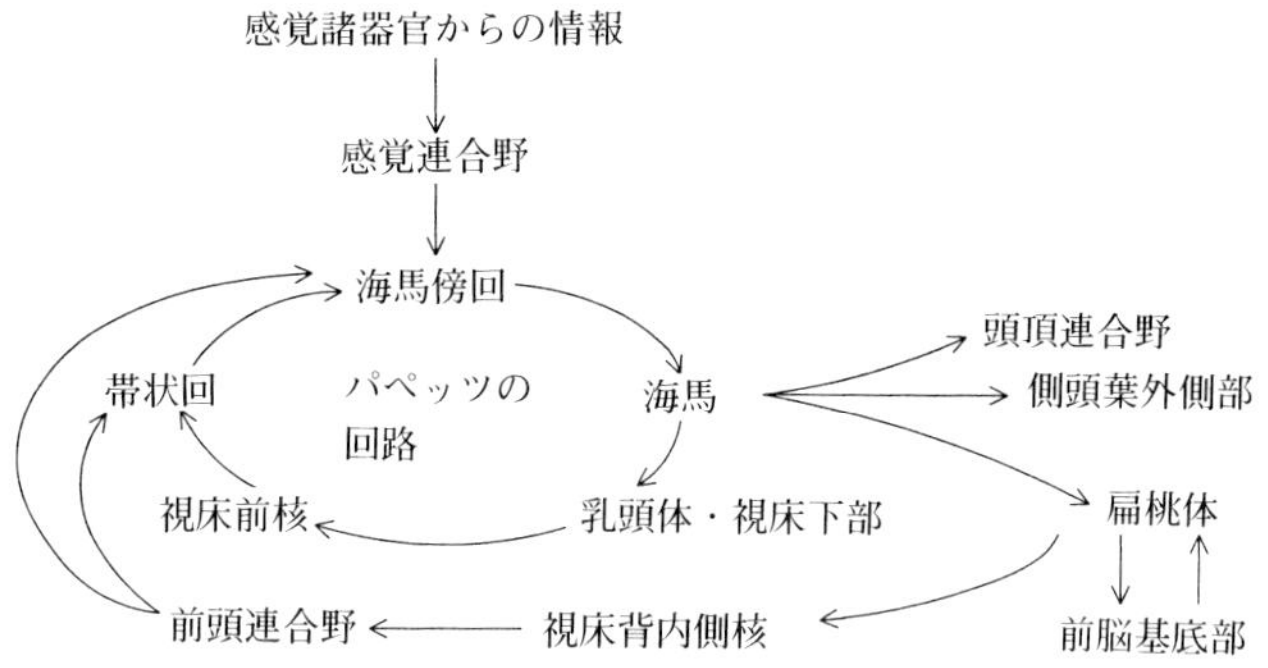

図1　記憶を司るパペッツの回路（古川・川崎・福田、1998　文献⑦）

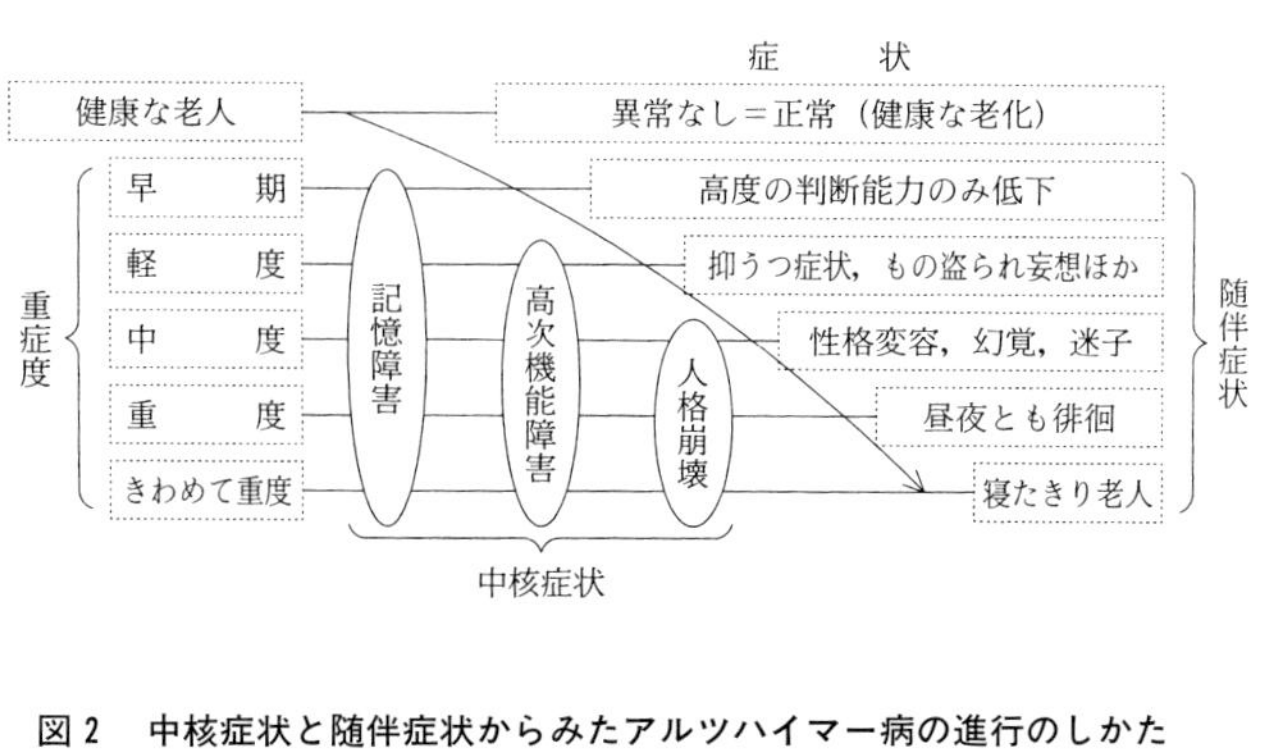

図2　中核症状と随伴症状からみたアルツハイマー病の進行のしかた
（古川・川崎・福田、1998　文献⑦）

目《もく》撃《げき》証《しょう》言《げん》

エビングハウス（Ebbinghaus,H.）に始まる記憶の実験室的研究は多大な成果を収めたものの、果たしてそれがわれわれの日常生活に関わる記憶現象にどこまで一般化できるものかという疑問が生まれた。そして日常生活と密着した生態学的妥当性を持つ記憶研究に関心が向けられるようになった。裁判での証言はどこまで信用しうるのかという実際的かつ重大な問題への関心が、日常記憶研究の一つである目撃証言研究を盛んにしている背景の一つとなっている。

目撃証言の代表的な研究者であるロフタス（Loftus,E.F.㉔）ら（一九七八）は、実験の第一段階として、交通事故の状況を描いたスライド写真三〇枚を被験者に見せた。ただし、半数の被験者には、赤いダットサンが停止標識の前で停車している写真、残りの半数には前方優先道路の標識の前で停車している写真を見せた。条件の相違は、この一枚の写真だけであった。しかしながら、この後にどのような事後情報を受けるかによって、事態の解釈はまったく異なってしまったのである。停止標識が映っていたにもかかわらず前方優先道路の標識であったというように、誤った事後情報を受けるとそれと矛盾しない解釈をしてしまった。言い換えれば、誤った情報により証言が誘導されたのであり、これを事後情報効果または誤情報効果と呼んでいる。

さらに、同じ交通事故を目撃しても、「車が激突したときの速さはどれくらいか」と聞かれるか「接触したときの速さはどれくらいか」と聞かれるかでは回答は異なっており、激突したという言葉が用いられたときのほうが速度が速いことも報告されており、語法の違いも証言を左右してしまう重要な要素となっている。

このような記憶の歪みを生じさせやすい要因として、誤った情報がさほど重要でない場合、時間が経ち過ぎてできごとの記憶が不鮮明になってから誘導情報を与えられた場合、さらには誤った誘導情報を信じきっている場合が挙げられている。なお、このような事後情報があからさまに与えられたり、事後情報をゆっくりと注意深く読んだりすると誘導されにくいし、優れた記憶力を持つ人は誤った情報に対する抵抗が強く誘導されにくいことも指摘されている。

目撃証言を扱ったこれまでの研究から、犯人が凶器を持っている場合、被害者や目撃者の注意は犯人の顔ではなく凶器そのものに向かってしまい、犯人の顔や容貌に関する記憶が形成されにくいことが報告されている。これが凶器注目効果である。さらに、殺人現場のような凄惨な場面を目撃すると、それが目撃者に極度のストレスを生じさせ、注意の狭窄化を引き起こす。また、異人種間識別の問題もある。つまり、目撃者と容疑者が異なる人種の場合、同じ人種の場合よりも容疑者を特定するのが困難になってしまうのである。

（古川　聡）

キーワード　事後情報／凶器注目効果／注意の狭窄化

〔文献〕㉔

動《どう》物《ぶつ》の記《き》憶《おく》

記憶とは、過去の経験を保持し、後にこれを何らかの形で再現し、また利用する機能のことをいうが、ヒトに限らず動物が適応的に生きていく上で記憶は大変重要な機能である。軟体動物のアメフラシが古典的条件付けを学習することやミツバチが色の弁別を学習することなど系統発生的に下等な動物でも学習が可能であることや、ネズミやカラスのような動物がかなり高度な記憶能力を持っていることはよく知られている。

動物を被験体として記憶研究に用いることにはいくつかの利点がある。まず、人間の記憶や学習、知能、あるいはさらに高度な精神活動の系統発生的な理解を助ける。そしてその生理学的なメカニズムを明らかにするため、ヒトを使うことに倫理的問題が生ずるような実験も行うことができる。また、「行動が心理学的尺度において下位の心的作用として解釈できるときは、より上位にある心的能力の作用として解釈してはならない」とするモーガンの公準にしたがって、精神活動をより単純化して観察、記述する姿勢をとりやすいことなども利点の一つであろう。

記憶の実験によく使われる動物はラットやマウスなどネズミ類のほか、ハト、ウサギ、ネコ、サルなどである。特にネズミの記憶をはかる方法には様々なものが考案されている。言葉の話せない動物の記憶を調べるためには、行動を観察、測定するという方法がとられるが、動物に行動を引き起こすために用いられる刺激として嫌悪性のものと報酬性のものとがあることから、学習・記憶課題をこの二つに分けて考えることがある。

嫌悪性の学習・記憶課題としてよく用いられるものには、逃避学習と回避学習がある。逃避学習は被験体に電気ショックのような嫌悪刺激を直接与え、その嫌悪状況からどのようにしたら逃避することができるかを学習させるものである。近年よく用いられている「モリスの水迷路」課題は逃避学習課題の一つであるが、その基本的な手続きはプールの中に被験体動物を泳がせ、水中下の浅いところに沈んでいるプラットフォームに泳ぎ着くまでの時間を計測するものである。この課題をうまく遂行するためには逃避方法ばかりでなく、見えないプラットフォームの位置をも記憶する必要がある。

回避学習には受動的回避学習と能動的回避学習の二つがある。受動的回避学習では、被験体は二つあるうちの一方の部屋へ閉じこめられ、電気ショックを与えられる。その後、隣の部屋へ入れられ、電気ショックを与えられた部屋へ入るまでの時間が計測される。電気ショックを受けた記憶があれば、それを受けた部屋に入るまでの時間が長くなるはずである。

能動的回避学習では、電気ショックのような嫌悪刺激を予告する信号（たとえばブザー）が与えられ、その予告信号にしたがって、たとえばレバーを押すといった電気ショックを回避するためにあらかじめ定められた行動を行うことが要求される。

嫌悪性の学習・記憶実験の際、たとえば薬物投与などの実験操作による痛覚感受性低下や動因低下などが注意されなければならない。

報酬性の学習・記憶課題の代表的なものとしてはT迷路、放射状迷路などの迷路課題とレバー押しなどのオペラント課題がある。迷路課題の基本的な方法は、迷路の中の特定の場所に報酬を置き、被験体がその場所を憶えて、報酬を得るために関係のない無駄な行動をできるだけ減らし、効率よく報酬を取る方法を獲得させるものである。オペラント学習課題は、被験体が報酬を得るために、あらかじめ定められた強化スケジュールにしたがってレバー押しなどの反応を学習するものである。

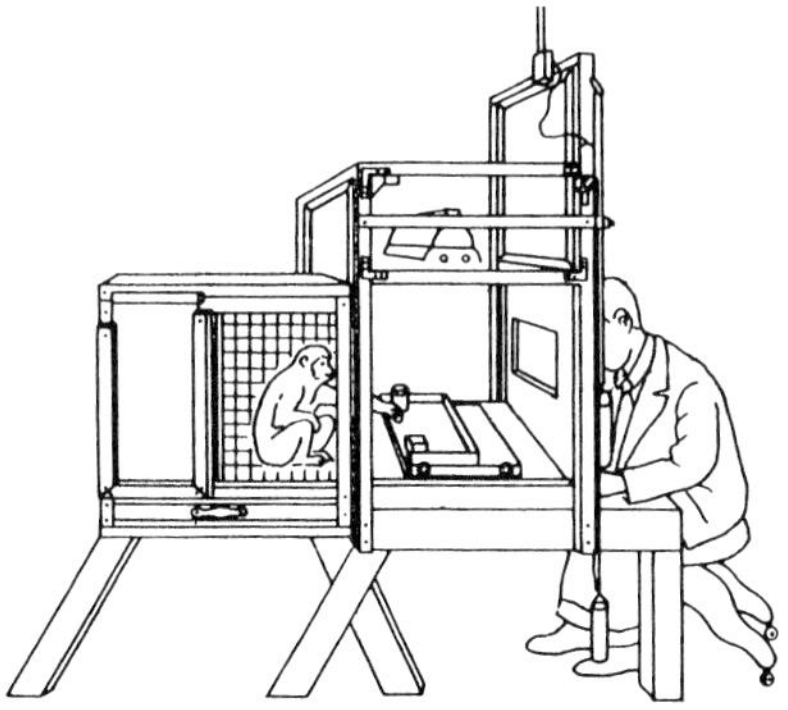

図1　WGTA（Wisconsin General Test Apparatus）
（Harlow（1949）より）

この他、サルを被験体とする場合には、WGTA（Wisconsin General Test Apparatus　図1）やタッチパネルなどを用いた弁別課題がよく用いられる。報酬性の課題を用いる場合にも、報酬に対する欲求の変化や被験体の運動能力の変化など、記憶以外の要因について十分な検討が必要である。

動物実験によって明らかになった記憶の生理学的基礎についての知見は多い。たとえば、脳内の海馬という組織の破壊実験では、放射状迷路や遅延見本合わせ課題の遂行が阻害され、海馬が作業記憶や空間記憶（working memory）に関与しているという仮説が立てられている。作業記憶とは一試行内でのみ有効な記憶のことである。たとえばWGTAを用いた遅延見本合わせ課題において、サルは試行のはじめにヒントとして円柱の積み木を見せられ、しばらく後今度は先ほど見た円柱と一緒に別の積み木を見せられる。先ほどと同じ円柱の積み木の選択が正解で、その下に餌が隠されている。この課題でサルは最初に見せられた刺激物体を憶えていなければならないが、見せられる刺激物は試行ごとに異なるので、そのたびに新しく記憶しなければならない。このほか、乳頭体や前脳基底部、前頭皮質などの組織がそれぞれ記憶の異なった側面に関与していることが示唆されている。

神経伝達物質に関する知見も多い。脳内のアセチルコリンの働きをを阻害する薬物を投与すると、ネズミの放射状迷路課題やサルの空間的遅延反応課題などを阻害することなどが知られ、この伝達物質が作業記憶や空間記憶に関与することが示唆されている。また、グルタミン酸受容体の一つであるNMDA（N-メチル-Dアスパラギン酸）受容体の働きを阻害する物質を投与すると、ネズミのモリス型水迷路の遂行が阻害され、空間記憶にNMDA受容体が関与していることなどが示唆されている。

（川崎勝義）

キーワード　学習・記憶課題／海馬／アセチルコリン／NMDA

〔文献〕⑥㉙㊹

問《もん》題《だい》解《かい》決《けつ》

問題解決とは、目標を有しながらも何らかの理由で目標に到達できないでいる状況から目標到達状況に移行することである。そのために、問題（目標）が存在し、その問題に対する解決の方法が与えられていないときに、目標に到達するための手段や方法を見いだすことが必要となる。

心理学における問題解決に関する研究の流れには、大別して三つのアプローチがある。第一には、刺激と反応の連合に基づく行動主義心理学からのアプローチがある。ソーンダイク（Thorndike,E.L.）は、掛け金をはずし、ドアを倒すことによって脱出可能な問題箱を用いて、ネコの行動変容を研究した。ソーンダイクは、問題箱における問題解決過程を問題箱という「刺激」と脱出という問題解決をもたらす「反応」との連合によって説明した。ネコは、初めのうち偶然に脱出するが、徐々に効率よく正しい反応をして脱出できるようになった。行動主義心理学においては、問題解決を基本的には試行錯誤を通した刺激と反応の連合と捉えていた。

第二には、洞察という説明概念を取り上げたゲシュタルト心理学からのアプローチがある。ケーラー（Köhler,W.）は、動物が試行錯誤学習のようにしだいに誤反応を減らしながら正反応に到達するのではなく、問題事態を見通すことにより生じる洞察によって目標に到達可能であることを示した。たとえば、チンパンジーは、箱や棒がばらばらに置かれた檻の中で天井に吊されたバナナを試行錯誤を伴わず、箱と棒といった道具の組み合わせによって取ることができた。ケーラーは、この問題解決行動の観察から、問題場面の構造を洞察することこそが、問題解決であると考えた。ゲシュタルト心理学においては、洞察や問題事態の再体制化などの概念で問題解決を説明しようとした。また、問題解決の過程で洞察を得た際に「あっ、わかった」という心的体験（「アハー体験」）がしばしば生じることもよく知られている。

第三には、情報処理的アプローチに端を発する認知科学的なアプローチがある。ゲシュタルト心理学における問題解決研究は、今日の研究に重要な概念やアイディアを提供したことで評価されている。しかし、理論や概念そのものが漠然としており、方法論的にもパラダイムの転換が必要であった。問題解決研究における新たな展開は、情報処理モデルを提案し、モデルをコンピュータのプログラムにより作成するコンピュータ・シミュレーションや被験者から得られた言語報告（プロトコル）を分析に用いることによってもたらされた。代表的な問題が図1の「ハノイの塔パズル」である。ニューエルとサイモン（Newell,A. & Simon,H.A.,1972[28]）は、問題解決を問題の最初の状態である「初期状態」から解決に至った最終状態の「目標状態」への変換過程として捉えられると考えた。初期状態から目標状態までのさまざまな問題状態、その変換に用いられる手続き（「操作子」）などの問題解決者の問題に関する表象は「問題空間」と呼ばれる。

研究上の主要な関心は、問題解決者が問題空間でどのような探索方法（方略）を用いるかである。問題解決における方略には、アルゴリズム（algorithm）とヒューリスティックス（heuristics）の二つがある。アルゴリズムは、適切に実行すれば必ず正しい解答に至る一連の手続きのことである。それに対して、ヒューリスティックスは、必ずしも正しい解答に到達するとは限らないが、うまくいけば解決までの手続きが比較的簡単な方法である。単純なハノイの塔の問題でさえも、問題空間は大きく、私たちの多くがヒューリスティックスを採用すると考えられる。

人間の日常的な問題解決場面を想定した場合も、ヒューリスティックスを明らかにすることが研究の一つの主眼となる。なぜなら、アルゴリズム方略が現実的ではないことが容易に予想されるからだ。アルゴリズムの採用には、すべての問題状態を記憶することが必要になるが、人間の記憶容量には限界がある。また、問題の初期状態や目標状態、操作子に関する情報が不完全で、問題解決者が補完しながら解決を行う不明確な問題も存在する。当初、認知科学的なアプローチでは、ハノイの塔パズルのように問題解決者の有する知識量の影響が少ない明確な問題を中心に研究が進められた。その後、数学や物理などの専門的な知識を必要とする問題解決や、問題が明確でなく、目標状態が示されていない問題での問題解決、すなわち類推による問題解決に関する研究が行われてきている。さらに最近では、一人の問題解決者に焦点を当てるばかりでなく、他者とのコミュニケーションや共同場面等における問題解決に関心が向けられるようになってきた。

（出口　毅）

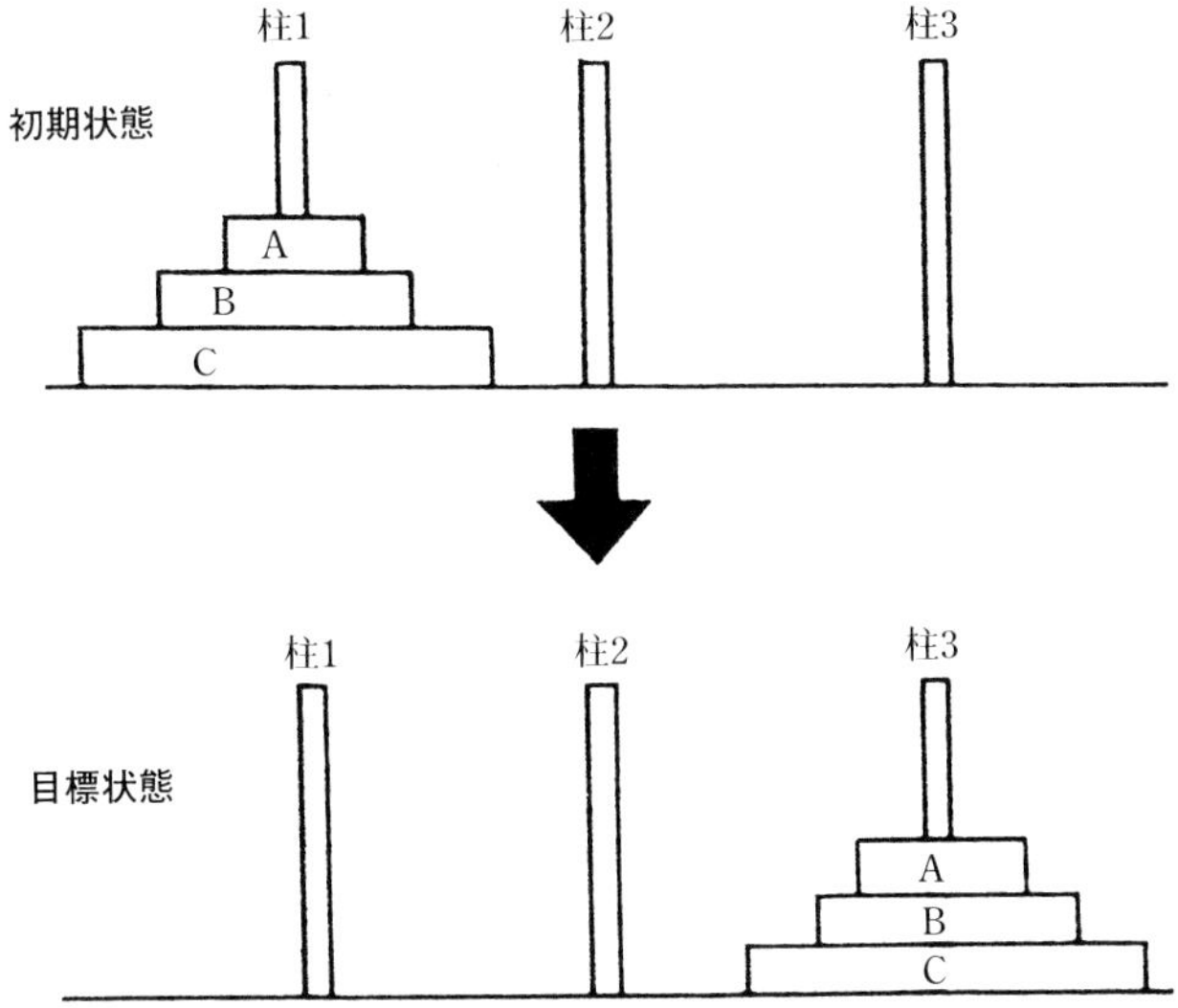

条件1：1回に1つの円盤しか移動できない。
条件2：柱の一番上にある円盤しか移動できない。
条件3：すでにある円盤の上に、それより大きい円盤を置くことはできない。
どのようにすれば柱1から柱3に移動できるだろうか。

図1　「ハノイの塔パズル」問題
（和多田、1986　文献㊾より一部修正して引用）

キーワード 試行錯誤／アルゴリズム／ヒューリスティックス

〔文献〕 ㉘㊾

イメージの形成《けいせい》

今、「三角形」という概念によって意味されるものを説明するように要求された、と想像してみよう。あなたは、学校で習得した幾何学的な特性をイメージしたかもしれない。また、三角形についての心的イメージ(mental image)に基づいた図形が思い浮かんだかもしれない。もし、さまざまな図形を見せられたなら、三角形、四角形、五角形などを容易に区別できる。その中の三角形といっても、正三角形、二等辺三角形、直角三角形などがあり、見かけが異なっているにもかかわらず、同じ三角形と判断する。これはカテゴリー化(categorization)という認知機能によるものである。また、カテゴリー化によってまとめられるものの集合が、カテゴリー(category)である。さらに、カテゴリーを構成する個々の事物や事象は、カテゴリーの「事例」と呼ばれる。

カテゴリーは次のような原理が働いて形成されていると考えられる。

(1) カテゴリーには知覚された世界の構造が写し出されている。

(2) カテゴリーには、知覚された世界の構造を最小の認知的努力によって最大の情報が得られるように認知的経済性の原理が働いている。

(3) 形成されたカテゴリーは、文化的な影響を受け、文化集団内で共有可能性を有している。

カテゴリーの個々の事例に共通する特性を抽象したものが「概念」であり、カテゴリーに対応する知識と考えられる。私たちは未知の対象に遭遇したときでも、あるカテゴリーの事例であると判断する。未知の対象があるカテゴリーに所属することを知れば、その対象がどのような特性を持っているかを推測することもできる。これは、カテゴリーの概念的知識を用いた結果である。では、概念的知識はどのような形で内的に表象されているのだろうか。概念の表象に関する問題は、主に三つのモデルから検討されている。

第一には、定義的特性モデルがある。概念は、カテゴリーに所属するために必要十分な条件である定義的特性によって特徴づけられる。カテゴリー間には明確な境界が存在し、カテゴリー内のすべての事例は等価なものとして存在することが仮定されている。

第二には、抽象モデルがある。抽象モデルでは、カテゴリーにおける諸事例を要約したようなものが表象されていると仮定する。

リード(Reed,S.K.,1972㉞)は、図1のような顔図形を使用して概念の形成が概念のプロトタイプ(原型)を抽象することであることを示した。顔の図形は、額の幅、両眼の間隔、鼻の長さ、口の位置で変化し、カテゴリー1、カテゴリー2のいずれかに属する。実験において、被験者は一つずつ提示される顔図形を、どちらかのカテゴリーに分類するように求められ、反応には正誤の情報が与えられた。このようにして分類学習を行った後、被験者には新しい顔図形が提示され、どちらのカテゴリーに所属するかの判断が求め

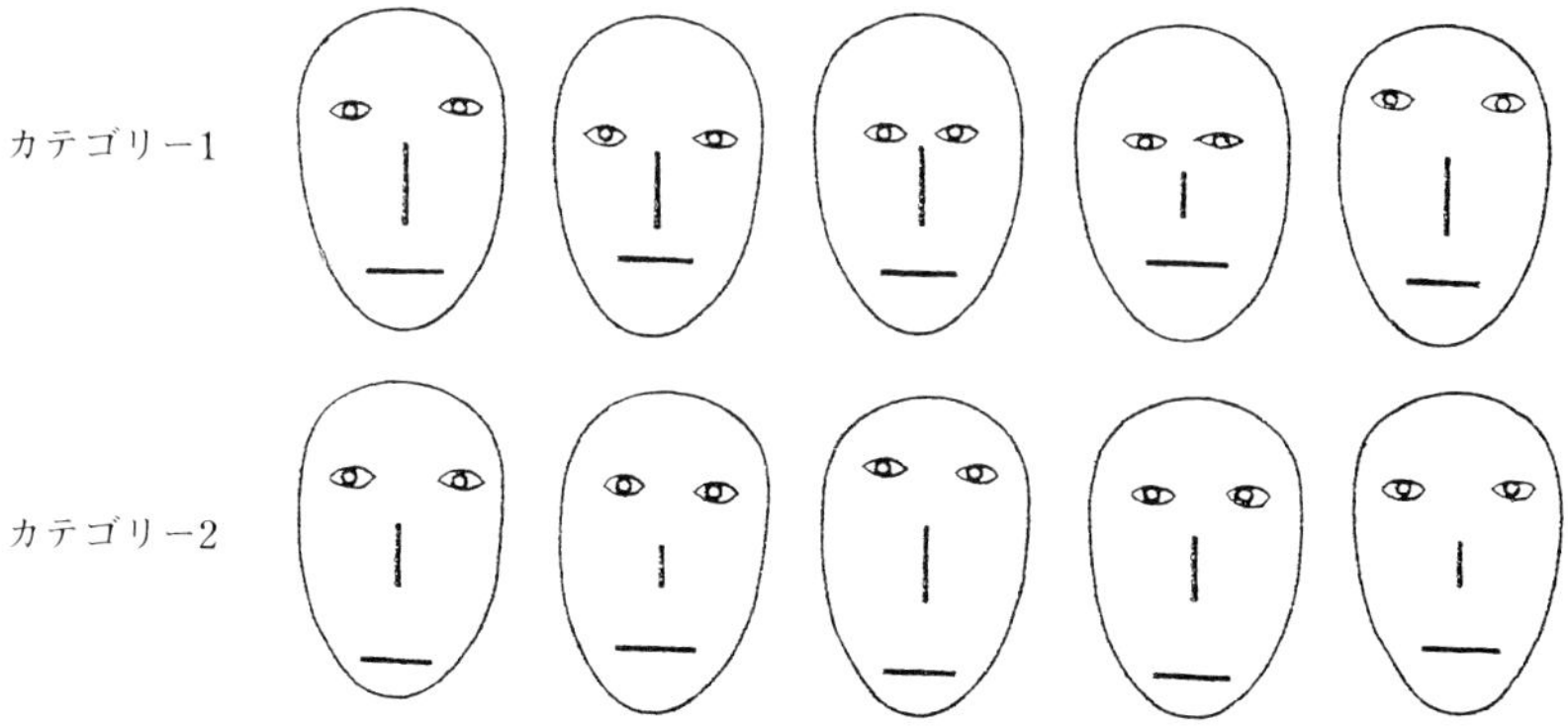

図１　実験で使用された顔図形の事例（Reed, 1972　文献㉞）

られた。新しい顔図形のうち二つは、学習時に提示された顔図形を作成する際のプロトタイプで、カテゴリーに属する全事例の平均的なものである。プロトタイプ以外の顔図形の平均正答率が六一％であったのに対して、プロトタイプの正答率は九〇％に達した。この結果から、被験者が学習段階で提示された事例の中心化傾向を抽出し、分類判断の段階でカテゴリー化に利用していたと考えられる。このような人工的カテゴリーを用いた研究に続き、ロッシュ（Rosch,E.）を中心に自然カテゴリーの事例を用いた研究が行われた。

　一連の研究から、自然カテゴリーはプロトタイプ事例を中心として各事例が類似性によって結びついており、ある事例がカテゴリーに属するかどうかの判断はプロトタイプとの類似性の度合いによって決まることが明らかにされた。カテゴリーは、もっとも典型的な事例であるプロトタイプを中心にして、何となく似通っている家族の構成員のように「家族的類似性（family resemblance）」に従って構造化されていると考えられる。この家族的類似性は、ある事例がカテゴリーの中で他の事例と特性を共有する程度を表すもので、事例がカテゴリーの例としてどのくらいふさわしいかを示す「典型性」を規定する。

　第三には、理論ベースのモデルがある。抽象モデルでは、カテゴリーとしてのまとまり（凝集性）は、事例間に共有した特性に基づく類似性によってもたらされると考えるのに対して、私たちが持つ世界に関する「理論」によって凝集性がもたらされると仮定するのが理論ベースのモデルである。ここで、「理論」とは、私たちのまわりの世界における事物や事象を説明するために個人内で体系化された知識である。それゆえ、概念は「理論」の中に内在して表象されており、カテゴリーは各事例に共通する説明原理、すなわち「理論」によって定義されるのである。

（出口　毅）

キーワード　概念／カテゴリー／カテゴリー化

〔文献〕　㉞

思《し》考《こう》と言《げん》語《ご》

人間の思考は、心理学において当初より関心を持たれてきた研究領域である。思考とは、具体的には問題解決や推論などのことであり、知覚、記憶、概念、言語などのすべての認知機能が関わる。

その中で推論は既知の前提から新しい結論を導出する思考の働きである。推論研究は、これまで主に帰納的推論と演繹的推論の二つを取り上げ、思考研究において中心的な役割を果たしてきた。まず、帰納的推論は、個々の事例に基づいて一般的法則（知識）を導き出す思考過程である。帰納的推論については、心理学において伝統的に概念形成あるいは概念達成などの実験を通して研究が行われてきている。その基本的過程には、事例を獲得すること、仮説を形成すること、仮説を検証することの三つの段階がある。こうした帰納的推論は、知識におけるカテゴリー構造に依拠しており、日常生活において経験から種々の事例や事象について説明や予測を行うような認知活動を支えている。一方、概念形成やカテゴリー化は、事例から共通する特性を抽象したり、一般化を行う帰納的推論に支えられているのである。

しかしながら、帰納的推論の各段階においては誤りやバイアスが見られるのも特徴である。たとえば、事例獲得段階では、少数事例から一般化を行ったり、想起しやすい事例だけを集めたりする傾向が見いだされる。また、仮説検証段階では、反証を無視して確証事例のみを求める傾向などが見られる。

次に、演繹的推論は、推論の一般的法則があり、それに従うことで正答に到達することができる特徴がある。そのため、推論の方法以外の知識は必要とせず、人間の思考の特徴そのものが反映されることになる。代表的な研究としては、条件文推論、定言的三段論法、図1に示した「四枚カード問題」を用いたものが挙げられる。しかし、これらの研究からは、人間が必ずしも論理的に思考していないということが示唆されている。

たとえば、ジョンソンレアードとウェイソン（Johonson-Laird,P.N. & Wason,P.C., 1977⑰）は、図1の問題を大学生の被験者に与え、「A」（母音）と「4」（偶数）、あるいは「A」のみを選んだ者が多いという結果（全体の約八〇％）を得ている。残念ながら、これらは誤答である。正答は、「A」（母音）と「7」（奇数）の選択である。正答した者は、被験者の四％にとどまっている。人間は、このように問題によっては誤った推論を導き出してしまうのである。私たちにとって論理的な推論は、必ずしも容易なことではないらしい。

ところが、図2の問題のように、論理的には同一の課題であっても日常において遭遇する具体的なラベルや規則に表現を置き換えると正答率が向上する、ということが知られている。この「主題化効果」については、たとえば、人間が選択課題を推論する際に、日常生活の経験から帰納される実用論的推論スキーマ（pragmatic reasoning schema）に

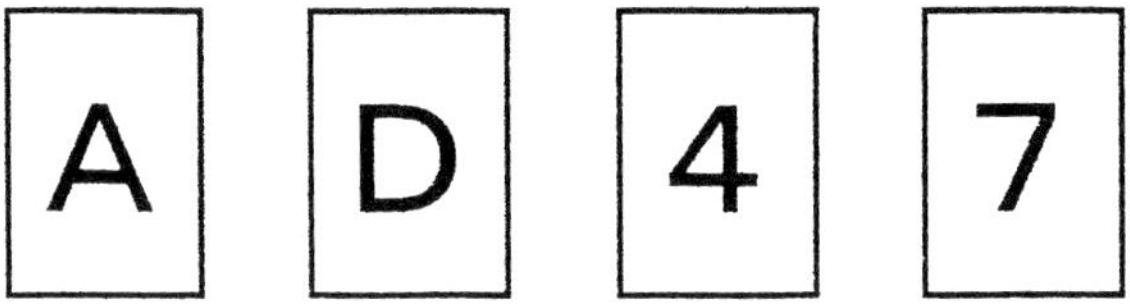

上のカードはすべて表にはアルファベット、裏には数字が書いてあります。今、「もしカードの表が母音ならば裏は奇数である」という命題が正しいかどうかを調べたいとすると、どのカードをめくらなければならないでしょうか。

図１　４枚カード問題

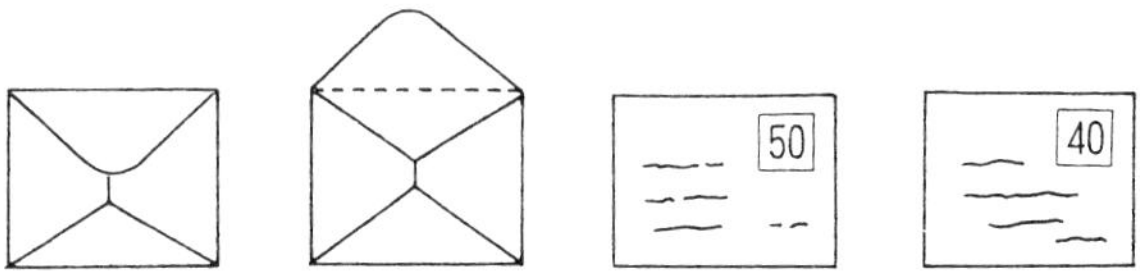

「もし封がしてあるなら、50リラ切手を貼らなければならない」という命題が正しいかどうかを調べたい。あなたが郵便局員なら、どれを調べなければならないでしょうか。

（正解：「封がしてある封筒」と「40リラ切手が貼られた封筒」）

図２　主題化効果に関する問題
(Johnson-Laird, Legrenzi & Legrenzi, 1972　文献⑯)

基づいているからだという説明が示されている。この説は、人間が形式論理による抽象的な法則を用いているのでもなく、特定の知識に依拠した領域固有の推論を行っているのでもなく、ある程度の抽象性と実用性を持ち合わせた推論スキーマによって推論しているというのである。演繹的推論、特に「四枚カード問題」に関する研究からは、「人はなぜ正しい推論ができないのか」という問題について多くの研究が行われてきた。研究の進展によって、現在では、主題化効果における問題の意味や文脈を解釈する枠組みについても言及されている。スキーマという理論的概念が用いられていることからもわかるように、それは知識構造の推論への関与を示唆するものである。

人間の思考過程を解明するためには、その情報処理過程に加えて、知識の表象構造を解明することが重要である。その一例として、スキーマは記憶や言語理解などの過程で知識主導で進められる、いわゆる「トップダウン型処理」の説明に大きな役割を果たしている。スキーマには事象のスキーマ、行動のスキーマ、状況のスキーマ、カテゴリーのスキーマといった多様なスキーマを想定できることから、スキーマは知識構造を包括的に説明できる概念である。スキーマは、その考え方の柔軟性にまつわる問題点が指摘されているが、現実の日常生活での事象や一般知識の理論化を可能にしている。

（出口　毅）

キーワード　推論／知識構造／スキーマ

〔文　献〕　⑯⑰

生理心理学

編集・堀　忠雄

生理心理学の分野を理解していただくために、10項目を精選した。はじめに生理心理学の生い立ちと研究法について解説した。続いて生理心理学で用いられる代表的な指標を取り上げた。これらの指標を活用すると、肉眼では観察できない微細な変化も逃さず捉えることができる。また、外から観察が難しい認知過程などの内的な行動事象も、ミリ秒単位で分析できる。このような生理心理測定に基づいて行動モデルが提唱されている。その中から、定位反応と慣れ、初期値の法則を取り上げた。最後に、この分野の最近のトピックスから生物リズムと脳画像解析を選んだ。周期分析法を導入すると、人間の自由行動に及ぼす生物リズムの影響は、これまで想像された以上に強力であることが分かってきた。また先端的な脳画像解析法を導入することにより、脳をブラックボックスにしない行動科学が、確実に成果をあげていることが分かると思う。

生《せい》理《り》心《しん》理《り》学《がく》

実験心理学の大系を初めて構成したヴントはこれを生理心理学（Physiologische Psychogie）と命名した。当時は生理学が隣接する実証科学として最も近い位置にあり、生理学のように実験的手法を用いて研究する心理学という意味であった。従って、今日、生理心理学と呼ばれているものとは、ややその意味を異にしている。

実験心理学は実験生理学の教育と訓練を受けた人々から強い影響を受けて発展し、生理学の研究分野のなかでも、脳神経系、感覚器官の作用、動作的応答の分析などが心理学と密接な境界領域と考えられた。生理心理学はこのような学際領域から誕生した。基礎とする生理学的な研究法と知識が急速に進歩すると、生理心理学の内容も大いに変化し、やがて実験心理学とは独立した独自の展開を示すようになった。現在の生理心理学は心理学のほとんど全ての領域を扱っており、生理学的な方法と知識に基礎を置く心理学として体系化されている。

生理心理学では生理学的な変数を独立変数として操作し、その結果生じる行動的な変化や反応を従属変数とする研究が盛んに行われてきた。脳を行動の主座としてモデルを構成すれば、脳の刺激や破壊、薬物投与などが生理学的な変数となり、これを独立変数として操作した結果、学習曲線など心理学的変数に現れる変化が従属変数となる。このような生理学的変数の操作は多くの場合、脳に操作を加えることになり、その対象はヒトであることはごく希で、動物実験に依らなければならない。このような理由から生理心理学では動物実験が主流をなし、行動の発現と制御に責任を持つ生理学的メカニズムの解明をめざした研究がすすめられている。

上述のような研究の立場は、多くの場合、行動を説明するための還元論（reductionism）に立つと考えられる。ところが、生理学的な操作は単に一方向的に行動変化をもたらすものではなく、行動も生理学的過程に強い影響を及ぼし、相互影響性を考慮したアプローチが必要とされる。また、研究の発展に伴い、生理学的変数と心理学的変数のどちらを独立変数とするのが妥当であるか区別しにくい事例も出てくるようになった。例えば情動に及ぼす脳内物質の役割を調べる研究は、その脳内物質の合成を促進或いは抑制する薬物を投与した時だけが生理心理学で、情動に伴って変化する脳内物質の量を測定するとしたら、独立変数と従属変数が入れ替わるので別の学問になるのかという疑問である。実際には相互作用的なアプローチがとられ、実証科学の知識として成立するためには、どちらの実験も必要であり、必要十分条件の検証がすすめられる。従って今日の生理心理学では、何を独立変数に選ぶかで研究を区別することは、あまり意味をなさないと考えられるようになってきている。

ところで、情動に伴って変化する脳内物質の量を測定して、両者の対応関係を明らかにすることができたとする。この関係を関数関係として定式化できれば、逆に今求めた脳内物質の量を物差しとして心理量（情動）を測ることが可能になる。このように生理学的変数で心理量を測ろうとする研究分野として、精神生理学（Psychophysiology）という分野がある。動物実験では生理心理学と精神生理学のどちらの研究方法も選択可能であり、既に述べたようにこの区別は特に重大なことではない。ところが、ヒトを対象とすると、脳内深部にある神経核などから脳内物質を取り出して測定するということはほとんど不可能である。そこで、ヒトを対象にして生理心理学的な研究をすすめるためには、動物実験とは別の研究方略と技術の開発が必要になる。

　ヒトを対象とした精神生理学では、脳内深部の変化を直接的に測定する代わりに、脳波、筋電図、自律神経系活動などを測定し、その変化の構造と時間特性を分析することから、行動に関与する脳内過程を推論する。情動は大脳皮質の覚醒水準を高め、全身の筋緊張を引き起こす。自律神経系の興奮は激しい心拍変動や精神性発汗、呼吸の乱れを引き起こす。観察された生理的な変化が、情動という心理学的な変化によって生じたことは、蓄積された知識の枠組みで理解可能である。そこで、これらの生理的変化から情動（心理量）の強さや質的な特徴を測る方法を開発し、これを活用する研究に注目が集められるようになった。

　一九六〇年代に入り電子工学の急激な発展により、高性能の多チャンネル生体情報記録システムが普及した。これに伴って、複数の生理指標を同時記録するポリグラフ法が身近なものとして受け入れられ、ヒトを対象とする生理心理測定が盛んに行われるようになった。このような経緯から、今日の精神生理学は主として非侵襲的な手法によって生理的変化を測定記録し、そこで得られたデータに基づいて行動と脳内過程の関係を探る学問として位置づけられる。生理心理学と同様に心理学のほとんど全ての領域を対象としている。精神生理学では生理指標の測定記録が重要視されることは言うまでもないが、生理心理学ではほとんど扱われることのない内省報告が心理学的変数として活用される。

　一方、生体情報の解析技術の発展により、自律神経系活動ばかりでなく、脳の電位活動の測定精度も向上した。特に事象関連電位（ERP）はヒトの認知活動を理解するのに大きく貢献した。現在、認知過程は一ミリ秒（一〇〇〇分の一秒）単位で解析がすすめられている。近年では脳機能のイメージング技術が発達普及し、ヒトの脳内過程を心理事象の進行と対応させて観察することが可能になってきている。脳深部の神経活動やそれに関与する血流の変化を測定することは、動物実験ではじめて可能であった研究領域である。それが、非侵襲的な方法でヒトでも観察可能になり、精神生理学はヒトの脳内過程を推論する科学から、直接観察する科学へと新たな展開を見せている。

（堀　忠雄）

キーワード　生理心理学／精神生理学

〔文　献〕⑤

生理《せいり》心理《しんり》学《がく》の研究《けんきゅう》法《ほう》

行動と脳の研究に用いられる方法には、次の5つがある。以下に順を追って概要を紹介する。

1　損傷法

慢性損傷法としては、脳の表面の部位（皮質）を損傷するために吸引ポンプにつないだピペットで吸い取る吸引法が用いられる。深部（皮質下）の特定部位を損傷する場合は脳定位固定装置に動物を固定し、脳座標図に従って目的の部位に電極を刺入し、通電して脳組織を破壊する（電気的破壊法）。また、カイニン酸など細胞体と樹状突起だけを破壊する神経毒を局所注入し、そこを通過する神経線維を傷つけることなく破壊する方法や、特定の神経連絡を切断するナイフカット法も行われる。一時的損傷法としては、麻酔薬や二五度以下の冷却によって目的の部位の機能を一時的に阻害する方法が用いられる。

2　刺激法

目的の脳部位に電極を刺入し、微弱な電流で刺激する電気的刺激法と、電極の代わりにカニューレを脳内に埋め込み、化学物質を注入して刺激する化学的刺激法がある。最近はパルス磁気刺激装置により渦巻き電流を発生させ、神経を刺激する磁気刺激法も用いられるようになった。

3　電気的活動記録法

電気生理学的な手法により脳や末梢器官の活動を測定記録する方法で、中枢活動は脳波や事象関連電位を測定する。ヒトを対象とする研究では頭皮上に装着した電極から導出するが、動物実験では深部に慢性的に電極を埋め込んで導出する。また、直径が一―三ミクロンの微少電極を脳細胞に刺入して単一ニューロン活動も記録されている。精神生理学の領域では、脳波、事象関連電位に加えて、自律神経系（心電図、脈波、発汗、呼吸運動等）、視覚―運動系（眼電図、瞳孔運動、瞬目等）、骨格筋反応（筋電図）など末梢神経系の活動を多チャンネルで同時記録するポリグラフ法が開発され、皮質―皮質下活動を末梢反応から推論するのに役立てられている。

4　神経化学的測定法

動物が特定の行動を行っているときに脳内に放出される神経伝達物質の濃度を連続的に測る研究では、マイクロダイアリシス法が用いられる。二〇〇―五〇〇ミクロン程度の細い透析チューブを目的の脳部位に埋め込み、微量注入ポンプで潅流用の人工脳脊髄液を送り込む。脳内物質を潅流液に取り込んで回収し、行動に関連して脳内に放出される伝達物質の量を測定することができる。

5　脳機能画像解析法

脳の電気活動を電位や磁場の頭皮上分布図（二次元マップ）として表現するほか、その電流発生源（電流双極子）の三次元推定が行われている。脳の活動部位では局所的に血流量や代謝活動の変化が起こる。この変化を測定するためには、機能的磁気共鳴画像（ｆＭＲＩ）やポジトロン断層法（ＰＥＴ）、近赤外光脳内血流計測（ＮＩＲＳ）などが活用されている。

（堀　忠雄）

キーワード　損傷法／刺激法／ポリグラフ法／マイクロダイアリシス法／脳機能画像解析法

〔文　献〕④

脳《のう》　波《は》

脳波（ＥＥＧ：electroencephalogram）は、活動している脳の電気変動を脳波計によって増幅記録したものである。縦軸に電位、横軸に時間をとって表示する。個々の波は、電位の大きさを振幅（μV）で表し、時間（秒）を逆数にとって周波数（Hz）で表す。通常、波の振幅はμVオーダー、周波数は〇・五Hz～六〇Hzである。脳波の発生源は、大脳皮質の錐体細胞に生じるシナプス後電位であるとされている。

　脳波を記録するためには、少なくとも二つの電極が必要であり、これら二点間の電位差を測定する。ふつう、電位が０に近い耳朶や鼻尖に基準となる電極（基準電極）を装着し、頭皮に脳波そのものを測定するための電極（探査電極）を装着する。これを基準電極法とよぶ。探査電極の配置は、国際脳波学会によって10－20電極配置法が推奨されている（図１）。鼻の付け根である鼻根と、後頭部の隆起点である後頭極を結ぶ正中線を、一〇%、二〇%、二〇%、二〇%、二〇%、一〇%に分割した位置をそれぞれ、前頭極（Fp：Frontal pole）、前頭（F：Frontal）、中心（C：Central）、頭頂（P：Parietal）、後頭（O：Occipital）と呼ぶ。

　正常成人では、閉眼安静状態にあると、周波数が一〇Hz前後すなわち八～一三Hzの律動的な波が頭頂部から後頭部優勢に出現する（図２）。ベルガー（Berger）は、これをα波（alpha wave）と名づけた。α波は開眼によって減衰するが、緊張が高い場合や、何かに注意を払っている場合、暗算などの精神課題遂行中にも減衰する。これはα減衰（alpha attenuation）と呼ばれている。その際、周波数が一四Hz以上の不規則で低振幅な波形、すなわちβ波（beta wave）が出現している。α波よりも速い波は速波（fast wave）とも呼ばれる。

　一方、覚醒水準が低下してもα波は減衰する。レフトシャッフェンとケールズ（Rechtschaffen & Kales）による睡眠段階の国際判定基準によると、α波の出現率が五〇%以上であれば覚醒、五〇%未満の場合は睡眠段階1と判定される。このように、α波は、覚

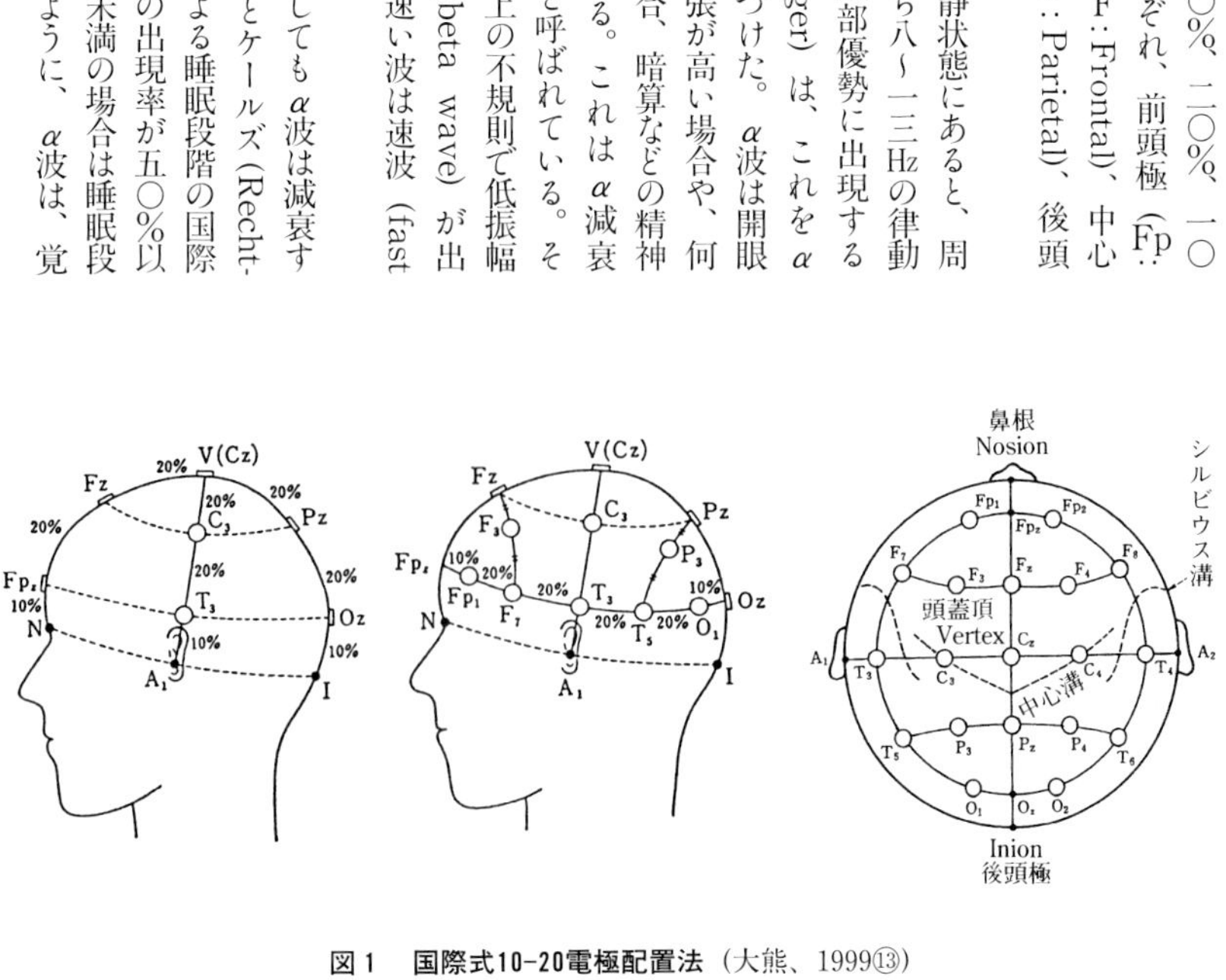

図１　国際式10－20電極配置法（大熊、1999⑬）

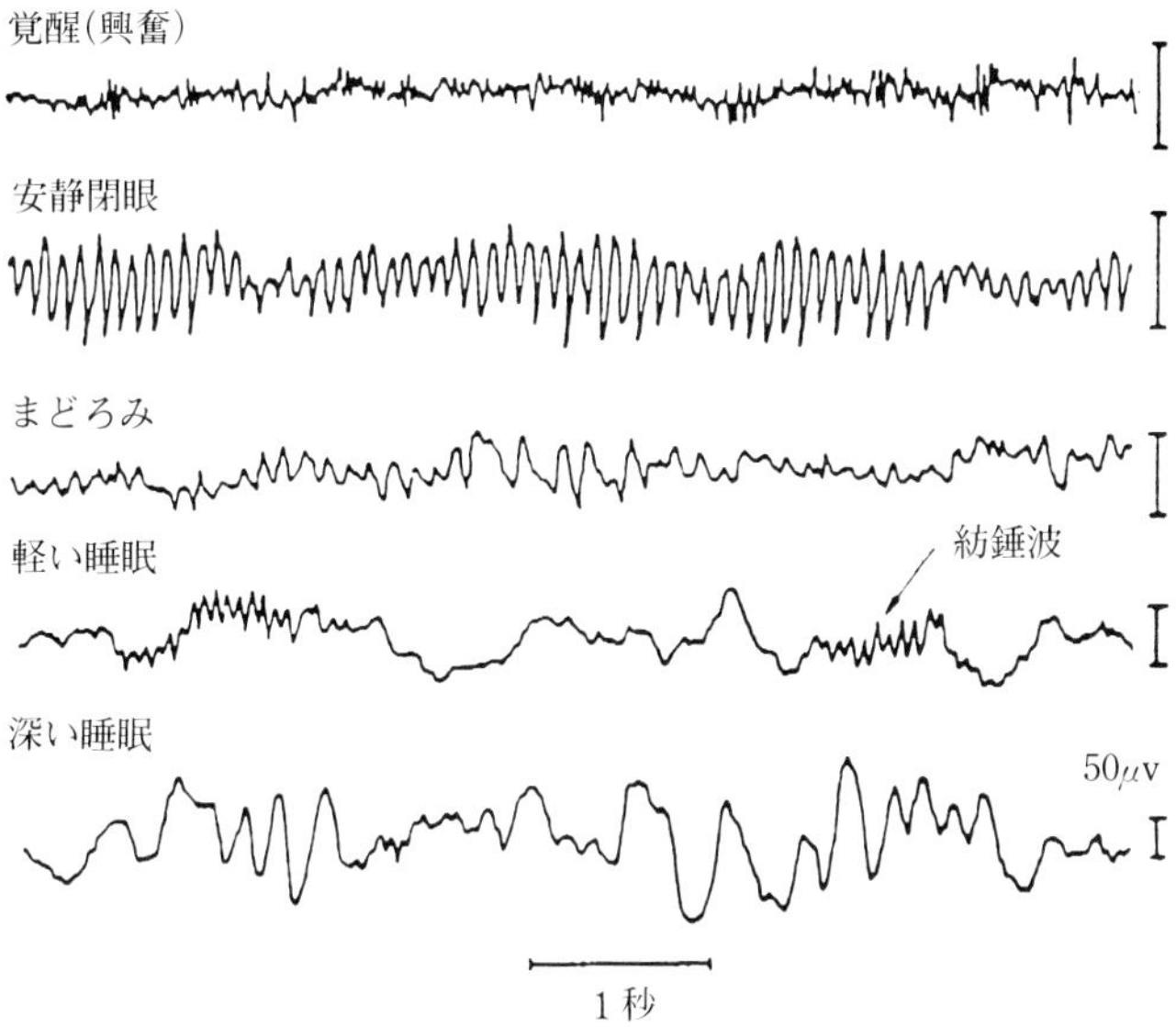

図 2　覚醒水準と脳波（Penfield & Jasper, 1954）

醒水準が中程度のとき最もよく出現し、覚醒水準が高すぎても低すぎても出現率は低下するという逆U字型の出現様式を示す。

さらに覚醒水準が低下すると、α波よりも周波数の遅い四～七Hzのθ波（theta wave）が出現する。いわゆる半覚半睡の状態である。その後、睡眠紡錘波（sleep spindle）が出現し、浅睡眠である睡眠段階2に達する。さらに周波数の遅い一～三Hzのδ波（delta wave）が出現し、深睡眠へと達する。周波数が〇・五～二Hz、振幅が七五μV以上のδ波が二〇％以上を占めると睡眠段階3、五〇％以上を占めると睡眠段階4と判定される。θ波とδ波は、α波よりも周波数が遅いため、徐波（slow wave）とも呼ばれている。このように、一般に脳波は、覚醒水準が高いほど周波数が高く、振幅も小さいが、覚醒水準が低下するほど周波数が低く、振幅も大きくなるという特徴をもっている。

乳幼児の場合は、覚醒時にθ波が連続して出現する。これは成人のα波に相当し、開眼や精神作業によって減衰する。

一方、異常脳波は、その出現様式によって突発性異常と非突発性異常に分けられる。突発性異常は、持続的に出現し脳波の大部分を形成している脳波、すなわち背景脳波から突発的に出現する一過性の異常脳波である。持続二〇～七〇msの鋭い波である棘波は、てんかん患者によくみられる波である。非突発性異常の場合は、脳波の徐波化が重要である。成人の場合、安静時にδ波が出現すれば明らかに異常であり、θ波が明瞭に出現する場合は、覚醒時でも徐波が混入しているため、異常かどうかの判定には慎重を要する。

（林　光緒）

キーワード 10-20電極配置法／α波／β波／覚醒水準／睡眠段階

〔文　献〕 ④⑥⑬

事象《じしょう》関連《かんれん》電位《でんい》

事象関連電位（ＥＲＰ：event-related potential）は、脳波（［脳波］の項参照）の一種であり、外的あるいは内的な事象に関連して生じる一過性の電位変動である。意識を持って活動する人間から安全に記録できるため、心理学におけるツールとして利用されている。

頭皮上から記録されるＥＲＰは、α波やβ波といった自発脳波に重畳して現れる。その振幅は一—二〇マイクロボルト程度であり、自発脳波の約十分の一である。自発脳波に埋もれたＥＲＰを抽出するために、加算平均法が用いられる。被験者に同じ事象を数十回から数百回経験させ、そのときに得られる脳波データを事象の開始時点に揃えて加算平均する。こうすると、事象とは無関係に出現する自発脳波は相殺されて消え、事象と時間的に関連したＥＲＰだけが残る。

初期の研究では「誘発電位（ＥＰ：evoked potential）」という語を使い、物理刺激が引き起こす脳電位反応を対象にしてきた。しかし、その後の研究で、刺激の意味や注意といった心理的変数によって変化する電位があることが示された。そのため、現在では、刺激との因果関係を示す誘発電位ではなく、より中性的な「事象関連（事象に時間的に関連した）電位」という語が一般に使われている。

ＥＲＰ測定の実際例を図１に示した。オドボール（oddball）課題と呼ばれるこの課題では、繰り返し呈示される刺激の中に時々異なった刺激が挿入される（オドボールとは「変わり者」の意味）。被験者は二つの刺激を弁別して、まれな刺激の出現回数を数えるように教示される（まれな刺激に対してボタン押しを求めることもある）。このような課題を行っているときに脳波を測定し、それぞれの刺激に対する波形を記録する。各試行の波形は不揃いであるが、それらを加算平均することで、ＥＲＰを明瞭に抽出できる。ＥＲＰ波形は、いくつかの振れが連続したものである。矢印で示したように、陰性方向（図では上向き）の振れを「Ｎ（negative）」、陽性方向（下向き）の振れを「Ｐ（positive）」と呼び、出現順に番号をつけるか、標準的な頂点潜時（ミリ秒単位）をつけて区別する。例えば、Ｐ３は三番目に生じる陽性の振れであり、またその頂点潜時が約三〇〇ミリ秒であることからＰ３００とも呼ばれる。

ＥＲＰ波形は、いくつかのＥＲＰ成分が、時間的・空間的に重畳したものと考えられている。ＥＲＰ成分とは、特定の実験操作に対してまとまって応答する電位の集合を指す。ＥＲＰ成分には、事象に先行する成分と事象に後続する成分がある。事象に先行する成分には、随意的な運動の一—二秒前から生じる運動準備電位（ＲＰ：readiness potential）や、まもなく生じるはずの事象を待ち受けているときに生じる随伴性陰性変動（ＣＮＶ：contingent negative variation）などがある。他方、事象に後続する成分には、Ｎ１、Ｐ２、処理陰性電位（ＰＮ：processing negativity）、ミスマッチ陰性電位（ＭＭＮ：mismatch negativity）、Ｎ２ｂ、Ｐ３ａ、Ｐ３ｂ（Ｐ３００）、Ｎ４００、陽性徐波、陰性徐波などがある。これらの成分

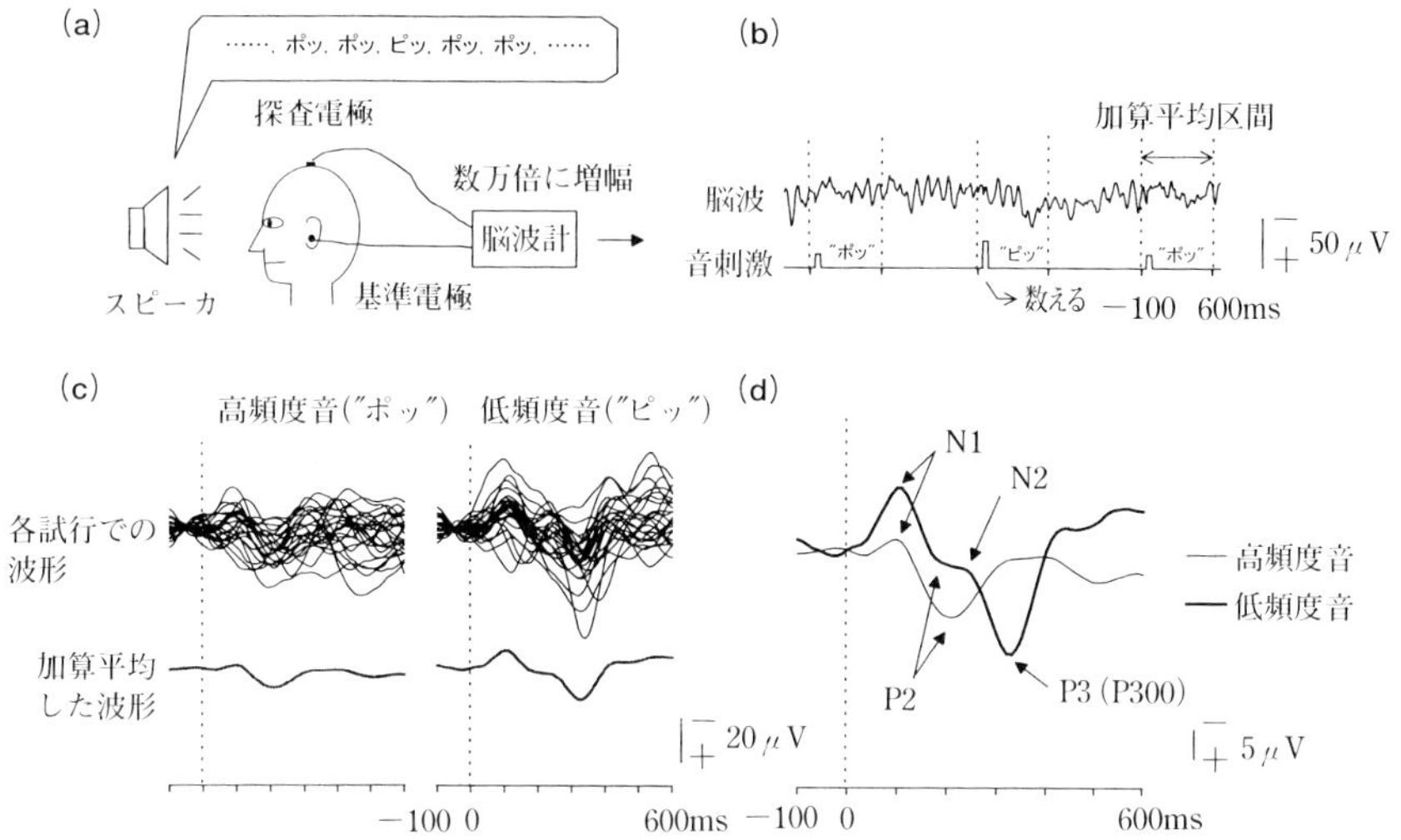

図1　事象関連電位（入戸野）

オドボール課題による事象関連電位（ERP）の測定。ポッという音が連続する中にピッという音が時々呈示され、被験者はその回数を数える（a）。そのときの脳波を記録する（b）。各試行で生じた脳波波形を、高頻度音と低頻度音に分けて加算平均する（c）。ERP波形はいくつかの振れが連続したものであり、それぞれの振れには名前がつけられる（d）。

は、耳や目などの感覚器官に入った刺激が脳の一次感覚野に伝わり、それが二次感覚野から連合野に至るという時間的経過に沿って出現する。刺激受容後およそ一〇〇ミリ秒までに生じる成分は、刺激の物理的特性に強く影響されるので「外因性成分」と呼ばれる。それ以降の成分は、刺激の意味や注意といった心理的変数に左右されるので「内因性成分」と呼ばれる。内因性成分は、外的刺激がないとき（例えば、予期していた刺激が呈示されなかった場合）にも生じる。

さまざまな実験条件でERPを測定することにより、それぞれのERP成分が、運動・予期・知覚・注意・認知・判断・記憶といった心理機能とどのように関連しているかについて研究が行われている（詳細は、加我・古賀・大澤他 一九九五⑦、沖田・諸冨 一九九八⑭参照）。さらに、うつ病や精神分裂病、痴呆の患者からERPを測定し、それを健常者のERPと比較することで、彼らの認知障害の特性を明らかにしようとする研究もある。その成果は、臨床診断や治療効果の確認のために利用されている（投石 一九九七⑩）。

ERPは、脳で起こっている神経活動のごく一部を反映したものであり、ERPとしては現れない神経活動もある。そのような神経活動は、ERP以外の脳機能測定法を利用して検討がなされている（「生理心理学と脳画像解析」の項参照）。

（入戸野　宏）

キーワード 加算平均法／外因性成分（誘発電位）／内因性成分

〔文　献〕 ⑦⑩⑭

自《じ》律《りつ》神《しん》経《けい》系《けい》

末梢神経のうち、心臓や平滑筋（不随意筋）、腺の機能を調節する神経系は、ふつうわれわれの意思とは無関係に自律的に働いており、これを自律神経系（autonomic nervous system）と呼ぶ。自律神経系は、さらに交感神経系（sympathetic nervous system）と副交感神経系（parasympathetic nervous system）に分かれ、両者は拮抗的に作用する。不安や恐怖、怒りや驚き、過度の緊張など強い情動が起こると、交感神経系の活動が亢進する。心臓の拍動が速くなり、末梢血管の収縮や、瞳孔拡大などが起こる。これらの反応は、副交感神経系により抑制される。

心臓血管系反応のうち、血液の圧や流量、体積を検討する分野は血行力学と呼ばれている。生理心理学分野では、その指標として心拍数や血圧、容積脈波がよく用いられている。

心拍数（ＨＲ：heart rate）は、ふつう一分間における心臓の拍動数（ＢＰＭ：beats per minute）をさし、心電図（ＥＣＧ：electrocardiogram）から求めるのが一般的である。心電図は、心臓が収縮するときの電気活動を計測したものであり、Ｐ、Ｑ、Ｒ、Ｓ、Ｔの各波から構成されている（図1）。Ｐ波からＱ波までが心房の興奮、Ｑ波からＴ波までが心室の興奮、Ｔ波の終わりから次のＰ波の始まりまでが心臓の弛緩期に相当する。心拍数の測定には、血液を心室から大動脈に送り出す際に生じるＲ波が重視される。一分間あたりのＲ波の個数を求めれば心拍数は算出できるが、Ｒ波の間隔、すなわちＲ－Ｒ間隔をＢＰＭに換算して瞬時心拍数を求める方法がよく用いられている。一方、心電図の測定には、電極を胸部に装着する胸部誘導法と、手足に装着する四肢誘導法がある。四肢誘導法には、第Ⅰ誘導（両手）、第Ⅱ誘導（右手―左足）、第Ⅲ誘導（左手―左足）があるが、第Ⅱ誘導が最も安定したＲ波を測定できる。

血圧（ＢＰ：blood pressure）は、動脈壁にかかる血液の側圧である。心臓の収縮期に最高値に達し、拡張期に最低値となる。前者を収縮期血圧（systolic BP）、後者を拡張期血圧（diastolic BP）と呼び、mmHg単位で測定する。

容積脈波（plethysmogram）は、動脈管の拡張・収縮による容積変化を計測したものである。皮膚に近赤外光を照射すると、生体組織は近赤外光を通過するが、血中ヘモグロビンはこれを吸収する。血管が拡張するとヘモグロビン量は増加するため、吸収される光量は多くなる。逆に、血管が収縮するとヘモグロビン量は減少するため、吸収される光量は少なくなる。そこで、指尖や耳朶などに光源部（橙色電球）と受光部（硫化カドミウムなどの光電素子）を組合せたトランスデューサを装着し、受光部に届く光量を電圧に変換する。このようにして測定した脈波を光電式容積脈波という。

瞳孔は、光の照度が増すと収縮し、照度が減少すると散大することによって、目に入る光量を調節している。光量だけでなく、痛み、恐怖、不安など強い情動刺激によっても散大する。瞳孔の大きさは、電子走査型瞳孔計によって測定される。これは、眼球前部からの反射光は、瞳孔が最も少なく、虹彩、強膜の順に高くなることを利用したものである。眼球に赤外線を照射し、その反射光をＴＶカメラで撮影する。ＴＶカメラの出力信号から、反射光の低い部分を瞳孔の大きさとして測定する。

一方、汗腺活動は交感神経系のみの支配を受けている。発汗は、一般に温熱性発汗と精神性発汗に分けられる。前者は暑さに伴って手掌と足底を除く全身の皮膚で起こり、体温の恒常性を維持する作用をもっている。後者は緊張時や情動興奮時に手掌と足底で起こる。このような精神性発汗に伴って生じる電気的変化を測定したものが皮膚電気活動（EDA：electrodermal activity）である。手掌や手指に装着した電極に微弱な電流を流し、皮膚の電気抵抗や電気伝導度（コンダクタンス）を調べる通電法と、電流を流さずに電極間の電位差を測定する電位法がある。いずれも持続性の変動を水準、一過性の変動を反応と呼ぶ。水準の値は被験者の覚醒水準を反映している。一方、反応は、刺激によって出現する特異性（specific）反応と、はっきりとした刺激がない場合に出現する非特異性（nonspecific）反応がある。

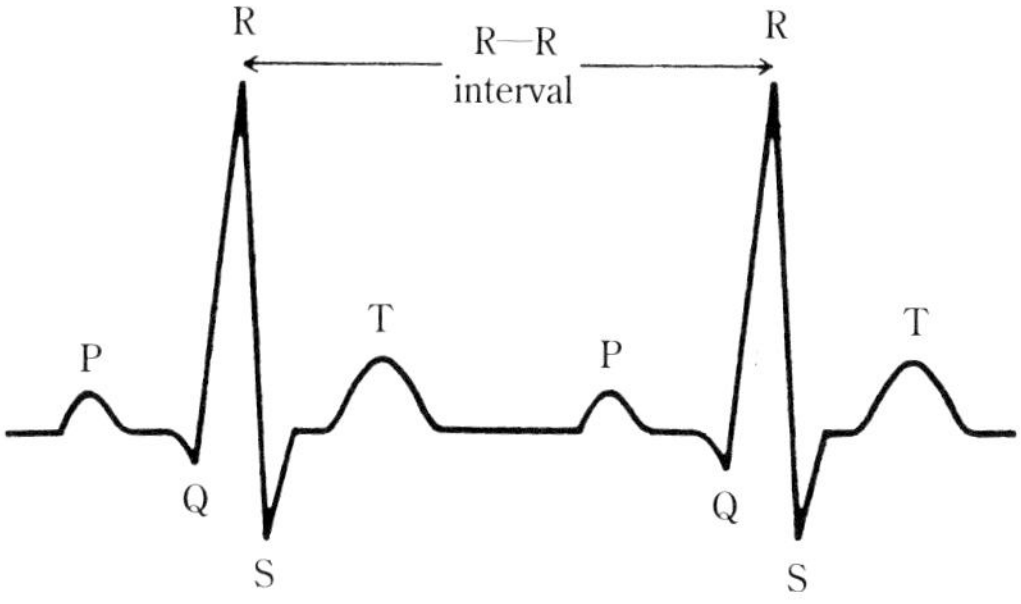

図１　心電図

測定に際しては、刺激に対して一～五秒後に反応が出現する場合を特異性反応とみなす。反応は、ふつう一～三秒後に出現するが、これを潜時ウィンドウと呼ぶ。被験者の緊張が高い場合には、非特異性反応が出現しやすいが、小さな音などの環境変化が原因となって反応が誘発される場合もある。したがって、前者を誘発性（evoked）反応、後者を自発性（spontaneous）反応と分類するのは必ずしも妥当ではない。

通電法では、コンダクタンス（単位はジーメンス：S）で測定する方法が一般的である。コンダクタンスの水準を皮膚コンダクタンス水準（SCL：skin conductance level）、反応を皮膚コンダクタンス反応（SCR：skin conductance response）と呼ぶ。双極導出法を用い、人差し指と中指の中節（第一関節と第二関節の間）に電極を置くのが一般的である。電位法では、測定された電位の水準を皮膚電位水準（SPL：skin potential level）、反応を皮膚電位反応（SPR：skin potential response）と呼び、mV単位で測定する。手掌または足底に探査電極、電位変動の少ない不活性部位に基準電極を装着する基準電極法が用いられている。手掌では小指の付け根に相当する小指球に装着するのが一般的である。また、基準となる部位は汗腺の少ない場所が必要であり、探査電極と同側の前前腕部が用いられることが多い。ただし、室温が二五度以上の場合や睡眠中には、温熱性発汗の活動が活発化して全身からSPRが頻発するようになる。そこで、基準部位では、サンドペーパーやセロハンテープにより表皮角質層を除去する不活性化処理が必要になる。

（林　光緒）

キーワード　心拍数／血圧／容積脈波／瞳孔／皮膚電気活動

〔文　献〕①④⑪

筋《きん》運《うん》動《どう》系《けい》活《かつ》動《どう》

外から観察できる行動は、そのほとんどが筋運動系活動の結果である。生理心理学で扱う筋活動には、手足を動かす骨格筋活動の他に、表情を作る顔面筋活動や眼球運動、瞬目（まばたき）などが含まれる。

筋活動を定量的に測定するには、筋電図（EMG：electromyogram）を記録する。筋電図は、筋が収縮するときに生じる活動電位を記録したものである（正確には、活動電位が筋線維を伝わるときに筋収縮が起こる）。筋電図は、筋内部に針電極を挿入して記録するが、心理学の実験では皮膚表面に小型電極を貼りつけて記録するのが一般的である。筋電図を記録することで、運動が生じる以前の筋活動を検出できる。例えば、読書や思考中に内語（声に出さない心の声）が存在することは、喉頭筋の活動を測定することで確かめられる。また、筋電図の測定結果を本人に直接フィードバックすることで、普段は意識にのぼらない特定の筋の活動を意図的に制御できるようになる。バイオフィードバックと呼ばれるこの訓練は、筋収縮性頭痛や書痙などの治療に役立てられている（志和・佐々木 一九九七⑯）。

表情を作る顔面筋の活動は、感情状態と関連している。「眉間にしわを寄せる」というように、不快感情は眉の付け根にある皺眉筋《しゅうびきん》の活動を高める。逆に「頬がゆるむ」というように、快感情は頬骨筋《きょうこつきん》の活動を高める。これらの筋から筋電図を記録することで、目には見えない微小な表情変化を捉えることができる。

眼球運動は、六本の眼筋によって行われる。眼球運動を記録するときは、筋電図ではなく、眼電図（EOG：electrooculogram）やアイカメラを用いるのが一般的である。眼球は、乾電池の＋極－極と同じように、突起した角膜面が陽性、網膜面が陰性に帯電している。眼球が上下左右に動くと、周囲の電場が変化する。その電場の変化を、眼球の周囲に貼りつけた電極から記録したのが眼電図である。また、眼球に赤外光を照射し、角膜（黒目）と強膜（白目）の反射量の違いから眼球運動を測定するのがアイカメラである。眼球運動は、古くから心理学における指標として用いられてきた（苧阪・中溝・古賀 一九九三⑮）。

瞬目は、眼輪筋と上眼瞼挙筋によって行われ、随意性瞬目・反射性瞬目・自発性瞬目の三種類に分類できる。随意性瞬目とは、ウインクをするときのように意図的に行う瞬目である。反射性瞬目とは、刺激（眼球への接触や突然の大きな音）に対してとっさに生じる瞬目である。自発性瞬目とは、特別な外的刺激がないときにほぼ周期的に生じる瞬目である。自発性瞬目の頻度や生起パターンは、心理状態や性格特性と関連することが指摘されている（田多・山田・福田 一九九一⑰）。

（入戸野 宏）

キーワード 骨格筋／表情筋／眼球運動／瞬目

〔文 献〕⑮⑯⑰

定位反応《ていいはんのう》と慣《な》れ

目新しい刺激に対して生体が「おや何だろう」と示す反応が定位反応（ＯＲ：orienting response）である。ＯＲは、感覚刺激の種類を問わず、環境条件の変化、すなわち刺激の新奇性や刺激の変化によって生じる。ところが、同じ刺激を何度も繰り返して提示すると、反応は減少する。これは慣れ（habituation）と呼ばれている。慣れの速さは、刺激の強さや新奇性によって異なり、刺激強度や新奇性が大きいほど慣れは遅くなる。一方、刺激の量や質が変化すると、再び反応が出現するようになる。これを脱慣れ（dishabituation）と呼ぶ。

刺激が非常に強い場合や、有害と判断された刺激に対しては慣れがほとんどみられない。このような反応は防御反応（ＤＲ：defensive response）と呼ばれている。

定位反応の指標としては、脈波や心拍、皮膚電気活動などの自律神経系反応が頻繁に用いられてきた。ソコロフ（Sokolov）は、頭部の脈波の拡張をＯＲ、収縮をＤＲの指標としたが、その後の研究では、脈波では慣れが顕著には起こらないなどの否定的な結果が多く報告されている。これに対して、心拍数は、ＯＲとＤＲの区別には最も有効である。心拍数の減少はＯＲ、増加はＤＲを反映していると考えられている。皮膚電気活動ではＯＲとＤＲの区別がつきにくいが、慣れの過程が観察しやすいため、定位反応と慣れの研究には最も頻繁に用いられている。刺激に対する特異的反応として皮膚コンダクタンス反応や皮膚電位反応が測定されている。

一方、脳波におけるα減衰は、古くからＯＲの指標とされてきたが、減衰時間は必ずしも刺激強度の関数とはならないことから、最近は、事象関連電位における定位反応成分が検討されている。標的刺激に対して刺激提示から約三〇〇ms後に発生する陽性の電位は、Ｐ３（またはＰ３００）と呼ばれている。Ｐ３は、前頭部優勢に出現する成分Ｐ３ａと、それよりも潜時が長い、中心—頭頂部優勢に出現する成分Ｐ３ｂが存在することが知られている。前者は、刺激に対して注意を向けたとき、提示確率の低い逸脱刺激に対して出現する定位反応成分である。一方、意図的な注意を向けていない場合でも、刺激の変化に対して自動的に発生する、刺激提示から約二〇〇ms後に発生するミスマッチ陰性電位（ＭＭＮ：mismatch negativity）も定位反応に関連していると考えられている。

ＯＲと慣れの理論は種々のものが提唱されているが、ソコロフの神経モデルが有名である。彼によれば、刺激が繰り返して提示されると、その刺激に応じた神経モデルが形成される。次に刺激が提示されると刺激比較過程によって神経モデルとの一致、不一致が検証され、不一致が検出されると定位反応が起こるとしている。

（林　光緒）

キーワード　定位反応／慣れ／防御反応／脱慣れ

〔文　献〕⑧⑫

初《しょ》期《き》値《ち》の法《ほう》則《そく》

初期値の法則（law of initial value）は、生理心理学で唯一「法則」という名前がついている。刺激に対する特定の生理系の反応は、その系の刺激前の活動状態（ベースライン）に依存するという「法則」である。心拍数や呼吸などの自律神経系活動の変化幅は決まっている。例えば、心拍数は安静時には六〇—九〇拍／分であるが、激しい運動によって二〇〇拍／分近くに上昇する。しかし、それ以上にはならない。心拍数は恐怖を喚起する状況で増加するが、もともと心拍数が高いときには、それ以上の増加が生じにくい（天井効果）。逆に、心拍数は興味ある刺激に対して減少するが、もともと心拍数が低いときには、それ以上の減少が生じにくい（床効果）。このように、初期値の法則では、ある刺激が生理的反応を増加／減少させる程度は、それぞれ刺激前水準が高い／低いときほど小さくなると予測する。

バーントソンら（Berntson, Uchino, & Cacioppo, 1994②）は、スピーチをするストレスによる心拍数（心拍間隔）の変化が、スピーチ前の心拍数の水準によって影響されるかを、被験者の姿勢を操作することで検討した。まず被験者は、座っているときと立っているときの心拍数を安静状態で測定した。一般に、心拍数は座位よりも立位で高くなる。その後、被験者は与えられたテーマについて四分間のスピーチをするように教示された。そのうちの二分間は立って、二分間は座ってスピーチをした（半数の被験者では順序を逆転させた）。図1に示したように、座位でも立位でも、スピーチをするときの心拍数は安静時より増加した。しかし、スピーチ前に心拍数が低い座位では二三％の増加がみられたのに対し、スピーチ前から心拍数が高い立位では一〇％の増加にとどまった。この結果は、初期値の法則と一致して、実験操作以前の活動水準が、実験操作に対する反応の大きさに影響することを示している。

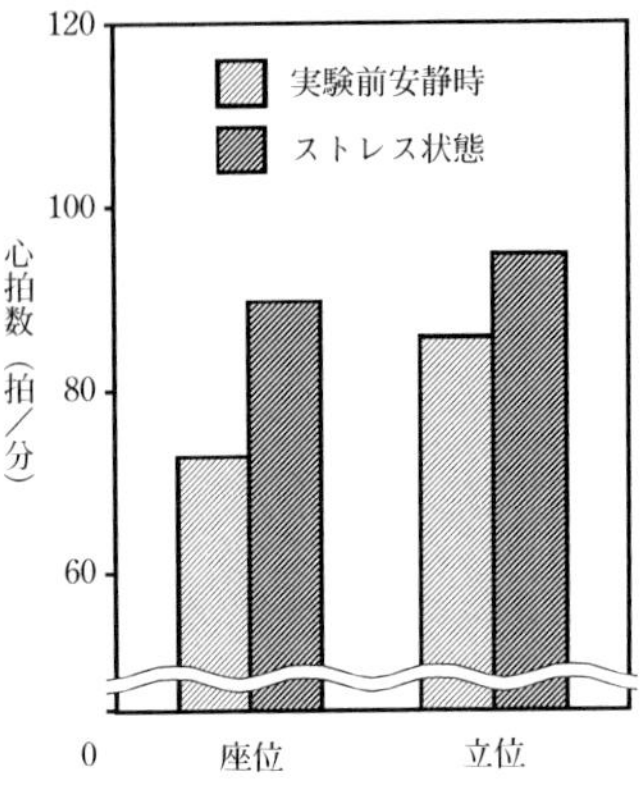

図1　初期値の法則（入戸野）

スピーチによるストレスが心拍数に与える影響。ストレスによって心拍数は安静時より増加するが、初期値の法則に従い、実験前から心拍数が高い立位では増加の程度が小さい（Berntson, Uchino, & Cacioppo, 1994②を改変して作成）。

初期値の法則を提唱したワイルダー（Wilder, 1967⑳）は、この法則をすべての自律神経系反応にあてはめようとした。しかし、実際には、そのような一般性は認められない。心拍数や呼吸、指先の血管反応、瞳孔反応については初期値の法則と一致する知見が得られているが、皮膚コンダクタンス反応や皮膚温、唾液分泌については得られていない（Andreassi, 1980①、訳書三〇六—三〇八頁）。そのため、現在では、初期値の法則は、方法論的な必然性に基づく「法則」ではなく、経験的に得られたデータを一般化した「原理」だと考えられ、その適用限界が細かく検証されている。

（入戸野　宏）

キーワード　刺激前水準（ベースライン）／自律神経系活動

〔文　献〕①②⑳

生物《せいぶつ》リズムと行動制御《こうどうせいぎょ》

生物がもっている時計機構、すなわち生物時計（biological clock）によって駆動される内因性のリズムを生物リズム（biological rhythm）という。生物リズムはその長さによって三種類に大別される。ほぼ一日のリズムをサーカディアンリズム（circadian rhythm）（circa＝約、dian＝一日）、女性の月経周期など一日よりも長いリズムをインフラディアンリズム（infradian rhythm）、睡眠中に約九〇分の周期で出現するノンレム―レム周期など一日よりも短いリズムをウルトラディアンリズム（ultradian rhythm）という。

われわれは、ふだん二十四時間のリズムで生活しており、睡眠覚醒リズムもほぼ二十四時間に保たれている。体温もサーカディアンリズムを示すことが知られており、夕方五時頃に最高になり、早朝四時頃に最低となる。体温の最低値付近では眠気が一日の中で最も高くなり、作業成績も極端に低下する。

明るさや温度などの環境が一定に保たれる恒常環境下では、生物リズム本来のリズム、すなわち自由継続リズム（free-running rhythm）が出現する。睡眠や体温における自由継続リズムは二十四時間よりも長くなることから、われわれはふだん、自らの生物リズムを二十四時間周期の環境条件に合わせて生活していることがわかる。この現象を同調（entrainment）といい、生物リズムを同調させるのに必要な環境要因を同調因子（Zeitgaber）、または時間手がかり（time cue）という。光は最も強力な同調因子であるが、このような物理的環境要因だけでなく、始業時刻や食事時刻、社会的接触などの社会的要因も同調因子として作用する。

一方、恒常環境下では、睡眠覚醒リズムと体温リズムが異なるリズムを示す場合がある。この現象は内的脱同調（internal disentrainment）と呼ばれ、ヒトの生物時計が少なくとも二つ存在することを示している。体温リズムを駆動する時計は、比較的強固で安定しており、睡眠覚醒リズムを駆動する時計は不安定である。前者は昼夜など明暗周期に、後者は社会的環境要因に同調することが知られており、さらに前者は後者に強い影響を及ぼしている。

時差がある地域をジェット機で移動すると、出発地の明暗周期に同調していた体温リズムは、到着地の明暗周期と大きなずれを起こす。このため、起きていなければならない時刻には体温が低下して強い眠気が生じたり、逆に、眠ろうとする時刻には体温が上昇するために眠気が起こらず、全く眠れなかったりする。いわゆる時差症状が発生する。夜勤の場合も同様に、体温リズムと睡眠覚醒リズムのずれによって、夜勤中には強い眠気や作業能率の低下がみられ、夜勤明けには睡眠中断や睡眠の短縮化が起こる。このような時差症状や夜勤などによる睡眠覚醒リズム障害の治療には、高照度光を利用して生物リズムを調整する方法、すなわち光療法（高照度光療法）の有効性が確かめられている。　（林　光緒）

キーワード　生物時計／サーカディアンリズム／自由継続リズム／同調／同調因子／内的脱同調

〔文　献〕③⑧⑱

生理《せいり》心理《しんり》学《がく》と脳《のう》画《が》像《ぞう》解《かい》析《せき》

　従来の生理心理学では、脳波を主な指標として、脳活動の時間的変化を検討することが多かった。しかし、現在では、ある時点で活動している脳領域を画像として表示する技術（ニューロイメージングまたはブレインイメージングと呼ばれる）が開発されている。脳活動の「目印」として何に注目するかによって、これらの技術は二分される。神経の電気的活動に注目する方法と、神経活動に伴う物質的変化に注目する方法である。

　脳波（［脳波］の項参照）やその一種である事象関連電位（［事象関連電位］の項参照）を頭皮上の多くの部位から記録し、ある時点における空間分布を視覚的に表示したのが、頭皮上電位分布図（トポグラム）である。大きなパワーや振幅が得られた頭皮上の部位が濃い色で表示されるので、あたかもその場所が活動しているように見える。しかし、頭皮上で記録される電位は、複数の脳領域で生じた電位が伝播して重畳したものであり、電極直下の脳領域の活動だけを反映したものではない。そのため、脳波（ERP）トポグラムから、実際に活動している脳領域を特定することは難しい。

　脳磁波（脳磁図ともいう。ＭＥＧ：magnetoencephalogram）は、神経の電気的活動に伴って形成されるきわめて弱い磁場を記録したものである。脳磁波は、脳波と同じ脳内現象を別の側面から測定したものであるが、脳波に比べて伝播による影響が少ないので、電流発生源を推定しやすいという特長がある。電流発生源の推定には、数学的シミュレーションを用いる。等価電流双極子（ダイポール）と呼ばれる電流の流れを脳内に仮定し、その位置や方向を試行錯誤的に変化させて、測定されたデータを近似する。

　神経活動が生じた場所は、代謝が活発になるので、たくさんの酸素や栄養が供給される。そのときの物質的変化をセンサーで計測すれば、神経活動が生じた場所を推測できる。陽電子断層撮影法（ＰＥＴ：positron emission tomography）では、被験者に酸素や炭素などの放射性同位体を投与する。放射性同位体は短時間で消滅し、その際に陽電子を放出する。放出された陽電子をセンサーで検出することにより、放射性同位体が大量に取り込まれた場所（すなわち代謝が活発だった場所）を推定できる。他方、機能的磁気共鳴画像法（ｆＭＲＩ：functional magnetic resonance imaging）では、物質を投与するのではなく、強い磁場の下で電磁波を断続的に与えて体内の水素原子核を回転させる。酸素の供給量が増えると、その場所の水素原子核の回転に変化が生じるので、それを手がかりとして神経活動が生じた場所を推定する。これらの方法では、神経活動が生じた領域を数ミリメートル単位の精度で特定できる。ただし、脳血流を測定しているので、脳血管の最小の反応時間（約一秒）より短い事象を扱うのは難しい（宮内　一九九七⑨）。

　また、最近、頭皮上から近赤外光を照射して脳表面の血流量を測定する近赤外光脳内血流計測（光ＣＴ optical computed tomography ともいう）の技術が実用化されつつある（田村・星　一九九八⑲）。この方法では、脳深部の活動は計測できないが、ＰＥＴやｆＭＲＩに比べて手軽であるため、今後の普及が期待されている。

（入戸野　宏）

キーワード　脳磁波（ＭＥＧ）／機能的磁気共鳴画像法（ｆＭＲＩ）／光ＣＴ

〔文　献〕⑨⑲

学習心理学

編集・岩本隆茂

人間や動物の行動には、発達の諸段階において解発刺激の提示に対応して自動的に発現する「反射」や「本能」などの「生得性行動」と、個体の誕生後の諸経験を照査しながらそのときどきの行動をより適合的に変容させて発現する「学習性行動」の二種類がある。

しかし人間の新生児では、ごくわずかな生得性行動が見られるにすぎない。複雑な行動ばかりではなく、物を握ったり歩いたり、事物を見分ることすら学習性の行動であることが、先天性失明者の開眼手術などからわかってきた。「問題行動」も、なんらかの理由のために、古典（的）条件づけかオペラント条件づけのいずれかによって形成・維持されているのである。したがってその行動は、条件づけのさまざまな技法を用いて消去することができる。

このように「学習」とは、人間が人間として行動する基盤を支えている極めて重要な現象であり、また人間についての真の理解のためには、もっとも重要な研究領域なのである。

古典的《こてんてき》条件《じょうけん》づけ・パヴロフの条件反射《じょうけんはんしゃ》

ロシアの生理学者パヴロフ（Pavlov, I. P.）はイヌを用いて消化腺の研究を行っていたが、食物が口や胃に入らなくても唾液や胃液が分泌する（心的分泌）ことに気づき、多くの弟子とともにこの現象の解明に取り組んだ。

例えば、空腹のイヌにメトロノームの音を聞かせてから食物を与えるという操作を繰り返すとしよう。口に入った食物は唾液分泌を誘発する。これは無条件反射という生得的な行動のしくみであり、ここで口中の食物は無条件刺激（unconditioned stimulus：USまたはUCS）、唾液分泌は無条件反応（unconditioned response, URまたはUCR）である。メトロノームの音は無条件反射として定位反応を引き起こすが、それを別にすれば、イヌにとって大した意味のない中性刺激である。しかし、この音と食物の対提示を繰り返し経験することにより、イヌはこの音に対しても唾液分泌反応を示すようになる。このとき、メトロノームの音を条件刺激（conditioned stimulus：CS）、それによって誘発された唾液分泌を条件反応（conditioned response：CR）と呼ぶ。条件刺激が条件反応を引き起こすことを条件反射というが、これは条件刺激と無条件刺激の対呈示経験によって獲得された習得的行動である。

条件反射は唾液など消化液の分泌反射だけでなく、瞬目反射や膝蓋腱反射などさまざまな無条件反射を元に形成することができる。

条件刺激と無条件刺激の対提示という操作によって、条件刺激が新しい反応を引き起こすようになることを古典的条件づけ、パヴロフ型条件づけ、またはレスポンデント条件づけという。パヴロフは条件反射という形で古典的条件づけを発見したが、古典的条件づけのしくみは反射行動にだけ当てはまるわけではない（例えば、配偶相手に対する求愛行動など本能的行動を別の刺激に条件づけることも可能である）。また、条件刺激が条件反応を喚起するようになると、この刺激を無条件刺激の代わりに用いて、高次条件づけを行うことができる。なお、生得的行動を元に生じる通常の古典的条件づけを一次条件づけと呼ぶ。一次条件づけを元に形成する高次条件づけを二次条件づけ、二次条件づけを元に形成する高次条件づけを三次条件づけという。

古典的条件づけにおいては、条件刺激と無条件刺激の対提示操作のことを強化と呼ぶ。条件反応の形成に最も適切な強化手続きは、条件刺激を提示した後に無条件刺激を提示することである（順行条件づけ）。条件刺激と無条件刺激を同時に提示する同時条件づけや条件刺激を無条件刺激の後に提示する逆行条件づけの方法では、条件反応の形成が困難である。順行条件づけ手続きは、条件刺激の提示中または提示直後に無条件刺激を提示する延滞条件づけと、条件刺激が提示終了してから無条件刺激を提示する痕跡条件づけに分類される。また、条件反応形成に最適な条件刺激―無条件刺激間隔は、動物種、刺激の種類、反応指標などによって大きく異なる。なお、無条件刺激だけを一定間隔で提示するという手続きを繰り返すと、無条件刺激が提示される直前に反応がみられるようになる。この場合、一試行前に提示された無条件刺激からの経過時間が条件刺激の役割を果たしていると考えられ、時間条件づけと呼ばれている。

　パヴロフによれば、古典的条件づけとは、条件刺激によって喚起された脳内表象と無条件刺激によって喚起された脳内表象の連合形成である。条件刺激が提示されると無条件刺激を連想するという興奮連合が強化手続きにより形成されるが、その後、条件刺激だけを提示するという消去手続きを実施すると、条件反応が少なくなっていく。これを実験的消去または単に消去という。消去とは先に形成した興奮連合の消失ではないとパヴロフは主張した。反応が消えた後、一定時間をおいて再び条件刺激を提示すると、条件反応が復活する（自発的回復）からである。彼によれば、消去期には条件刺激と無条件刺激の間に制止連合が新たに形成され、先に形成されていた興奮連合を抑制するようになるが、制止連合は興奮連合よりも「もろい」ので、時間経過により減弱し、興奮連合が再び顕著になって条件反応の自発的回復が生じる。

　また、条件刺激と同時またはやや先立って新奇刺激を提示すると、消去していたはずの条件反応が復活することがあるが、これも制止連合のもろさの反映であると解釈され、脱制止と名づけられている。制止連合は、消去手続きだけではなく、ある刺激Aを無条件刺激と対提示する一方、別の刺激Xと刺激Aの複合には無条件刺激を伴わせないという「パヴロフの条件制止」手続きによっても形成される。この場合、複合試行において刺激Xと無条件刺激の間に制止連合が形成され、刺激Aと無条件刺激間の興奮連合による反応生起を抑制する。また、刺激Aは無条件刺激と対提示するが、刺激Bには無条件刺激を伴わせないという分化条件づけを行うと、刺激Bが無条件刺激と制止連合を形成する。これを分化制止という。条件制止や分化制止は学習性の反応抑制メカニズムであり、パヴロフはこれらをまとめて内制止と呼んだ。一方、条件づけ訓練時に、条件刺激と同時またはやや先立って新奇刺激を提示すると、条件反応の生起が阻害される。このような非学習性の反応抑制メカニズムを外制止という。

　パヴロフは脳内の興奮と制止のバランスが崩れると異常行動が生じると考え、実験神経症として研究した。例えば、区別できないほどよく似た二つの刺激AとBを用いて分化条件づけ訓練を行うと、イヌは鳴いたり暴れたりするようになり、これは実験時以外にも波及して、強い情緒不安定性を示すようになった。実験神経症の研究はヒトの異常行動に関する動物モデルの先駆けであった。パヴロフ以後の研究者たちは、興奮と制止のバランス崩壊が神経症を生むという彼の考えを必ずしも踏襲したわけではないが、人為的に作り上げた動物の異常行動の研究は行動療法の発展にも大きく影響した。例えば、ウォルピ(Wolpe,J.)の系統的脱感作法は実験神経症を示すネコの治療法から生まれたものである。

（中島定彦）

キーワード　消去／自発的回復

〔文　献〕⑨⑭⑱㉑

現代《げんだい》の古典的《こてんてき》条件《じょうけん》づけ

古典的条件づけに対する考え方は、一九六〇年代後半以降に大きく変化した。それまで「反射行動の習得メカニズム」として捉えられていた古典的条件づけは、環境内に生起する刺激間の関係を学ぶための知的で能動的な適応メカニズムだと見なされるようになった。このような革命的変化のきっかけは「条件刺激と無条件刺激の対提示は必ずしも条件反応を生まない」という事実の発見にある。

例えば、条件刺激提示時に無条件刺激が提示されたとしても、条件刺激非提示時にも無条件刺激が提示されるならば、条件刺激による条件反応誘発は抑えられる。図1は縦軸に「条件刺激提示時の無条件刺激提示確率」、横軸に「条件刺激非提示時の無条件刺激提示確率」を示した随伴性空間であるが、この二つの確率が等しい条件（図中の斜め線上の各点）では、条件反応がほとんどみられない。図の左上の空間は正の随伴性と呼ばれ、条件刺激が無条件刺激の到来を信号する条件である。図の右下の空間は負の随伴性を示し、条件刺激が無条件刺激の非到来を信号する条件である。動物が正の随伴性に置かれると条件興奮の獲得、つまり興奮条件づけが生じ、負の随伴性では条件制止の獲得、つまり制止条件づけが生じるとレスコーラ（Rescorla, R. A.）は考えた。ここでいう「条件制止」はパヴロフの条件制止の概念とは異なり、習得性の反応抑制メカニズムということで、内制止の概念に近い。

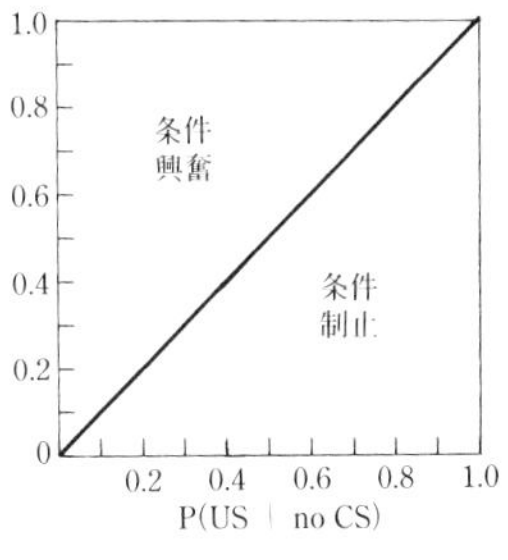

図1　古典的条件づけの随伴性空間

条件刺激と無条件刺激の対提示が条件反応形成の十分条件ではないことを示す別の例は、パヴロフによって報告されていた隠蔽（オーバーシャドーイング）現象と、その後ケイミン（Kamin, L.J.）が発見した阻止（ブロッキング）現象である。条件刺激Aが単独で誘発する条件反応は、その条件刺激Aを単独で訓練した場合よりも、別の条件刺激Bと複合して訓練した場合に小さくなる（隠蔽）。また、条件刺激Bだけをあらかじめ条件づけしておいてから、AとBを複合訓練した場合には、条件刺激Aが誘発する条件反応はさらに小さくなる（阻止）。

以上のように、古典的条件づけとは、無条件刺激の到来あるいは非到来の信号として最も適切な条件刺激を探し当てる学習メカニズムである。このメカニズムの作用原理についてはさまざまな理論が提出されているが、最も代表的なものはレスコーラ＝ワグナー・モデルである。このモデルでは条件づけの強さは条件刺激―無条件刺激の連合強度として捉えられ、連合強度の変化は次式で示される。

$$\Delta V_A = \alpha_A \beta (\lambda - V_{sum})$$

ここで、ΔV_Aは刺激Aに関する連合強度の一試行あたりの変化量、α_Aとβは学習速度を規定するパラメータ（α_Aは刺激Aの明瞭度、βは無条件刺激強度に依存）、λは無条件刺激が提供する連合強度の限界、V_{sum}はその試行に存在する刺激すべてが有している連合強度の合計である。刺激Aに関する学習は、そのとき存在するすべての刺激が無条件刺激をどれだけ予測するかによって決まる。予測が完全な場合には、式のカッコ内はゼロであり、連合強度の変化（学習）は生じないが、予測が不十分な場合、多すぎる場合にはカッコ内が正や負の値になり、連合強度の増大・減少を生む。図2はこのモデルによる条件興奮・隠蔽・阻止・条件制止の説明をグラフ化したものである。

①光刺激を単独で無条件刺激と対提示して条件づけをすると、この刺激の連合強度は最終的に1となる。②光刺激を音刺激と複合させて無条件刺激と対提示すると、光刺激と音刺激の連合強度の合計が1となるように学習する。③音刺激を単独で無条件刺激と対提示して訓練した後、光刺激を音刺激と複合させて無条件刺激と対提示する場合には、すでに音刺激が十分な連合強度を獲得しているので、光刺激は連合強度をほとんど獲得しない。④光刺激があるときには無条件刺激が提示されず、光刺激がないときには無条件刺激が提示される条件では、背景刺激（動物が実験中に常に経験している刺激、例えば実験装置の臭い）を仮定する。光刺激のないときとは背景刺激のみの試行であり、無条件刺激が提示されるので連合強度が1に変化する。光刺激があるときとは光刺激と背景刺激の複合試行であり、このときは無条件刺激が提示されないから連合強度の合計は0である。したがって、光刺激単独の連合強度はマイナス1になる。

（中島定彦）

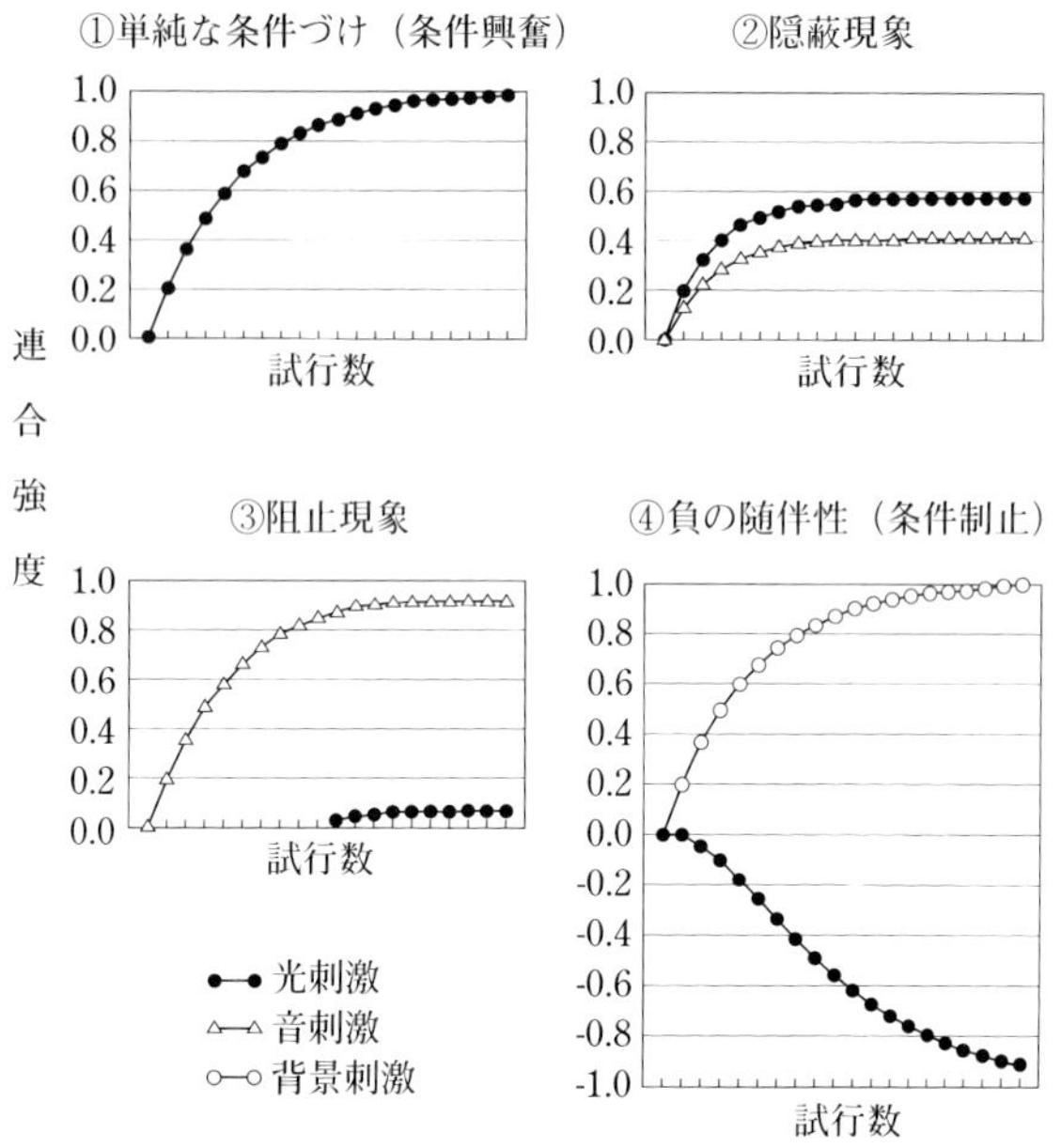

図2　レスコーラ＝ワグナー・モデルによる説明

キーワード 隠蔽／阻止／レスコーラ＝ワグナー・モデル

〔文献〕⑨⑭⑱㉑㉝

オペラント条件《じょうけん》づけ

個体は経験を通して行動を変容させ、新たな行動を獲得していく。このように経験を通して生じる比較的長期にわたる行動の変化を学習という。

ソーンダイク（Thorndike,E.L.）はペダルを押すとドアが開く問題箱にネコを閉じ込め、外にエサを用意してネコがどのようにしてドアを開けるようになるのか観察した。はじめネコは箱のなかで暴れたり引っ掻いたりしていたが、そのうち偶然ペダルに触れ首尾良く脱出することができた。ネコはこのような経験を繰り返すうちに、箱から脱出するための適切な行動を獲得していった。ソーンダイクは、「問題箱」という刺激場面と「ペダル押し」という反応の結合が、「箱から脱出してエサにありつける」という結果によって強められ学習が成立すると考えた。

このように偶然の成功によってもたらされる学習を試行錯誤学習（trial and error）と呼び、好ましい結果をもたらす反応はそのときの刺激場面と強く結びつき、同じ場面で繰り返し生じるようになる。逆に不快な結果をもたらす反応はその刺激場面との結びつきが弱まり、同じ場面で生じなくなる。これを効果の法則（law of effect）という。スキナー（Skinner,B.F.）もテコを押すとエサが提示される装置（スキナー箱）を作製し、ラットやハトを用いて行動の研究を行った。この場合もはじめラットは箱のなかを動き回るだけだが、そのうち偶然テコに触れエサが与えられた。このような経験を繰り返すうちに、ラットはテコを押してエサを得るという新しい行動を獲得した。

ペダル押しやテコ押し反応のように、ある刺激場面で個体が自発する反応をオペラント反応といい、オペラント反応がもたらす結果によって生じる行動の変容過程がオペラント条件づけである。エサのように好ましい結果は効果の法則によってその刺激場面と反応との結合を強め、オペラント反応の生起頻度を高める働きを持つ。オペラント反応の生起頻度を高める結果は正の強化子（positive reinforcer）と呼ばれる。しかしオペラント反応によって不快な結果がもたらされると刺激—反応間の結合は弱められ、オペラント反応の生起頻度も低下する。このように反応の生起頻度を低下させる結果が負の強化子（negative reinforcer）である。電気ショックや痛みは代表的な負の強化子である。

オペラント反応の後に強化子を随伴させ、その生起頻度を操作する手続きは強化（reinforcement）と呼ばれる。オペラント反応は個体の生得的な行動レパートリーのなかから選ばれ、ラットのテコ押し反応やハトのキーつつき反応はその典型である。これらの反応は強化子が随伴しなくても偶然生じることがあり、この生起頻度をオペラント水準（operant level）という。したがってスキナー箱にラットを入れテコを押すとエサが随伴されるようにしておけば、偶然生じたオペラント反応によって条件づけが成立する。

しかしオペラント水準が低い場合には実験

者がエサの提示を操作し、オペラント反応の出現を手助けする必要がある。この手続きが反応形成（shaping）である。最初はラットがテコの方へ顔を向けたらエサを随伴させる。これを繰り返してラットがテコの方を向くようになったら、次はテコに近づいたらエサを随伴させる。次はテコに顔を近づけたら、次はテコに触れたら、エサを随伴させる。このように徐々にテコ押し反応へと導いていくと、最後は自らテコを押しエサを獲得するようになる。実験者が強化子を操作し徐々に行動を変容させ、最終的に目標となる行動を形成させる手法は逐次接近法（successive approximation）と呼ばれ、動物に複雑な行動を訓練する際に用いられる。

オペラント反応に対してどのような場合に強化子を随伴させるのかを規定したのが強化スケジュール（reinforcement schedule）である。オペラント反応に対して毎回強化子を随伴させるのが連続強化（continuous reinforcement）、ある条件が満たされた場合のみ強化子を随伴させるのが部分強化（partial reinforcement）である。

代表的な部分強化スケジュールとして、一定の反応回数毎に強化子を随伴させる固定比率スケジュール（fixed ratio schedule, ＦＲ30なら反応三〇回毎に強化子を随伴させる）、強化子を随伴させるのに必要な反応の回数が毎回変動する変動比率スケジュール（variable ratio schedule, ＶＲ30なら平均して三〇回ごとに強化子を随伴させる）、以前の強化から一定時間が経過した後の最初の反応に強化子を随伴させる固定間隔スケジュール（fixed interval schedule, ＦＩ30なら以前の強化から三〇秒経過した後の最初の反応に強化子を随伴させる）、以前の強化からある時間間隔が経過した後の最初の反応に強化子を随伴させるが、その時間間隔は毎回変動する変動間隔スケジュール（variable interval schedule, ＶＩ30なら以前の強化から平均して三〇秒経過した後の最初の反応に強化子を随伴させる）などがある。

ところがオペラント反応とは無関係に強化子を提示すると、強化子の直前に自発された反応が強化される。例えばシッポをなめた後に強化子が提示されると、ラットはさかんにシッポをなめるようになる。このように偶然の強化によって獲得された反応を迷信行動（superstitious behavior）と呼ぶ。「茶柱が立つと良いことがある」といって縁起をかつぐのも、偶然の強化によって獲得された行動である。

一度獲得されたオペラント反応に対して強化子の随伴を中止する手続きは消去（extinction）と呼ばれ、オペラント反応の生起頻度は徐々に低下していく。消去によってオペラント反応が生じなくなるまでの試行数や所要時間が消去抵抗（resistance to extinction）で、連続強化よりも部分強化の方が消去抵抗は高い。しかし翌日になると消去したはずのオペラント反応が一時的に回復することがある。これは自発的回復（spontaneous recovery）と呼ばれている。（和田博美）

キーワード 学習／強化スケジュール

〔文献〕㉙㉚

現代《げんだい》のオペラント条件《じょうけん》づけ

自然界では様々な環境要因が絡み合い個体の行動に影響を及ぼしている。そのためどの要因が決定的な役割を果たしているのか、またその要因と行動との間にどのような法則が成立しているのかを解明するのはきわめて難しい。そこで重要な環境要因を実験室で厳密に操作し、その結果生じる行動の変容過程を分析することで環境要因―行動間の因果関係や法則性の確立を目指すのが実験行動分析（experimental analysis of behavior）である。スキナー（Skinner,B.F.）は動物の実験行動分析によって新たな行動単位を生み出す三つの要素、弁別刺激、オペラント反応、強化子の関連性を明らかにし、三項強化随伴性（three-term contingencies of reinforcement）を証明した。オペラント反応とは個体の生得的な行動レパートリーの集合で、強化子は直前に自発されたオペラント反応の生起頻度を増大させる機能を持つ。弁別刺激は自発されたオペラント反応が強化された環境場面である。スキナーは、オペラント条件づけとは弁別刺激のもとで個体がオペラント反応を自発し、それに随伴して強化子が与えられることによって行動の変容や新たな行動の獲得が生じる過程のことであるとした。

実験行動分析によって明らかにされた環境要因―行動間の因果関係は、日常生活に支障をきたす問題行動を分析し、適切な行動の獲得や不適切な行動の除去・修正をめざす新たな流れを生み、一九七〇年代に飛躍的な展開を遂げた。これを応用行動分析（applied behavior analysis）と呼び、数々の行動変容法・行動修正法が生み出された。なかでも行動療法におけるオペラント技法は、自閉症児に言語訓練を行ったり、精神障害者や一般の人に適切な社会的行動を身につけてもらうための訓練法として普及している。

自閉症児に言語行動を形成させるケースでは、子どもがオペラント反応（この場合は発声や発語）を自発した直後に強化子としてお菓子やジュースを随伴させる。お菓子やジュースは一次性強化子（primary reinforcer）と呼ばれ、動機づけや活動性を高めて絶大な効果を発揮する。しかしそのためには訓練者はお菓子やジュースを持って子どもを追いかけまわし、発声や発語が見られたら即座に口中に入れる必要があり、休みなく走りまわる子どもが相手ではきわめて難しい。さらにお菓子やジュースはいずれ満腹になり、毎日の訓練で使用されるうちにあきられ、強化子としての効果は低下する。

このような場合にトークン・エコノミー（token economy）と呼ばれる手続きが用いられる。子どもが適切なオペラント反応を行った直後におはじきやシールを与え、後で好きな一次性強化子と交換できるようにするのである。このおはじきやシールをトークン（代用貨幣）と呼び、条件性強化子（conditioned reinforcer）として機能する。トークンの利用によってオペラント反応の即時強化が容易になり、好きなときに一次性強化子と交換できるためあきることがない。工夫しだいで魅力的なトークンを作ることもできる。集めたトークンはさわったり数えたりできるため、子どもはリアルな実体としてトークンを認識することが可能になる。

一次性強化子を決めるにあたっては保護者にアンケートを行い、子どもが好むもの（お菓子、ジュース、おもちゃ等）を事前に調べて複数用意しておく。またティッシュ・ペーパーを引き出す、電話のボタンをいたずらする、土いじりをするなどのように、普段から好んで行っている遊びを見つけその機会を与えることも強化子として機能する。これはプレマックの原理（Premack principle）と呼ばれている。しかし食物を使って訓練することが動物に曲芸をしこむ姿と重なり、子どもの人権を無視しているとの意見も少なくない。しかも日常の生活場面では適切な行動に対して食物が与えられることは少なく、むしろ賞賛や承認を与えるのが普通である。そこで食物によって活動性や動機を高めた後は、「ほめる」、「拍手をする」、「抱きしめる」といった賞賛や承認を示す社会的強化子（social reinforcer）にすみやかに切り替えていくことが望ましい。

伝統的なオペラント条件づけでは、個体が自発したオペラント反応が強化され、それがきっかけとなって行動変容が生じるとする。ところが人間では他者の振る舞いを観察し、「あのようにやればいい」、「あれをやったら失敗する」ということを即座に学習し試行錯誤なしに行動の変容が生じることがある。バンデューラ（Bandura, A.）は、本人が直接経験しなくても他者の行動を観察するだけで学習が成立するという観察学習（observational learning）を唱え、この理論に基づいて好ましい行動を形成させたり不適切な行動を除去するモデリング（modeling）や模倣（imitation）の研究が臨床場面に導入されていった。

自閉症児に言語行動を形成させる場面ではモデルが適切な言語反応を示し、対象児が模倣できたら強化する。病院での治療を怖がる子どもにはモデルとなる子どもが治療を受けている場面を見せ、何も怖くないことを示して不安の低減をはかる。精神障害者やときには一般人のなかにも自分の意見を述べる、人にものを頼む、反対に人の頼みを断るといったことが苦手な人がいる。このような対人場面で要求される技能を社会的技能（social skill）と呼び、その獲得を目指す社会的技能訓練（social skills training）でもモデルが手本となる社会的行動を示し、対象者がそれを模倣し強化するといった訓練が行われる。

一方、好ましくない行動や不適切な行動の除去・修正には、叱責や体罰を随伴させる。また正の強化子をおあずけにするタイム・アウト（time out）や罰金として正の強化子やトークンを取り上げるレスポンス・コスト（response cost）も効果がある。しかしこれらの手続きは相手に不安や恐怖を与えたり、敵意や反発を招くおそれもあり、その導入には慎重さが求められる。（和田博美）

キーワード 実験行動分析／応用行動分析／行動療法

〔文　献〕①⑧⑳

動《どう》機《き》づけ

動機とは行動を駆動し、方向づけるものとしてわれわれの内部に仮定される力であり、動機づけとは動機が行動に作用するメカニズムまたはプロセスをいう。例えば、動物が自らの生命を維持するためには、エネルギーを摂取して活用し、身体を適切な状態に保つ(恒常性維持、ホメオスタシス)ことが必要である。つまり、飢えや渇き、呼吸、排泄、休息、適温維持、苦痛除去といった生物的要求を満たすことが必要になる。もし、不足や過剰、不均衡によりある要求が満たされていない場合には、それを満たすように行動しなければならない。例えば、塩分を欠いた餌を与えられ続けたラットは、さまざまな餌を食べられる状況になると、塩分が豊富な餌を選んで食べる(このような特定の食物や栄養分に対する動機を特殊飢餓という)。また動物は、配偶者を選択して次の世代を生まなければならない。これは動物の各個体における何かの不足や不均衡というわけではないが、動物の行動を動機づける強い力である。個体の維持と種の保存のために行動を引き起こす生物的動機を動因という。

学習とは変化する環境に対する行動の適応メカニズムといえるから、動機づけと学習の関連については多くの研究がなされてきた。例えば、ハル(Hull, C.L.)は、学習は動因の低減によって生じると考えた。彼によれば、空腹のラットが走路を走るようになるのは、目標地点で餌が与えられることにより、飢餓動因が低減するからである。なお、動因を低減する外部対象(この場合は餌)を誘因と呼ぶことがあるが、動因が動物内部から動物を押す力であるとすれば、誘因は外部から動物を引く力である。外部対象が動物を「引く」ようになるためには、動物はそれがどのようなものであるか学習しなければならない。つまり、誘因とは外部対象そのものではなく、学習された期待である。したがって、同じ対象の誘因としての力は動物の過去経験によって異なる。例えば、それまで毎回多量の餌で走路走行を訓練されていたラットにとって、少量の餌は魅力的ではなく、はじめから毎回少量の餌で訓練されていたラットよりも走行成績が悪くなる(クレスピ効果)。ハルの体系では、動物の現在の行動は、動因低減によって形成された学習(習慣強度)と現在の動因そして誘因の乗算として表された。

一方、トールマン(Tolman, E.C.)は学習には動因の低減は不要であり、動機づけは学習内容が行動に表出される際に重要なのだとした。報酬なしで迷路走行を数日間経験したラットが報酬の導入された次の試行から急に優れた成績を示した、という潜在学習の実験は彼の理論の正しさを示すものとされている。しかし、彼も動機づけと学習に関係がないと考えていたわけではない。報酬学習では、反応がある報酬をもたらすという手段—目標期待の形成のほかに、報酬の性質について学ぶ報酬期待の形成が行われると想定された。後者は誘因動機づけの学習にほかならない。前述のクレスピ効果は報酬期待というールマンの考えにうまく合致する。報酬期待説を支持する別の証拠は無関連誘因学習である。固形飼料または砂糖水を報酬として飢餓動因下のラットのレバー押し反応を訓練する。いずれの報酬もカロリーを含み、正の強化子として機能する。その後、ラットを満腹にしてから水を剥奪する。この条件でレバー押し反応の消去テストを行うと、かつてレバー押し反応を砂糖水で訓練されていたラットの反応率が高い。飢餓動因には関係なかった報酬の性質（水分量）についてラットは学んでいたのである。

動因の低減が学習の必要条件であるか否かというハルとトールマンの論争はさておき、動機づけが行動の遂行成績に影響することは間違いない。一般に動機づけが大きいほど成績はよいが、あまりに大きすぎると成績が悪くなる。また、動機づけの最適レベルは課題によっても異なり、課題がやさしいほど動機づけの最適レベルが高い。逆にいえば、難しい課題を行わせるときには動機づけは、あまり強くない方がよい。課題の難易度と動機づけの最適レベル（覚醒水準）とのこのような関係をヤーキズ＝ドッドソンの法則という。

われわれは、個体の維持と種の保存に関係する生物的動機以外にも数多くの動機をもっている。例えば、環境の変化を求めたり、珍しい出来事に興味を持ったりという内発的動機は、身体的基礎があるわけではないが、多くの動物で生得的に認められる基本的動機である。デシ（Deci, E.L.）は、行動そのものによって引き起こされる満足以外に明白な報酬のない場合を内発的動機づけ、外的報酬の獲得や嫌悪刺激を避ける場合を外発的動機づけと呼び、内発的動機づけだけで学習できるときに、外的な報酬を与えると、内発的動機づけが低くなると主張した。しかし、他の研究者らによる実験では、外的報酬は必ずしも内発的動機づけの低下をもたらすわけではなく、ときとして高揚させる効果をもつことが示されている。

心的構成概念を用いずに行動の説明を行うスキナー派の見解では、動機づけに関する問題は環境操作として扱われている。スキナー自身は、ラットに摂食制限や摂水制限を行うことを動因操作と呼んだ。ここで動因という心的構成概念が使用されているが、これは単に記述的なものであり、それによって行動を説明しようとしたわけではない。摂食制限のような環境操作により行動がどのように変化するか、その関数関係を追究したのである。最近のスキナー派の人々は、確立操作という言葉を好んで用いる。確立操作とは、強化子の機能を一時的に増大させると同時に、かつてその強化子で維持されていた行動の生起頻度を増大させるような環境操作をいう。そして、どのような環境操作が行動を生み、方向づけるかを研究し、実践に活かしている。

（中島定彦）

キーワード　動因／誘因／内発的動機づけ

〔文献〕⑨⑭⑱㉑㉔

学習《がくしゅう》における選択的《せんたくてき》注意《ちゅうい》

　われわれ人間を含め、動物はさまざまな刺激に取り囲まれている。こうしたさまざまな刺激の中から、意味のない刺激を無視すると同時に、重要な意味をもつ刺激を抽出して適切な反応を行うことを注意学習という。注意学習のしくみのうち最も基本的なものは、馴化（馴れ）である。ある刺激が繰り返し提示されるだけで、それが他の出来事をなにも信号しないのであれば、その刺激に対する反応（例えば、定位反応）は徐々に少なくなっていく。この刺激に対する注意が失われた、あるいはこの刺激を積極的に無視する学習が行われたわけである。したがって、その後、この刺激が重要な出来事を知らせるような状況になっても（古典的条件づけの条件刺激やオペラント条件づけの弁別刺激になる場合）、そうした新たな学習が遅れることがある（潜在制止）。

　また、古典的条件づけやオペラント条件づけにおいて、複数の刺激が同時に存在している場合、そのうちのどれが条件刺激や弁別刺激となるかという問題は、手がかり競合として研究されている。隠蔽や阻止（61～62頁参照）はその代表的な現象であり、古典的条件づけだけでなく、オペラント条件づけでも観察される。例えば、赤背景に白い△はつつき、緑背景に白い○はつつかないようハトに弁別訓練を行った後、色刺激と形刺激を個別にテストすると、赤背景にだけ反応したり、△にだけ反応したりする（図1）。こうした事実は、動物の側から見れば、複数の刺激のうち、特定の刺激に選択的に注意を払って反応していることになる。

　隠蔽や阻止については、刺激間で連合強度獲得に関して競合が生じるとするレスコーラ＝ワグナー・モデルによって機械的に説明可能であるが、「重要な出来事を信号する刺激には、より積極的に注意を払うように学習する」という点を強調する理論もある。例えば、ある試行で特定の刺激が重要な出来事を信号するならば、次の試行ではこの刺激に対する反応が増えるだけではなく、この刺激に対する注意も大きくなるので、この刺激に関する学習がさらに進みやすいと考えられる。

　複数の刺激のうちどの刺激が行動を制御するようになるかは、無条件刺激や強化子・罰子の種類によって異なることがある。例えば、視聴覚刺激と味覚刺激の複合を電撃と対提示するという手続きを行うと視聴覚刺激が味覚刺激を隠蔽するが、同じ刺激複合を気分不快感と対提示した場合には、味覚刺激が視聴覚刺激を隠蔽することがラットで報告されている。つまり、電撃恐怖学習では視聴覚刺激が、気分不快学習では味覚刺激が行動を制御する。こうした選択的連合は、オペラント条件づけでもみられる（63頁を参照）。

　さて、一つの次元に属する二つの刺激（例えば、△と○）間で弁別訓練を行うとする。△なら正答（強化）、○なら誤答（非強化）という課題を動物に与えた後、今度は△なら誤答、○なら正答という弁別逆転学習を訓練する。こうした実験において、最初の弁別訓練が終了した時点でただちに次の逆転訓練を行うよりも、最初の課題を十分に習得した後も長くその訓練を続けた方が、次の逆転学習が速いという現象が見られる（過剰学習逆転効果）。この現象の説明としてマッキントッシュ（Mackintosh, N.J.）は、注意の二段階説を唱えている。動物は個々の刺激のどれに注意するか学ぶだけでなく、どの刺激次元に注意を払うべきかも学習する。上の例であれば、△か○かということと、形の次元かそれ以外の次元（例えば、色）かという二つを学習する。そして、個々の刺激に関する注意学習が終了しても、刺激次元に関する注意学習は引き続き行われる。過剰学習を行った場合は、個々の刺激に関する注意学習だけでなく刺激次元に関する注意学習も十分に行われるので、次の逆転訓練時にもこの次元に再び注意が向きやすく、速やかに弁別を形成すると考えられる。

ところで、複雑な刺激を短時間経験した場合、その刺激の細かいところにまで注意を払うことは困難である。このことは、注意の容量が一定であると考えれば理解しやすい。これを限界容量仮説という。マキ（Maki, W.S.）らは、ハトに次のような実験を行っている。赤背景に白の縦縞・赤背景に白の横縞・青背景に白の縦縞・青背景に白の横縞のうち一つを見本刺激として瞬間提示した後、赤背景だけと青背景だけの比較刺激を見せて正しい色を選ばせたり、黒背景に白の縦縞と黒背景に白の横縞の比較刺激を見せて正しい縞方向を選ばせたりする。この場合、色と方向のどちらの次元でテストされるか予想できないから、両方に注意を払わなければならず、正しい比較刺激を選ぶことが難しい。これに対して、見本刺激も色だけとか縞だけであれば、その次元（色または縞の方向）にのみ注意を払えばいいので成績がよい。この実験は、複雑な刺激を経験する場合、動物はその刺激要素に対して注意を分配して処理することを示唆している。

（中島定彦）

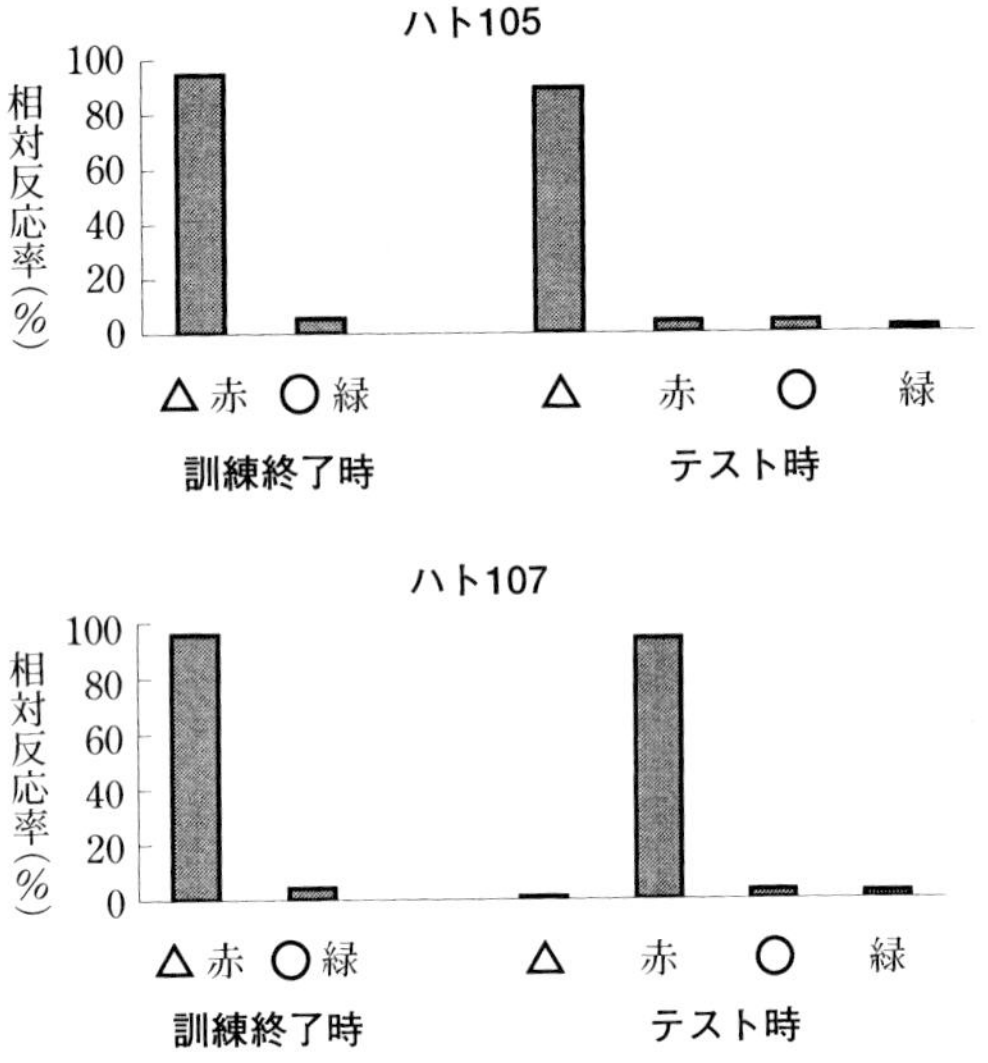

図１　ハトの選択的注意
（レイノルズ、1961　文献㉘　P.203-208を改変）

キーワード 潜在制止／選択的連合／注意の二段階説

〔文　献〕⑨⑭⑱㉑㉘㉝㊳

学習《がくしゅう》における賞《しょう》と罰《ばつ》の効果《こうか》

ソーンダイク（Thorndike, E. L.）の初期の「効果の法則」においては、《ある個体が現在直面している場面（刺激）とある反応のあいだの結合の強さは、その反応の出現によって規定される。もしその反応がそのときその個体に〝満足な〟結果をもたらすならばその結合は強められるが、〝不快な〟結果をもたらすならばその結合は弱められる》とされていた（一九〇五）。しかしその後の研究によって、罰刺激の随伴提示によって結合を弱めるよりも、「正の強化刺激」（「正の強化子」あるいは「報酬」と呼ばれることもある）の随伴提示によって結合を強める力がはるかに強力であることが見いだされ、効果の法則もそれに沿った方向へ修正された（Thorndike, E. L., 1932）。

小学校や中学校などにおける教育場面では、教師によって賞賛（よい点数やよくできましたシールなども含む）という報酬ばかりでなく、叱責やごく軽い体罰なども提示されることが多い。

ハーロック（Hurlock, E. B., 1925）の実験では、小学校四年生と六年生を算数の学力の等しい四群にわけ加算作業を五日間行ったが、そのさい、いつも誉められる賞賛群、いつも叱られる叱責群、誉められも叱られもしない無視群を同一クラス内に編成し、また別のクラス内に同一の加算作業を行うがその結果については誉められも叱られもしない統制群を用意した。その結果、賞賛群は日毎に成績が良くなっていった。叱責群は最初は賞賛群と匹敵する好成績を示したが、その後は急速に成績は低下した。無視群や統制群の成績には、進歩が乏しかった。

ヒルガードとラッセル（Hilgard, E. R. & Russel, D. H., 1950）は、賞と罰を学習のさいの動機づけの操作として用いる場合の注意事項を挙げている。

① 賞の提示は、〝その直前の反応を反復せよ〟ということを意味し、強化を得るために被験体がなにをなすべきかについて具体的に指示する。それに反し、罰の随伴提示は一般的には〝その直前の反応の生起を止めよ〟ということを意味するのみで、強化を得るために被験体がどのような行動をなすべきかについては具体的な指示がまったくないため、被験体はいたずらに情動的混乱に陥りやすい。

② 罰が与えられると、加罰者と被罰者のあいだの人間関係が損なわれる危険性が大きい。被罰者は加罰者を嫌うようになり、さらに罰が与えられる可能性のある課題も嫌うようになる。

③ 提示される賞の効果は持続するが、罰の効果は提示が重なるにつれて急速に減退してしまい、同一の効果を得るためには罰の強度をしだいに強めなくてはならない。ついにはいくら罰の強度を強めても、反応に改善が見られない場合もある。

④ 罰の提示が適切に用いられている事態では、罰も有効に作用する。二者択一や

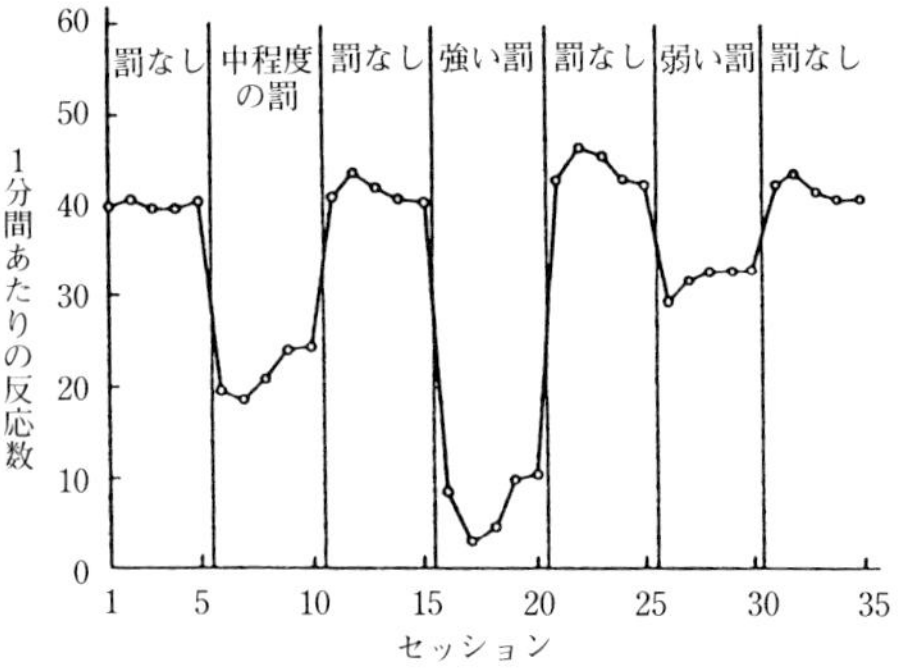

図1　正の強化子（餌）の随伴提示によって維持されているハトのキーつつき反応に対する強・中・弱の罰刺激の提示効果（Reynolds, G. S., 1975　文献㉙）

排反事象などの事態で一方の選択に対して罰が与えられると、残された反応は一種類しかないため罰の提示は具体的に正反応を指示し、学習は速やかに進行する。

⑤　賞や罰は、必ずしも直接的に与えられなくても有効である。他の個体の反応に対する賞と罰の操作結果は、その場面を観察している他の個体にも、十分な強化効果をもっており、これは「代理強化」と呼ばれている。

図1は、空腹なハトがキーをつつくことによって餌が提示されるという条件下で、強・中・弱の三段階の強度の電気ショックを罰刺激として導入されたときの、キーつつき反応に対する抑制効果を示したものである。罰刺激はその提示強度に対応してキーつつき反応を抑制はするが、強い罰刺激を随伴提示してもキーつつき反応を完全に抑制することはできない。また罰刺激の提示の後期では、同一強度の電気ショックでありながら、この抑制効果がしだいに減退していることに気づく。さらにこの罰刺激の提示が停止されると、一過性ではあるがキーつつき反応にオーバーシュート（揺り戻し）現象も見られる。

このような現象は、たとえば子どものスーパーストアでの万引き行為を、罰刺激の随伴提示によって根絶しようとする場合にふさわしいモデルであるといえよう。日常的な万引き行動に耐えかねて万引き撲滅週間を設定し、警備員を倍増して万引きの現場を押さえて厳重に説諭したり、万引き少年の氏名を学校や家庭や場合によっては警察に通報したりすることによって、たしかに万引き行動は減少する。しかしそれは一過性に過ぎず、厳戒態勢下でもしだいに万引き行動は増えてくる。また、スーパーストアが警備員の増員による経費増に耐えきれなくなってもとの警備体制に戻すと、万引き行動はかえって以前の水準よりも増加してしまう。ソーンダイクが罰刺激を用いた一九三二年の実験結果に基づいて、効果の法則から罰刺激の効果を削除したのは、まさしくこのような理由からなのであった。

（岩本隆茂）

キーワード　効果の法則／罰刺激／代理強化

〔文　献〕　⑫㉙

学習《がくしゅう》における遺伝《いでん》と環境《かんきょう》

ある学習における個体による成績の差異には、その個体のそれまでのさまざまな経験や学習時における動機づけなどが反映しているのは当然であるが、その個体が生まれつきもっている「遺伝環境」の要因も、きわめて大きな影響を与える。

トライオン（Tryon, R. C., 1940㊱）は、一四二匹の雌雄のネズミを一七単位のT型迷路装置で各一九回走行させ、そのさいの誤反応数を記録した。図1のAはこのときの学習成績を示したもので、誤反応数が五回にすぎないネズミから二一四回にも及ぶネズミがおり、その最頻値は五四回であることがわかる。

彼はこれらのネズミを、誤反応数に応じて〝頭のよい〟Bright 群と〝頭の悪い〟Dull 群とに二分してそれぞれの群内で交配を行い、子どもを生ませた。図1のB～Eはこのような手続きを順次繰り返したときの第一世代（F1）から第七世代（F7）に至る、両群のネズミたちの同一学習事態での成績を示したものである。

第七世代のBright群の誤反応数における最頻値は二十一回にすぎないが、Dull群では一二二回にも達している。またこれら両群の誤反応数の分布図もきわめて異なっており、ほとんど重複する部分がなく、あきらかに両者の母集団が異なっているといえよう。これらの事実は、Dull群の一員として生まれてきたネズミの迷路学習における達成能力には、厳しい遺伝的制限のあることがわかる。

トライオンは、さらに第七世代の両群間の雌雄で交配をおこなってみたところF図のような結果になり、たった一回の交配でA図の親世代の成績にほとんど等しい水準にまで戻ってしまうことも確かめた。

一方、ほぼ同一な遺伝子をもっていても、生後の環境要因の差異によって学習に大きな差異が生じる。ローゼンツバイクら（Rosenzweig, M. R., et al., 1972）は、同一の父母から生まれてきた同腹の純系ネズミたちを、以下のような異なった環境下で成体になるまで飼育した。

① 標準的な飼育環境：三匹のネズミが同一のケージ内で飼育された。ケージの大きさは三〇㎝×四〇㎝×一七㎝。

② 豊か（rich）な環境：七六㎝×七六㎝×四六㎝のケージ内に、同時に一〇匹～一二匹が飼育された。このケージ内には、梯子、ブランコ、回転輪などのさまざまな種類の〝おもちゃ〟が設置されていた。

③ 貧しい（poor）環境：三二㎝×二〇㎝×二〇㎝の大きさのケージのなかで、一個体だけが飼育された。

摂取した餌や水の量はどの群も同一で、その他の飼育環境も同一であった。この研究から得られた結果は「豊かな環境群」は他の二群と以下のように異なっていた。

⑴ 神経細胞の樹状突起が有意に増大していた

(2) 神経細胞一個あたりのシナプス数が有意に多かった

(3) RNA（リボ核酸）の総量が増加したが、DNA（デオキシリボ核酸）の総量は、やや、減少気味であった（これらは、豊かな環境群では脳内での蛋白合成が盛んなためと考えられた）

(4) グリア細胞数が、約二〇％程度増加した

その後の多くの学習実験の結果からも、豊富な環境群における学習成績がすぐれていることが報告されている。

（岩本隆茂）

キーワード Bright群とDull群／豊かな環境と貧しい環境

〔文献〕㉟㊱

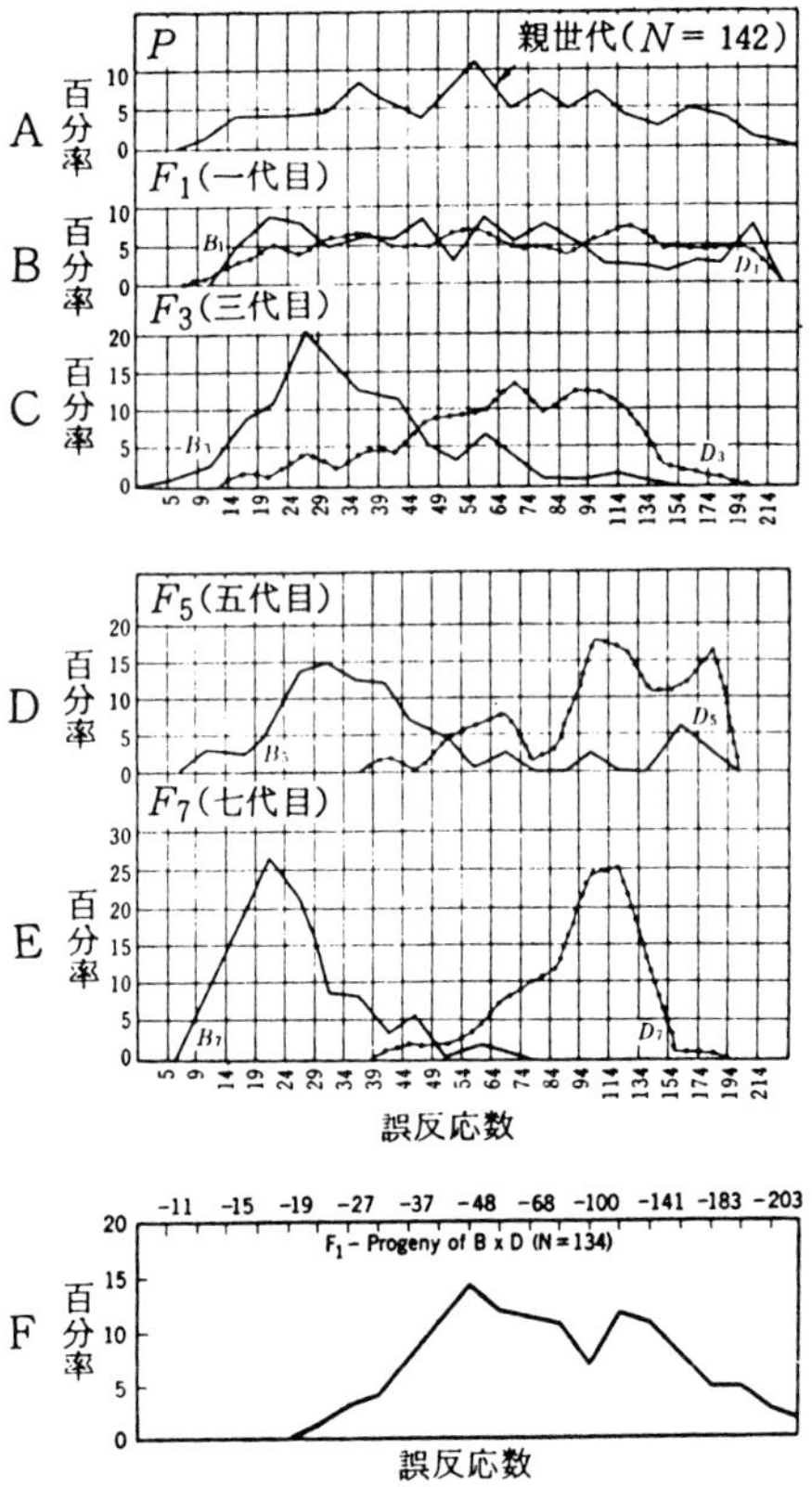

図1　ネズミに17単位のT型迷路装置を19回走行させたときの誤反応数分布と遺伝の効果（Tryon, R. C., 1940　文献㊱）

図2　豊富な環境条件で飼育されたネズミ

多数のネズミがひとつのゲージに同居しており、しかも梯子段や回転輪、棒などの遊び道具が備えつけられている。ネズミは他個体と交流したり、さまざまな遊び道具を使って積極的に遊んだり走り回ったりすることができる（Mednick, S, A., Higgins, J., & Kirschenbaum, J., 1975）

プログラム学習《がくしゅう》

スキナー（Skinner, B. F.）は、一九五三年に小学校四年生の自分の子どもであるデボラの授業参観に参加したときの体験から、学校での学習もスキナーボックスの中のネズミやハトの学習と同様に行い得ると考え、ティーチング・マシンを用いた「プログラム学習」（programmed learning）と呼ばれる授業方式を考え出した。

「ティーチング・マシン」は、スキナーの発明ではない。もっとも初期のティーチング・マシンの一つは、プレシィー（Pressey, S. L., 1926）がはじめて製作したもので、この機械はテストの結果を学習者自身によって自己採点することができた。そののち多くの人たちによって改良が加えられ、機械自身が学習者に問題を提示し、学習者がその解答をチェックできるようになった。

この機械は、まずある問題をその機械の窓に提示した。学習者はその問題文を読みとり、いくつかの選択肢から正答と思われるものを選択し、その選択肢に対応しているボタンを押した。その選択が正答であれば機械は正解数のカウンターを一つ増やし、ついでつぎの問題文を提示した。もしその選択ボタンが間違いであれば誤答数のカウンターが一個増加し、その問題は依然として提示されたままであった。

スキナーはそれまでのティーチング・マシンのもっている致命的な欠陥に気づいた。まずその問題点の第一は、学習者たちが対面するのは、いわゆる「マルティプル・チョイス（多肢選択）方式」（マルチョイ）における解答セットという構造であった。マルチョイでは、いくつかの項目からなる〝解答セット〟の中から、正答と思われるものを〝選択〟することが要求された。この解答セットのなかには、一つの正答と、ときには意図的に紛らわしく加工された多くの誤答が入っていた。弁別刺激が紛らわしいという状況は、学習理論からすると、学習速度を大幅に低下させ、その精度も低くさせてしまう。

第二の問題点は、マルティプル・チョイスそのものにあった。この方式では、多くの解答のなかから、自分が正答であると思ったものを〝選び出す〟ことになる。しかし本来の学習とは、〝正しい答を自分で考え出す〟ことであり、マルチョイ方式は正しい学習を阻害するとスキナーは主張した。

このようなスキナーの主張に沿って開発されたティーチング・マシンでは、学習者は選択肢から適切なものを選ぶのではなく、白紙の回答欄に自分で正答を書き込まなくてはならなかった。このような形式の学習が進行していくために、学習者が容易に正しい答を書き込むことができるように、つまり正答がひとりでに形成（shaping）されるように、問題文の内容があらかじめ十分にプログラム化されていた。

つまりその問題文や過去の問題文の中に、現在求められている解答のヒントがふんだんにちりばめられていて、そのように構造化されたこれまでの問題文を十分に理解していれば、求められている回答欄にはたやすく正答を書き込めるようになっていたのであった。

このような「プログラム学習」が現実に可能となってきたのは、コンピュータが急速に進歩し価格も個人が購入できる水準まで低下してきたことも、大きな原因となった。「教育工学」(education engineering)という用語は、一九四五年ごろから使用されはじめていたが、このような状況と歩を合わせ、一九六〇年代からは educational technology(訳語は同じ「教育工学」)と呼ばれるようになってきた。

スキナーによれば、教育の現場での「プログラム学習」の重要点は、以下のようである。

①　「積極的反応の原理」設問に対して、学習者が自発的に反応するような状況を設定しなくてはならない。このため、プログラムは周到に検討されており、正答に対しては強化刺激が随伴提示される。とくに重要で今後の学習にとって鍵となるような設問に対する正答に対しては、とくに強力な支持強化刺激を提示することもある。

②　「スモール・ステップの原理」設問に対して、学習者が誤りなく正解を得ることが出来るように設定する。誤答であるというフィードバックは、二者択一事態以外では、学習者にただその解答が誤りであることを知らせるだけで正答を指示する機能はないため、情動面に悪影響を与える。

③　「即時強化の原理」学習の理論では、正しい自発反応が生起したら、すぐ強化刺激を随伴提示しなくてはならない。強化の遅延は学習の成立や維持を妨害する。ティーチング・マシンでは、反応とほとんど同時にその解答の正誤がフィードバックされそれまでの成績はもちろん、誤反応の解析結果なども知ることができる。

④　「自己ペースの原理」学習者の能力はさまざまであるにもかかわらず、学校などではある単元に費やす時間は、大枠が定められているのが普通である。このような状況が続くと学習速度の遅い児童はそのうち落ちこぼれてしまい、一方では優秀な児童にはきわめて退屈な授業となり、その教科やそれを教える教師も軽視されてしまう。しかしプログラム学習では、学習を進める速度は学習者自身に任されているため、各学習者が自分にもっともふさわしい速度で設問に対応することができる。

(岩本隆茂)

キーワード　プログラム学習/スモール・ステップの原理/即時強化の原理

〔文　献〕④⑮

シングルケース研究《けんきゅう》のための実験計画法《じっけんけいかくほう》

　オペラント条件づけにおける直接的な研究対象を素朴に表現すれば、《ある環境操作にともなう、ある個体における所定の自発（オペラント）反応における出現頻度の変化》であるといえよう。一方、このような事態で測定された自発反応の分析法も、従来からの伝統的なものとは大いに異なっている。オペラント心理学においては、ある個体のある時点におけるある反応の出現は、そのときにその個体を取りまいているさまざまな外的要因と内的要因（遺伝なども含む）によって大きな影響を受けていると考えるので、多くの個体から得られた測定値を平均するなどの処理は、他個体間ばかりか同一個体についてさえ問題が多いことになるため、行われる場合は少ない。

　したがって実験結果の処理のさいにも、平均値の差の検定などの処理はなされず、実験者がどのような操作を行うと、その個体の所定の自発反応がどのように変化したかが〝記述〟され、そのさいの個体の反応の出現頻度や反応の大きさの変化などが、個体ごとにそのまま〝図示される〟のが原則である。

　このように処理された反応の分析法も、従来の推計学に基礎を置く「t検定」や「分散分析法」などのパラメトリックな「実験計画法」をたたきこまれた人間には、非常に奇異なものに感ぜられ、またあまりにも素朴なものと感ぜられるかもしれない。事実、これまでの実験心理学の各分野では、得られたデータのほとんどに伝統的な分散分析などの処理が施され、その結果に基づいて推論や結論が導き出されてきていた。

　しかしながら厳密にいえば、得られたデータに推計学的処理を施すためには、①その反応の母集団は正規分布しており、②得られた反応はその母集団から無作為に抽出されたものであり、③そのようにして得られた標本数は十分に多く、④またその標本は、同一母集団に属している、などの前提条件が満たされている必要があった。心理学や医学の分野では、得られたデータに推計学を適用するためのこれらの必要条件が満たされていることは稀であったのに、これらの領域の研究者たちは、推計学の知識が欠けていたのか、あるいはこれらのことをあるていど承知はしていてもあえて誤用を強行していたのか、のいずれかである。

　これらの理由のために、オペラント心理学では、「シングルケース実験計画法」（「単一事例実験計画法」などともいう）が用意されている。オペラント心理学における研究法には、基礎研究であれ臨床研究であれ、基本的には三段階が存在する。

　第一段階は「第一基礎水準測定期」であって、ある所定のオペラント反応の出現頻度（あるいはその大きさ）についての基礎水準を測定する段階であり、つぎの段階では所定の操作が導入されて影響を受けるであろうその自発反応を安定化させ、その基礎水準が測定される。つまり将来導入されるであろう独立変数からまったく隔離された状態で、所定

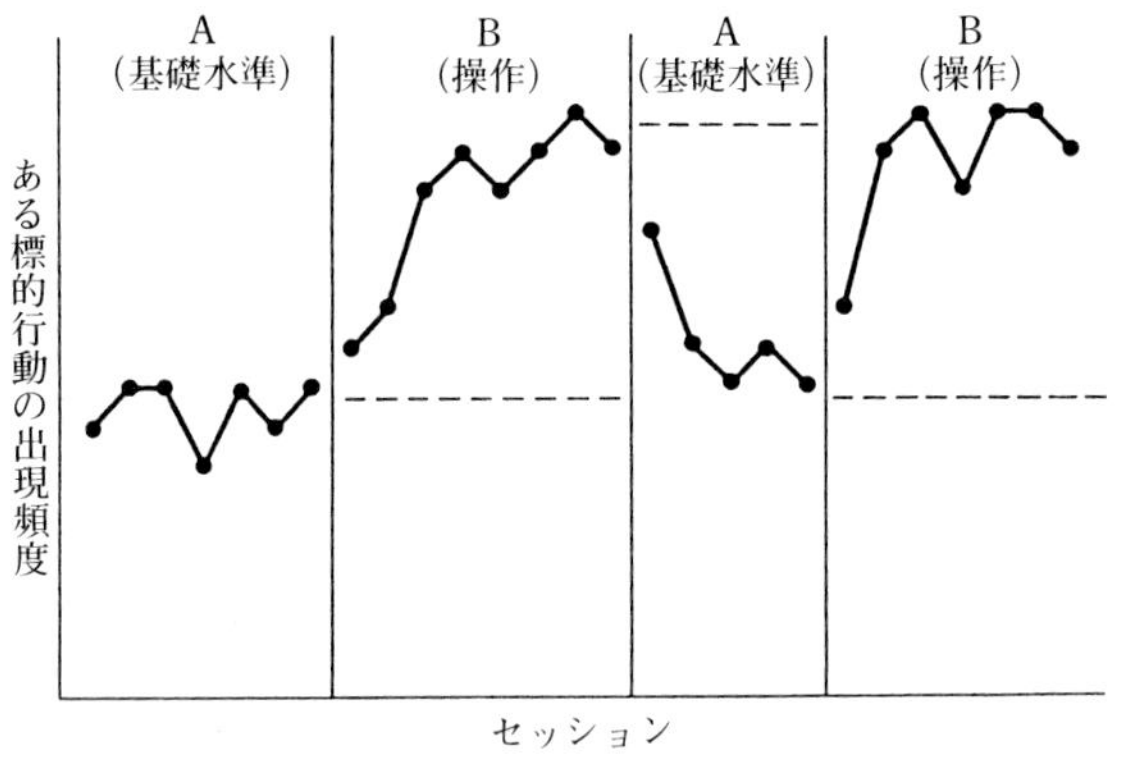

図１　A—B—A—B型実験計画の例（岩本・川俣、1989　文献⑯）

の反応が十分な期間にわたって観察され測定されるのである。

第二段階は「操作導入期」であり、ここで独立変数の導入という操作が行われ、それに対応する所定の自発反応（従属変数）の変化が測定される。

第三段階は独立変数の除去の段階で「第二基礎水準測定期」である。ここでは第二段階で導入された独立変数が除去され、ふたたび第一段階と外見上は同一条件のもとでその自発反応が測定されるのである。この「シングルケース実験計画法」では、被験体それ自身が自分の反応の統制を実現していることになり、このような反応頻度などにおける個体差を統制する方法は、「自己統制法」と呼ばれている。

この「シングルケース実験計画法」においては、被験体数は文字どおり一個体でもよい。重要なのは第一段階であり、実験者はこの期間に従属変数を注意深く連続して観察・測定することにより、この第一基礎水準測定期における所定の自発反応の変動の原因を理解し、その変動をできるだけ狭い幅に押し込めなくてはならない。そうすることによって、つぎの操作導入期における微細な変動も、その操作の結果であることが立証できるのである。

これが「シングルケース実験計画法」のなかのもっとも基本である「A—B—A型シングルケース実験計画法」と呼ばれているものであるが、導入された操作効果の再現性を確かめることのできる「A—B—A—B型シングルケース実験計画法」とあわせて、この二種類がその基本形式であるとされている。

そのほかには一要因二水準の操作効果を測定するための「A—B1—A—B2型」や多要因一水準のための「A—B—A—C—A型」など、非常に多くの型が用いられている。たとえば症状の重い患者に対しては、まず有効と思われる操作の導入が行われる「B—A型」が用いられているし、伝統的な実験計画法と同様に多元要因配置実験も可能であり、要因間の交互作用も検出可能である。

（岩本隆茂）

キーワード 基礎水準測定期／自己統制法

〔文献〕⑯

動物《どうぶつ》における言語《げんご》学習《がくしゅう》

動物がなんらかの方法を用いて個体間でコミュニケーションを行っているのは当然であるが、動物が人間の言語を学習できるのか、もし学習できるのなら人間と動物のあいだでどのような〝会話〟が行われるのか、そしてそのような研究から逆に人間の言語の特質がわかるのではないか、などの疑問は比較心理学者や言語学者たちの長年の課題であった。

人間にもっとも近縁であるとされているチンパンジーに、人間の言語を教えようとするもっとも初期の研究は、ケロッグ夫妻（Kellogg, W. N. & Kellogg, L. A., 1933）によって行われた。幼いチンパンジーのグア（Gua）は、ケロッグ夫妻の実子と一緒に育てられた。彼らの注意深い研究によれば、グアはケロッグ夫妻の子どもたちと同じように、あるいはよりはやくさまざまなことを学習したが、結局三語しか発声できなかった。のちにヘイズ（Heyes, K. J., 1950）夫妻の育てたチンパンジーのヴィキー（Viki）も、ライドラー（Laidler, K., 1980）によって育てられたオランウータンのコディ（Cody）も、ともに四語しか発声できなかった。彼女たちがとても賢かったことはあきらかであり、この原因はたんに彼女らの発声器官が要求された人間の音声言語には不向きであったためにすぎない。

一九六〇年代の終わりごろから、チンパンジーに音声とは別の手段を用いて人間の言語を教えようとするプロジェクトが三種類スタートした。その一つはアメリカの聴覚障害者が使用している手話（アメスラン）をチンパンジーに教えようとするもので、この種類の研究のもっとも初期のものは、ガードナー夫妻（Gardner, R. A. & Gardner, B. T., 1969）によって行われた。彼らは幼いチンパンジーのワシュー（Washoe）に、モデリング法、反応形成法を用い強化刺激を提示しながら手話を訓練した。その結果ワシューは二歳のときには約四〇個のサインを習得し二～三語文を作り、四歳のときには名詞はもちろん、代名詞、形容詞、動詞を含む一三二個もの異なったサインを習得し、それらを自由に扱ってガードナー夫妻と会話することができるようになったが、一つの文章に用いられる語（サイン）数は少なかった。パターソン（Patterson, F. G., 1978）は幼いゴリラのココ（Koko）にアメスランを用いることを模倣と強化刺激の提示で訓練し、手話ができるようになった。

第二の訓練方法は、ホワイトボード上に置かれたプラスティック製の抽象的なプレートを、空間的言語コードとして使用するものであった。プレマック夫妻（Premack, A. J. & Premack, D., 1972）は、チンパンジーのサラ（Sarah）にこのシンボルを用い、食物強化と賞賛を用いて言語を習得させようとした。サラは色と形の異なるプレートを用いてさまざまな文を作り、If then文（条件文：もし……ならば、……である）もその内容を十分に理解することができた。しかし彼女は訓練者から問いかけられると答えはしたが、自分から人間に対して話しかけることがなく、他の研究結果とはまったく異なっていた。

第三の方法はランバウ（Rumbaugh, D. M., 1975）によるもので、ラナ（Lana）と名づけたチンパンジーを、飲み物や食物の出てくる窓、音楽を流すためのスピーカー、スライドや映画を映すためのスクリーンなどが設置されている部屋の中で飼育した。この部屋はコンピュータと結ばれており、レキシコンと呼ばれた二五五個の抽象的な図形がついているキーボードと七個のディスプレイが配置されていた。この図形を何個か組み合わせると、さまざまな語を意味するようになっていた。たとえば「木の実」は、三個の図形の合成からなっていた。彼女は二十四時間作動しているこれらの端末を自分で操作することによって、好きなときにジュースを飲み、好きなときに映画を見ることができた。彼女は英語の基本的文法を習得し、用いる単語を置き換えて正しい同意文を作ることもできるようになった。

ボノボ（ピグミーチンパンジー）のカンジ（Kanzi）を被験体としたサベージ-ランバウたちの研究（Savage-Rumbaugh, S., et al., 1986）は、やはりシンボルのついているキーボードを用いており、基本的にはランバウの研究を引き継いだものといえよう。

もちろん、類人猿以外を被験体とした研究も行われている。イルカにアメスランを教え込むのは困難なようで、そのかわりに特殊な視覚言語（水槽のそばに立っている調教師の全身的な身振り）やコンピュータで作られた短いノイズ音で作られた〝言語〟で訓練された研究（Herman, L. M. et al., 1984）では、イルカたちはこれらによるサインに正しく反応するようになった。この方法によって彼らが与えられた言語を理解できたことは示せ得たが、彼らがその言語を自発的に使用できるかどうかはわかっていない。

ペパーバーグ（Pepperberg, I. M., 1983）は、アフリカヨウム（オウム科に属し、オウムよりも優れた人語を真似る能力があるとされている）のアレックス（Alex）にさまざまな品物を見せてその品名を教え、あとでその品物を見せたときに彼がその品名を正しく発声すると強化が与えられた。アレックスはこの方法によって五〇個以上の語彙を習得し、さらに実験者の提示した品物の色名、個数、色彩、大小などの特性や比較についての問いかけに、英語で正しく答えることができた。また、自発的に発声も行うようになり、訓練者に「行かないで」とか「ごめんなさい」など、状況に応じて適切に話しかけるようになった。

（岩本隆茂）

キーワード チンパンジー／イルカ／オウム（ヨウム）／手話／レキシコン　コンピュータ

〔文　献〕⑥

選択行動《せんたくこうどう》とマッチング法則《ほうそく》

人間や動物は様々な対象物を選択して生きているが、どの選択肢が好まれるか、好まれる要因は何か、その要因と選択率との間に法則性があるか等を解明するために選択行動（choice behavior）の研究が行われている。

実際の研究場面では並列連鎖強化スケジュールが広く用いられる（図1）。このスケジュールでは白色光に照らされたキーA、Bに対してそれぞれ独立にVI強化スケジュールが組まれ、第一リンクと呼ばれる。第一リンクのVIスケジュールは通常同一のVI値が用いられる。個体がキーに反応しどちらかのVI値が満たされると第二リンクへ移行する。たとえばキーAに反応したさいVI値が満たされると、白色光が緑色光に変わり強化スケジュールXがスタートする。個体がキーAに反応しスケジュールの条件が満たされると、強化子が随伴して再び第一リンクへもどる。キーBに反応したさいVI値が満たされると白色光が赤色光に変わり強化スケジュールYがスタートし、スケジュールの条件が満たされると強化子が随伴して第一リンクへもどる。第一リンクのキーA、キーBへの反応数を比較することでX、Yに対する選択行動を分析する。これまでの研究によれば、第一リンクでのキーAの相対反応率は第二リンクでのキーAの相対強化率に対応する。これをマッチング法則（matching law）と呼び、$R_1/(R_1+R_2)=r_1/(r_1+r_2)$（$R_1$は第一リンク、キーAの反応数、$R_2$は第一リンク、キーBの反応数、$r_1$は第二リンク、キーAの強化数、$r_2$は第二リンク、キーBの強化数）となる。この一般式が$R_1/R_2=k(r_1/r_2)^a$である（kとaは定数）。

（和田博美）

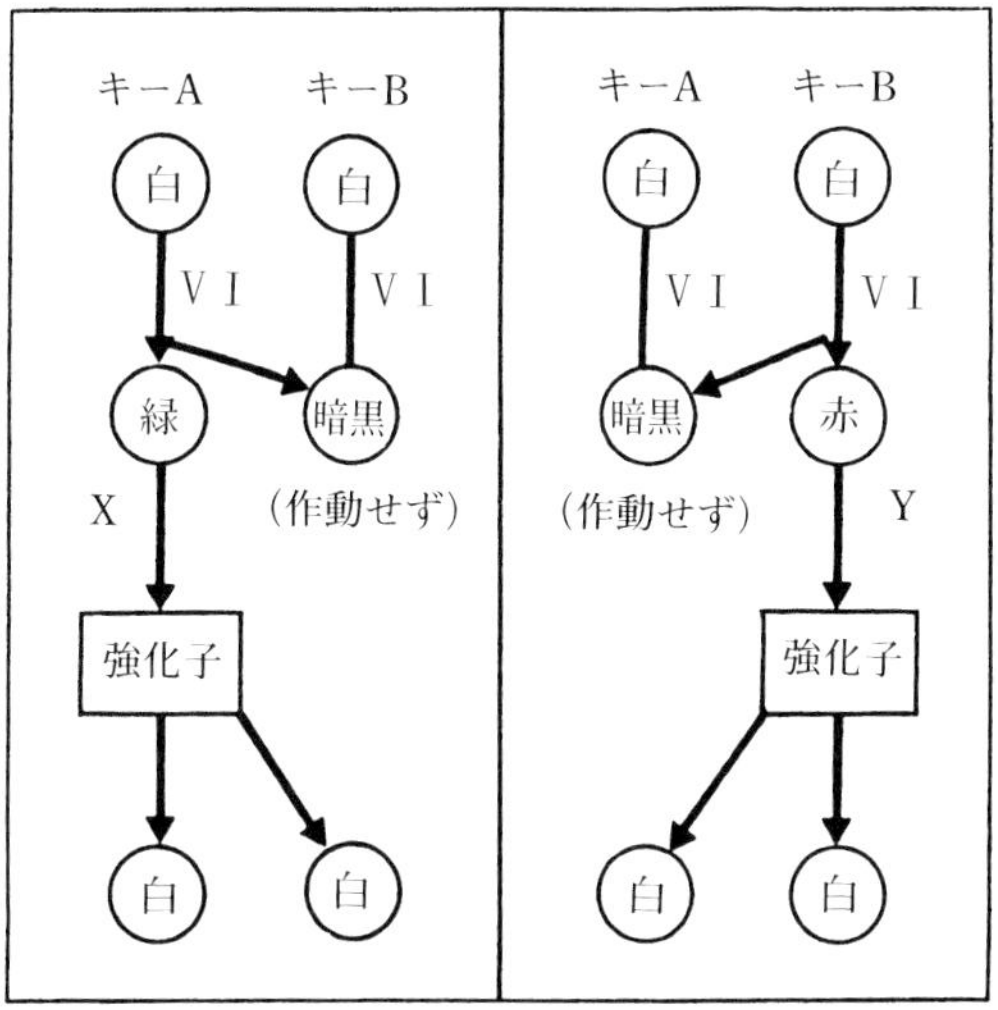

図1　並列連鎖強化スケジュール（Fantino, 1969　文献③より改変）

図左はキーAに反応したときVIスケジュールの強化条件が満たされた場合。キーを照らす光が白色から緑色に変わり、強化スケジュールXがスタートする。スケジュールXの強化条件が満たされると強化子が呈示される。図右はキーBに反応したときVIスケジュールが満たされた場合。キーを照らす光は白色から赤色に変わり、強化スケジュールYがスタートする。Yの強化条件が満たされると強化子が呈示される。

キーワード　選択行動／マッチング法則

〔文献〕③⑩⑪

生得的観念論《せいとくてきかんねんろん》と英国経験論《えいこくけいけんろん》

古代ギリシアの哲学者プラトン（Platon: B.C.427?-347?）は、人間は生まれつき理性をもつとしていた点で「生得的観念論」で、人間にのみ霊魂がありそれは肉体を離れても存在するとしていた点で「心身二元論」であった。弟子のアリストテレス（Aristoteles: B.C.384-322）の最古の心理学論文では、動物と人間はともにこころをもっていてその差異は同一次元内であり、こころと身体は一体であるとした。彼はこころのなかを流れる〝精気〟を想定し、連合が人間の思想や認識の基礎であると考えた。彼の人間のこころの働きについての基本的理解は、のちの「人間白紙誕生説」（tabula rasa）にきわめて近く、原科学主義の水準ではあったが「心身一元論」で「経験論」の立場であったといえよう。

ローマ帝国の時代にキリスト教が国教となり（三九一年）、しだいに宗教が思想や自然科学に大きな統制力を発揮し、キリスト教と一体化したスコラ哲学が発展した。アウグスティヌス（Augustinus:354-430）やトマス・アクイナス（Thomas Aquinas:1225-1274）などの優れた哲学者が生まれたが、人間のこころの働きは神によって生得的に規定されているとされ、古代ギリシア時代のような素朴ではあったが自由な研究は、望むべくもなかった。

十七世紀に入ると、ガリレオ（Galileo, G.:1564-1642）の「地動説」やニュートン（Newton, I.:1642-1727）の「万有引力」の発見と「古典力学」の完成などによって、スコラ哲学のくびきから自然科学が解放され、いわゆる「科学革命」の世紀を迎えた。このような時代を代表する哲学者がデカルト（Descartes, R.:1596-1650）である。彼はスコラ哲学の枠内に踏みとどまりながら、このような時代の精神を取り込んだ魅力ある説を唱えた。それが「生得観念論」と「心身二元論」（あわせて「大陸合理論」ともいう）の立場からの、人間のこころの働きについての理解である。彼によれば人間としての存在は「意識するこころ」（精神）と「ひろがりをもつもの」（物質）の二者に峻別され、物質は自然科学の法則に従うが、こころは神によって与えられたもの（生得的観念）で、科学的な接近は不可能であるとされた。動物にはこころがないから、いずれその行動は完全に解明されることになる（「動物自動機械論」）。動物の行動やこころが関与しない単純な人間の行動は、脳で生まれ身体内の〝チューブ〟を流れる「動物精気」によって制御されるとした。

英国のジョン・ロック（Locke, J.:1632-1704）などはこれに反対し、こころが働くためには経験をとおして知識や理性を習得することが必須であるとし、「人間白紙誕生説」を明確化し「英国経験論」を唱えた。ハートレイ（Hartley, D.:1705-1757）はそれを受け継ぎ、経験における観念と感覚間の連合を重視し、「連合説」の先駆者となった。

（岩本隆茂）

キーワード　心身二元論／人間白紙誕生説／動物自動機械論／動物精気／大陸合理論

〔文　献〕⑬

確《かく》率《りつ》学《がく》習《しゅう》

いま箱の中に赤玉と白玉が入っているとしよう。この箱の中の玉をよく混ぜ合わせ、赤玉か白玉のいずれが出現するかを予想したのち、この中から一個の玉を無作為に取り出し、その色を確認したらふたたびその玉を箱の中に戻す、ということを何回も繰り返す。このような不確定な結果を事前に予想するさいには、人間に特有な誤った行動が見られる。

このような事態での予想反応についての研究は、動物についてはブルンズビク（Brunswik, E.）、人間についてはハンフレイズ（Humphreys, L. G.）によって、ともに一九三九年から開始された。ジャーヴィク（Jarvik, M. E., 1951）は、玉の個数を操作することによって一方の出現期待値を「0.60, 0.67, 0.75」と設定したがそれは被験者には知らせず、彼らの予想が的中したか否かのみを毎回知らせながら試行を続けた。どの条件の場合も、被験者は初期の試行では約○・五○の予想比を示すが、試行数が増加するにつれて出現度数によるフィードバック情報によってこの予想比はしだいに変化し、約一、○○○試行後ではどの群もそれぞれの条件における出現期待値にほぼ等しい予想比となった。いわゆる「確率対応」（probability matching）現象である。このような現象は「出現期待値」を被験者が〝学習する〟という意味で「確率学習」（probability learning）と名づけられ、このつぎにどちらの事象が出現するかについての手がかりが与えられていない事態でよく見られる。

しかしこのような事態での最適の予想戦略は、出現期待値の高い側の事象を〝つねに出現する〟と予想することである。たとえば一方の出現率が○・六○の場合に確率対応戦略を採用するとその的中期待値は〔0.52＝（0.6×0.6＋（0.4×0.4））〕となり、この値は○・六○の出現率の方を一○○％選択した場合の○・六○にはるかに及ばない。一般解としては、的中率は出現率が○・五○の場合にのみどちらの戦略でも等しいが、それ以外はいずれの場合でも確率対応戦略は劣っていることが、容易に数学的に証明される。

また別の不合理な反応が、このような予想事態で出現する。いま箱の中には同数の赤玉と白玉が入っているとしよう。たまたま赤玉が四回、五回、六回と連続して抽出されてくると、これに対応して〝このつぎに白玉が出る確率がだんだん高くなってきた〟と考える被験者が激増してくる。これは「負の接近効果」（negative recency effect）あるいは「賭博者の誤解」（gambler's fallacy）と呼ばれている。この条件下ではたしかに〝これから〟赤玉が六回連続して出る確率は（1/2）^{6}＝（1/64）に過ぎないが、実際には何回赤が連続して出ても〝このつぎに〟赤が出る確率は（1/2）である。これはダイスやルーレットなどで遊んでいるときに、よく見られる事前確率と事後確率を混同した誤解である。

（岩本隆茂）

キーワード 確率対応／負の接近効果／賭博者の誤解

〔文献〕⑭

行動主義《こうどうしゅぎ》の学習《がくしゅう》心理学《しんりがく》と認知《にんち》学習《がくしゅう》心理学《しんりがく》

心理学の研究対象は意識ではなく行動であるという行動主義の提唱者ワトソン（Watson, J.B.）は、学習研究を重視した。われわれ人間を含む動物の行動の大部分は習得的行動であり、そうした行動が形成されるしくみ（学習）の解明は行動研究の大きなテーマだからである。そこで、ワトソンはロシアにおける条件反射研究を参考に研究を進め、アルバート坊やに情動反応の条件づけ（白ネズミ恐怖形成）を試みた実験などを行った。しかし、彼の理論はパヴロフ（Pavlov, I.P.）の考え（古典的条件づけは条件刺激と無条件刺激の連合）とは異なり、刺激が新しい反応と結びつくというソーンダイク（Thorndike, E.L.）的なS—R（刺激—反応）連合主義であった。

その後、行動主義はハル（Hull, C.L.）、トールマン（Tolman, E.C.）、スキナー（Skinner, B.F.）らのいわゆる新行動主義の時代を迎える。ハルは刺激と反応の間に動因などの媒介変数を設定したが、この媒介変数はS—R連合の連鎖に還元できるものであった。一方、トールマンも刺激と反応の間に媒介変数を持ちこんだが、これは手がかりと結果の間の期待形成、すなわち刺激間の連合（S—S連合）であった。つまり、動物が刺激に対して反応するよう学習するとき、学習内容も刺激と反応の連合だとハルは考えたが、学習内容は刺激表象と刺激表象の連合だとするのがトールマンの立場であった。一方、スキナーは古典的条件づけ（彼の用語ではレスポンデント条件づけ）とオペラント条件づけを区別し、学習の内容ではなく、行動の変容と維持のための環境条件を問題にする徹底的行動主義の立場を貫いた。

一九六〇年代以降は、スキナー派が基礎および応用の領域で大きな流れを形成する一方、情報処理的アプローチを中心とした認知心理学の影響が学習研究にも及んだ。学習者自身は行動しなくても他者の行動を見聞きすることによって行動が変容するという観察学習の理論を発展させたバンデュラ（Bandura, A.）の研究はその一例である。また、条件づけ研究ではレスコーラ（Rescorla, R.A.）やディッキンソン（Dickinson, A.）に代表される連合主義者の活躍が目立つようになった。彼らはポーランドのコノルスキー（Konorski, J.）に感化されてパヴロフの考えを現代に復活させると同時に、トールマンの遺産を受け継いで、オペラント条件づけをも対象とした認知主義的な連合学習理論の構築を目指している。そこでは、①学習の生起条件、②学習内容、③学習から行動への表出規則、などが緻密な実験計画によって検討されている。

なお、ヒトを含む種間の認知比較を行う比較認知科学では、実験のための動物訓練に条件づけ技法が用いられることが多い。そのため、こうした分野の研究者の中には学習心理学者を兼ねる者が少なくない。

（中島定彦）

キーワード　アルバート坊や／新行動主義／徹底的行動主義

〔文献〕⑨⑭⑱㉑㉗

刷《す》り込《こ》み

カモやアヒルなどの離巣性の水鳥のヒナなどに典型的に見られる現象に、孵化直後に提示されたある種の刺激対象物に対して形成される、かなり恒久的な接近反応、追従反応の解発がある。これは動物行動学者のローレンツ(Lorenz, K.)によって、「刷り込み」(imprinting：または「刻印づけ」とも訳される)と呼ばれている。彼はこの現象は以下の点で通常の学習とは異なるとした。

① 刷り込みが形成されるのは、個体の発達のごく初期に限定され、いわゆる「臨界期」(critical period：ある学習がきわめて効率よく行われ、しかもその時期を逸するとその学習が困難となる時期)がある。

② 反応と強化との関係が明確ではなく、またその形成はきわめて短時間で十分である。

③ いちど形成された刷り込みは不可逆的学習であり、ほとんど消去しない。

④ あるヒナがある人間に刷り込まれると、そのヒナはすべての人間に対して接

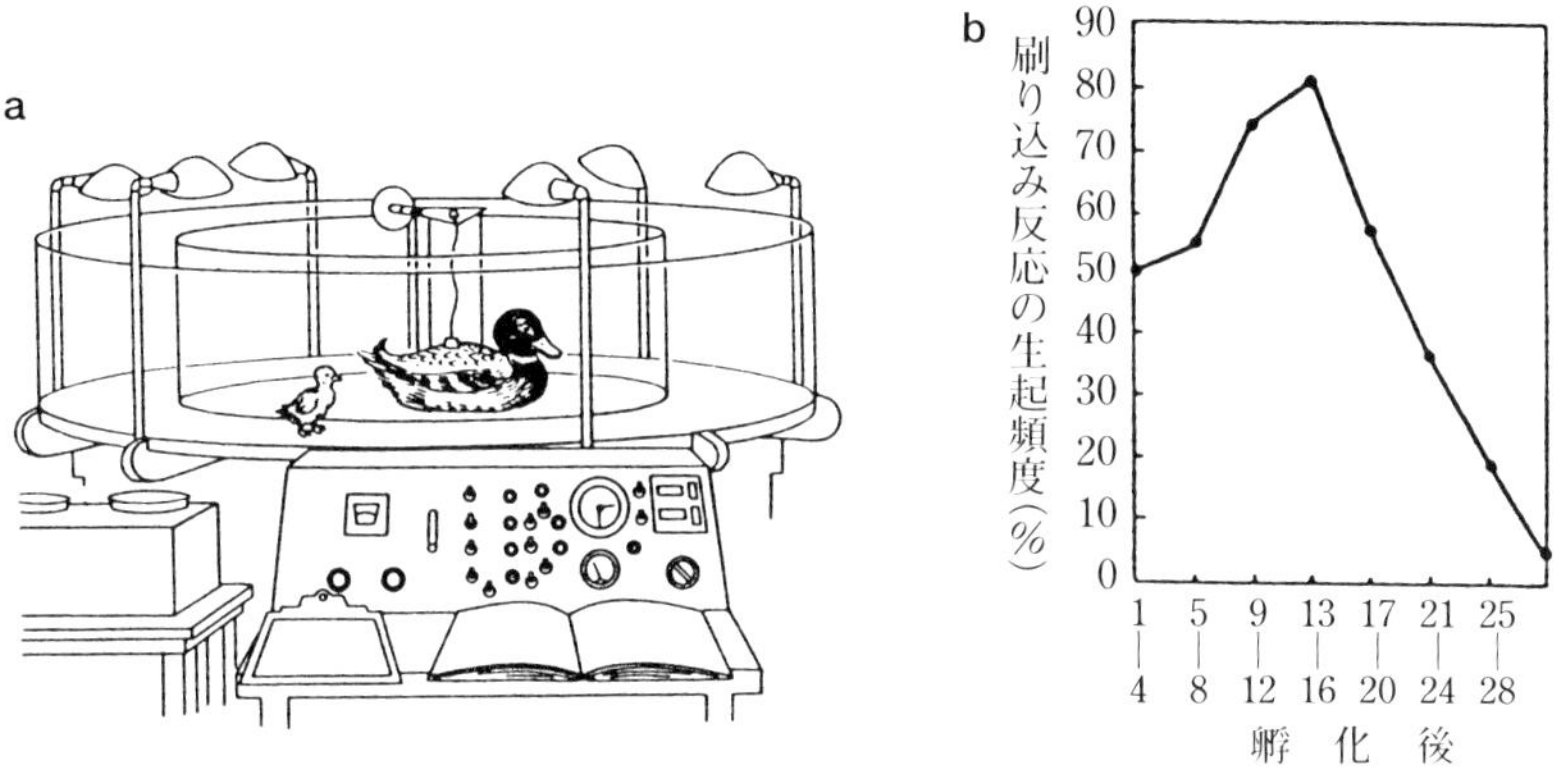

図1 (a) 実験室事態で刷り込みを観察するための装置と (b) カモのヒナにおける刷り込み反応の生起率と孵化後の時間 (Hess, E. H., 1959, 1973)

近反応、追従反応を示す。すなわち「超個体学習」(supra-individual learning)である。

彼はこのような現象は、そのヒナが遺伝子情報としてもっている「生得的解発機構」(IRM：innate releasing mechanism)の発動によるものと考えた。しかしそののちの心理学者たちによる厳密に統制された実験研究が進むにつれて、彼が挙げた上記の特徴はすべてが正当なものとはいえず、またかならずしも学習と背反する現象でもないことが、明らかになってきた。現在では刷り込みは、ある種の動物の発達段階のきわめて初期に見られる特殊な「初期学習」(early learning)の一種にすぎないと考えられている。

哺乳類でも、ヌーやカモシカなどの離巣性の草食獣には、肉食獣からの被害を少なくするために、刷り込みに類似な現象が見られると考えている研究者もいる。離巣性の動物にとって母親の後を追従するという行動がはやく形成されればそれだけ、その個体が生存する可能性は高くなる。

(岩本隆茂)

キーワード 臨界期／生得的解発機構（IRM）／初期学習／離巣性／就巣性

〔文献〕 ⑥

学《がく》習《しゅう》の準《じゅん》備《び》性《せい》

伝統的な学習理論では、動物が知覚できる刺激と生物的に重要な刺激であれば、どのような組合わせであっても古典的条件づけが可能であり、動物が知覚できる刺激と自発できる反応、そして生物的に重要な刺激であれば、どのような組合わせであってもオペラント条件づけが可能であると仮定されていた(等能性の前提)。しかし、この前提の妥当性を疑問視する実験結果が一九六〇〜七〇年代に相次いで発表された。

例えば、味覚刺激は気分不快感と容易に結びつけることができ(味覚嫌悪学習)、視聴覚刺激は電撃と結びつけることができるが、逆の組合わせでは古典的条件づけが極めて難しいことをガルシア(Garcia, J.)がラットで報告した(条件刺激―無条件刺激間選択性)。オペラント条件づけでは、イヌに弁別学習を行わせる際、音の高低を手がかりに反応と無反応を学習させることや、音源の位置(上下)を手がかりに左右反応の選択をさせることは容易だが、この逆の組合わせでは訓練が困難であることが発見された(弁別刺激―反応間選択性)。また、ラットやハトでは、餌を正の強化子に用いて反応を形成する場合には視覚刺激が、電撃を負の強化子として回避・逃避反応を訓練する場合には聴覚刺激が手がかりとして優位である(弁別刺激―結果間選択性)。さらに、ハムスターの示すさまざまな行動のうち、床掘り行動や壁引っ掻き行動などは餌で強化可能であるが、臭いつけ行動や身づくろい行動は強化困難であるし、ラットに電撃からの回避逃避学習を行わせるときにはレバー押し反応よりも走行反応の方が訓練しやすいことも見出された(反応―結果間選択性)。

さまざまな動物に芸を調教していたブレランド夫妻(Breland, K. & Breland, M.)は、訓練したオペラント反応が本能的行動の方向に逸脱していく事例をいくつも報告している。また、ボウルズ(Bolles, R.C.)は、電撃など嫌悪刺激からの回避逃避学習の容易さは、訓練する反応がその動物の種特異的防衛反応であるか否かに依存すると考えた。こうした流れを受けて、セリグマン(Seligman, M.E.P.)は、条件づけの容易さはその動物の進化の所産であると主張した。学習には種に特異で生得的な準備性があって、味覚刺激と気分不快のように準備されている関係の学習は容易であるが、準備されていない関係では訓練に時間を要し、味覚刺激と電撃のように逆方向に準備されている関係の学習は形成が極めて困難である。つまり、学習は生物的制約内で行われるのである。

ティンバーレイク(Timberlake, W.)によれば、動物の種はそれぞれ、環境に適応するための行動システムを生得的に有しており、古典的条件づけやオペラント条件づけはこのシステムの一部を変容させる操作に他ならない。システムに矛盾する学習は行われないし、システムのどの部分が変容するかは刺激の種類やその個体の動機づけ状態に依存する。

(中島定彦)

キーワード 味覚嫌悪学習/種特異的防衛反応/生物的制約

〔文献〕⑨⑭⑱㉑㊲

学習性《がくしゅうせい》無力感《むりょくかん》（学習性《がくしゅうせい》絶望《ぜつぼう》）

　電撃からの逃避課題に失敗したイヌは新しい課題にも消極的で失敗しやすい。セリグマン（Seligman, M.E.P.）らは、失敗経験によってイヌが無力感を学習したのではないかと考え、三つ組計画（トリアディック・デザイン）による実験を行った。二頭のイヌをハンモックに吊るし、後肢に電撃を与える。イヌAは頭を動かすことで電撃から逃避できるが、イヌBに対する電撃はイヌAが逃避反応を行ったときにだけ中止される。つまり、この二頭は電撃を受ける回数やパターン、持続時間は同じであるが、イヌAは電撃に対処可能であり、一方イヌBは対処不可能である。三頭目のイヌCには電撃を与えない。この三頭を一組として複数組のイヌで実験を実施する。その後、それぞれのイヌを別の装置に入れて、光信号を手がかりに電撃からの回避訓練を行ったところ、対処可能群（イヌA）と無電撃群（イヌC）は速やかに回避行動を学習したが、対処不可能群（イヌB）はほとんど学習できなかった。

　嫌悪刺激に対する対処不可能経験が後の学習を阻害するという事実（学習性無力感現象）は、イヌだけでなく、ネコ・ラット・マウス・キンギョ・ゴキブリ・ヒトなどでも報告されている。こうした事実を、対処不可能経験により動物が無力感を学習したためだと考えるのが学習性無力感理論である。セリグマンらによれば、無力感の学習は、動機づけ障害（新しい課題を解決しようという動機づけの低下）、認知障害（新しい課題における随伴性発見の遅れ）、情動障害（不安やうつ傾向）の三つの症状を引き起こす。また、生理学的にはノルアドレナリンやセロトニンの欠乏が報告されることが多い。これらの症状は人間のうつ病に類似していることから、学習性無力感はうつ病の動物モデルとして研究されてきた。

　しかしながら、人間の場合、対処不可能の経験（失敗経験）が必ずしもうつ症状を引き起こすとは限らない。こうした個人差は、失敗経験に対する説明スタイルの違いによると考えられている。アブラムソン（Abramson, L.Y.）らによれば、失敗経験の説明（原因帰属）は、内的—外的、安定的—一時的、全体的—特異的の三つの次元で表現できる。失敗経験を、内的で安定的で全体的な要因（例えば、「私には能力がまるでない」）に求めがちな人はうつ症状を呈しやすい。

　対処不可能経験による新しい学習の阻害は、対処不可能経験に先立って対処可能な経験をしておくと、予防可能である（免疫効果）。また、対処可能経験を初めに経験しておくと、その後に対処困難な事態に陥ってもあきらめることなく行動する（学習性支配感現象）。さらに、対処不可能事態であっても嫌悪刺激が予測可能であれば、学習性無力感現象は弱くなる。

　学習性無力感は、ストレスと健康というテーマで取り上げられることも多い。最近では、対処不可能経験によって疾病に罹患しやすくなるか、身体免疫系に影響を及ぼすかが検討されている。

（中島定彦）

キーワード　うつ病の動物モデル／説明スタイル／免疫効果

〔文献〕⑨⑭⑱㉑㉔㉖㉛

知《ち》覚《かく》学《がく》習《しゅう》

英国経験論の華やかな時代に、先天性失明者が開眼したその瞬間に、外界が知覚・認知できるか否かが論争されたことがあったが、最近では知覚の成立のためには、外部環境からの刺激にさらされる(外部環境を学習する)経験をもつことが必要であることが明確となっている。これを「知覚学習」(perceptual learning)という。知覚学習の特徴の第一は、無条件刺激や条件刺激、あるいは強化刺激の随伴提示などがなくとも成立するという点で一般的な連合(S—R)学習とは異なり、S—S学習(外部環境についての認知学習、あるいは知覚の再体制化の過程)であるとみなすことができる点にある。

第二の特徴は、知覚学習には厳しい臨界期が存在することである。ブレイクモアとクーパー(Blakemore, C. & Cooper, G. F., 1970)は、子ネコを生後五～六ヵ月のあいだ完全な暗室内で育てた。この期間、一日に数時間、ある子ネコには縦縞だけを、ある子ネコには横縞だけを見せた。しばらくしてから子ネコの皮質の神経細胞の活動電位を記録すると、縦縞だけを見せられて育った子ネコは縦縞を見せられると活動電位が活発化したが、横縞を見せられるとほとんど応答しなかった。横縞だけを見せられて育った子ネコの場合では、この傾向はまったく反対であった。発達の初期において、このような外部から与えられる特定な刺激に対応して特殊化した神経細胞は、「特徴抽出神経細胞」(feature extracting neuron)と呼ばれている。

生まれたときから目が見えない人の約半分は角膜や水晶体の障害であるとされているが、医学の急速な進歩に伴い、これらの方々のうちの多くは角膜移植や人工水晶体置換手術などの方法によって開眼することが可能になってきた。目はよくカメラに喩えられる。レンズなどに異常があって写真が撮れないカメラは、修理すればすぐその時点からすばらしい写真を撮ることができる。しかしながら、先天性失明者の目はどんなに遅くても生後約二年以内のうちに開眼手術を施さなければ十分に見えるようにはならないとされているのは、この知覚学習における厳しい臨界期のためである。外界から送られてくるさまざまな視覚情報を時々刻々と処理し、それをつぎつぎに画像解析するための膨大なソフトウエアが構築されるには、神経細胞がまだ特殊化しない時期でなくてはならない。逆に乳幼児たちは、自分の身の回りの事物をなんども見ることによって、それらの事物をきわめて微細に見て取る能力をしだいに獲得するようになってくるのである。

(岩本隆茂)

キーワード　認知学習／知覚の再体制化／特徴抽出神経細胞(ニューロン)／臨界期

〔文献〕⑭

学習《がくしゅう》における系統発生《けいとうはっせい》と個体発生《こたいはっせい》

学習が主として神経系における生理的活動と密接に関連する現象であるから、系統発生的に神経が発達するにつれてしだいに複雑な学習が可能となってくる。ゾウリムシなどの単細胞動物では、一個の細胞で感覚器と実行器の役割を演じ、一方では接触、排泄、繁殖などの機能もはたしている。しかし記憶機能はもっていないので、学習はできない。

系統発生的により高次になるにつれ、細胞数は飛躍的に増大して感覚細胞と運動細胞の分化が生じ、さらにイソギンチャクのような腔腸動物になると、感覚情報の伝達と運動の指令部を仲介する「介在細胞」(inter-nucial cell：proto-neurone ともいう) が分化し、独立してくる。これが神経系の始祖であり、人間の神経系も本質的にはこの延長線上にある。腔腸動物では感覚細胞と運動神経とのあいだに一個の介在細胞しかないが、より高度な種になるにつれて介在する細胞も増加して神経系を形成するようになる。たとえばプラナリアのような扁形動物では原始的ではあるが梯子状神経系をもち、ミミズなどの環形動物やミツバチなどの節足動物では左右相称の神経節、中枢神経系が見られる。キンギョ、ハト、ネズミ、ヒトなどの脊椎動物では、神経管状の中枢神経系が発達してくる。

学習の機能が明確に見られる系統発生的にもっとも低次な種は、プラナリアであるとされており、ライトの点灯と電撃の対提示による屈曲反応を条件反応とする古典条件づけが報告されている。プラナリアは再生能力の強い動物で知られているが、条件づけを行ったのち一個体を二分割して再生が完了したのち再学習を行うと、頭部が残されていた群と尾部が残されていた群はともに手術前の記憶が有意に残っており、しかも両群間には有意な差は見られなかった (McConnel, et al., 1959)。これは原学習の記憶が、プラナリアの全身に分布する梯子状神経系のさまざまな部位に分散貯蔵されていることを示している。このような生理的機構は、再生能力が高いというプラナリアの利点を意義あるものとしている。

一方、それぞれの種において、個体の発生・発達の過程においても、神経系の発達が見られる。人間の場合では受胎後六・五ヵ月ごろの胎児における学習が確かめられている。胎児に外部から大きな音響刺激を提示すると胎児はおどろき様反応を示すことを利用して、妊婦の腹部への打診と大きな外部音響刺激を対提示すると、打診刺激のみに対しても胎児はおどろき様反応を示すようになった (Spelt, D. K., 1938)。ニワトリのヒナでは、孵化開始後十五日目でベルの音と電撃による古典条件づけの形成が知られている。

（岩本隆茂）

キーワード　介在細胞（プロトニューロン）／プラナリアの学習／胎児と条件づけ

〔文　献〕⑭

強化《きょうか》スケジュール

オペラント条件づけとは、《所定のオペラント反応の生起に対して正の強化刺激を随伴提示すると、その反応の出現頻度が増大する》ことであるとされている。所定のオペラント反応の生起に対してかならず正の強化刺激が随伴提示される場合を、「連続強化スケジュール」（ＣＲＦ：continuous reinforcement schedule）という。

しかしながら現実には、所定の反応の生起に対してかならず正の強化刺激が随伴提示されることは意外なほど少ない。会社に通勤して所定の仕事に従事しても給料は月に一度与えられるだけだし、パチンコや競馬に夢中になってもときたま勝つことがあるにすぎない。所定の反応を行ってもかならずしも強化されないものは「間欠（間歇）強化スケジュール」（intermittent reinforcement schedule）、あるいは「部分強化スケジュール」（partial reinforcement schedule）と呼ばれている。代表的なものに以下の四種類がある。

1　「定時（ＦＩ：fixd-interval）強化スケジュール」強化刺激が随伴提示されてから一定時間経過したのちの最初の反応に対して、強化刺激が提示される。たとえばＦＩ2では、強化刺激が提示されてから二分間はどのような反応に対しても強化はされず、二分間経過した最初の反応に対して強化刺激の随伴提示がある。

2　「不定時（ＶＩ：variable interval）強化スケジュール」強化されない時間が不定である点がＦＩとは異なる。ＶＩ3とは、強化刺激が随伴提示されたあと平均して三分間は反応があっても強化されない。平均の算出法にはさまざまなものがある。

3　「定率（ＦＲ：fixed ratio）強化スケジュール」この強化スケジュールにおいては、強化刺激の提示後は所定の反応数に達するまでは強化されない。たとえばＦＲ20では、二〇回目の反応に対してかならず強化刺激が随伴提示される。

4　「変率（ＶＲ：variable ratio）強化スケジュール」強化されない反応数が変動する点が、ＦＲとは異なっている。ＶＲ20とは、強化刺激の随伴提示があったのち、平均して二〇回目の反応に対して強化刺激の随伴提示がある。平均の算出法はさまざまである。

以上が基本となる四大強化スケジュールであるが、研究目的に合わせてさまざまな強化スケジュールが開発され、使用されている。「強化における三項随伴性」においても、オペラント反応の出現に対する強化刺激の提示のされ方（強化スケジュール）が、そのオペラント反応の生起を制御することが明示されている。

（岩本隆茂）

キーワード　ＣＲＦ／ＦＩ／ＶＩ／ＦＲ／ＶＲ／三項随伴性

〔文献〕⑪

無《む》誤《ご》学《がく》習《しゅう》

学習心理学におけるオペラント条件づけの実験手続きでは、ある自発反応に正の強化刺激が随伴提示されるか否かについての情報があらかじめ与えられなかったり、被験体がその情報に気づくのが遅かったりして、学習の初期には多くの誤反応が生じてしまう。

しかしながら現実の場面では、私たちはほとんど誤反応を行わずに多くの学習を行っているのである。例えば信号のある交差点を幼稚園児が横断するという場合、あらかじめ父母や教師から〝赤信号のときには絶対に横断しない。青信号になったら右左を十分に確認してから横断する〟ことを、徹底的に教えられている。また実際の交差点で、保護者に手を握られながら横断を繰り返し経験している。このような事前の知識や体験のもとに、実際に信号のある交差点での横断反応（行動）についての現実場面での学習が行われ、幼稚園児は最初から十分に安全に交差点を渡ることができる。このようなことは、交差点の横断学習ばかりでなくさまざまな現実の学習においても同様であり、学習の初期には被験体の行う反応のかなりの部分が誤りである実験室でのようなことは、ほとんど起こらない。

このような現実の学習場面を取り込んで、テラス（Terrace, H. S., 1963）によって行われた「無誤弁別学習」（errorless discrimination learning）の手続きは、およそ以下のようであった。被験体はハトで、キイに継時的に赤か緑の二種類の色光刺激が提示された。まずS^+（赤色光）のみを各5秒間提示し、赤色光へのキーつつき反応に粒餌を随伴提示させその反応を十分に形成させたのち、S^-（緑色光）が導入された。S^-の照度ははじめはとても弱くハトが反応できないほどの暗さで持続時間もきわめて短かった。試行が進むにつれてS^-の照度がしだいに増大し持続時間も延長され、最終的には照度も持続時間もS^+と同一にされた。この結果では、訓練の初期から最終期に至るまで、S^-に対する反応はほとんど見られなかった。すなわち、ほとんど誤反応をせずに弁別学習が成立したのであった。

このような手続きで形成された弁別学習の結果は、通常の手続きによるものとはいちじるしく異なっていた。通常の弁別学習を行ったのちに、般化テストを実施するとS^+を中心に興奮性般化勾配が、S^-を中心に抑制性般化勾配が、それぞれ起こり、その加減算の結果頂点移動現象が見られる。無誤学習ではS^-に対する抑制性般化勾配は見られず、頂点移動現象もまた見られなかった。この差異は誤反応による抑制がないためである。無誤学習はまだ十分に研究されてはいないが、実験室と現実を結ぶきわめて重要な現象である。

（岩本隆茂）

キーワード　無誤弁別／頂点移動現象

〔文　献〕⑮

頂点移動現象《ちょうてんいどうげんしょう》

刺激A、Bに関して、Aが呈示されている場面ではオペラント反応が強化され、Bが呈示されている場面では強化されないような訓練を行うと、個体はAの場面でのみ反応するようになる。これを弁別学習（discrimination learning）と呼び、Aを正の弁別刺激（S^+）、Bを負の弁別刺激（S^-）という。しかしS^+と物理的特徴が類似した刺激に対してはオペラント反応が出現する。これを般化（generalization）と呼び、物理的特徴が類似しているほどオペラント反応の生起頻度は高い。般化におけるオペラント反応の生起頻度の違いを示した曲線が般化勾配（generalization gradient）である。ところがA（S^+）、B（S^-）二つの刺激で弁別学習を行うと、A単独の場合と比較してAに対する反応頻度は増大し、Bに対する反応頻度は減少する。これは行動対比（behavioral contrast）と呼ばれる。このとき般化勾配の頂点はBと反対方向に移動する頂点移動現象（peak shift）が生じる。

ハンソン（Hanson,H.M.）は五五〇nmの光刺激をS^+、五七〇nmの光刺激をS^-としてハトにキーつつき反応の弁別学習を行ったところ、S^+のみを用いた場合にはキーつつき反応の般化勾配は五五〇nmを頂点とする正規分布状になった（図1）。しかしS^+とS^-を用いて弁別訓練を行った後では、S^+に対する反応数は増大しS^-に対する反応数は減少した。同時に般化勾配の頂点はS^-と反対方向の五四〇nmに移動した。般化勾配はS^+を頂点に逆U字型を描くが、同時にS^-を最低点としたU字型の抑制性般化勾配も生じる。頂点移動現象はS^+を中心に生じる興奮性般化勾配と、S^-を中心に生じる抑制性般化勾配が加算的に作用して生じる。このためS^+とS^-の物理的特性が類似しているほど頂点の移動も大きくなる。

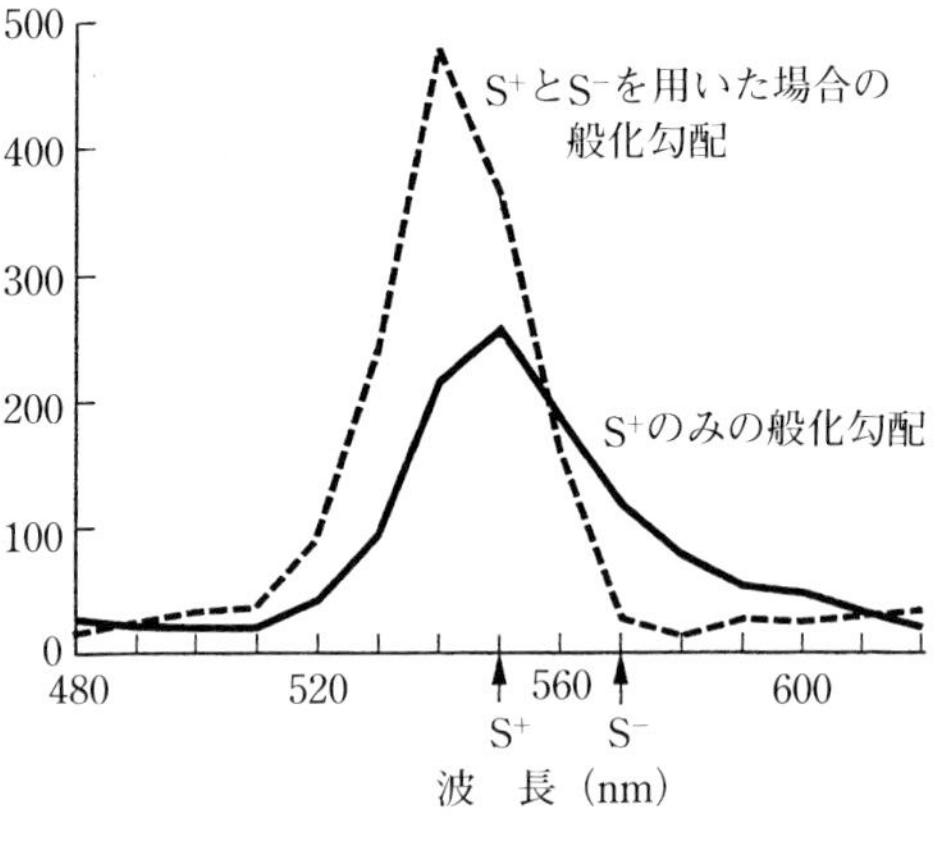

図1　行動対比と頂点移動現象（Hanson,1959　文献⑤より改変）

550nmの光をS^+としてハトにキーつつき反応の弁別学習を行うと、550nmを頂点とする般化勾配を示す（実線）。しかし570nmの光をS^-として加え、S^+とS^-を用いて弁別訓練を行った後では（点線）、S^+に対する反応数は増大しS^-に対する反応数は減少する（行動対比）。また般化勾配の頂点はS^-と反対方向（540nm）に移動する（頂点移動現象）。

（和田博美）

キーワード　行動対比／弁別学習／頂点移動

〔文献〕⑤

自律神経系《じりつしんけいけい》のオペラント条件《じょうけん》づけ

学習の基礎過程には、古典的条件づけとオペラント条件づけがある。自律神経系に支配された反応のオペラント条件づけが成立するかどうかは、これら2種類の条件づけを区別するものは何か、という学習心理学上の重要な問題として、長く論争が行われてきた。一九三〇年代、スキナー（Skinner, B. F., 1938㉞）とマウラー（Mowrer, O. H., 1938㉓）が、それぞれ人間の腕の血管収縮、皮膚電気反応のオペラント条件づけを試みるが、いずれも失敗に終わった。以後、しばらくは、自律系反応は古典的条件づけによってのみ変容され、オペラント条件づけは不可能である（キンブル、Kimble, G. A., 1961⑲）と考えられた。

一九六〇年代に入って、Shearn（Shearn, D. W., 1962㉜）が、人間の心拍率のオペラント条件づけに成功したことを報告して、論争は再燃した。当時は、自律系反応が、呼吸や筋運動などの媒介なしに、直接条件づけられるかどうかが、重大な関心事であった。ミラー（Miller, N. E., 1969㉒）は、媒介に関する全ての疑問を退けるために、クラーレ（Curare）によって筋反応を麻痺させたラットの自律系反応のオペラント条件づけを試みた。人工呼吸によって生命が維持されたラットの自律系反応は、脳内の報酬系への電気刺激によって強化された。このような条件の下で、心拍率、血圧、耳の血管の収縮・拡張などのオペラント条件づけが成立したことが報告された。

ミラーの研究は、その後の追試によって、十分に再現されないという批判を受ける（平井 一九八六⑦）。しかし、ミラーに刺激されて行われた数多くの研究は、媒介の有無はともかくとしても、自律系反応は、それに依存して提示される刺激によって制御されるという証拠を提出している（大河内 一九九一㉕）。それにともない、古典的条件づけとオペラント条件づけは、反応の構造もしくはトポグラフィーによっては区別できないと考えられるようになり、両条件づけの区別は、反応を制御する変数の違い、すなわち機能上の相違に基づいて行うようになってきている。

自律系反応のオペラント条件づけの研究は、バイオフィードバックと呼ばれる、今日では応用的色彩の強い研究分野に発展した。バイオフィードバックは、心拍率や皮膚温など、通常は随意的に制御できない反応や、四肢の筋運動など通常は容易に制御できるが外傷や病気によって制御できなくなった反応を、電気的に増幅し、視覚、聴覚、触覚など、本人にわかりやすい形に変換してフィードバックすることによって、それらの反応の制御を獲得、回復させるものである（ブランチャードとエプシュタイン、Blanchard, E. B., & Epstein, L. H., 1978②）。緊張頭痛、腰痛、全般性不安障害、レイノー病、偏頭痛などの非薬物治療法の一つとして、バイオフィードバックは医療場面で評価されてきている。

（大河内浩人）

キーワード　自律神経系／オペラント条件づけ／バイオフィードバック

〔文　献〕②⑦⑲㉒㉓㉕㉜㉞

異常《いじょう》行動《こうどう》・問題《もんだい》行動《こうどう》(逸脱《いつだつ》行動《こうどう》)についての学習《がくしゅう》モデル

現代の臨床心理学において、異常行動あるいは問題行動などの健常な行動から逸脱した行動の発生とその維持の機構、およびその治療方法についての巨視的な視点からの主要なモデルは、以下の三種類であるといえよう(Davison, G. C. & Neale, J. M., 1974：岩本 一九九六)。

1 統計モデル：人格や性格を測定し、人間をいくつかの類型に分類する手段の一つとして、「質問紙法」、「作業検査法」、「投影法」などのさまざまな検査が考え出されている。これらの検査によって、ある尺度や次元についてその被験者の測定値が母集団の分布とは大きな隔たりがあり、推計学的には同一母集団に帰属しているとはいえない場合、その人はその次元またはその尺度において〝異常である〟と見なされる。

2 疾病(医学)モデル：医学の領域における〝異常〟は、身体の疾患に由来する。風邪はある種のウイルスの感染によるものであり、骨折は体外からの限度を超えた物理的圧迫が原因の外傷性疾患である。同様に、逸脱行動の根底には、各種の精神病や神経症などが想定されており、これらの原因としてはさまざまな身体の生化学的平衡失調説や自律神経系失調説などが提案されている。

3 学習モデル：このモデルでは逸脱行動は健常行動と等質なものであり、いずれもさまざまな環境のもとで、必然的・偶然的な学習によって形成・維持されてきたものとされている。逸脱行動は、ある行動の分布からたんに逸脱度の大きいものにすぎず、この点では統計モデルと類似している。しかし学習モデルでは逸脱行動と健常行動のあいだに本質的な隔壁は認めず、従ってそれらの逸脱行動の〝治療〟(健常化)は、それらを形成し維持している環境(弁別)刺激と強化刺激の随伴性の解除(消去)にある。

これらのうち二つのモデルの関係を表示すれば、表1のようになる。

表1 「異常行動」、「問題行動」についての学習モデルと疾病(医学)モデル

学習モデル	疾病(医学)モデル
1．異常／問題行動は正常行動の逸脱にすぎない。病気そのものは存在しない。 2．その治療のための焦点は、その異常／問題行動を形成させ維持させている環境刺激と強化の随伴性の解除にある。 3．社会的、文化的要因は、このような異常／問題行動の学習過程の維持にきわめて重要な役割をもつ。	1．異常／問題行動はその人間の内部にある病気によって出現する。 2．その治療のための焦点は、その疾病の原因である生物学的過程と、それによって、生じる心的力動的過程である。 3．社会的、文化的要因は、疾病とは本質的には無関係である。

この表は、Davison & Neale, 1974. をもとにして作られた岩本(1996)のものを、さらに改変したものである。

(岩本隆茂)

キーワード 逸脱行動／統計モデル／医学(疾病)モデル／学習モデル

〔文献〕⑰

人格心理学・発達心理学

編集・上里一郎

この分野は、心理学のなかでも大変広範で多岐にわたるところである。そのために、学習に当たっては、単に項目の理解にとどまらず自分で項目と項目の関連性を考えて進めることが望ましい。

例えば、人格理論、人格の形成、発達の原理、適応のメカニズム、人格の査定などのように分類して、項目を読み、関連づけながら整理すると全体像がリアルとなり理解が容易になることであろう。この作業を欠くと、単に知識を得たことに終わる可能性がある。

また、項目は、必要最小限に限られているので、人格心理学や発達心理学の専門書を読み、不足を補ってほしい。

できることなら文学書（例えば、「楡家の人々」や「アヴェロンの野生児」「恍惚の人」「夜と霧」など）等を読んでほしい。患者や家族の手記にも教えられることが多い。

アイデンティティ

アイデンティティ（Identity）は、エリクソン（Erikson, E. H.）が提唱した概念であり、自我同一性と邦訳されて用いられることも多い。エリクソンによれば、アイデンティティは、（1）自分であることの独自性、過去からの連続性といった主観的実存的な意識、および、（2）自分と社会（他者）とのつながりや、自分が社会（他者）から承認されているという社会的受容感の二つの側面から成っている。具体的には、「自分は他の誰とも違う唯一無二の存在であり、過去、現在、未来の自分は、確かに連続した同一の存在である。そして、自分という存在は、他者（社会）から確固たる承認を得ているのだ。」という感覚である。

エリクソンは、自我の発達について八つの段階を設定しており、それぞれの段階において獲得しなくてはならない課題（発達課題）があるとした。そして、青年期（十二歳〜）の課題として、アイデンティティの確立をあげている。青年期は、心身の状態（特に性的成熟）や社会的な期待・役割が急激に変化する時期である。そのため、それまでの自分との連続性や類似性を感じにくくなる。そこで、この時期に、「本当の自分とは何か」、「自分は他者（社会）からどのように見られているのか」、「今の自分や将来の自分は、他者（社会）から期待されている役割と一致しているのか」等の問いが起こってくるようになり、これに対する答えを求めるようになる。このような自分探しの作業を行うことによって、新たな自己が再統合され、自分なりの価値観、人生観、あるいは人生目標などが確立されていくと考えられている。

アイデンティティの確立を行うための自分探しは、心理社会的モラトリアムの期間に行われるが、これは、青年が社会から成人としての義務や責任の一時的猶予を認められている期間である。この心理社会的モラトリアムの時期に、青年は様々な環境の中で、様々な役割実験を行うことによって、本当に自分らしい自分、社会における自分の適所を見つけていく。例えば、学生という社会的に認められた立場で、自由に行動し（クラブ活動、アルバイト、冒険的な行動、学業・研究活動など）、多様な役割を演じる中で、自己理解を深め、やがては職業や配偶者の選択といった社会的決断を行っていく。しかし中には、心理社会的モラトリアムの状態をいつまでも続け、成人としての社会的役割を回避している人々がいる。小此木啓吾は、このような人をモラトリアム人間と呼び、これを現代大衆社会における社会的性格の一つであると述べている。

アイデンティティの確立は重要であり、これに失敗すると、自分が何者であるかが良く分からない状態になる（アイデンティティの拡散）。具体的には、小此木は、自分を見失ってしまったり、仕事や勉強に取り組めないか、逆に一つの仕事に自滅的にのめり込んでしまう、自己全能感や無限の自己を幻想し、選択や決断ができないなどの状態をあげてい

表1　マーシャの4つの同一性地位（Marcia, 1980　文献㊷）

	同一性達成	早期完了	同一性拡散	モラトリアム
危機の有無	経験あり	経験なし	あり／なし	経験中
傾倒の有無	あ　り	あ　り	な　し	漠　然

る。また、アイデンティティが十分に確立されていない場合に、他者と親密な対人関係を持つことは、かえって自己のアイデンティティの喪失につながりかねないとエリクソンは述べている。そのため、アイデンティティ拡散の状態にある者は、あまり親密な関係は求めず、形式的な対人関係にとどめる傾向にあるという。

マーシャ（Marcia, J. E.）は、アイデンティティの確立の程度を、職業、政治、宗教の三領域における危機の有無、および、傾倒の有無の組み合わせによって、四つの同一性地位（同一性達成、早期完了、同一性拡散、モラトリアム：表1）に分類し理解している。ここでいう危機とは、本人にとって意味のあるいくつかの可能性について、迷ったり、考えたり、選択したりする状態である。また、傾倒とは、自分の考えを明確に持ち、それに基づいた行動をとることである。

同一性達成の地位は、過去に自己の可能性や選択について模索し、現在ではそれを乗り越えて、自分なりの信念に基づいた行動をとるようになっている状態である。早期完了の者は、過去に模索する機会はなかったが、親や社会によって認められる価値観を受け入れ、それに基づいて行動するタイプである。このタイプは一見、同一性達成地位の者と変わらないように見える。

これに対して、同一性拡散のタイプは、過去の模索状態の経験にかかわらず、明確な信念やそれに基づく行動が見られない者である。また、モラトリアムの者は、現在、模索的状況を経験している最中であり、傾倒は漠然として明確になっていない。

これら四タイプを比較した研究がいくつか行われている。その結果、アイデンティティと自己評価や対人関係の間には関連性があり、同一性達成地位が最も望ましく、逆に、同一性拡散地位が最も問題であるとされている。また、マーシャは実験によって、一見類似している同一性達成地位と早期完了地位との間に、いくつかの顕著な違いを示しており、青年期に危機を経験することの意味が示唆されている。

（三浦正江）

キーワード　エリクソン／青年期／発達課題／モラトリアム／同一性地位

〔文　献〕　㊶㊷

プロトコル分析《ぶんせき》

課題解決場面等における認知過程を推測するために、対象者の言語報告、あるいは言語化と合わせて行われた非言語的行動（表情、動作など）を分析する手法のことをいう。エリクソン（Ericsson, K. A.）とサイモン（Simon, H. A.）によって、認知過程の研究における言語報告の有用性や問題点が指摘されてから、分析方法等の検討が行われている。プロトコル分析における基本的な考え方は大きく二つあり、一つは対象者が言語化する内容は対象者の認知を反映しており、言語報告してもらうことによって、対象者の認知過程を推測できるという考え方である。この考え方に基づいた場合には、言語化された内容について検討が行われる。もう一つの捉え方は、言語行動は何らかの認知的処理の結果であるとするものであり、表出される言語そのものが分析される。

一般的には、課題中に「自分が心の中で言っている（考えている）ことを全て口に出して下さい」と教示を行ったり、課題の開始前や終了後に「今、何を考えていたか思い出して答えて下さい」と尋ねることによって、対象者の積極的な言語報告が求められる。また、一つの課題を複数の対象者に一緒に行わせ、その中で自然に起こってくる発話（会話）を収集するという手法が用いられる場合もある。これらの言語報告や行動等は録画（録音）によって記録され、それらを文章化した言語プロトコルに基づいて分析が行われる。

具体的には、理論を知らない判定者が言語プロトコルをユニットに分け、それらに意味付けを行ったり、研究者が予め用意したカテゴリー等に分類する。この際に、判定者を複数名設定して一致率を確認することが、信頼性を高める上で必要であると考えられている。さらに、言語行動の生起頻度やそれぞれのカテゴリーの頻度などの数量的処理を行い、その特徴が検討される場合もある。このように、仮説モデルを知らない判定者によってモデルから独立したデータ分析が行われるため、新しい仮説モデルを定めるなど、仮説検証的研究を行う前段階として用いられることが多い。

プロトコル分析は、心理学の領域において信頼性、妥当性の低い分析方法として認識されてきたが、認知プロセスそのものを変数化することが可能である点、会話等の文脈を考慮することによって、社会的文脈を変数化できる可能性がある点で有用であると考えられている。プロトコル分析は言語学を始めとした様々な領域で用いられており、心理学における理論や方法論のさらなる発展が期待されている。

（三浦正江）

キーワード 認知過程／言語報告／言語プロトコル

因子《いんし》—特性理論《とくせいりろん》

特性の量的差異でパーソナリティーを特徴づける

個人が様々な状況の中で一貫して示す行動傾向を特性（trait）という。因子—特性理論では、特性をパーソナリティー構成の単位と見なし、必要十分な、比較的多数の基本的な特性を明らかにした上で、それぞれの特性の量的な差異によってパーソナリティーを記述する。つまり、個人間のパーソナリティーの違いは、特性の量的な差によるものであり、質の問題ではないと考える立場である。類型論がドイツを中心としたヨーロッパ諸国で発展したのに対して、因子—特性理論はイギリスおよびアメリカの研究者が中心となって、パーソナリティーの基本特性の決定に因子分析を導入したことで大きく発展した。キャッテル（Cattell, R.B）の研究はその代表的なものである。

キャッテル（一九六五⑩）は、質問紙法や行動観察などの結果をもとに因子分析を行い、抽出された因子を根源特性として、これをパーソナリティー記述の単位とする理論を提唱している。表1は、彼が確認した一六の根源特性を示したものである。これら一つひとつの根源特性をどちらの方向にどの程度もっているかによって個人のパーソナリティーが記述されていく。例えば、Xという人物は、明るく（F＋）開放的で（A＋）情緒も安定している（C＋）が、従属的で（E−）いい加減なところがあり（G−）、知的な遅れが幾分目立つ（B−）……というような特徴が描き出され、また、Yという人物については、支配的で自己主張が強く（E＋）、責任感に溢れ（G＋）知的にも優れている（B＋）が、気分のムラが激しく（C−）、なかなか他人に打ち解けない（A−）……という風に記述されていくのである。

近年の動向—ビッグ・ファイブ説

以上のように、因子—特性理論では、各個人の有する諸特性の量的差異が明らかになるため、各個人の性格特徴を詳細に読みとることができ、また、個人間の相違を比較しやすい。しかし、その反面、人格の統一性や独自性を捉えにくいという欠点がつきまとう。そこで、近年注目を集めているのが、ビッグ・ファイブ（Big Five）説（McCrae & Costa, 1990㊺; John, 1990㉝）である。従来の研究で提示されてきた様々なパーソナリティーの基本特性が整理され、最終的に五つの特性が因子として抽出されている。五つの特性とは、すなわち、①ディストレスに対する敏感さを含む「神経症傾向（Neuroticism）」、②社交性、活動性、快活な傾向を示す「外向性（Extraversion）」、③想像力、感受性や知的好奇心の強さを要素とする「開放性（Openness）」、④利他的な度合いを示す「調和性（Agreeableness）」、⑤自己統制力や達成への意志を示す「誠実性（Conscientiousness）」である。

ビッグ・ファイブ説に基づく人格検査としては、NEO Personality Inventory-Revisedと、これの短縮版であるNEOFive-Factor Inventory（Costa & McCrae, 1992⑫）が最も有名であり、NEO—PI—R人格検査ならびにNEO—FFI人格検査（下仲ほか、一九九九⑲）として日本語版が標準化されている。

（杉若弘子）

キーワード　パーソナリティー／キャッテル／ビッグ・ファイブ

〔文　献〕⑩⑫㉝㊺⑲

表1　キャッテルの16の根源特性（Cattell, R.B., 1965文献⑩）

低得点記述	因子		因子	高得点記述
打ち解けない（Reserved） （分裂性気質）	A－	対	A＋	開放的な（Outgoing） （感情性気質）
知能の低い（Less intelligent） （低い‘g’）	B－	対	B＋	高い知能（More intelligent） （高い‘g’）
情緒的（Emotional） （低い自我強度）	C－	対	C＋	安定した（Stable） （高い自我強度）
けんそんな（Humble） （服従性）	E－	対	E＋	主張的（Assertive） （支配性）
生まじめな（Sober） （退潮性）	F－	対	F＋	気楽な（Happy-go-lucky） （高潮性）
便宜的な（Expedient） （低い超自我）	G－	対	G＋	良心的な（Conscientious） （高い超自我）
内気な（Shy） （スレクティア）	H－	対	H＋	大胆な（Venturesome） （パルミア）
タフ・マインド （Tough-minded） （ハリア）	I－	対	I＋	テンダー・マインド （Tender-minded） （プレムシア）
信頼する（Trusting） （アラクシア）	L－	対	L＋	疑い深い（Suspicious） （プロテンション）
実際的な（Practical） （プラクセルニア）	M－	対	M＋	想像的な（Imaginative） （オーティア）
率直な（Forthright） （飾り気のない）	N－	対	N＋	如才のない（Shrewd） （如才なさ）
穏やかな（Placid） （自信）	O－	対	O＋	気遣いの多い（Apprehensive） （罪悪感傾向）
保守的な（Conservative） （保守主義）	Q_1－	対	Q_1＋	何でも試みる（Experimenting） （急進主義）
集団に結びついた（Group-tied） （集団志向）	Q_2－	対	Q_2＋	自己充足的（Self-sufficient） （自己充足性）
行き当たりばったりの（Casual） （低い統合）	Q_3－	対	Q_3＋	統制された（Controlled） （高い自己概念）
リラックスした（Relaxed） （低いエルグ緊張）	Q_4－	対	Q_4＋	緊張した（Tense） （エルグ緊張）

類《るい》型《けい》論《ろん》

人のパーソナリティを捉える際のアプローチ方法として、類型論と特性論の大きく二種類がある。特性論では、パーソナリティをいくつかの要素から構成されるものとして捉え、一方、パーソナリティをユニークな全体として捉え、個人の全体像を総合的に把握しようとする考え方が類型論である。つまり、類型論では何らかの理論や基準に基づいて、いくつかの典型的な類型を見出し、それによって個人のパーソナリティを理解しようとする。また、特性論では、個人のパーソナリティ理解のために、様々な構成要素の量的差異に着目するのに対して、類型論ではパーソナリティの質的把握や典型的な事例に関する研究法が重視される。

パーソナリティ類型を見出すための代表的な理論として、クレッチマー（Kretschmer, E.）の体格―気質類型論やユング（Jung, C. G.）の外向―内向類型論などがある。クレッチマーは、臨床経験から特定の体型（細長型、肥満型、闘士型）と精神疾患（分裂病、躁うつ病）の間に関連性を見出した（細長型と分裂病、肥満型と躁うつ病）。すなわち、特定の体型の人には、特定の精神疾患に特徴的なパーソナリティ傾向が顕著に認められるということである。そして、このような体型とパーソナリティ傾向の関連性は、一般の健康な人にも当てはめることが可能であるとした。そのため、クレッチマーが提唱した類型で用いられている「分裂気質」、「躁うつ気質」という語は、分裂病、あるいは躁うつ病であるということではなく、一般的なパーソナリティ傾向を表す語として使用されている。具体的には、以下のようなパーソナリティの特徴を指摘している。

（1）は類型の基本的特徴であり、（2）（3）は、対照的であるが同一の人の中に混合して存在する特徴である。

○細長型体型―分裂気質

（1）非社交的、静か、ひかえめ、まじめ、変わり者。

（2）臆病、恥ずかしがり、敏感、神経質、興奮しやすい、繊細、自然や書物に親しむ。

（3）従順、温和、無関心、鈍感。

非常に敏感で傷つきやすい側面と、鈍感で関心が狭い側面とを持っている。

○肥満型―循環気質

（1）社交的、善良、親切、温厚。

（2）明朗、ユーモアがある、活発、激しやすい。

（3）寡黙、平静、陰うつ、気が弱い。

明朗で生活を楽しみ行動的で決断が早い状態と、控えめで決断を迷うことが多く悲観的である状態とが交互に、あるいは、一方のみが現れるタイプ。

これと類似した体型に関する類型について、シェルドン（Sheldon, W. H.）とスティーブンス（Stevens, S. S.）は大学生を対象とした検証を行っており、理論をほぼ支持する結果を得ている。

一方、ユングは人の心的エネルギー

(libido：リビドー）に着目し、このエネルギーの向かう方向（外向、内向）を主な基準とした類型を提唱した。外向型は、関心を積極的に外界に向け、自分と外界の関係の中で考えたり行動するタイプである。これに対して、内向型では、関心が自分自身の内に向けられる。クレッチマーの類型が臨床事例という実証的データから導かれたものであるのに対して、ユングの類型は、彼独自のパーソナリティ理論に基づいたものである。

これらの理論以外に、アイゼンク(Eysenck, H. J.）は、外向性、神経質傾向という二つの類型水準を提唱した。これらは、それぞれ様々な特性によって定義づけられており、このように、特性論的な考え方を前提とした類型を定義している点が、クレッチマーなどの考え方とは大きく異なる点である。そのため研究者からは、アイゼンクの考え方は厳密には類型論とは言えない、あるいは、類型論に近い特性論であるなどと指摘されている。

類型論には、いくつかの問題点が指摘されている。例えば、本来多様なパーソナリティを比較的少数の典型的な類型に分類することによって、実際には多く存在している中間型や混合型を見逃しやすい。また、各類型に認められる典型的な特徴が重視され、それ以外の個別の特徴が無視されやすい。さらに、類型的アプローチはパーソナリティの質的把握であるため、各個人の程度の差を示すことができない等である。

このような問題点と因子分析を背景とした特性論の発展によって、近年の人格に関する研究領域では、類型論よりも特性論が主流となっている。しかし、特性論にも、個人の全体像を見逃してしまう、研究者間で、基本的特性に関する最終的な一致が得られていない等の問題点が指摘されている。

また、類型論と特性論は対比して捉えられることが多いが、これら二つは相容れない考え方ではないと指摘されている。例えば、前述したアイゼンクの理論は、パーソナリティが様々な特性によって構成されていると考えている点では特性論的であり、それらの特性の組み合わせによっていくつかの類型を提唱している点では類型論的であるといえよう。つまり、類型論と特性論の違いは、基本的なパーソナリティの捉え方にあるのではなく、基本となる特性をいくつか組み合わせた上位概念（類型）を設定するかどうか、といった相違であると考えられている。

このように、パーソナリティの理解には、総合的で質的把握を目指した類型論的アプローチと、分析的で量的把握を目指した特性論的アプローチの両者を統合することが望ましいと考えられている。

（三浦正江）

キーワード パーソナリティ／クレッチマーの体型類型論／ユングの外向―内向／特性論

〔文　献〕66

性《せい》格《かく》検《けん》査《さ》

心理検査のうち、個人あるいは集団の情意性、欲求、葛藤、興味、態度、社会的適応性、行動様式などの性格特徴を理解するために、質問項目・刺激・課題などを課し、それに対する回答・反応・作業量などを一定の標準に照らし合わせて系統的に査定・診断する検査法の総称。検査としての客観性や有効性を確保するために、妥当性・信頼性の検討、検査手引きの作成など標準化の手続きが要求される。

性格検査は、それぞれが特有の性格理論に基づいて作成されており、その理論によって性格を理解しようとする。したがって、ある理論的立場からの性格理解は可能であるが、それはあくまでも全人格の一側面にすぎない。そのため、臨床・教育場面では、数種の心理検査（知能検査や発達検査も含む）を組み合わせて同時に実施して（テスト・バッテリー）、それぞれの結果を比較検討して被検者を多面的・総合的に理解しようと試みることが多い。また、性格検査は個人の内的世界を明らかにするものであり、場合によっては結果を伝えた被検者に心理的外傷をもたらすこともありうるので、実施に際しては、検査の目的や実施方法に習熟した上で、誤用・乱用やプライバシーの侵害などの倫理的問題に慎重に配慮する必要がある。

以下に性格検査の分類と代表的な検査名をあげる。

性格検査の分類

(1) 質問紙法（questionnaire method）：性格の一側面、あるいはいくつかの側面に関する多数の質問項目に対して被検者が複数の選択肢の中から回答する方法である。集団に実施することも可能である。長所として、検査の実施や採点・数量化が比較的容易である、結果の解釈に主観が入りにくいなどがあげられる一方、短所としては、被検者の反応歪曲（うそ）が起こりやすいことがあげられる。主な検査として、Y—G性格検査、MMPI、STAI、MPI、CMI、などがあげられる。

(2) 投影法（projective method）：あいまいな図形や文章を刺激として呈示して、口頭や文章や絵で回答を求め、そこに投影された被検者の言語的・非言語的反応からその人独自の性格を査定・理解する方法である。普通は個人ごとに実施する。長所としては、個人の内的世界の無意識的水準まで知ることができる、被検者に自分の反応の意味がわかりにくいため反応歪曲が起こりにくい、査定の役割に加えて治療的役割を果たすものもあるなどがあげられる。短所としては、性格理論の根拠がややあいまいであること、結果の処理や解釈は検査者の技量に依存する部分が多く主観が入りやすいことなどがあげられる。主な検査には、ロールシャッハ・テスト、SCT、P—Fスタディ、TAT、バウムテスト、HTP、などがある。

(3) 作業検査法（performance method）：被検者に一定の明確な作業課題を課し、その作業の量・質・経過などの結果から性格を査定・理解する方法である。集団に実施することが可能である。長所としては、適用範囲が広く実施や採点・結果の数量化が容易である、意図的な反応歪曲が起こりにくいことなどがあげられる一方、短所としては、判定の基準にいまひとつ客観性が欠けることがあげられる。内田・クレペリン精神作業検査が著名である。

（瀬戸正弘）

キーワード 質問紙法／投影法／作業検査法

知《ち》能《のう》検《けん》査《さ》

知能検査とは、知能と呼ばれる多面的で複雑な精神機能を客観的・数量的に査定するために、標準化の手続きを経て作成された心理学的測定尺度である。その検査結果は通常、精神年齢（ＭＡ：mental age）、知能指数（ＩＱ：intelligence quotient）、偏差知能指数（ＤＩＱ：deviation intelligence quotient）、知能偏差値（ＩＳＳ：intelligence standard score）などの数値で表される。

これまで知能は、学習する能力、抽象的思考能力、言語性能力と動作性能力、環境に対する適応能力などさまざまに定義されてきたが、それら知能観の違いや検査の目的、形式、素材により多種多様な知能検査が開発されている。知能検査を臨床・教育現場で実施する際には、使用する検査が被検者の知的水準を推定するのに適切なものであるか、その検査で測定される知能がどのようなものであるかなどに留意して最適なものを選び、その使用目的に応じて使い分け、あるいは組み合わせる（テスト・バッテリー）ことが大切である。また、検査結果は慎重に利用し、必要以上に過大視してはならない。

知能検査の分類

（1）一般知能検査と診断的知能検査

知能検査は、検査の目的によって、一般知能検査（たとえば、ビネー式知能検査）と診断的知能検査（たとえば、ウェクスラー式知能検査やＩＴＰＡ言語学習能力診断検査）に分けられる。一般知能検査は、総合的知能水準（一般知能）を測定し知能の発達の程度をとらえようとするもので、検査結果は、ＭＡやＩＱなどの全体的な単一の指標で示される。一方、診断的知能検査は、知能を下位検査（知能因子）別に測定してその結果をプロフィール等で表示し、個人の知能の特徴を分析的、構造的に理解して臨床的診断に役立てるものである。検査の結果は通常、下位検査別に示されるほか、検査全体としての知能水準あるいは総合的知能水準を推定できる指標も算出される。

（2）個別式知能検査と集団式知能検査

短時間・同一条件で同時に多数の被検者に実施することができ、しかも比較的容易に検査結果の採点・整理が可能な集団式知能検査（たとえば、京大ＮＸ知能検査や教研式新学年別知能検査）と、個別に実施するために検査者の熟練、時間、手間を必要とするが、多様な問題をもりこむことができ、精密で実用的な情報を得ることが可能な個別式知能検査（ウェクスラー式検査、ビネー式知能検査、ＩＴＰＡなど）に分類できる。個別式検査は、個人の知能の特徴を明らかにして個別に治療教育的介入をしていくためのアセスメントを行うことが目的となる。一方、集団式検査は、主に知能の精査を必要とする者をふるい分けする（スクリーニング）ためのものである。

（3）言語式検査と非言語式検査

検査の素材に基づいて分類すると、言語的要素（単語や文章）を多く含む言語式（α式またはＡ式）検査（たとえば、田中Ａ—２式知能検査）と、言語の使用を極力減らし、主に非言語的素材（記号、数、図形など）から構成される非言語式（β式またはＢ式）検査（たとえば、新制田中Ｂ式知能検査）という分類もできる。非言語式検査は、言語に不自由な人や読み書きのできない人を対象に使用される。

（瀬戸正弘）

キーワード　知能指数／偏差知能指数／テスト・バッテリー

発《はっ》達《たつ》検《けん》査《さ》

子ども（主として三歳ぐらいまでの乳幼児）の身体運動、認知・学習能力、言語的能力、社会的能力などを含めた発達の状態を評価・診断するために標準化された検査。検査項目は、乳幼児期における心身の未分化という発達特徴が考慮され工夫されている。検査時点における心身の発達の全般的な遅速、諸機能の発達のバランスなどを評価し、発達遅滞や発達障害の早期発見と療育方針の策定に役立てる。

一般的に検査結果は、(1)発達年齢（DA：developmental age）、(2)発達指数（DQ：developmental quotient DQ＝DA÷生活年齢（CA：chronological age）×100）、(3)各発達領域のバランスを示す発達プロフィール、などで表示される。検査結果の解釈は、養育者や教師からの情報、生育歴、医学的診断結果などと合わせて総合的かつ慎重に行わなければならない。

発達検査の種類

現在、わが国で使用されている主な発達検査は、検査目的、基本的な考え方、検査方式などによって以下のように分類することができる。

これらの発達検査は、必要に応じて特定の能力（視知覚能力、記憶力、言語的能力など）を測定する他の検査とテスト・バッテリーを組んで実施する。

1　直接検査方式

(1)『MCCベビーテスト』（古賀　一九六七）

(2)『新版K式発達検査法』（嶋津　一九八五㉚）など

子どもに一定の課題を与え、構造化された場面でそれへの反応を比較的厳密に直接観察する検査方式。しかしながら、限定された場面での反応であるため、必ずしも子どもの日常的行動が反映されているとは限らない。結果はDAやDQ、発達プロフィールで示され、それらをもとに個々の領域別や全体としての発達の遅速を判断する。

2　発達診断法

(1)『乳幼児精神発達診断法――〇歳～三歳まで』（津守・稲毛　一九六一(77)）

(2)『乳幼児精神発達診断法――三～七歳まで』（津守・磯部　一九六五(78)）など

子どもの発達の「診断」的理解を目的とし、DAやDQなどの指標をあまり重視しない。個々の領域ごとに継時的に発達を査定し、その結果を発達プロフィールで示して発達のプロセスをとらえることが重要であると考える。乳幼児精神発達診断法は養育者の日常的観察による間接的査定であり、子どもの普段の行動に基づいた発達の評価が可能である。しかしながら、養育者の観察に依存しているため、過大・過小評価などの主観が結果に影響をおよぼしやすい。

3　発達スクリーニング検査

(1)『遠城寺式乳幼児分析的発達検査法』（遠城寺　一九七七⑮）

(2)『改訂日本版デンバー式発達スクリーニング検査』（上田　一九八三(82)）など

発達スクリーニング検査は、発達障害が疑われる子どもを発見して早期の対応をはかるために使用されるもので、方法が簡便であり、短時間に多くの被検児に実施することが可能である。

（瀬戸正弘）

キーワード　発達指数／発達プロフィール／テスト・バッテリー

〔文　献〕⑮㉚(77)(78)(82)

愛《あい》着《ちゃく》

愛着とは、子どもが養育者との間に形成する情緒的絆のことである。子どもの示す愛着行動には、微笑んだり、声を発する発信行動、しがみついたり、抱きついたりする能動的な身体接触行動、母親がどこにいるのか目で追ったり、声のする方を向いたりする定位行動がある。

ボウルビィ（Bowlby, J.）が愛着という概念を提唱する以前は、愛着が形成されるのは、飢えや渇きなどの生理的欲求が養育者によって満たされるからであると考えられていた。しかし、生理的欲求の充足が愛着形成の主要因ではないことが諸研究によって示唆されている。例えば、ハーロウ（Harlow, H. F.）は、針金製と布製の母親の模型をつくって赤毛ザルの子どもを用いた実験を行った。子ザルは、布製の母親から授乳される場合ばかりでなく、針金製の母親から授乳される場合であっても、布製の母親と過ごす時間が長かった。以上のことがらは、生理的欲求の充足より接触の快感の方が愛着の形成において重要であることを示している。

ボウルビィによると、愛着は以下の段階を経て発達するとされている。第一段階では、誰に対してでも視線を向けたり、声を発したり、手を伸ばしたりする。誰から働きかけられても喜びや興味を示す。第一段階にあたる年齢は、およそ誕生から生後八—十二週くらいである。第二段階（生後十二週～六ヵ月）では、日常生活でより多く関わりのあった特定の人物（母親であることが多い）に対して、第一段階で見られたような愛着行動をより多く示す。第三段階（生後六ヵ月～二歳）においては、特定の人物（母親であることが多い）に対する愛着が明確に形成され、愛着行動も顕著になる。一方、見知らぬ人に対しては恐れたり、警戒したりする。いわゆる人見知りが見られる。第四段階（三歳～）では、愛着対象の気持ちや動機の洞察が可能になる。例えば、母親が一時側を離れてもすぐに帰ってきてくれるなど、母親の行動を洞察できるようになる。その結果、必ずしも身体的な接近がなくても子どもは安心していられる。

愛着の形成には個人差があることが知られている。エインズワース（Ainsworth, M. D.S.）は、そうした愛着の個人差に着目して、ストレンジ・シチュエーション法という実験方法を開発した。子どもは、母親がいる中で見知らぬ女性（ストレンジャー）が入室する、母親が退室し見知らぬ女性と過ごす、見知らぬ女性が退室し母親が入室する、一人で実験室に残される、などの八つの場面を経験する。そして、母親との分離、再会の様子から、愛着は四つのタイプに分類される。

Bタイプ（安定型）は、初めての場所でも、母親がいることで安心をして（母親を安全の基地として）活発に探索を行う。母親がいなくなると、泣いたりぐずったりして盛んに母親を求める。母親が戻れば、嬉しそうに迎え、再び探索や遊びを活発に行う。Aタイプ（回避型）は、母親が退室してもあまり泣いたりせず、母親と再会した時もそれほど嬉しそうにはしない。母親がいる・いないに関係なく探索したり遊んだりしている。母親が接近したり、接触したりすると逆に回避をする。Cタイプ（抵抗型）は、母親に対してアンビバレントな行動を示す。母親がいなくなると不安を示し、母親が戻ってくると近づいていったり接触を求めたりするが、機嫌がなかなかなおらず、母親を蹴ったり叩いたりする。Dタイプ（無秩序型）は、A～Cタイプに見られるような行動の一貫性がほとんどない。

愛着の形成を左右する要因として、母親の対応や子ども自身の気質などがある。

例えば、母親が、空腹などの子どもの状態に適切に対応したり、子どもの接近や微笑に対して一貫して肯定的に応答することは安定した愛着の形成を促す。逆に、子どもが不安な時にも対応しなかったり、子どもからの働きかけとはかみあわない形で応答していると、子どもは母親の行動を予期しにくく、安定した愛着の形成は難しくなると考えられる。母親の適切な対応を妨げる要因に関して、例えば、ラドケ・ヤロウら（Radke-Yarrow, M-et al., 1985(64)）は、母親が慢性的な抑うつ状態にあると子どもの発するシグナルへの対応がうまくいかず、愛着は不安定なものになることを示した。また、母親が自分の親から虐待を受けた経験を持つ場合には、虐待経験のない親よりも子どもを虐待してしまう割合ははるかに高くなる。

さらに、母親をめぐる心理社会的なサポートも重要である。夫など周囲の人のサポートが得られない場合には、育児が精神的にも肉体的にも大きな負担となり、子どもに対する適切な対応が困難になることも予想される。

愛着の形成について、子どもの側の要因も無視できない。例えば、食事、排泄、睡眠・覚醒といった生理的なリズムが不安定であったり、ちょっとしたことですぐ泣いたり、環境の変化に対する適応が悪かったりすると、子どものシグナルに適切に対応しても依然として子どもの機嫌はよくないままであるなど、親は対応に困り、愛着の形成が困難になるかもしれない。

養育者（母親であることが多い）に対して最初に形成する愛着は、その後の子どもの発達に影響を及ぼすとされている。初期の愛着関係は内在化され、子どもの自己に対するイメージ、他者に対するイメージを形成する。ボウルビィは、これを内的ワーキングモデルと呼んだ。安定した愛着が形成された場合には、子どもは、「自分は他者から愛される」という肯定的な自己像や、「他者や世の中は自分を受容してくれる、信頼できる」というイメージを形成する。安定した愛着を形成した子どもは、例えば、知らない人に対してより協調的であったり、幼稚園での仲間の人気が高かったりというように、発達の経過が良好であることがいくつかの研究で示されている。

（宮前義和）

キーワード ボウルビィ（Bowlby, J.）／エインズワース（Ainsworth, M.D.S.）／ストレンジ・シチュエーション法／内的ワーキングモデル

〔文　献〕⑤㉓㊹(54)(64)(84)(86)(89)

遺伝《いでん》と環境《かんきょう》

われわれの知能やパーソナリティーは、どのような要因によって規定されるのだろうか。古来ギリシャの時代より、この問題を探求するために設定されてきたのが「遺伝と環境」という枠組みである。

歴史的変遷

遺伝・環境問題をめぐる論争では、大きく三つの見解が示されてきた。

まず、最初に登場したのは、「遺伝か環境か」のスローガンに表されるように、遺伝要因と環境要因のいずれか一方の機能を重視する孤立要因説（生得説、環境説）である。問題の所在を端的に表すという点では意味があり、また、顔や体つきがそっくりな親子というように身体的特徴の中には遺伝だけに規定されているものもあるが、パーソナリティーを始めとする心理的な特徴をどちらか一方の要因だけで説明するには無理がある。

そこで登場したのが、両要因の統合性を強調するシュテルン（Stern, W.）の輻輳説《ふくそう》である。個体の発達は、常に遺伝と環境双方に影響を受け、両要因は統合的に機能していると考える立場である。図1は、輻輳説における遺伝と環境の関係を示すルクセンブルガー（Luxenburger, H.）の図式である。ある特徴に対する両要因の影響の度合いは、長方形の対角線上の位置によって示される。例えば、図中Xの位置では、環境がU、遺伝がEの割合で影響する。もし、Xが左方に移動すれば遺伝の影響が強くなり、右方に移動すれば環境の影響が強くなる。輻輳説は、常識的で穏当な見解として広く受け入れられてきた。しかし、ここでも遺伝と環境は別々のものとして捉えられており、単にそれぞれの影響を持ち寄るに過ぎないと考えられている点に問題が残る。

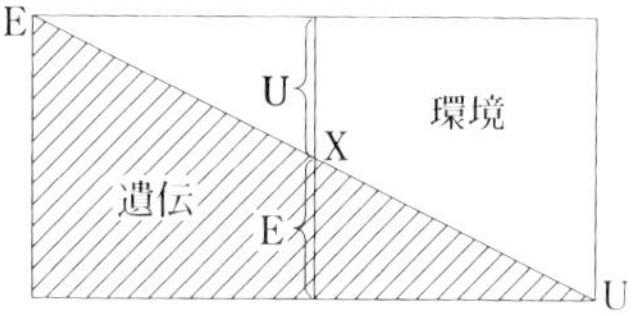

図1　H.ルクセンブルガーの図式

輻輳説を静的な見解とするならば、両要因の動的な相互関連性や自己調節性を重視するのが相互作用説である。例えば、音楽的に優れた才能を持つ母親は、子どもが音楽に触れる機会を増やし、これに興味を示せば賞賛する。その結果、子どもはますます音楽好きになるだろう。このような状況では、母親の養育態度が子どもを音楽好きにする環境要因となっている。一方、母親は、音楽的才能という遺伝的な素質をも伝えているかもしれない。この場合、遺伝と環境の両要因は、ある特徴の発現に対して同方向に作用するため、単なる加算的な効果以上の相乗的な効果を生み出すことになる。つまり、遺伝要因と環境要因は独立なものではなく、それぞれの影響は互いに相対的にのみ規定されるものなのである。

ジェンセン（Jensen, A.R.）の環境閾値説では、特性によって遺伝と環境の相互依存度は異なり、身長などのようにいかなる環境にあってもその特徴が顕在化しやすいものもあれば、絶対音感のように極めて優れた環境に置かれて初めて顕在化するものもあるとされており、これも相互作用説の一例と考えられている。近年では、多くの心理学者が相互作用説を支持している。

家系研究と双生児法

遺伝と環境に関する問題は、主として家系研究や双生児法によって研究されてきた。このうち、家系研究では、ある特徴を持つ人たちが同一家系の中でどのように、またどれぐらいの頻度で出現するかが調べられる。ゴールトン（Galton, F.）による傑出人の家系の研究に始まり、音楽的才能に関するバッハ一族やゴダード（Goddard, H.H.）によるカリカック家の研究などが有名である。わが国では、画家の狩野家や科学者を輩出した箕作《みつくり》家がしばしば引き合いに出される。家系研究では遺伝要因の影響の強さが強調されがちだが、しかし、そこには家族が共有する環境の効果が含まれていることを忘れてはならない。

表1　1卵性双生児と2卵性双生児の類似性
(Buss, A.H.&Plomin, R., 1975　文献⑧)

	男児		女児	
	1卵性	2卵性	1卵性	2卵性
情緒的反応性	.68	.00	.60	.05
活動水準	.73	.18	.50	.00
社交性	.65	.20	.58	.06

注）数値は相関係数を示す

表2　血縁者間の知能の類似（Burt, C., 1966　文献⑥）

			Burtの研究	
			組数	相関係数
親と子			374	.49
双生児	1卵性	一緒に育てられた	95	.92
		別々に育てられた	53	.87
	2卵性	同性	71	.55
		異性	56	.52
きょうだい		一緒に育てられた	264	.53
		別々に育てられた	151	.44
他人		養父母と子	88	.19
		一緒に育てられた子	136	.27
		別々に育てられた子	200	−.04

　このような共有環境の影響を分離するために、双生児を対象にした研究が数多く行われてきた。双生児のうち、一卵性双生児は、一個の受精卵に起源をもつため、全く同じ遺伝子を共有していると考えられている。これに対し、二卵性双生児は、二個の卵子が別々に受精したものであり、遺伝的には同じ両親から産まれたきょうだいと同じである。双生児研究では、①ある特性の類似性を一卵性双生児と二卵性双生児で比較したり、②別々に育った一卵性双生児の差を比較する。①に関して、バスとプロミン（Buss, A.H., & Plomin, R., 1975⑧）が一三九組の同性の双生児のパーソナリティーをその母親に評定させたところ、一卵性双生児における情緒的反応性、活動水準、および社交性の類似性は二卵性双生児よりもはるかに大きいことが明らかになった（表1）。また、②に関しては、バート（Burt, C., 1966⑥）が血縁者間の知能の類似度を調査したところ、異なる環境で養育された一卵性双生児間の知能指数の相関係数が、同じ環境で育った二卵性双生児のそれよりも高かった（表2）。これらの結果は、知能やパーソナリティーのある側面が遺伝によってかなり規定されることを示すものだといえるだろう。

　さらに、近年では、遺伝現象をつかさどる遺伝子の物質的基礎であるDNAの化学構造が特定されたことから、その発現・調節機能の解明が進められており、今や、遺伝と環境の相関や交互作用は分子生物学のレベルで探求されつつある。

（杉若弘子）

キーワード　相互作用説／双生児法

〔文献〕⑥⑧

横断的研究《おうだんてきけんきゅう》と縦断的研究《じゅうだんてきけんきゅう》

加齢に伴う変化を検討する方法として、横断的研究と縦断的研究があげられる。横断的研究とは、年齢の異なる対象に対して実験や調査を行い、各年齢群を相互に比較する方法である。図1に従って説明すれば、一九九五年の時点で、五歳、十歳、十五歳、二十歳、二十五歳の対象者を比較することが横断的研究である。横断的研究で実験や調査を行う際には、どういった事柄を検討しようとしているのかを踏まえ、結果に影響を及ぼす年齢以外の要因をできるかぎり統制することが大切である。そうした要因は様々にあるが、例えば性別や出生順位、家庭環境、親の社会・経済的状態などがある。横断的研究では、比較的短時間に多くのデータを得ることができ、縦断的研究と比べると一般に費用や労力などは少なくてすむ。しかし、同一対象者を追跡しているわけではないため、発達の連続性や安定性を明示することはできない。

縦断的研究とは、同一の対象者を一定期間継続的に追跡し、いくつかの時点で測定を行い、その変化を検討する方法である。図1で言えば、一九九〇年生まれの対象者を五歳、十歳、十五歳、二十歳、二十五歳と継続的に追跡していくことが縦断的研究である。縦断的研究では、発達の連続性や安定性を問題にすることができる。また、発達に関連している要因を明らかにすることも可能である。しかし、縦断的研究は、一般に、多くの労力や費用がかかる。さらに、同一の対象者を長期間にわたって確保することは困難であり、くり返し測定がなされることも検査に対する慣れや練習の効果などの問題を含んでいる。

測定時	1990年生	1985年生	1980年生	1975年生	1970年生
2015年	25	30	35	40	45
2010年	20	25	30	35	40
2005年	15	20	25	30	35
2000年	10	15	20	25	30
1995年	5	10	15	20	25

年齢

図1　横断的研究と縦断的研究の模式図

横断的研究と縦断的研究ともに、結果を解釈する際にはコーホートの要因を無視できない。コーホートとは、ある事項を共有した一群の人々のことである。例えば、図1では、一九九〇年生まれの人々、一九八五年生まれの人々、……一九七〇年生まれの人々はそれぞれコーホートを形成する。また、○○大学第一期卒業生、○○年に結婚した人々などもコーホートである。横断的研究では、年齢の違いに加えコーホートの違いが結果に関与しているため、結果の解釈は難しくなる。縦断的研究では、例えば一九七〇年生まれの人々といった特定のコーホートのみを追跡しているため、どの程度結果を一般化させられるかということが問題になる。

以上のように、横断的研究、縦断的研究ともに長所と留意点を有している。それぞれ特徴を踏まえて研究を行うことが大切である。

（宮前義和）

キーワード　研究方法／コーホート

〔文献〕⑨㉒㉛(51)(52)

老《ろう》年《ねん》期《き》

1 概念

従来、概して老年期とは、人の生涯のなかで最後の時期であり、生物学的な老化が顕著になり死に直面する消極的な時期であるとされてきた。また、①身体および精神の健康を失う、②経済的自立を失う、③家族や社会とのつながりを失う、④生きる目的を失うなど、いくつもの喪失を体験する時期でもある（長谷川、一九七五㉖）。

しかしながら、医療や科学技術の進歩に支えられた長寿・高齢化社会の到来によって、健康的・活動的な老人が増え、老衰を代表とするこれまでの老年期の否定的なイメージは徐々に変化した。特に老年前期の世代は、仕事や子育てから解放されて比較的自由なライフスタイルをとることが可能であり、社会的活動に参加したり、趣味をもって余暇を楽しむ者も多い。

すなわち現在では、老年期は、やがて衰えて死を迎えるという現実や多くの喪失体験に直面しながらも、いかに生きがいを持って幸福に生きるのかを模索しつつ英智や創造性を獲得（老熟）する時期として、積極的にとらえられている。

なお、国際的に六十五歳以上を老年期とすることが多いが、さらに老年前期（young old 六十五-七十四歳）と老年後期（old old 七十五歳以上）の二段階、あるいは高齢化社会にあって老年期が従来より長くなったため、老年初期（young old 六十五—七十四歳）、老年中期（middle old 七十五—八十四歳）、老年後期（old old 八十五歳以上）の三段階に区分される。

2 老年期の心身について

この時期は、白髪やしわなどの増加に代表される外見上の変化、老眼・老聴に代表される生理機能や運動機能の衰退、記憶力や動作性知能の低下、活動意欲や好奇心の減少などの老化現象がしだいに現れるようになる。しかし、これらは一様に同じ速度で減退するものではなく、個人差が大きいとされている。また、老年期に発症しやすい重要な精神障害としては、痴呆、うつ病と自殺などがあげられる。

3 老年期の心理学的研究の課題

老年期の心理学的研究の対象は、知能、記憶、人格、情動、悲嘆反応、孤独や死の受容、自殺、生きがい、家族関係、老婚や性、退職後の適応、高齢者大学などの生涯学習など多岐にわたるが、これまでは研究方法や測定尺度の整備が必ずしも十分ではなく、しかも老化の消極的側面に関心が向けられる傾向にあった。しかしながら、高齢化社会の到来に伴って、老年期の心理学的研究法が着実に進歩し縦断的研究などが行われた結果、従来の定説に反して健康な人の基本的な人格は加齢によりあまり変化しないこと、判断力・理解力といった能力（結晶性知能）はかなり高齢まで維持されること、記憶力の低下も記憶の種類によっては若い成人とそれほど大きな差はないことなどが明らかになった。

老年期の心理学的研究の今後の主要な課題は、医学、社会学、人類学など関連する隣接諸科学と学際的連携をとりながら、老年期のQOL（quality of life）を向上する方法や老熟についての心理学的知見を体系化することである。

（瀬戸正弘）

キーワード　高齢化社会／喪失体験／老熟

〔文献〕㉖

壮《そう》年《ねん》期《き》

壮年期は、青年期と老年期との間に位置し、生涯においてその期間は最も長い。壮年期は、成人期あるいは中年期とも言われる。一般に、青年期の終わりは二十代前半から二十五歳、老年期の始まりは六十五歳前後と考えられているようである。壮年期の時期を特定するのは難しいが、青年期の終わりと老年期の始まりを以上のように考えれば、二十代後半から六十代前半が壮年期にあたる。

個人差は大きいが、壮年期において、以下のような発達のプロセスが考えられる。

社会的には、仕事にも慣れ、後進を育てるようになり、管理的な立場につく場合もある。家庭生活においては、結婚をし、子どもを育て、やがて子どもの自立を迎える。今まで自分を支えてくれた親は高齢となり、自分が親の世話をするようになる。身体的には、徐々に、白髪や皺が見られるようになり、肥満型の体型が現れ、老眼鏡も必要になってくる。体力に関しては、例えば大西（一九八三(61)）によると、二十九歳を基準とした場合に垂直跳躍、連続跳びは加齢とともに直線的に低下し、背筋力も四十五歳以降目立って落ちている。また、肺活量も三十代から低下している。日頃の鍛錬によりその程度は異なるが、たいていの人が体力の衰えを自覚する。知的側面については、知能の種類によって加齢の影響が異なる。情報を処理するなど、新しい場面や課題に取り組む際にはたらくとされる流動性知能は加齢とともに衰えやすいが、経験の積み重ねによって得られる知識や判断力、理解力といった能力（結晶性知能）は加齢の影響をあまり受けない。中里（一九八四(55)）によると、流動性知能は四十歳ころまで上昇し、六十歳くらいから急速に低下する。一方、結晶性知能は六十歳ころまで上昇し続け、その後緩やかな低下を示すが、七十代であっても相当程度の水準を維持している。

レビンソン（Levinson, D.J. 1978㊴）など壮年期の発達のプロセスを実証的に検討した研究によると、三十代後半から四十代にかけて心理的変化が生じやすいことが示されている。本邦において、岡本（一九八五(57)(62)）が四十〜五十六歳の男女（研究者、会社員、事務系公務員、高校教員、看護婦、主婦）を対象に調査を行ったところ、四十代を迎えて、身体感覚の変化（体力の衰え・体調の変化）や、時間的展望のせばまりと逆転（例、残り時間が少ないという限界感は徐々に深まっている）、生産性における限界感の認識、老いと死への不安、自己確立感・安定感の増大（例、四十歳頃から、自分らしさや個性がでてきた感じがする）が経験されていることが示された。岡本（一九八五(62)）はさらに、そうした心理的変化が「自分の問い直しと将来の再方向付けを促す」とし、壮年期において自我同一性が再体制化されるプロセスを明らかにしている。こうした研究から、壮年期は、さらなる発達や成熟に向かった再出発の時期でもあることがうかがえる。

（宮前義和）

キーワード　体力の低下／結晶性知能／流動性知能／自我同一性再体制化プロセス

〔文　献〕③㊴㊿(55)(61)(62)(63)(68)(79)(87)

思《し》考《こう》の発《はっ》達《たつ》

思考とは、文字通り思い、考えることを指すことばである。要は、頭の中で繰り広げられる精神活動一般を意味している。心理学では、それを認知、知能、方略、問題解決、創造性、想像、概念、推論などの用語で説明している。

思考の発達においてもっとも知られているのは、ピアジェの認知発達理論である。彼は、感覚運動期、前操作期、具体的操作期、形式的操作期という四つの段階を設定しているが、感覚運動的な思考に始まる思考発達の理論といっても差し支えない。ここでは、その方向性についていくつか紹介しよう。

第一は、前因果的思考から因果的思考へという方向性である。因果的思考とは、事物を原因—結果という系列で捉える認知のことである。一方、それができないのが前因果的思考であり、前操作期の子どもの特徴的な思考の一つである。例えば、「太陽やドラえもんは生きている」といった、無生物に対して意識や生命が備わっているという思考をアニミズム（アニミズム的因果）という。また、「スイカは丸いから甘いね」といった、現象の表面的なものに囚われてしまう思考を現象論的因果という。

第二は、直感的思考から論理的思考という方向性である。直感的思考の代表的なものとして、保存概念の欠如を挙げることができる。図1に液体についての保存概念の実験を示した。aもbも液体の量は同じであることを確認した上で、bのビーカーの液体をb′のビーカーに移してみる。すると、前操作期の子どもは見えの変化に引きずられて、aよりb′の方が多いと答える。一方、具体的操作期の子どもはaとb′は同じと答える。ここでは液体の量であったが、他にも重さ、数、体積といった保存概念がある。これらのことは見えの変化に左右されることなく論理的で一貫性のある判断していることの証しである。

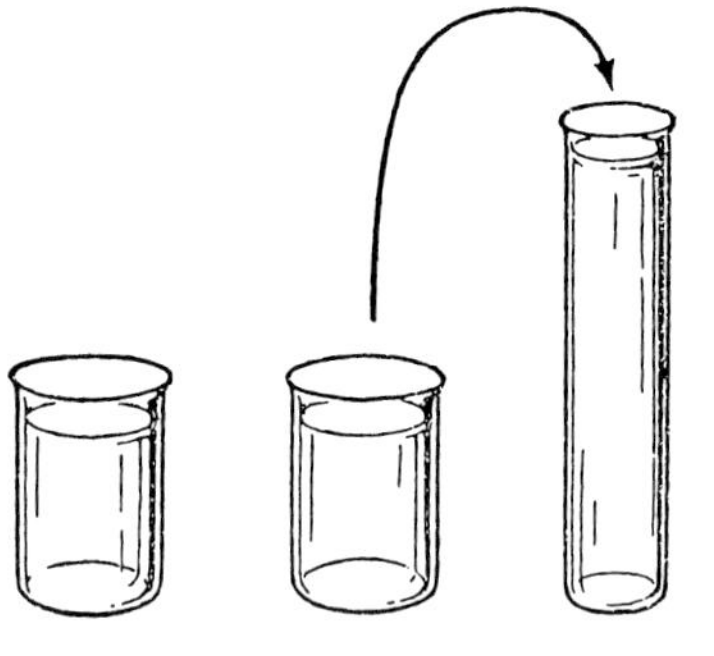

a　　b　　b′

図1　保存概念の実験

第三は、具体的思考から抽象的思考へという方向性である。これは、具体的操作期、そして形式的操作期それぞれにおける思考を指している。つまり、具体的な場面、あるいは実際的な場面での思考であったのが、目の前に対象がなくとも、論理的に推論したり判断できるようになることを意味している。抽象的思考としては、「A＝B，B＝C，∴A＝C」という三段論法がその典型的な例である。

（河本　肇）

キーワード　論理的思考／因果的思考／抽象的思考

〔文　献〕(58)

系統発生《けいとうはっせい》と個体発生《こたいはっせい》

系統発生とは、生物種が発生して絶滅にいたるまでの過程をさす。例えば、人間の進化の過程において、直立二足歩行、脳の大型化などが見られた。これらは、系統発生上の事実である。一方、個体発生とは、生物が受精卵より成体となり、死にいたるまでの過程をいう。

ベーア（Bear, K.E.v）やダーウィン（Darwin, C.）、ミュラー（Müller, F.）などの業績をふまえ、ヘッケル（Haeckel, E.H.）は、「生物発生原則」を提唱し、「個体発生は系統発生に直接規定されている」、「個体発生は系統発生の短縮された急速な反復である」などと説いた。いわゆる「反復説」である。「反復説」は、人間について「遅延」や「幼形成熟」といった現象が報告され、今日ではその妥当性が疑問視されている。「遅延」とは、発達・成長の速度が遅いことである。また、「幼形成熟」とは、幼児的な形質を保持して成熟することであり、例えば人間のおとなの頭蓋は新生児のそれと違いが少ない。系統発生的に新しい種である人間において「遅延」や「幼形成熟」が見られることは、「反復説」に対する反証となっている。しかし、「反復説」において、系統発生と個体発生との関連性を指摘した点は意義深いと思われる。

南（一九九〇㊾）は、野生ニホンザルの母と子のかかわりの研究（長谷川　一九八三㉗）や飼育ニホンザルの母の抱き行動（南　一九七四㊼）、母子間距離の研究（南　一九七六㊽）を引用し、系統発生と個体発生との関連性を以下のようにまとめている。ニホンザルの母は「系統発生のプロセスの中で受け継がれてきた行動と自らの個体発生のプロセスの中で獲得してきたさまざまの行動を用いて子に関わり、それぞれに異なる特徴を持つ子を育てる。子は同種の他の仲間と共通の特徴をもちつつ、同時に個体の違いによってさまざまに異なる多様性をもっている。」

人間の発達を考える上でも、系統発生と個体発生の両者を踏まえることが大切である。例えば、先に述べた「遅延」とは、端的に言えばおとなになるまでに時間がかかり、子どもの期間が長いということである。また、「遅延」に関連して、人間の新生児や乳児は、視覚や聴覚などの感覚機能や大脳の発達においてはかなり成熟しているが、姿勢を保持したり立って歩いたりする能力などはきわめて未熟であり、親などの保護を必要としているという事実がある。ポルトマン（Portmann, A.）は、これを「二次的留巣性」と名づけた。「遅延」や「二次的留巣性」といった系統発生上の事実は、例えば、長期にわたる親の子どもの保護、子どもの親への依存、親と子どもとの間の愛着の形成、家族の生成など人間の発達（個体発生）のあり方を決定づける重要な要因となっている。

（宮前義和）

キーワード　生物発生原則／反復説／系統発生と個体発生との関連性

〔文　献〕　㉗㉜㊼㊽㊾(88)(90)

サピア・ウォーフ仮説《かせつ》

言語は、記号としてあるいは情報提示のための手段だけでなく、認識や思考のパターンを形成する役割も担っている。言語と認識や思考とが密接に関連していることを示すものとして、サピア・ウォーフ仮説、別名言語相対仮説（linguistic relativity hypothesis）を挙げることができる。

アメリカの文化人類学者であるサピアは、「言語を用いずに実在に適応しうるとか、言語はコミュニケーションや内省の用具にすぎないとか考えるのは、明らかに幻想である。むしろ、『実在の世界』は、ある集団のもつ言語習慣によっていつしか形づくられていく。……われわれの社会における言語習慣が、ある解釈のしかたをあらかじめ選びとっているからこそ、われわれはこのようにみたりきいたり体験できるのである」と述べた。

つまり、我々人間が用いている論理的思考の型や認知様式は、その人の母国語とする言語の特性、例えば講文法の型、文法的カテゴリー、語いのシステムなどと密接な関係があるという考えである。このような言語観は、フンボルトに始まるロマン主義の言語学者の考えとして存在していたが、印欧語族の比較研究からはそのことが明らかにされていなかった。ところが、サピアやウォーフは、全く異なる言語体系を有する人間との実証的な比較を行うことによって明らかにしたのである。

例えば、エスキモーは、降っている雪、積もっている雪、凍っている雪は、それぞれ雪の状態を区別して表現する。しかし、日本語でいう雪、あるいは英語の「snow」といった一語で表現できる語をもちあわせていない。また、ホピ・インディアンは、トンボ、飛行機、飛行士といった空を飛ぶものについて、すべて一語で表す。ところが、日本語では水、英語では「water」と一語で表すが、ホピ・インディアンはこれを二語に使い分けている。このように雪や水といった自然現象について、エスキモーやホピ・インディアンは、日本や欧米の人間が区別していない特徴を踏まえながら認識していることがいえる。

このように、サピア・ウォーフ仮説は、言語と認識や思考との関連性を指摘したものであるが、その後の研究では、例証には誇張や不適切と思われる点もあること、また言語と認識が操作的に区別されていないためトートロジー（同義反復）に過ぎないとか、認識を規定するのは言語だけでなく文化的文脈や状況といったものも大きく関係するといった反証も示されている。

（河本　肇）

キーワード 言語相対仮説／思考

〔文　献〕㉑㊲

言《げん》語《ご》の発《はっ》達《たつ》

人間は、人との関わりがなければ生きていけない存在である。関わりを担うための手段として言語があるといっても過言ではない。言語の最大の機能は、コミュニケーション手段のためのものである。言語の発達を規定する要因としては、知能、運動発達、母子関係や家庭環境といった育児環境などを挙げることができる。そして、言語の発達を捉える指標としては、語い（vocabulary）の量と内容、語数や文節数といった文の長さ、文法の構造などが用いられている。

言語の発達は、大きく三つに分けることができる。第一は前言語期である。生まれてから一歳ごろまでで、初語といわれる最初の有意味語が獲得されるまでの時期である。生後一ヵ月ごろから生理的に満足した状況において、非喚起発声と呼ばれる無意味発声が始まる。五～六ヵ月頃になると喃語と呼ばれる、快適時に自発的に頻発する子音＋母音からなる反復性の音（例えば、バババ）が出現する。言語獲得のための音声的基盤、特定の音声が特定の意味を有することを知る記号的基盤が形成されるのがこの時期である。

第二は話しことば期である。一歳ごろから五・六歳ごろまでである。言語体系の基本部分を習得し、語い量や内容も豊富になってくる。一語発話であったのが、二語発話になり、そこにはさまざまな文法機能が含まれるようになる。さらに子ども同士の遊びなどの社会的経験の拡大によって、基本的な統語構造が形成され、語い量や内容も増大するようになる。

第三は書きことば期である。五・六歳からである。これまでは会話としてのコミュニケーションであったのが、小学校就学前後におけるひらがなに始まる文字の習得を通して、書きことばによるコミュニケーションが成立するようになる。

しかし、言語は単にコミュニケーションのための道具だけではない。思考のため、あるいは行動調整のための道具でもあることが指摘されている。音声を伴わずに人間の内的過程の中で行われる言語を内言、一方音声を伴いコミュニケーションの手段として行われる言語を外言という。内言が発達してくると、ことばを発することなく、問題解決ができるようになる。

ところが、移行的な時期が存在する。この時期には、自己中心的言語といって、いわゆるひとりごとが頻繁に見受けられるようになる。外見上は外言であるが、そのことばは自分自身に発せられたものであり、内言と同じように思考のための機能を有している。このような自己中心的言語には、反復、独語、集団的独語などが含まれる。

（河本　肇）

キーワード 言語の発達／外言／内言／自己中心的言語

〔文　献〕 (80)(81)

知《ち》的《てき》発《はっ》達《たつ》遅《ち》滞《たい》

1 概　念

言語を使用する、記憶する、計算をする、抽象的に考えるといった知的能力の遅滞を主とする発達障害。知的障害、精神遅滞などの用語とほぼ同義に使われることが多い。

より厳密には、精神遅滞は「全般的知的機能が有意に平均よりも低く、同時に年齢に相応した適応行動が障害されていて、それらが十八歳までの発達期に現れるもの」（DSM―IVの診断基準やアメリカ精神遅滞学会（AAMR：American Association of Mental Retardation）の定義の基本特徴による）とされ、いくら知的能力が低くても、年齢に相応した適応状態を示し日常生活や社会生活を問題なく遂行していれば、精神遅滞とは判定されない。つまり、知的能力が低いことのみが問題なのではなく、それに伴って適応行動に障害がある時に初めて精神遅滞と診断され、適切な介入・支援がなされることになる。概して変化の少ない知的能力よりも、比較的変化する可能性が高い適応行動の方を重視し、教育・療育・訓練の必要性を示唆した概念である。

ちなみに、適応行動の障害は、新版S―M社会生活能力検査やABS適応行動尺度などの標準化された検査で評価される。DSM―IVの診断基準では、一一の領域（意思伝達、自己管理、家庭生活、社会的／対人的技能、地域社会資源の利用、自律性、発揮される学習能力、仕事、余暇、健康、安全）のうち同時に二つ以上の領域で適応能力の欠如あるいは障害が必要とされる。

全般的知的機能は、ビネー式やウェクスラー式などの標準化された知能検査で測定された知能指数（IQ：Intelligence Quotient）をもとに評価する。DSM―IVでは、IQがおよそ七〇以下の場合、知的機能の遅滞があると判定される。さらに、重症度は、軽度（IQ五〇―五五からおよそ七〇）、中等度（IQ三五―四〇から五〇―五五）、重度（IQ二〇―二五から三五―四〇）、最重度（IQ二〇―二五以下）、特定不能（測定不能）に分類される。

2 病　因

病因は、DSM―IVでは、①生物学的原因、②心理社会的原因、③両者の組み合わせ、という三種類が想定され、これらには、(1)遺伝（先天性代謝異常、単一遺伝子異常、染色体異常：約五％）、(2)早期胚発達異常（染色体変化、毒物による出生前傷害：約三〇％）、(3)妊娠中および周産期の問題（低栄養、未熟児、低酸素、感染、外傷など：約一〇％）、(4)幼児期ないし小児期に獲得された一般身体疾患（感染症、外傷、毒物摂取など：約五％）、(5)環境の影響および他の精神疾患（養育、社会的遮断、重度の精神疾患など：約一五―二〇％）が含まれるとされる。

ただし、全体の約三〇―四〇％は、はっきりした病因が特定できず、これは一般に生理型の精神遅滞と呼ばれる。

3 対　応

幼少期からの生活訓練と教育が対応の中心となる。また、精神遅滞児は、環境から強いストレスを受けていることが多いので、適応的な生活が送れるように環境調整をおこなうことが重要である。さらに、親の障害受容・負担低減などの問題にも支援が必要で、親訓練プログラムもいくつか開発されている（肥前方式親訓練プログラムなど）。（瀬戸正弘）

キーワード 知能指数／適応障害／発達期

性《せい》格《かく》の理《り》論《ろん》

人間を包括的、系統的に説明するものとしての性格の理論は、精神力動論、行動理論、人間性心理学に大別されるだろう。これらの理論とは別に、特性論、類型論といった性格研究の方法論もあるが、それらについては、それぞれ該当する項目を参照されたい。

精神力動論

精神分析学の創始者であるジークムント・フロイト（Freud, S.）は、性格はイド（id）、自我、および超自我で構成されていると考えた。イドは原始的、本能的、性的、攻撃的な衝動の源泉であり、快楽原則に従って働く。超自我は、道徳原則にしたがっている。親あるいは周囲の成人の価値体系や懲罰的態度が内在化したものである。自我はイドの要求を現実にかなうやり方で充足させるという現実原則にしたがっている。イドの要求を受けながら、外界の現実的な要請と超自我の監視の下で、これら三者の力関係を調節する働きをする。この調整の過程で生じるさまざまな葛藤が、例えば神経症的症状、ユーモア、夢、対人葛藤といった形で現れる。

フロイト以後、フロイトの理論を発展させていこうとした自我心理学とフロイトを批判することから出発した新フロイト派が現れた。自我心理学の代表的な研究者としては、アンナ・フロイト（Freud, A.）、ハートマン（Hartmann, H.）、エリクソン（Erikson, E.）があげられる。彼らは、自我の役割を、より積極的・自律的なものとしてとらえた。人間の基本的傾向として、自己実現への志向を強調し、性格形成に及ぼす社会的、文化的な影響を重視した。

新フロイト派もまた、人間行動の原因として、社会・文化的要因に注目した。アドラー（Adler, A.）は権力への意志、ユング（Jung, C. G.）は人類の歴史の中で人間が集団として経験してきた集合的無意識が、人間を理解する上で重要であるとした。

クライン（Klein, M.）、フェアベーン（Fairbairn, W. R. D.）、ウィニコット（Winnicott, D. W.）、ガントリップ（Guntrip, H.）らが提唱した対象関係論は、イド・自我・超自我の間の葛藤ではなく、他者との関係のあり方から人間を理解していこうとしている。乳幼児期に、例えば母親などの自分を支えてくれる重要な対象とどのような関係を持てたかが、その人の性格を決定するというのが、この理論の要点である。

行動理論

ワトソン（Watson, J. B.）は、心理学は、直接観察される行動のみを研究すべきである、という主張に代表される行動主義を提唱した。ワトソンの行動主義はもはや過去の遺物になっている。しかし、その流れを汲む、スキナー（Skinner, B. F.）によって創始された行動分析は、今日、徐々に性格の理論への影響力を強めてきている。

行動分析は、性格を人間の内部のどこかに存在するものとは考えない。その人の行動の総体を性格と考える。行動は、系統発生的（生物学的）要因、個体発生的（経験的）要因、および現在の環境要因によって決定される。したがって、一定の限界を持ちながらも、現在の環境を調整することによって、性格を変容させることは可能であると考える。

行動分析では、ワトソンの行動主義よりも、「行動」という用語をかなり広い意味で用いていることに注意しなければならない。行動分析での「行動」には、非言語的な運動だけでなく、話すことといった言語行動、考えることとといった本人だけにしか観察できない活動をも含まれている。

「行動」を観察可能な非言語性のものに限定する一方で、それ以外の人間の活動を「認知」やその他の言葉で表して、それらの機能を積極的に理論に組み込んだのが、社会的学習理論や認知行動理論である。バンデューラ(Bandura, A.)によれば、行動、個人的要因(広義の認知)、環境の三つの要因は互いに影響しあっている。したがって、人間の行動は、単に環境要因によって決定されるだけではなく、行動もまた環境に影響を与え、それに個人的要因も絡んでくる。これを、相互決定主義という。バンデューラは個人的要因の中でも自己効力を重視している。予期は、ある行動がどんな結果を引き起こすだろうかという結果予期と、適切な行動がうまくできるだろうかという効力予期に分けることができるが、この場合の効力予期を自己効力ともいう。力強い自己効力を持つことが積極的な生活を送ることにつながるという。

人間性心理学

一般に、精神力動論や行動理論が、人間行動が生物学的ならびに環境的要因に支配されていると考える傾向があるのに対して、人間性心理学は、人間を自由意志を持つ存在であるととらえる。マズロー(Maslow, A. H.)は、人間の欲求が、低次のものから、①生理的欲求、②安全欲求、③所属と愛情欲求、④自尊欲求、⑤自己実現欲求の順に階層をなしていると考えた。これらの中で、高次の欲求は、それより低次の欲求が満たされて初めてその人にもたらされる。最高段階にある自己実現を成し遂げた人は、文化的に独立した、現実志向の、真実の探求といったより高次の欲求に動機づけられた特別な人間である。

ロジャーズ(Rogers, C. R.)は、人間の行動を規定するものは客観的・絶対的な世界ではなく、その個人が経験し、知覚している私的な世界であると考えた。私的な世界には、ラジエーターは熱い、お菓子はおいしいといった、他者を介さずにもたらされる感覚的、内臓的経験と「おまえはよい子だね」「おまえはなんてだめなんだ」という親などの重要な他者からの評価によって形成される自己概念がある。これら感覚的、内臓的経験と自己概念との一致が大きいほど健康な性格になり、不一致が大きいほど、心理的な緊張が強くなる。

メイ(May, R.)は、人生は「存在の過程」、目的地というよりはむしろ旅の過程、不安をひきおこすカオスや予測不能な運命的、悲劇的出来事に満ちた世界に船出することであると論じた。そのような中であってなお、人は、人生の選択をする力を持つ存在であると唱えた。

(大河内浩人)

キーワード 因子―特性理論/類型論/精神分析/行動主義/人間性心理学

〔文献〕(71)

自《じ》己《こ》意《い》識《しき》

人は起きているとき、常に何かに注意を向けている。その注意の対象は二つに分けることができる。ひとつは自分以外の人々、テレビの番組、新聞の紙面といった外的なものであり、外的な注視と呼ばれている。もうひとつは、自分の容姿・感情・思考・行動など自分自身に注意を向けることであり、自分自身に注意が向けられた状態は、自己意識(self-awareness)(Duval,S. & Wicklund,R.A., 1972⑭)と呼ばれている。自己意識の状態は、私的自己意識と公的自己意識の二つの状態に分けることができる(Buss,A.H., 1980⑦)。

私的自己意識とは、記憶・個人の考え・歯の痛み・味覚といった、経験しているその人だけが直接意識できるものである。一方、公的自己意識は、他者によって容易に観察されるような自分の側面に注意を向けたときに生じる。自分の姿・行動・演説・公的な場での自分の様相について考えたり、想像しているときが公的自己意識の状態である。公的自己意識の状態になると、人はどのように他者に見られているかを意識し、他者がどの様に評価しているかが気になる様になる。公的自己を意識し、他人の評価が気になるほど、他者に対して特定の印象を与えようとする動機づけは高くなり、その結果、対人不安を経験する可能性が高くなる。

公的自己意識の状態は以下の二つのような状況で喚起されると考えられる。ひとつは、自分の身体的側面や公的行動に他者が注目していることを感じるとき、例えば、他者が話しかけてくるとき、自分の身体的特徴や行動が観察されていることに気づいたときである。もうひとつは、注目の的になるような状況である。注目の的になることは、公的自己意識の状態を引き起こすのに十分な条件といえる。注目の的になることは、自分の公的な部分が他者によって観察されていることを、強く認識させるからである。注目されているときには、「他者が自分のことをどのように思っているのか、服装はきちんと整っているか、落ち着いて見えるか」など気になるものである。注目の的になると高い不安状態に陥る。それは、注目の的になり自己意識の状態が高まると、被観察者は、観察者に対して適切な良い印象を与えたいという動機づけが強くなるからである。ところが、多くの場合、人は適切な印象を他者に与えたり、自分が置かれている状況をうまく切り抜けることができない。その結果として、不安が高くなるといえる。さらに、多くの場合、自分の予想とはかけ離れたイメージを他者に与え、好意的とは言えない評価を受けることにもなると言えよう。

(横山博司)

キーワード　私的自己意識／公的自己意識

〔文　献〕⑦⑭

自《じ》己《こ》概《がい》念《ねん》

性格、所属、特技や能力など、私たちが自分自身についてどのように考えているか、自分について持続的に持っている自己イメージのことを自己概念とよんでいる。

この自己概念の形成には、他者からの評価が大きな役割を果たしていると考えられている。クーリー（Cooley,C.H.,1902⑪）やミード（Mead,G.H.,1934㊻）は、象徴的相互作用論（symbolic interactionism）という立場から自己概念の形成と他者との関係について説明している。クーリーは、人は、他者が自分の言動をどのように受け取り、それをどのように評価しているか、そのことを想像することで、自分についての感情的評価をくだせるようになると考えている。他者が自分の心を映し出す鏡の役割を果たし、自分の言動をフィードバックしてくれることで、自己を知ることが可能になると述べている。このクーリーの説は、鏡映的自己（looking-glass self）論と呼ばれている。ミードは、自分の所属する文化や集団の構成員を一般化された他者とし、その他者が一致して特定の対象に向ける態度を一般化された態度と呼んでいる。この文化や集団に共通する一般化された態度が自己概念を作り上げていくと考えている。

フェスティンガー（Festinger,L.,1954⑱）は、自己概念の形成における他者の重要性を社会的比較過程理論として提唱している。フェスティンガーは、人は自分の意見や能力を評価しようとする動因を持っており、他者の能力や意見と比較することで、自分の意見や能力を評価すると考えている。さらに、自分とほぼ同等の他者を比較の対象として選択することで、自分の意見や能力を評価すると述べている。

デュバルとウィックランド（Duval,S. & Wicklund,R.A.,1972⑭）の自己意識理論（theory of self-awareness）によれば、他者の存在は、自分の容姿、行動、その他の公的な場での自分の様相に注意を向けさせる。その結果、本来の自己のあるべき姿である理想自己と現実の自分の姿である現実自己とのズレに気づき、そのズレを克服しようと動機づけられると考えている。

いずれの観点も、自分の周囲にいる他者との相互作用を通して、私たちが自分自身の姿を修正しながら、自己概念を作り上げていくことを示している。

それでは、作り上げられた自己概念が、大きく変化することなく持続されるにはどの様な条件が必要であろうか。グリーンワルド（Greenwald,A.H.,1980㉔）は、自己概念の持続を自己中心性・ベネフェクタンス・認知の保守化という三つの概念で説明を試みている。自己中心性とは、私たちが日常生活の中で得る様々な情報を、既に形成されている自己概念に添って処理する傾向があることをいう。それ故に、確立されている自己概念と整合性のある情報は効率よく処理され、既存の自己概念が持続されやすくなると考えられる。ベネフェクタンスとは、行為の成功に対しては、その原因を自分に帰属させ、失敗の責任に対しては回避しようとする傾向のことである。従って、自己概念の望ましい部分を低下させるような情報は、回避・歪曲され、既存の自己概念が持続されることになる。さらに、認知の保守化とは、過去の判断を正当化したり、既存の自己概念を確証しようとする傾向のことである。人は、既存の自己概念に合った情報を偏って選択したり、都合の良い情報だけを記憶にとどめることによって自己概念を持続させている。

表1　フィードバックへの行動的反応
（文献④P.83）

自己概念	フィードバック	
	整　合（平均値）	不整合（平均値）
支配的		
反論	4.67	8.43
支配的振舞い	36.00	46.29
	n ＝ 6	n ＝ 8
服従的		
反論	4.80	7.40
望ましい	37.20	30.00
	n ＝ 5	n ＝ 5

注　表中の数値が高いほど、反論し支配的に振る舞っていたことを示す。(Swann & Hill 1982)

スワン（Swann,W.B.Jr.,1983, 1985(72)(73)）は、人は既存の自己概念と整合性のある服装や化粧、装飾品といったサインやシンボルを表出する傾向があること、相互作用の相手として既存の自己概念どおりに自分を見てくれる他者を選択する傾向が強いこと、さらに、既存の自己概念どおりに自分を認知してくれる他者がいない場合には、相互作用の相手に対して、既存の自己概念を確証してくれるように相手を誘導する傾向があると述べている。これらの行動を取ることで、既存の自己概念を持続・強化しているといえる。

表1は、自己概念を維持するために、相互作用の相手を誘導しようとする傾向のあることを示した例である。

スワンとヒル（Swann,W.B.Jr. & Hill.C.A., 1982(74)）は、支配的及び服従的という自己概念をもつ被験者に対して、他者とゲームを行わせ、ゲーム終了後、相手から支配的及び服従的な性格であるとするフィードバックを受ける条件を設定した。その結果、表に示すように、自己概念と一致しないフィードバックを受けた被験者は自己概念に沿うような行動をとっていることがわかった。

ひとは、他者との相互作用を通して、自己概念を作り上げていく一方で、認知を変えたり、周囲に様々な働きかけを行うことで、形成された自己概念を持続しているといえるだろう。

（横山博司）

キーワード　象徴的相互作用論／社会的比較過程理論／自己意識理論

〔文献〕　④⑪⑭⑱㉔㊻(72)(73)(74)

防《ぼう》衛《えい》機《き》制《せい》

イドの衝動とそれを押さえようとする超自我との間に対立が起きると自我の領域に緊張が生じる。自我はこれを調整しようとするが調整がうまくいかないと自己価値が低下し、自己の統一感が喪失し、不安が生じる。不安を生じさせないように、自我を防衛し、不安を避けようとする試みが防衛機制である。防衛機制は精神的な疾患と関わっている場合もあるが、必ずしも病理的なものではなく、私たちが日常生活の中で、心理的な安定を得るために必要なものでもある。防衛機制には、以下のようなものがある

1　抑　圧

自分にとって、痛ましいあるいは危険な考えが意識に上ってくることを阻止する。当面の問題を意識の面から排除し無意識の世界に追い出し封じ込めるわけである。しかし、無意識の世界に存続している欲求は、その欲求が解決されたわけではない。従って、意識された欲求よりも強い感情的緊張の原因となり、かえって落ち着きのないイライラした気分などの不安反応が現れることもある。

2　投　射

自分にとって好ましくない欲求や欠点を自分が認めることは不安が生じるので、これを無意識のうちに他人に移し変え責任を転嫁する。例えば、ある人に対する敵意を持っていながら、自分は彼に敵意はないが、彼が自分を憎んでいると思いこむような場合である。

3　摂取（取り入れ）

外部の価値や基準を自我構造の中に結合することで、外部からの脅威にもてあそばれないようにする。自分以外の人、または集団が自分に期待した態度を自分の態度として受け入れ、それに一致した行動をとる傾向のことである。幼児が両親の行動を模倣し、親と同じような格好や口ぶりをする場合などがその例である。

4　転移（置き換え）

本来ある対象に向けられた感情や態度を、全く別の対象に向けることで、不安や緊張を解消しようとするものである。自分の担当の医師に対する患者の不満を、医師に比べて立場の弱い看護婦に向けたり、家庭での父親に対する不満や敵意が、学校での教師に対する反抗となって現れることなどが転移に相当する。

5　昇　華

満たされない性的願望や攻撃的欲求を、社会的・文化的に承認される性的ではないあるいは攻撃的ではない他の代償的行動によって満たすことを昇華という。私たちの社会では、性的な欲求や攻撃的欲求を露骨に表すことは許されていない。これを道徳や社会規範に反しないような形で表すことがある。例えば、抑えられた性欲を、小説や映画のような表現形式であらわしたり、攻撃的欲求をスポーツで発散する場合などが、昇華にあたる。

6　反動形成

そのままの形では満足させることのできない欲求が抑圧されて、これとは反対の行動となって現れることである。教師の生徒への過

度の甘やかしが、本当は子どもへの無意識的な憎しみに対する不安から生み出されているような場合である。

7 合理化

自分の行った行動の本当の動機や原因を認めてしまうと、自分の欠点や無能さが明白になってしまうので、事実を認めることを避けて、何か別のもっともらしい理由をつけて、情緒的安定を図ろうとすることを合理化という。例えば、イソップ物語の中にキツネとブドウの話がある。おいしそうなブドウをキツネがとろうとして、木にむかってジャンプしたが、どうしても届かずに手に入れることができなかった。そのとき、キツネは、「あんな酸っぱいブドウは本当は欲しくなかった」といって去っていく話がある。この話などが、合理化の例である。

8 逃避

葛藤を避け不安が生じないようにするため、うまく適応できない状況から逃げることで安定を図ろうとする消極的な防衛を逃避という。逃避には以下の三種類がある。

a　空想への逃避

白昼夢のように、現実には満たされない欲求を空想の中で満足させようとする逃避のことである。

b　現実への逃避

今自分が抱えている困難な問題に立ち向かうことなく、それとは全く関係のない問題に熱中することで不安を解消しようとする逃避である。例えば、締め切りの迫っている原稿に没頭することができず、全く関係のない本を読むことに浸っているような状態のことである。

c　病気への逃避

適応困難な状況からどうしても逃げ出せなくなったときに、その状況に適応するための身体の機能が停止してしまった状態である。例えば、不登校の子どもが、学校に行く時間になると、おなかが痛くなったり、下痢を起こしてしまうような場合がある。ヒステリーも病気への逃避の一種である。

9 補償

自分の欠点や劣等感を感じている部分を、他の部分での優越感を感じることで、心理的な安定を図ろうとするのが補償である。補償は、必ずしも不健全なものばかりではなく、あまり勉強が得意でない子どもが、得意なスポーツで優越感を味わおうとするような例が、この機制にあたる。現代社会のように学歴信仰のような単一の価値観が蔓延しているような社会では、補償作用は機能しにくいであろう。

10 知性化

感情的な混乱や恐怖から自分を護るために、様々な衝動や欲求が抑圧され、その結果として、表象や観念の世界だけで衝動や欲求の処理を行なおうとするのが知性化である。思春期における知的活動は、知性化にもとづいて行なわれる場合が多い。

（横山博司）

キーワード イド／自我／超自我

〔文献〕 ⑯

欲求不満《よっきゅうふまん》・葛藤《かっとう》

動機の充足を妨げる障害が存在していたり、あるいは動機を満足させるための条件が欠乏することによって、欲求が満足されない状態におかれると欲求不満が発生する。とりわけ私たちが経験する欲求不満状態の代表的なものは葛藤（conflict）である。

葛藤とは、二つあるいはそれ以上の欲求が同じような強さで同時に存在し、そのいずれかを選択しなければならない状態で生じる緊張状態のことである。葛藤状態には以下の四つのタイプがあると考えられる。

①接近―接近葛藤：正の誘意性（接近）をもった二つの目標が存在し、そのいずれかを選択しなくてはいけない場合に起きる葛藤である。例えば、自分にとって双方とも魅力的な大学に合格したが、どちらに進学するか迷っているような場合である。

②回避―回避葛藤：負の誘意性（回避）をもった二つの目標が存在し、そのいずれも選択したくないが、いずれか選ばざるをえない場合に起きる葛藤である。例えば、試験に合格するには勉強をしなければならないが、勉強をするのも嫌だし、だからといって、不合格になるのも嫌だというような場合である。

③接近―回避葛藤：ひとつの目標が同時に正の誘意性（接近）と負の誘意性（回避）を持っているような場合に生じる葛藤である。例えば「河豚は食いたし、命は惜しいし」というように河豚は食べたいが、毒にあたって死ぬのも嫌で、食べようかどうしようか悩んでいるような場合である。

④二重接近―回避葛藤：正と負の誘意性を同時にもつ目標が二つ存在しており、そのいずれかを選択しなければならない場合に生じる葛藤のことである。例えば、A大学は、入試は簡単で入学しやすいが就職状況はあまり芳しくない。一方、B大学は入学試験が難しく、入るためにはかなり勉強しなくてはいけない、しかし卒業時の就職は容易である。いずれの大学を受験すべきか迷っているような状態である。

欲求不満状態が高まると以下の三つの行動が生じるといわれている。第一は、欲求不満―攻撃行動である。欲求不満の原因となった人や物に対する直接的あるいは間接的攻撃行動となって現れる。また、怒りが自分自身に向けられると自殺などに至る場合もある。第二は、欲求不満―退行行動である。これは現在の自分の年齢よりもより幼稚な行動をとる形で現れる。例えば、弟や妹が生まれ、親の関心がそちらに向くことで不満がたまると、急に夜尿症が始まったりすることがある。第三は、欲求不満―固執行動である。欲求不満に屈し、目標志向行動がとれず、無活動になったり、無駄な反復行動をとるようになる。

（横山博司）

キーワード 接近―接近葛藤／回避―回避葛藤／接近―回避葛藤

〔文献〕㉕

不《ふ》安《あん》

不安をどの様に考えるか、大きく分けて三つの観点がある。

第一は精神分析的不安である。フロイト(Freud,S.,1936⑲)は、不安を現実的不安と神経症的不安とに分けている。現実的不安とは、個人の外部に存在する脅威によって予想される危害や苦痛に対して生じる内的反応である。外的脅威が大きければ大きいほど、喚起される不安の程度も強くなると考えられる。一方、神経症的不安とは、個人の内部に存在する様々な内的衝動によって引き起こされる。しかも内的衝動の大半は抑圧されているために、不安を感じている個人にとって、その原因がわからないことが多い。いずれの不安にしても、懸念や心配といった感情や呼吸の乱れや精神的発汗のような生理的覚醒が生じる。

第二は行動論的不安である。これは不安を、レスポンデント条件づけのメカニズムによって、不快感や苦痛に条件づけられた反応とみなす立場である。特定の場面で、不快感を感じたり苦痛を経験すると、その経験以後もその場面に存在していた種々の刺激に対して、同様の不快感や苦痛を経験するようになる。これは、初めに経験した場面に含まれていた刺激によって引き起こされた不快感や苦痛の予期反応であり、条件反応である。

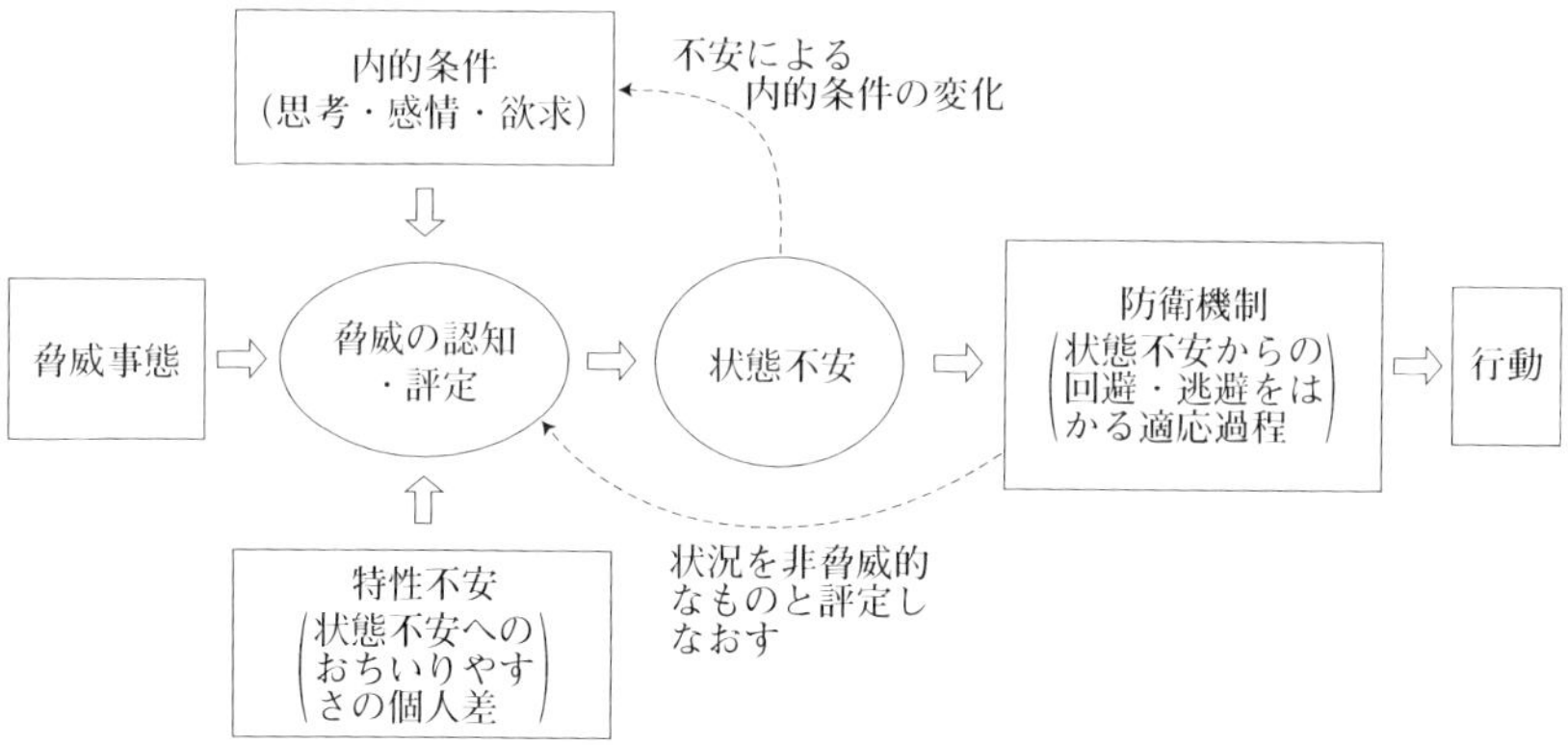

図1　認知と不安との関連 (Spielberger, C. D., 1966を修正　文献(71) P.65　生和秀敏より)

第三は認知論的不安である。不安を脅威事態に対して喚起された予期・予感・懸念といった個人の事態に対する認知的評価によって喚起される認知媒介型の情動と考える立場である。ラザラス(Lazarus,R.S.,1966㊲)は、脅威事態がどの程度自分にとって脅威的であるかという脅威事態の属性についての一次的評定、脅威事態に対して対処が可能であるかどうかの二次的評定、さらに新しい情報や脅威事態の経験の結果生じる再評定という三段階の評定が行われると考えている。スピルバーガー(Spielberger, C. D., 1966(70))は、認知的評定と不安との関係について、図1のようなモデルを呈示している。

(横山博司)

キーワード 精神分析的不安／行動論的不安／認知論的不安

〔文献〕 ⑲㊲㊳(70)(71)

ストレス

ストレス（stress）という用語は、元々物体や人間に作用したり影響（歪み）を及ぼす力・圧力として、物理学や工学の分野に取り入れられたが、その後セリエ（Selye, H.）によって、生体に生じる生物学的変化（歪み）を表す概念として医学の領域に導入された。セリエは、環境刺激によって引き起こされる非特異的な生物学的反応をストレス、ストレスを引き起こす環境刺激をストレッサーと定義し、汎適応症候群という概念を提唱した。

これは、ストレッサーから自分自身を防衛しようとする身体の試みであり、①警告反応期、②抵抗期、③疲憊期の三段階から構成されている。つまり、人がストレッサーに晒されると、まず生体を防衛するための一連の反応・機能が働き（①）、次にストレッサーに対して積極的な抵抗と適応の状態になる（②）。それでもストレッサーに晒され続けると、生体の抵抗能力が消耗し、崩壊してしまう（③）と考えたのである。

その後、心理学の領域でストレスは多くの学者によって取り上げられ、人の心理的ストレスに関する様々な特徴が明らかにされている。その代表例の一つとして、ホームズとレイ（Holmes, T. H. & Rahe, R. H.）のライフイベントに関するものがあげられる。日常生活のパターンに変化が生じた時には、新たな状況に再適応するために相応の労力（エネルギー）が必要となる。彼らは、このような状態をストレスと捉え、人のメンタルヘルスや疾患の発症に関与する要因として、ライフイベント（生活環境の大きな変化）を重視した。そして彼らは、「配偶者の死」「結婚」「失業」等の人生を大きく変える出来事をストレッサー（ストレスを引き起こすもの）として取り上げ、個人のストレスレベルを測定するための「社会的再適応評定尺度（SRRS）」を作成した。

もう一つの代表的なストレス理論を提唱したのは、ラザラス（Lazarus, R. S.）らである。ホームズらがストレッサーを重視したのに対して、ラザラスらはストレッサーに対する認知的評価とコーピング（対処）という個人差要因に注目した。そして、ストレッサーによって引き起こされる諸反応をストレス反応とし、ストレッサーの経験から認知的評価、コーピングの実行を経て、ストレス反応を表出するまでの一連のプロセスをストレスと捉えた（図1）。つまり、何らかのストレッサーを経験した場合に、それをどのように捉えるか、そしてその刺激に対してどのように対処するかによって、個人のストレスレベルが決定されると考えたのである。この心理的ストレスモデルの提唱は、それ以降のストレス研究に多大な影響を及ぼし、発展の契機となった。中でも、認知的評価とコーピングに関する検討は数多く行われている。

ラザラスらは、認知的評価には一次的評価と二次的評価があると述べている。一次的評価とは、出来事が自分にとって脅威的か、重要であるかというストレッサー自体に対する評価であり、一方、二次的評価とは、ストレッサーに対してどのような対処が可能であるかというコーピングに関する評価である。認知的評価に関する研究では、これら二種類の評価は、コーピングやストレス反応の予測因子であることが共通して確認されている。

一方、コーピングは、ストレス反応を低減させるための認知や行動として定義されている。コーピングの概念は、元来動物実験における逃避―回避、あるいは精神分析学における防衛機制として捉えられてきた。その後、心理的ストレスの領域では、コーピングはストレッサーとストレス反応や心身疾患の間に介在する重要な媒介変数として注目され、様々な観点からのアプローチが行われている。例えば、コーピングをスタイルと捉えた検討（タイプA行動パターン等）やコーピングの種類や分類軸（問題焦点・情動焦点、積極・回避、行動・認知等）の解明を試みたものなどがあげられる。また、コーピングの選択に影響を及ぼすパーソナリティ変数に関する研究も行われている。

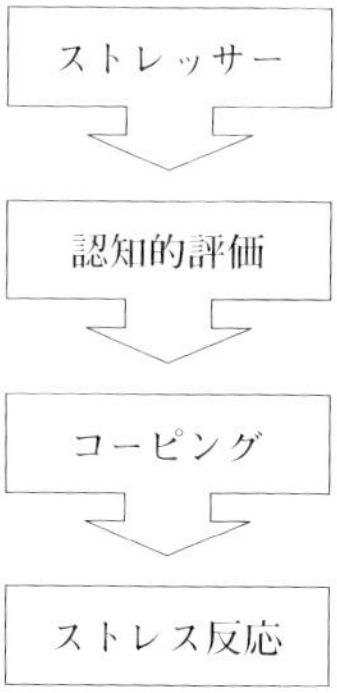

図1　心理的ストレス理論過程の模式図

認知的評価やコーピングと同様に、心理的ストレスの領域で大きな関心が寄せられている要因として、ソーシャルサポートがあげられる。これは、家族や友人等の周囲の他者から受ける有形無形の援助のことであり、カプラン（Caplan, G.）によって概念化された。ソーシャルサポートに関する研究は、①社会統合的アプローチ、②社会的ネットワークからのアプローチ、③知覚的アプローチ、④行動記述的アプローチなどの視点から行われている。この中で、心理的ストレスの領域では、個人が知覚しているサポート入手期待からソーシャルサポートを捉える知覚的アプローチが比較的多く試みられている。その結果、ソーシャルサポート期待の高い個人はストレス反応を表出しにくいことが示されており、ソーシャルサポートのストレス緩衝効果が確認されている。

このように、ストレスに関する研究は非常に盛んに行われており、その対象も学校の児童生徒や教師、職場、疾患や障害を持った個人、被災者、育児者、介護者などをはじめ多種多様である。さらに、近年では心理的ストレスの特徴を明らかにするだけでなく、ストレスマネジメントに関する種々のプログラムの開発や実施が注目されている。ストレスマネジメントとは、心理的ストレス理論に基づいて、ストレス反応の低減や過度のストレス反応を表出させないことを目的とした働きかけのことである。プログラムの多くは、①ストレスの概念やメカニズムの理解、②自己のストレスへの気づき、③リラクセーション技法などの観点から構成されている。メンタルヘルスの増進、あるいは心身疾患や学校場面における問題行動の予防などを目的とした実施がなされつつあり、今後の発展が期待されている。

（三浦正江）

キーワード　認知的評価／コーピング／ソーシャルサポート／ストレスマネジメント

ヴィゴツキーの理論《りろん》

ヴィゴツキー（一八九六—一九三四）は旧ソビエトの心理学者であり、認知心理学や発達心理学に大きな影響をもたらした。彼の理論は、認識への社会的構成論的アプローチとも呼ばれている。これは、個人内の精神機能だけに視点を置くのではなく、社会的、文化的要因を加味しながら個人間の精神機能を分析することによって、個人内の精神機能にどのような影響を及ぼしていくかを検討したことに基づいた理論といえる。

その特徴について、ワーチが三つの視点から捉えている（田島　一九九二⑮）。

第一は、発生的分析の必須性である。行動の本質を捉えるためには、その起源と発生的な変化を明らかにすることが必要であるというものである。

第二は、人間の精神機能は、道具や言語・記号が媒介することによる間接的な活動であることが特徴である。

第三は、個人の精神機能の社会的起源に関するものである。

人間の高次精神機能は社会的活動の中にその起源があるというものであり、発達の過程において二度、二つの水準で現れるというものである。最初は社会的レベルでの精神間機能として、そして内面化することによって個人レベルでの精神内機能として出現するというものである。

そのことを象徴したものとして、発達の最近接領域、内言、外言を挙げることができる。発達の最近接領域は、子どもの現在の発達水準と集団活動や大人の援助によって問題解決できる水準とのずれを意味する。

「教授—学習の本質的特徴は、教授—学習が発達の最近接領域を作り出すという事実、すなわち今はまだ子どもにとって周りの人々との相互関係、友達との協同の中でのみ可能であるが、発達の内面的過程が進むにつれて、後には子ども自身の内部的財産となる多数の内面的発達過程を子どもに生ぜしめ、覚醒させ、運動させるという事実にある」。

つまり、レディネスの成立を待ってから教育を行うといった発達の後追いではなく、発達の最近接領域を作り出すという、発達の一歩前を先回りをすることが教育において必要であると示したものである。次に、内言・外言であるが、コミュニケーションの手段としての伝達言語である外言は、社会的交流によって個人へと内面化していき、発生するのが思考言語である内言であると、ヴィゴツキーは考えている。このような社会から個人へという流れは、ピアジェの個人から社会へというという発達過程とはまったく異なる考え方であることがわかる。

（河本　肇）

キーワード　精神機能／発達の最近接領域

〔文　献〕⑮⑯

発《はっ》達《たつ》課《か》題《だい》

人生のそれぞれの発達段階において、到達・達成したり乗り越えるべき課題のことを発達課題といい、ハヴィガースト(Havighurst, R. J.)は、この発達課題を乗り越えるプロセスこそが発達であると述べている。生涯発達の段階と課題については、多くの学者が提唱しているが、人生の発達段階をいくつに設定するか、各時期に特有の課題をどのように考えるかは、それぞれの学者の視点によって異なる。例えば、ビューラー(Bühler, C.)は生涯の発達段階を五つに区分し、人生目標の自己決定を発達課題として重視している。一方、エリクソン(Erikson, E.)は自我の発達を課題の中核に据えた八つの段階を、ハヴィガーストは六つの発達段階をそれぞれ設定している。

また、各段階の発達課題については、先行する段階の課題が達成されていることが次段階の課題達成に重要であり、逆にある段階での発達課題が達成されない場合には、これが後の段階にも持ち越されていくと考えられている。このように、発達の連続性が仮定されているものの、各課題には発達的な上下があるわけではなく、児童期には児童期の、成人期には成人期の達成すべき課題があると考えられている。以下に、ハヴィガーストとエリクソンの考えをあげる。

ハヴィガースト

役割理論を基礎として、六つの発達段階とそれぞれの段階における課題を設定している。

①乳幼児期(就学まで)…睡眠と食事における生理的安定の達成、固形食の摂取、排泄・歩行・会話の学習、性差の認識、善悪の区別、家族との結びつき、②児童(学童)期…ゲームに必要な身体技能の学習、積極的な自己概念の形成、適切な仲間関係や性役割の学習、価値・道徳・良心の発達、個人としての独立、読み書き計算の基本的技能の習得である。

また、③青年期…概念・問題解決技能の発達、同性異性との関係の確立と発展、倫理体系の発達、社会的に責任ある行動をとること、身体変化の受容と効果的な使用、経済的独立、親からの情緒的独立、結婚と家庭生活の準備、④成人初期…配偶者の選択、幸福な生活、子どもを巣立たせること、育児、家庭管理の責任をとること、就職、市民としての責任をとること、社会的ネットワークの形成、⑤成人中期…子どもが社会へ移行することを助ける、レジャー活動の開始、配偶者と自分を独立した人間として結びつけること、成人としての社会的・市民的責任の達成、職業の維持、自分の生理的変化や高齢な両親への適応がそれぞれ課題としてあげられる。最後に、⑥高齢期…身体変化、退職・収入の変化への適応、満足な生活管理、退職後の配偶者との生活の学習、配偶者の死への適応、高齢仲間との親和の形成、社会的役割の受け入れである。

エリクソン

自己と心理社会的側面の関わりを重視し、

成熟期								統合 対 絶望
成人期							生殖性 対 停滞	
若い成人期						親密さ 対 孤独		
青年期					同一性 対 同一性拡散			
潜伏期				勤勉性 対 劣等感				
運動性器期			自発性 対 罪悪感					
筋肉肛門期		自律性 対 恥・疑惑						
口腔感覚期	信頼 対 不信							

図1　エリクソンの発達段階と各段階における発達課題

自我の発達を中核に据えた八つの発達段階と発達課題を設定した（図1）。そして、各段階から次段階への移行は危機であるため、課題を達成できない場合には、様々な適応上の問題が生じることを示した。

具体的には、まず①口腔感覚器（乳児期）…母親からの世話を受ける中で「基本的信頼感」を獲得することが課題であり、これに失敗すると「不信感」に特徴づけられた自己になる。②筋肉肛門期（〜三、四歳頃）…トイレットトレーニングによる諸活動の中で「自律」を獲得するが、失敗すると「恥・疑惑」の感情が子どもの心に植え付けられる。③運動性器期（〜五、六歳頃）…性器の感覚と歩行による活動範囲の拡大に特徴づけられ、「自主性」の獲得が課題である。失敗すると、子どもは両親への性的関心に対する「罪悪感」を無意識に持つようになるとしている。

④潜伏期（〜十一、十二歳頃）…学校での様々な活動を通して「勤勉性」を身につけることが課題であり、失敗した場合には劣等感を抱くようになる。⑤青年期（十二歳〜）…「自我同一性の確立」が課題であり、達成には性的同一性や人生観の達成、様々な役割の試み、将来に対する見通しと分化をある程度持つこと等が必要である。自我同一性の確立に失敗した状態が「同一性拡散」であり、自分が何者であるか分からない状態をいう。

⑥若い成人期…友人や配偶者等との関係の中で「親密さ」を経験することが課題とされている。自己や他者との親密さを形成できない場合には、人間関係が表面的になり「孤独」に陥ってしまう。⑦成人期…自分の子どもを始めとした後続の人間を育成するという次世代への「生殖性」の達成が課題である。これに失敗すると、自己の内外での「停滞」感覚を持つようになる。⑧成熟期…それまでの人生を振り返りそれを受容、統合すること（統合性）が課題となり、失敗した場合には「絶望」感を抱くことになる。

（三浦正江）

キーワード 発達段階／課題／自我の形成

〔文献〕⑯

初《しょ》期《き》経《けい》験《けん》

幼少時のある経験がその後の行動に非常に大きな影響を及ぼし、それ以降の経験によってその行動が変化することが困難である場合に、その経験を初期経験という。初期経験に関する研究には、フロイト（Freud, S.）の精神分析理論（幼少時の外傷体験がパーソナリティの形成に悪影響を及ぼす点に関するもの）、神経生理学（初期の環境刺激を多様にした場合や制限した場合の知覚等への影響に関するもの）、比較行動学（ローレンツ (Lorenz, K.) のインプリンティングなど）など様々な領域からの流れがある。

具体的には、ラット、マウス、イヌ、ネコ、サルなどの動物を用いた実験的手法によって、①どの程度の時期に、②どのような経験をすることが、個体にどのような影響を及ぼすのかという観点から、数多くの研究が行われている。①については、母親から離乳する前までの時期が重視されているが、近年では受精から出生までの胎児期も、初期という時期に含める考え方が主流である。このような視点から、妊娠中の母親に与えられた何らかの刺激が子どもにどのような影響を及ぼすか、という検討も行われている。

②については、主に電撃、音響、振動、激しい温度変化、機械的回転、ハンドリング等の刺激作用や、飼育条件、餌を与える条件、他の個体との接触・争い等の生活条件があげられる。これらの刺激を多く与えたり、逆に剥奪することによって、個体の知覚、学習、情動反応性、あるいは社会化にどのような影響が認められるかが明らかにされている。

その結果、生育初期に豊かな環境刺激を与えることは、学習の促進、情動反応性の低下、あるいは脳重量や脳内の酵素活動への好影響をもたらすこと、逆に、生育初期の段階で視覚刺激や触知覚刺激を制限（剥奪）されることによって、その後の知覚や探索に障害が生じることが報告されている。また、ハーロウ（Harlow, H. F.）のアカゲザルの研究から、初期における社会的刺激の剥奪は、愛着、遊び、攻撃、性行動などの社会的行動の発達に支障をきたすことが指摘されている。人においても同様の現象が確認されており、乳幼児期に母親からの世話や愛情が剥奪されると、身体、知能、情緒、社会性等の発達に深刻な影響がみられることが知られている（マターナル・デプリベーション）。

これらの研究に加えて、近年は初期経験の影響を考える上で、遺伝型と環境の交互作用に着目した検討が行われるようになっている。例えば、ラットの実験では、同一の環境刺激の中で生育されても遺伝型によってその影響が異なる可能性が指摘されている。類似の主張は人についても行われており、子どもの認知発達に対する初期経験の影響については、性別や気質的特徴等の個人差要因を考慮する必要があるといわれている。

（三浦正江）

キーワード 生育初期／環境刺激／マターナル・デプリベーション

ピアジェの理論《りろん》

スイスの心理学者であるピアジェ（一八九六-一九八〇）は、二十世紀の発達心理学に多大な影響をもたらした一人である。幼少時から生物学を専攻していたが、それと認識論とをつなぐものとして、心理学に転じた。哲学的な問題である認識の起源やその発生過程について、発達心理学の知見を生かしながら発生的認識論を展開した。彼は、臨床法と呼ばれる手法を用いた。これは、子どもとの自由でかつ巧みな会話を行いながら、その子どものレベルにふさわしい適切な質問を行っていくという、いわば実験的観察法を縦断的に実施したものといえる。

ピアジェは、認知発達を掌るものとして次のような概念を用いながら説明した。

①シェマ（schema）：環境との関わりにおいて知識の枠組みであり、活動を支える機能的な組織・構造ともいうべきものである。

②同化（assimilation）：子どもがすでにもっているシェマを使って外部の事象を取り入れる働きである。

③調節（accomodation）：外部の事象に対して反応するとき、すでにもっているシェマではうまくいかないとき、それを修正することによって順応しようとする働きである。

同化と調節は相補的な関係にあり、両者の相互作用による均衡化が低次なものから高次なものへと変容していく過程において、質的に異なる四つの発達段階、感覚運動期、前操作期、具体的操作期、形式的操作期が設定されるとした。

このような発達段階のもつ特性として五つ挙げている。

①不変的順序性：段階の出現順序は一定である。

②全体構造性：段階は、それを特徴づける全体構造をもっている。

③前の段階との統合性：次の段階はその前の段階から派生し、それを統合したものである。

④準備期と完成期：段階には変化する時期（準備期）と安定した時期（完成期）からなる。

⑤均衡状態：段階は一つの均衡状態であり、段階間の移行は均衡化（equilibration）によるものである。

しかし、近年では、ピアジェに対する反証も多く存在している。認知発達は領域一般ではなく、むしろ領域固有、つまり領域ごとに異なるものであるという認知の領域固有性や、感覚運動期での物の永続性や遅延模倣といった概念が、ピアジェの主張よりも早期に出現していること、具体的操作期でなければ成立しないはずの保存概念や脱中心化も、前操作期においてすでに見られることが指摘されている。

（河本　肇）

キーワード　発生的認識論／発達段階

〔文　献〕㉘㊾

ジェンダー

性・性別を意味するが、一般にセックス（sex）が男性と女性の生物学的な差異を意味するのに対して、ジェンダー（gender）は文化的、社会的、心理的な差異を意味する概念として捉えられる。つまり、セックスとは先天的な性であり、性器等の身体的部位やそれに関わる行動によって決定される性であるのに対して、ジェンダーとは後天的なものであり、社会的要因によって形成される心理・社会的な性である。ジェンダーは、生物学的な性別に基づいて、所属する社会における性別特性に合致した行動や考え方を周囲（親、教師など）から期待、奨励されて成長していく中で形成されていく。つまり、「男の子だから男らしく」「女の子だから女らしく」と育てられるうちに、心理・社会的な性差がつくられていくと考えられる。

しかし、ベム（Bem, S. L.）は、ジェンダー・ステレオタイプにおける男性性と女性性とは一次元上の両極に位置する概念ではなく、異なる次元のもの、すなわち個人の中には男性的側面、女性的側面の両方が共存していると述べている。このような視点の研究から、近年増加している働く女性は男性性が高く女性性が低いこと、既婚女性は未婚女性に比べて女性性が高いことなどが示されている。すなわち、個人が持っている男性性や女性性の程度はライフスタイルの変化とともに変わってきていることが示唆される。ベムの研究では、両方のジェンダー・ステレオタイプを持っている人は、自尊感情が高いなど、心理・社会的適応が高いと報告している。

マネーとタッカー（Money, J. & Tucker, P.）は、「男性（女性）としての自分はこういう自分である」という認識をジェンダー・アイデンティティと呼んでいる。ジェンダー・アイデンティティの発達は、生物学的性と一致した性別特性を自己に同一化していくことであるが、セックスとジェンダーの二つの性が自己の中で一致しない場合に、性同一性障害（表1）という問題が生じてくる。障害が軽度の場合には、自分の生物学的性に不快感や不適応感を抱く程度であるが、重症例になると、自分の生物学的性を受け入れることができず、むしろ反対の性に属していると感じ、反対の性として生きたいという願望を抱く。このため、性転換手術によって生物学的性を変え、自己のセックスとジェンダーを一致させる者もいる。（三浦正江）

表1　青年期または成人の性同一性障害、非性転換型の診断基準（DSM-III-R文献①より）

A．自己の属する性についての持続的反復的な不快感と不適切であるという感覚。

B．空想上か現実的に、異なる性の役割の服装を持続的または反復して着用するが、性的に興奮する目的のため（服装倒錯的フェティシズムのごとく）ではない。

C．自己の第一次および第二次性徴から解放されて、異なる性の性徴を得たいという考え（性転換症のように）に持続的にとらわれていること（少なくとも2年間）がない。

D．患者は思春期に達している。

キーワード　セックス／ジェンダー・ステレオタイプ／ジェンダー・アイデンティティ

〔文　献〕①

母《ぼ》子《し》関《かん》係《けい》

　ボウルヴィ（Bowlby,J.）は「乳幼児の精神衛生にとって、母親との人間関係が親密で継続的なものであり、かつ両者が満足と幸福感に満たされるような状態が基本である」と述べており、このような母親との相互関係が十分でない子どもの状態をマターナル・デプリベーションと呼んだ。これは「母性愛の剥奪」「母性的養育の剥奪」ともいわれ、乳幼児が母親（または代理者）から母性的な世話や養育を受けられないことをいう。このような状態の乳幼児は、身体、知能、情緒、社会性の発達に支障をきたすといわれており、この例としてスピッツ(Spitz, R. A.)のホスピタリズムがあげられる。これは母親から突然離されて育てられたり、乳児院等の施設で育てられた乳児が無関心、動きや発声の少なさ、食欲不振、不幸感、微笑やあやしに対する無反応等の症状を示したものである。

　マターナル・デプリベーションに関する研究から発展した概念にアタッチメント（愛着）がある。ボウルヴィは、子どもから母親に向けられる様々な行動が母子関係の発達に重要な機能を果たしているとし、これを愛着行動と呼んだ。愛着行動の研究に大きな影響を与えたものの一つにハーロウ（Harlow, H. F.）のアカゲザルの研究（針金製母模型より布製母模型の方が子ザルに好まれた）があり、これによって、母親への愛着は飢餓動因によって形成されるという考え（二次的動因説）は批判され、接触による満足が愛着の形成に重要な役割を果たしていることが示された。

　このような愛着行動の発達について、ボウルヴィは①子どもが対象を区別せずに反応や信号を送る時期（生後八〜十二週頃）、②他の人に比べて、特定対象（多くは母親）に対して選択的に反応・信号を送るようになる時期（〜六ヶ月頃）、③特定対象へ接近しようとする時期（〜二歳頃）、④特定対象の意図、目的、感情などに合わせて自分の反応を調整する時期（協調関係の成立・三歳頃）、の四期に分けて考えられるとした。そして、子どもはまず誰か一人（多くは母親）に対して愛着を形成し、それを基盤として愛着対象を広げていくと考えた。一方、ルイス（Lewis, M.）は、母親、父親、友人など様々な対象との関係は、子どもとそれぞれの対象との相互作用の中で独立して発達するものであり、母子関係が良い場合には友人関係も良好である、という予測は成立しないと述べている。

　このように、母子関係における研究は、主に母親の態度が子どもの発達に与える影響について行われてきている。しかし近年になって、子ども側の要因が母親の養育行動に影響を及ぼすという視点が注目され、子どもの微笑、発声、身体による反応などが養育行動の決定に重要な役割を果たしていることが報告されている。ここでは、母親と子どもは相互に影響を及ぼし合う中で、互いに成長・発達していく存在であるという母子相互作用の視点が重視されている。さらに、近年働く母親の増加や父親の積極的な育児参加といったライフスタイルの変化の中で、子どもの発達における父親の役割が注目されている。すなわち、これまでの母子関係に加えて、父子関係、父母子関係などの視点から、子どもの発達を捉える必要があると考えられている。このような視点からの検討は増えつつあり、今後の発展が期待されている。

（三浦正江）

キーワード　ホスピタリズム／マターナル・デプリベーション／愛着

コーホート分析《ぶんせき》

コーホートとは、本来古代ローマの軍隊の兵隊の集団を意味する言葉である。これから転じて、ある共通の特性をもつ集団を意味する語として使われている。一般的には出生年が同じ出生コーホートをさすが、それ以外にも職業（職業コーホート）や就職（就職コーホート）、特定期間に結婚した夫婦の集団（結婚コーホート）などがあり、それらの共通の特性を持った集団を追跡調査する研究方法をコーホート研究とよんでいる。

継続的な調査を実施する場合、その調査データには、年齢による効果、時代の影響による効果、コーホートによる影響が含まれている。従って、継続的な調査データの変化の原因を探るためには、それらの効果を区別・分離する必要がある。

年齢効果とは、時代やコーホートに関わりなく、加齢や老化によって社会の各成員の間で共通に生起する影響要因のことである。時代効果とは、自然環境や社会環境によって社会の成員全体に及ぶ影響要因のことである。コーホート効果とは、それぞれのコーホートに属する人々に共通に見られる影響要因のことである。同じコーホートに属する人々のライフコースは、受験競争が厳しかったとか、大学卒業時の就職率が低かったとか、そのコーホート特有の性質を持っている。このことをコーホート効果と呼んでいる。

コーホート分析では、例えば、ある出生コーホート集団の時系列的変化（結婚や離婚、出産や寿命など）を他の出生コーホート集団の時系列変化と比較・分析することで、年齢効果や時代効果の影響要因を排除しながら、双方のコーホート集団の関連を明らかにすることが可能である。家族変動、職業経歴、犯罪歴あるいは疫学的研究などの分野でコーホート分析が用いられている。

コーホート研究には、現時点での集団の状況を調査し、その将来にわたって追跡調査する前向きコーホート研究、あるコーホート集団の過去の情報記録が存在する場合に、現在までの時系列的な情報記録を分析する後向きコーホート研究がある。これは前向きコーホート研究と比較して、研究期間が短くてすむという利点がある。継続コーホート研究は前向きコーホート研究と後向きコーホート研究を組み合わせた研究手法である。また近接する複数のコーホートを抽出し、それぞれのコーホートを比較するコーホート間比較研究やひとつのコーホートに属する人々を調査目的に必要ないくつかの下位集団に分け比較するコーホート内比較研究などがある。

（横山博司）

キーワード コーホート効果／年齢効果／時代効果

〔文　献〕㊺㊿

性《せい》格《かく》の形《けい》成《せい》

性格の形成には、遺伝と環境の両方が関与している。

一卵性双生児は一個の受精卵が発生の途上で二つの個体に分離したもので、遺伝学的には同一の個体とみなされる。一方、二卵性双生児は排卵されている二個の卵が別々の精子によって受精し発育したもので、遺伝学的には、同じ親から生まれた同胞程度の差がある。一卵性双生児の間での類似している程度と二卵性双生児の類似している程度とを比較することで、あるいは、生後まもなく別々の生活環境で育った一卵性双生児の間にどのような性格の違いがあるかを明らかにすることによって、性格形成に及ぼす遺伝の影響が調べられてきた。

ゴットシャルト（Gottschaldt, K.）は、長期にわたって双生児たちと起居を共にし、行動観察や実験を行った。彼は、思考、判断、意志、注意などの知的機能よりも、感情、衝動、気分などの気質的特性の方に、遺伝性が強いことを明らかにした。

性格形成に及ぼす環境的影響は、これまで、親、きょうだい、友人、職業、文化などの側面から調べられてきた。

サイモンズ（Symonds, P. M.）は、親の養育態度を、支配と服従、保護と拒否の二次元でとらえ、それと子どもの性格特性の関係を論じた。例えば、親が支配的で保護的だと（かまいすぎ型）、子どもは幼児的、依存的になる。親が支配的で拒否的だと（残忍型）、子どもは逃避的、神経質、強情になる。親が服従的で保護的だと（甘やかし型）、子どもは独立的、反抗的になる。親が服従的で拒否的だと（無視型）、子どもは攻撃的になる。要するに、親は支配―服従、保護―拒否のどちらの次元でも中庸であることが理想的な養育態度であるという。

依田明は、一九六〇年代から八〇年代にかけて出生順位と性格との関係を調べ、わが国の子どもには時代を超えて共通する特徴があることを見出した。例えば、長子は、何かするときに人の迷惑になるかどうかをよく考える、欲しいものでも遠慮してしまう、自分の用事を平気で人に押しつけたり頼んだりする、といった特徴があった。末子は、お母さんやお父さんに甘ったれていて告げ口をする、人にほめられたりするとすぐに調子に乗ってしまう、とてもやきもちやき、という特徴があった。

ケイガン（Kagan, J.）は、生後五年間の子どもの発達には親が最も重要な影響を与えるが、その次の五年間では、仲間や同胞との相互交渉が性格形成において決定的に重要である、と述べた。仲間集団の主な影響は、①大人の要求に対する反抗心を育てる、②子どもが自己評価するときの基準となる、③尊敬され権力のあるリーダーが役割モデルとなる、④集団の中で演ずるべき役割を教える、である。

一般に、同じ職業を持つ人々の間に特有の性格特性が認められることは多い。ボルトン（Bolton, C.）は、ペルーのアンデス山脈地帯にある二つの村の子どもの性格を調べた。一つの村は、牧畜を主とし（牧畜世帯）、もう一つの村では農耕を主としていた（農業世帯）。両者の村の間に文化的な差異は顕著ではなかったにもかかわらず、牧畜世帯の子どもは、独立心と自力遂行度に勝り、農業世帯の子どもは責任感が強かった。

　文化が性格形成に及ぼす影響に関する研究は、一九三〇年代のアメリカの文化人類学者によってはじめられた。ミード（Mead, M.）は、ニューギニアの人々の行動を観察し、特に男女の性役割が、当時のアメリカのそれと著しく異なっていたことを指摘した。第二次世界大戦を機に国家的な要請に後押しされて、ベネディクト（Benedict, R.）は、日本人の国民性を分析した。日系アメリカ人の面接と文学、歴史の資料を下に、ベネディクトは、日本人が、権威主義的、杓子定規的、儀礼主義的で好戦的であると述べた。しかしながら、これらの研究は、文化と性格の関係について、図式的過ぎるとの批判から、その後は、より具体的、実証的な研究をしようとする傾向にある。近年、交通手段の発達などにより、留学や海外出張、移住など、文化間での移動が盛んになっている。それにともない、異文化適応が社会的問題になっている。文化の研究は、今後、ますます重要になるであろう。

　これまで述べてきた環境的要因は、比較的長期にわたって変わらないものであった。しかしながら、一時的ではあるが強力な環境的出来事もまた、性格形成に強く影響するといわれている。エルダー（Elder, G. H. Jr.）は、一九二九年の大恐慌が性格形成に及ぼした影響を調査した。恐慌のときに十代であった子ども達は経済的な打撃もその後の発達に有益な効果をもたらした。彼らは家庭の内外で新しい役割と責任を負い、家族の生活を成り立たせるためにしっかりした達成目標と職業意識を持って働かなければならなかった。この経験が彼らに指導性、責任感、そして協力という性格特性を付与した。他方、恐慌のときにまだ就学前であった子ども達は、学校での成績もあがらず、安定した職歴も持てず、情緒的社会的障害を示した。父親の失業に続いてしばしば生じて悪化していく夫婦の不和、怒りっぽい父親といらいらさせる子どもの相互作用が彼らの性格形成にとって否定的な影響をもたらした。

　以上、性格形成に影響を及ぼす要因別に、代表的な知見を取り上げた。しかしながら、実際には、これらの要因は単独で影響することはまずない。これらは複雑に絡み合って個人の性格形成に影響を及ぼしていると考えるべきである。したがって、安易にステレオタイプに陥ることなく、性格の形成は個々人の過去、現在、未来を視野に入れ、見定めていかなければならない。

（大河内浩人）

キーワード　遺伝と環境／性格の理論

〔文　献〕㉛

性《せい》格《かく》の二《に》面《めん》性《せい》

人間が互いに相反した側面を有しながら、それでいて統合された存在であることは、例えば、「人格内には全く相反する二個以上の特性が、相互に拮抗し、葛藤し、人格をしてこれら諸力の均衡のうえに成立せしめるのである。こうした自己矛盾がたとえ二律排反的両極性をあらわしているとしても、これに弁証法的統一を与える人格要因の厳存するかぎり、人間は破局に陥ることはない」（上田一九六九(83)）といった記述からもうかがうことができる。同様の記述は、マスロー（Maslow, A.H. 1962㊸）においても認められる。桑原は、こうした人間が抱える相反した傾向、性格の二面性に焦点をおいた一連の研究を展開している。

桑原（一九八四㉞）は、人格を「様々な相反する体系や矛盾を内包しつつ、なおかつ一個のまとまりを有するという複雑な存在である。人格が統合性を保っているということは、侵し難い大前提であるが、しかしそれは決して静的、図式的なものではなく、様々なバランスやダイナミクスの上に成り立っている」と考え、「人格の内に存在すると考えられる対極的な側面に注目し、さらにはそれを〝質問紙法〟という数量化の可能な方法によって測定することを試みてきた。」「人格の内に存在すると考えられる対極的な側面」が性格の二面性であり、桑原の開発した質問紙は

図1　ＴＳＰＳの測定形式（桑原，1993　文献㉟）

ＴＳＰＳ（Two - Sided　Personality Scale）と名づけられている。

ＴＳＰＳでは、図1に示したような対立概念（例、「やさしい」と「きびしい」）について、それぞれ独立にどの程度あてはまるかを回答する。回答は、左、右、左、右、…という順に行う。結果は、対ごとに得点の和及び得点の差の絶対値を計算し、それぞれ対の合計点を算出する。対の得点の差の絶対値を合計した点数の小さいことが、性格の二面性を示している。対ごとの得点の和の合計点が大きく、対の得点の差の合計点の小さいタイプが、性格の二面性を有した典型的なタイプである（桑原　一九八六㊱）。

ＴＳＰＳを用いて大学生を対象に調査を行った結果、性格の二面性を認め受けいれる場合と、とまどいを覚え、受けいれ難く感じる場合のあることがわかった（桑原　一九八四㉞）。性格の二面性に気がつくことはともするととまどいを覚えることにつながるが、一方で、それらを自らのものとして統合することも可能であることが示唆されている。（宮前義和）

キーワード TSPS（Two-Sided Personality Scale）／人格の統合性

〔文　献〕 ㉞㉟㊱㊸(83)

発《はっ》達《たつ》障《しょう》害《がい》

発達障害について、アメリカ精神医学会の「精神障害の診断・統計マニュアル」(DSM-III-R, 1987①) では以下のように記している。

「この一群の障害の基本的病像は、認知、言語、運動または社会的技能の獲得に大きな障害があることである。その障害は、精神遅滞のように全般的な遅れとして、または特異的発達障害のように、ある特定の技能の獲得において遅延し、または進歩がないものとして、または、広汎性発達障害のように多数の領域で、正常発達の質的なゆがみがあるものとしてみられる。発達障害の経過は慢性的で、障害のいくつかの徴候が(寛解ないし憎悪の時期のないまま)固定した形で成人期まで持続しやすい。しかし、多くの軽症例では、適応や完全な回復のみられることもある。」

どういった障害を発達障害に含めるかについては様々な考えがあるが、DSM-IV(一九九四②)においては、精神遅滞、学習障害、運動能力障害(発達性協調運動障害)、コミュニケーション障害、広汎性発達障害、注意欠陥および破壊的行動障害が発達障害に該当するものと思われる。

精神遅滞は、知的機能の遅れと、意思伝達、自己管理、家庭生活、社会的/対人的技能、学習活動、仕事といった領域での適応上の困難により特徴づけられる。学習障害は、知的な遅れはないが、聞く、話す、読む、書く、計算するまたは推論する能力のうち特定のものの習得と使用に著しい困難を示す障害である(文部省 一九九九(53))。運動能力障害(発達性協調運動障害)は協調運動の著明な障害を特徴としている。コミュニケーション障害は、表出性言語障害、受容—表出混合性言語障害、音韻障害、吃音症、特定不能のコミュニケーション障害を含み、会話および言語に関して障害が見られる。広汎性発達障害は、発達の障害が多様な領域でみられ、自閉性障害、レット障害、小児期崩壊性障害、アスペルガー障害、特定不能の広汎性発達障害を含んでいる。注意欠陥および破壊的行動障害には、不注意、多動性、衝動性といった症状のみられる注意欠陥/多動性障害、他人の基本的な権利や社会的規範または規則の侵害が反復し持続する行為障害、拒否的、敵対的、挑戦的な行動傾向を示す反抗挑戦性障害、特定不能の注意欠陥/多動性障害、特定不能の破壊的行動障害がある。

発達障害に対しては、学校への不適応や自尊心の低下といった二次的な問題が生じることを防ぎ、できる限りその子どもの発達を促すという意味から、早期発見と早期対応が求められる。また、子どものみではなく、親への支援も考えなければならない。親への支援は、子どもに対する対応をともに行う者としての側面と、子どもの障害にともすると思い悩む者としての側面の双方を考慮して行う。

(宮前義和)

キーワード　DSM-III-R/DSM-IV/早期発見と早期対応/親への支援

〔文献〕①②(53)(67)

発達《はったつ》の原理《げんり》と理論《りろん》

発達ということばは、二つの視点から見ることができる。一つは、系統発生である。これは種の進化のことであり、下等動物から人間への発達を示している。もう一つは、個体発生であり、人間の個体の発達を示している。一般に、心理学では発達は後者の意味として用いられている。

発達はさまざまな側面を有しているが、身体的・生理的変化あるいは量的な変化はもっぱら成長として、心理的・精神的変化あるいは質的な変化は発達として捉えられている。また、これまでは、発達は受精から青年までの限定された人間の変化として捉えられていた。しかし、近年では受精から死に至る個体の成長と減退を含むようになり、その変化を扱う心理学を生涯発達心理学（life-span developmental psychology）と呼ぶようになっている。

発達には、ある一定の原理が存在することが指摘されている。それを表1にまとめた。

発達を規定するものは遺伝か環境かという論争が行われてきたが、表1にもあるように、今日では生得的あるいは遺伝的な素因を基盤にしながら、環境との相互作用を通して形成されると考えられるようになってきた。

発達を考えるとき、一つの方法として段階に区分することが行われる。乳児期、幼児期、児童期、青年期、成人期、老年期という分類は、年齢に基づいたものである。心理学では、その段階を質的な変化に基づく異なる非連続的な段階、いわゆる発達段階として設定されることが多い。主要な発達理論とその発達段階を紹介しよう。

ピアジェの認知発達理論では、四つの段階を設定している。①感覚運動期（二歳ごろまで）：吸う、つかむ、たたくといった活動を通して対象に働きかけることによって、その対象を理解していく時期である。②前操作期（二歳から七・八歳ごろまで）：言語やイメージといった象徴的な機能を使用することができるようになる時期である。しかし、事物のある一面だけに注意が集中して、他の側面に眼を向けることができなかったり（自己中心性）、知っていることによる誤り、あるいは見えによる誤りを犯してしまうのが特徴である。③具体的操作期（七・八歳から十一・十二歳ごろまで）：自己中心性から脱却し（脱中心化）、論理的に考えるようになるが、具体的な対象や活動を通してという限定を伴う時期である。④形式的操作期（十一・十二歳以降）：抽象的で論理的に考えることができる時期であり、仮説演繹的思考が可能になってくる。

フロイトの精神分析による発達理論では、性的欲動（リビドー）が人間の行動を規定し、その出現機制は発生的に規定されていると考えた。そして、リビドーが身体のどの部位（性感帯）に向けられるかによって、五つの発達段階が構成されている。

①口唇期（一歳半ごろまで）、②肛門期（一歳から三歳ごろまで）、③男根期（三歳から五歳ごろまで、④潜伏期（五歳から十六歳ごろまで）、⑤性器期（十六歳以降）。それぞれの発達段階では、リビドーを充足するためにの特定の対象と行動様式が必要である（例えば、口唇期では、乳首を吸ったり噛んだりすること）。しかし、これが過度に欲求充足や欲求不満になって、その段階に留まる場合が

表1　発達の原理（平井、1988　文献㉙より）

発達の原理	説　　明
個体と環境の相互作用	発達は、遺伝的素質などの個体的要因と子どもの経験としての環境的要因の相互作用によってなされる。
分化と統合	発達は構造や機能が、一様で未分化な状態から、多様で分化した状態に変化し、また、分化したものが統合する過程である。統合化は、中心的な構造や機能に他が従属する階層化をも含む。
発達の連続性	発達は、断続的・突発的な過程でなく、連続的・漸進的過程である。前の段階の発達の遅速は、後の段階に影響する。
発達の順序性	歯や骨の発生の順序、移動運動など運動の発達、言語や思考の発達にも一定の順序がみられる。
発達の方向性	たとえば、運動の発達では、「頭部から脚部へ」「中心部から末梢部へ」というように、発達は一定の方向をもつ。
発達のリズム	体重が著しく増加する充実期があれば、急速に身長が伸びる伸長期がそれに続くように発達の速度は、時期によって異なり、一定のリズムを伴って進む。
発達の相互関連性	身体・運動機能が発達すると、それに伴って精神発達や社会性も促進されるように、それぞれの領域の発達は、相互に関連して進む。
発達の個人差	発達には、一定の順序、一定の方向があるが、発達する速度、可能性の発現する時期、達成の程度などには個人差がみられる。
発達の臨界期	ローレンツ(Lorentz, K.)の「刻印づけ」の研究にみられるように、ある学習が生後の極めて早い時期になされ、いったん形成されると、後で消失したり、変容することが困難な場合がある。人間の発達においても感覚遮断や母子分離などの影響が考えられている。

ある。このことを固着（fixation）と呼んでいる。

エリクソンの発達段階説は、フロイトの精神分析の立場に準拠しながらも、フロイトの性心理的発達ではなく、自我に視点を当てながら統合的機能や家族や社会的場面における自我の発達について、心理社会的危機を克服することによって、次の段階へと進んでいくものと考え、八つの段階を設定している。各段階とそこでの心理社会的危機について順番に示した。

①乳児期：基本的信頼感の獲得、②幼児期初期：自律感と疑惑・恥の感覚、③遊戯期：自発性の獲得と罪の意識の克服、④学童期：勤勉性の獲得と劣等感の克服、⑤青年期：自我同一性の獲得と同一性拡散感の克服、⑥前成人期：親密感・連帯感の確立と孤独感の回避、⑦成人期：生殖感の確立と沈滞の回避、⑧老年期：自我統合感の確立と絶望感の回避

（河本　肇）

キーワード　認知発達／リビドー／自我

〔文献〕　⑬㉙

健康障害《けんこうしょうがい》と行動様式《こうどうようしき》

パーソナリティや行動様式のような心理社会的要因が、疾患や機能障害、総じていえば健康障害に関連があることは、古くはバビロニアや古代ギリシャ時代の医者や哲学者から指摘されていたが（たとえば、ヒポクラテス（Hippocrates）やプラトン（Platon））、中世やルネッサンスを経て近代西洋医学が確立される過程において、身体疾患の原因として心理社会的要因を考慮することは次第になくなり、病因を主に身体の外部に求める（たとえば、細菌やウィルス、化学物質など）いわゆる生物医学モデルの視点が伝統的西洋医学の基本となった。

ところが、我々が生活する現代社会では、高度技術化・情報化・高齢化が急激に進み、疾病構造、人々の価値観、医療システムなどが変化した結果、従来の生物医学モデルの視点だけでは健康問題を十分に理解して扱うことができなくなった。たとえば先進諸国では、細菌やウィルスによる感染性疾患は克服され、変わって行動様式やライフスタイルが発症に深く関与する生活習慣病（たとえば、ガン、脳卒中、冠動脈心疾患など）が死因の上位を占めるようになった。また「物の豊かさの追求」から「健康の維持・増進」へと人々の価値観が変化して全人的健康への関心が高まった。さらに、高齢社会化が医療費の増大を生み出した結果、医療費の抑制に貢献する疾患予防・健康増進対策の必要性が強調されるようになった。一方では、欧米を中心に大規模な追跡的研究が実施され（たとえば、西部共同グループ研究（WCGS：Rosenman et al., 1975[65]）やアイゼンク（Eysenck, H. J.）らによるユーゴスラビアにおける追跡的研究（Eysenck, 1987[17]）など）、心理社会的要因が健康障害に影響を及ぼすという知見が着実に実証されてきた。

このような事情を背景にして、現在では健康の問題に取り組む際には、行動様式、パーソナリティ、ライフスタイル、ストレスなど心理社会的要因も重視する全人的な生物心理社会モデルに基づいてアプローチすることが有効であるという考えや心理社会的要因と健康障害は関連があるという認識が広く定着した。

ところで、先に述べたように、古くは紀元前からさまざまな行動様式やパーソナリティが健康と関連があるとして指摘されているが、現在、心理学や医学の分野において科学的実証的研究が蓄積された結果として定着しているものは、冠動脈心疾患（CHD：Coronary heart disease）の危険因子であるタイプA行動パターン（あるいは、敵意性や怒り）、ガンの危険因子であるタイプCやアイゼンクらのタイプ1型、うつ病の病前性格であるうつ親和性性格などがある。以下に、健康心理学の分野で特に頻繁に取り上げられるタイプA行動パターンとタイプCを紹介する。

1　タイプA行動パターン

タイプA行動パターンとは、CHDの危険因子となる特有の一連の行動様式および心理的傾向であるが、提唱者であるフリードマン

表1　タイプA行動パターン

・冠動脈心疾患（CHD）の危険因子の1つとして提唱された
　行動様式（Friedman & Rosenman, 1959⑳）
・日本では、抑うつとも関連があるとされている

［タイプA行動パターンの基本的特徴］

・時間的切迫感、焦燥感
・熱中的、精力的
・敵意性、攻撃性、競争性

［日本的タイプA行動パターンの特徴］（前田　1989㊵）

・欧米よりは敵意性が低い
・仕事中心主義が目立つ
・集団帰属的で、職階層と関連している

(Friedman, M.)とローゼンマン (Rosenman, R. H.)は、その特徴として、①自分が定めた目標を達成しようとする持続的で強い要求、②競争を好みそれに熱中する傾向、③永続的な功名心、④時間に追われながらも常に多方面に自己を関与させようとする傾向、⑤身体的精神的な著しい過敏性、⑥強い敵意性や攻撃性、⑦大声で早口にしゃべること、などを挙げている（Friedman & Rosenman, 1959⑳）。現在では、タイプA行動パターンの概念や特徴は表1のように要約される。

　最近の欧米の研究動向としては、タイプA行動パターン全体を対象とした研究から、その構成要素である敵意性、攻撃性、怒りに着目した研究へと関心が移行している。

　さらに、最近の日本におけるタイプA行動パターンの研究や報告によると、欧米人のタイプA行動パターンと日本人のタイプA行動パターン（日本的タイプA行動パターン）とが必ずしも一致していないことが指摘されている（表1参照）。そして、その理由は、集団に依存し集団への帰属意識によって個人の自由な行動や自己表現を規制されやすい日本独特の国民性・社会習慣などが行動様式に強く反映しているためだとされている（前田　一九八九㊵）。

2　タイプC

　一方、タイプC（CancerのC）とは、ガンに罹患しやすい行動的特徴の総称であり、喫煙、飲酒、放射線、ウィルス、年齢、免疫異常、ホルモン代謝異常、遺伝的素因などさまざまな危険因子と同様に、ガンの独立した危険因子となる可能性が欧米の研究によって実証されてきている（Eysenck, 1987⑰）。怒りや不安などの情動表現を抑制する（感情抑制）、もの静かで自己主張をしない（社会的同調性）、ストレスにうまく対処できない、無力感や絶望感に陥りやすい、などを主な特徴とし、これらの特徴は免疫機能の低下やガン細胞の増殖に関与するとされている。

　これらの概念は欧米主導で研究が進められてきたが、日本でも、タイプA行動パターンやタイプCがそれぞれCHDやガンの発症に関わりがあることを、追跡的実証研究を蓄積することによって検証する必要がある。

（瀬戸正弘）

キーワード　生物心理社会モデル／タイプA行動パターン／タイプC

〔文　献〕⑰⑳㊵(65)

社会心理学

編集・藤原武弘

この分野は社会心理学である。社会心理学とは、私たちの周りで起こっている社会の出来事や私たちを取り囲んでいる人々から、私たちがどのように影響されるのかを調べる学問である。社会的事態や環境によって影響を受ける個人の行動が社会心理学の研究対象ということになる。ただ研究対象となる範囲は、一人ひとりの個人行動のレベルから、人間関係を含む二者の対人関係、数人からなる小集団のレベルを経て、大衆現象や集合現象と呼ばれるマクロなレベルまで、大きな広がりがある。知らず知らずのうちに私たちの行動に影響を与えている過程やその社会的要因を学習することで、まず人間が社会的な存在であることを認識していただきたいと思う。次に、社会や他者との関わりがプラスにもマイナスにも働くことを知っていただいて、毎日の社会生活をより快適で豊かに過ごせるような叡智やヒントをこの分野から学んでほしいと願っている。

自《じ》己《こ》過《か》程《てい》 (self process)

自己とは自分によって認識される自分のことである。ジェームズ（James, W., 1982）は、自己を主体としての自己（I）と客体としての自己（me）の二つの側面に分けた。更に客体としての自己は、物質的自己（自分に所属する身体、衣服、家族、家、財産など）、社会的自己（自分を知っている他人が抱いている自分についてのイメージ）、精神的自己（本人の意識状態、心的能力、心的傾向）の三つの構成要素からなる。

中村（一九九〇⑳）は自己過程を次の四位相に分類している（図2参照）。

(1) 自己の姿への注目の段階　自分が自分に気を向ける段階。人が自分自身の方へ注意を向け、自分が自分を注目の的としている状態のことを自覚事態（self-awareness）という。たとえば、鏡を前にする状況のもとでは、自分自身に注意が向くと同時に、行動の適切さの基準が意識されるようになる。図1に示したように、理想とする基準との照合が行われる多くの場合には、現実の行動はこの基準を満たし得ないため、客体的自覚の状態にある人はその基準との不一致を不快に感じる。その際には、自覚状態を引き起こす外部刺激（鏡やカメラ）を避けようとしたり、外部の刺激（テレビや音楽）に注意を集中しようとしたり、注意が必然的に外部に向けられる（身体運動など）。

(2) 自己の姿の把握の段階　自己の状態の特徴を自分なりに描き、概念化する段階。自己概念（self concept）とは、人々が自分自身についてもっている構造化された知識のことである。

(3) 自己の姿への評価の段階　自己像に対して評価を行う段階。自尊感情（self esteem）とは、自己概念に含まれる評価的側面で、自尊心とも呼ばれる。

(4) 自己の姿の表出の段階　自己の姿を他者に示す行動に関わる段階。

自己開示（self disclosure）とは、自分自身についての情報を他者に伝達する行為のことである。自己開示の機能としては、感情の表出機能（告白することでイライラした気分やストレスが解消される）、自己明確化の機能（自分の意見や感情がよりはっきりとなる）、社会的妥当化の機能（自己開示により他者からのフィードバックが得られ、自分の能力や意見の正しさが評価でき、自己概念を安定することができる）、対人関係の促進（他者から自己開示を受けた場合には、相手に自己開示を返す傾向がある。これは返報性と呼ばれ、二者関係が緊密なものになってゆく）、親密感の調整（二者間の相互作用においては、対人距離、アイ・コンタクト、話題の内面性の程度で、親密度に関るそれぞれの次元で、接近―回避傾向のバランスが保たれているが、開示者が開示量や内面性を変化することで、相手との親密感を調整する）がある（安藤　一九九〇③）。

一方、自己呈示（self presentation）と

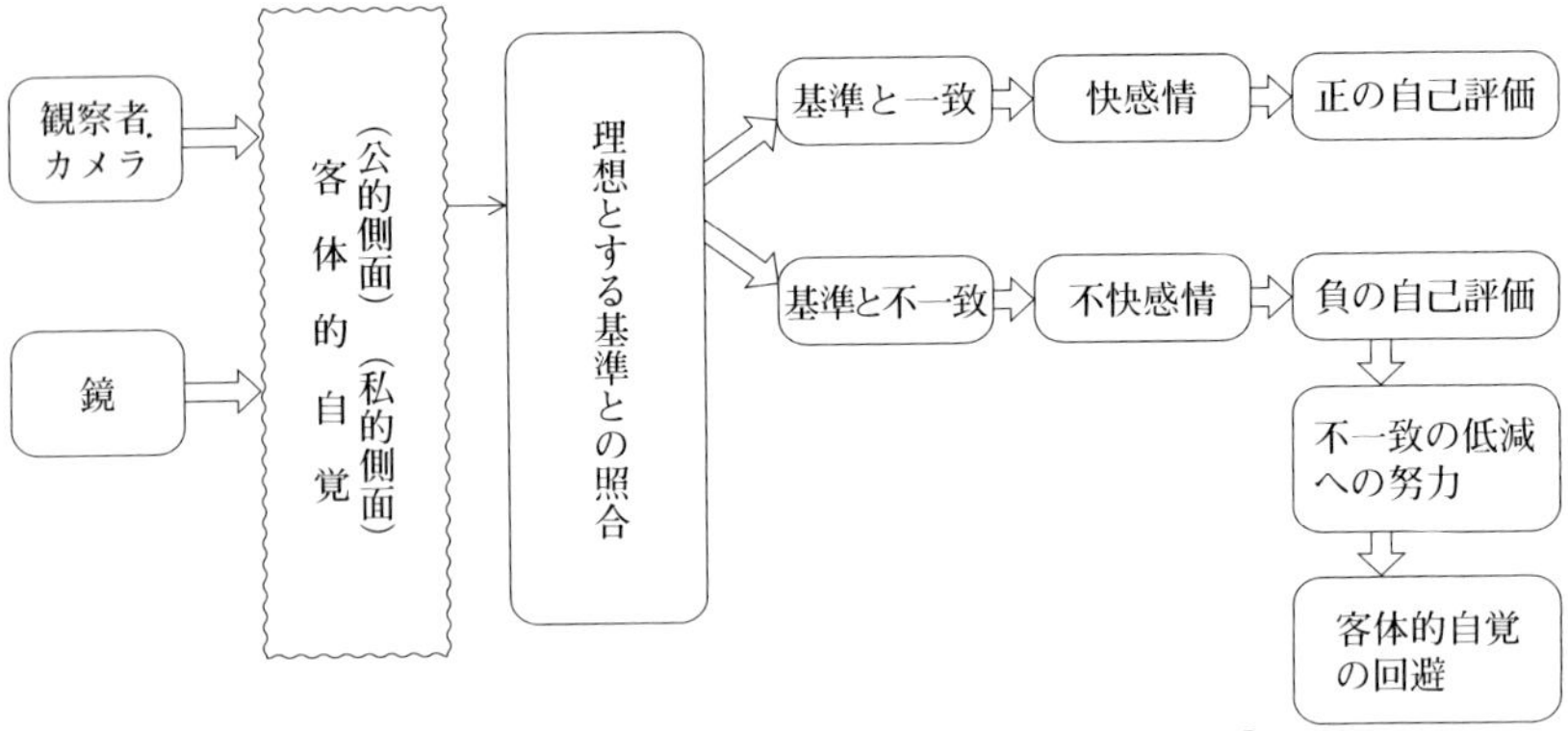

図１　客体的自覚理論のチャート図（藤原武弘・高橋超、1994　文献㉞）

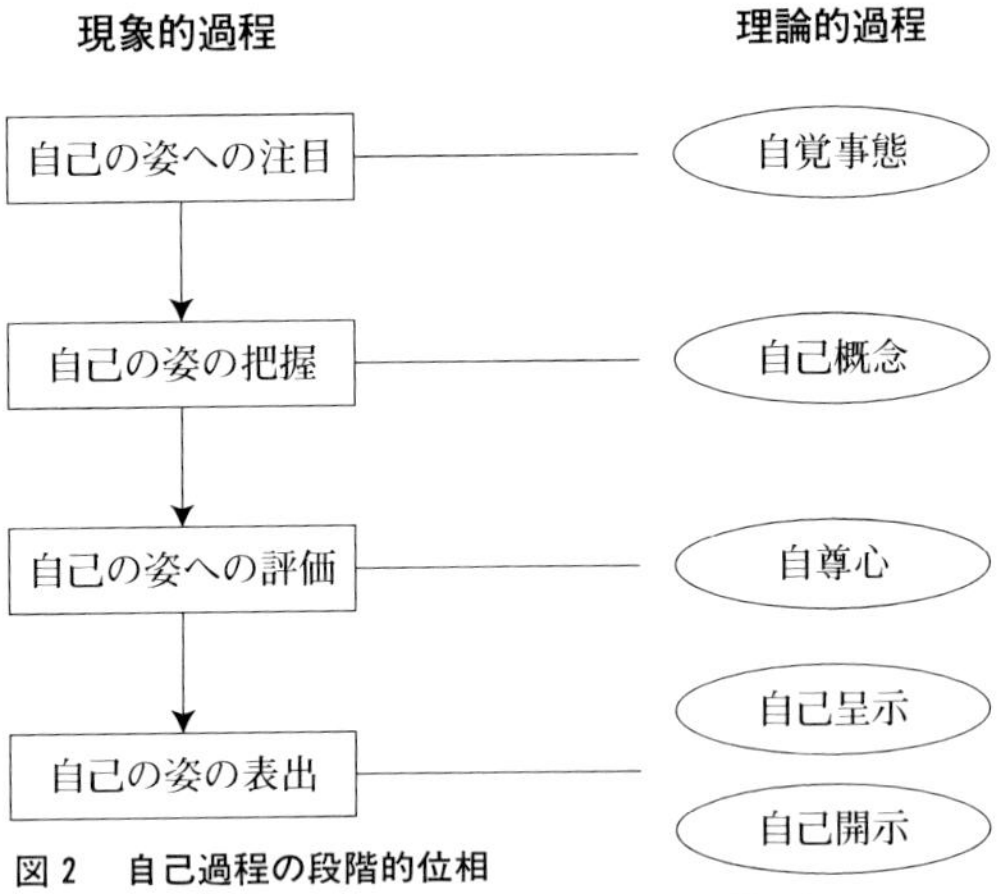

図２　自己過程の段階的位相
（中村　1990　文献(70)）を基に藤原が作図）

は、自分にとって望ましい印象を他者に与えるために意図的に振る舞う行為のことである。別名で印象操作（impression management）とも呼ばれる。自己呈示の機能としては、(1) 報酬の獲得と損失の回避（自己呈示を行うことで、地位の獲得、他者からの援助といった報酬を得ることができる）、(2) 自尊心の高揚・維持（他者から好意的に評価され自尊心を高揚させることができる）、(3) アイデンティティの確立（自己概念と他者からの評価が一致しない時など、自己概念と一致した行動をとることで、アイデンティティの確立することができる）の三つがある（安藤 一九九四④）。

（藤原武弘）

キーワード 自己概念（自尊心）／自己呈示／自己開示

〔文　献〕 ③④㉞(70)

帰《き》属《ぞく》理《り》論《ろん》

　私たちは身のまわりに起こるさまざまな出来事、自己あるいは他者の行動に関して、その原因が何なのかを推測し、自分なりに解釈しようと試みる。このように自己および自己を取り巻く環境に生起するさまざまな事象に対して因果的解釈を行う過程を帰属過程といい、この帰属過程に関する諸理論を総称して帰属理論と呼んでいる。

　帰属理論の最初の提唱者ともいえるのはハイダー（Heider,F., 1958㊵）である。彼は、普通の人が日常生活で出会う出来事をどのように認知し、どのように解釈するのかを重視して、可能な限り日常的な用語や概念を用いてこれらを理解しようと試みた。この独自の理論体系を、彼は自ら常識心理学（common-sense psychology）あるいは素朴心理学（naive psychology）と称したが、その中心をなすものが帰属理論であった。ハイダーは、人の行動は一般に、その人の能力や努力、意図といった個人の力（内的帰属）や、運や課題の困難さといった環境の力（外的帰属）に原因を求めることができるとした。ただし、これらの要因は独立して行動に影響を及ぼすのではなく、「行動の結果」＝f（「個人の力」、「環境の力」）という関数関係で表すことができるとした。

　ハイダー以後、数多くの帰属理論が提唱されているが、その主要なものとしては、ジョーンズとデーヴィスの対応推測理論（Jones,E.E. & Davis,K.E., 1965(51)）、ケリーの共変モデル（Kelley,H.H., 1967(54)）や因果図式モデル（Kelley,H.H., 1972(55)）、ワイナーらの成功と失敗に関する帰属モデル（Weiner, B. et al., 1972(98)）などがある。

　ジョーンズらの対応推測理論は、行動の原因がその行為者の内的属性にいかに帰属されるかを詳細に検討したものである。彼らはある行動とその行為者の内的属性との「対応性」をキー概念に、この対応性を規定する要因について言及している。例えば、その一つが「社会的望ましさ」であり、一般に社会的に望ましい行為は属性との対応性が低いが、望ましくない行為は属性との対応性が高くなることを明らかにしている。つまり、ある人が電車で老人に席を譲ったとしても、それは単にその場の規範に従ったとみなされその人が「親切である」という属性とは対応しにくいが、席を譲らなかった場合には「不親切である」という属性と対応しやすい。対応性を規定する要因として、この他に「非共通効果」や「外的圧力」などが示されている。

　ケリーの共変モデルでは、行動の原因として、実体（行為の対象）、人（行為の主体）、時／様態（状況）をあげ、これらのうちのどれに帰属されるかは、共変原理「行動の結果の原因は、結果が生じたときに存在し、生じなかったときには存在しない要因に帰属される」に従うとした。その際、㈠弁別性（その行為は、当該の対象（たとえば映画N）に限って起こるのか）、㈡一貫性（その行為は、どのような状況でも（いつどの場所で見ても）変わらないのか）、㈢一致性（その行為は、他の人々（誰が見ても）との反応と一致しているのか）の三つの基準が用いられ、それぞれの基準を満たす程度に応じて原

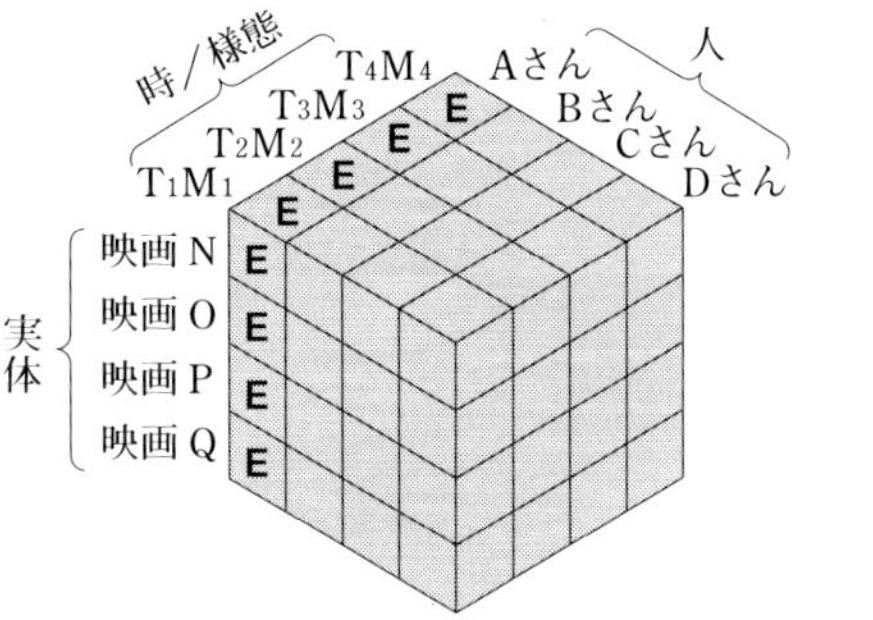

図1　ケリーの共変モデル

"E"と書かれている箇所はおもしろかったことを表している。この場合、Aさんが映画Nをみておもしろいと思った原因は、Aさんの属性（人）に帰属される。

因が特定されることを示した（図1）。共変モデルが適用できるのは、実体、人、時／様態に関して豊富な情報がある場合であるが、ケリーはこうした情報がない場合は、過去の経験に基づいて体系化された因果関係に関する知識、すなわち因果図式（causal schema）が適用されるという因果図式モデルを提唱している。

ワイナーらの帰属理論では、成功、失敗に関する原因を、統制の所在（locus of control）と安定性（stability）の二次元から分類している。統制の所在の次元は、原因を内的なものとみなすか外的なものとみなすかについての次元であり、安定性の次元は、原因を変動しにくいものとみなすか変動しやすいものとみなすかの次元である。これら二次元によって図2に示すような四つの原因要素を示している。彼らの理論の特徴は、帰属の規定因（前述の二つの次元）を示すだけでなく、帰属の結果がどのような心理的影響を及ぼすかについても言及している点であり、統制の所在は自尊感情に、安定性は次課題への期待に影響を及ぼすことを示している。なお、後にワイナー（Weiner,B., 1979(97)）は、成功、失敗に関する原因分類の次元として新たに統制可能性を加え、三次元から原因帰属の分類を試みている。

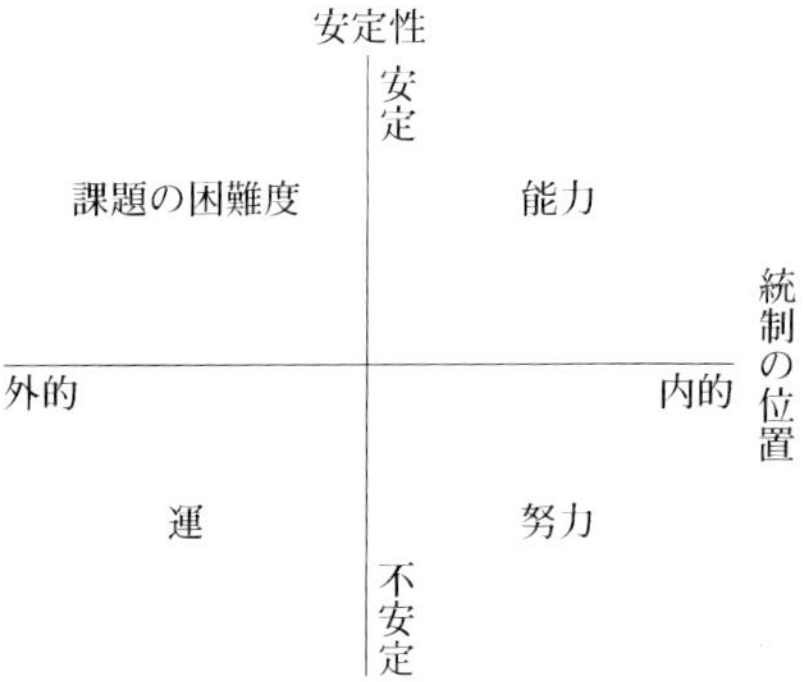

図2　ワイナーの成功・失敗に関する帰属の次元と4つの原因要素

帰属理論は社会心理学における認知研究の最たるものであるが、認知心理学の発展に伴い、ますます認知心理学的アプローチを取り入れた研究が盛んに行われている。例えば、帰属過程に関するより詳細な情報処理モデルとして、帰属過程を行動やそれが起こっている状況を「同定」する段階とこれを受けて行為者の属性を「推論」する段階からとらえる二段階モデル（Trope,Y., 1986(95)）などが提出されている。

（神山貴弥）

キーワード　帰属過程／常識心理学／認知心理学的アプローチ

〔文　献〕㊵(51)(54)(55)(95)(97)(98)

社《しゃ》会《かい》的《てき》認《にん》知《ち》

　私たちは日常生活を営む上で、自分の周囲に広がる社会的世界から様々な情報を受けている。それに対して、私たちは単に受動的にあるいは機械的に反応するのではなく、むしろ積極的に反応している。つまり新たに得た情報を既存の情報に結びつけることで、あるいは自分独自のフィルターに通すことで、その社会的環境を理解したり、その社会的環境に対する自分の行動を決定している。このように人が社会的世界から受けた情報を何らかの精神システムを通して処理する過程を社会的認知と呼んでいる。

　ここで精神システムと呼んだものは、知覚、学習、記憶、思考、推論、判断といった人の知的活動一般を指すものであり、心理学の分野ではこれらを総称して認知と呼んでいる。社会心理学において「認知」は、古くから社会的行動を説明するにあたって常に中心的な役割を果たしてきた。例えば、ゲシュタルト学派のレヴィン（Lewin,K., 1951[61]）が唱えた場理論は、認知の構造あるいは葛藤を分析することから個人の行動を説明しようとするものといえる。また社会心理学の領域で古くからの主要トピックである「態度」は、観察可能な外的刺激と観察可能な外的反応との間の関係を説明するために提出された構成概念であり、ある対象に対する内的な構えを意味することから、まさにそれが認知を問題としていることがわかる。

　このように人間の社会的行動を認知を介して説明しようとする点に着目すれば、広義の意味で社会的認知に関する研究は、社会心理学の有史以来、常に存在していたといえる。しかし、認知心理学の理論や方法論を積極的に取り入れ、人間を一つの情報処理システムとみなして、その情報処理過程に着目する狭義の意味での社会的認知に関する研究が盛んになったのは一九七〇年代以降のことである。このことは、社会心理学分野の主要雑誌、the Journal of Personality and Social Psychologyで一九八〇年になって、"Attitudes and social cognition"（「態度と社会的認知」）というセクションが設けられたことや、一九八二年にSocial Cognitionという名前の雑誌が創刊されたことからもわかる。

　この新しい社会的認知に関する研究の特徴として、山本眞理子（一九九八[101]）はハミルトンら（Hamilton,D.L., Devine,P.G., & Ostrom,T.M., 1994[38]）が指摘した四点を取り上げ次のように述べている。

（一）「社会的認知アプローチは研究の対象となっている社会的現象の認知的基盤を直接的に問題にすることに焦点を当てている。」これは従来の研究が、研究の対象として認知過程を問題にしているのに、それを検証する方法論が認知過程を直接的に検討できるものではなかったことを指摘している。

（二）「社会的現象を理解する手段として情報処理モデルを採用している。」

（三）「心理学の他の関連する分野との共通性を持つ。」同様に認知的アプローチを基盤としている発達心理学の一部や臨床心理学の一部とも共通性を有するようになり、それだけでも有用性が増すとしている。

（四）「特定の研究領域をさすのではなく、社会心理学における一定のアプローチ（パラダイム）をさす。」社会的認知研究とは判断、推測、概念、意思決定に関連するさまざまな社会的現象を、情報処理アプローチの立場に立って研究の対象としようとするものであることを指摘している。

ところで、認知心理学におけるどのような構成概念が社会的認知に関する研究で援用されているのであろうか。一つの例としては、スキーマをあげることができる。スキーマとは、ある対象について過去の個人的あるいは社会的経験に基づいて体制化された知識構造のことである。ある対象に対してのスキーマが形成されると、以後その対象に関する情報の処理（選択、統合、体制化など）を行う際にはこのスキーマが影響を及ぼすことが知られている。

人や社会的事象に関するスキーマは特に「社会的スキーマ」と呼ばれているが、テイラーとクロッカー（Taylor,S.E. & Crocker,J., 1981(94)）はこれをさらに四つに種別し、社会的認知に関する研究との関わりを示唆している。一つめは、「人スキーマ（person schema）」で、人の行動を規定している人格特性（「ほがらかな人」）や目標（「レーサーをめざしている人」）などに関する知識のことである。他者を分類したり、他者の行動を想起する際の手がかりとなる。二つめは「自己スキーマ（self schema）」で、自己の諸属性に関する知識（「私は陽気だ」）のことである。自己に関する情報処理の基礎となるだけでなく、他者に関する情報処理にも影響する。三つめは「役割スキーマ（role schema）」で、年齢・性別・人種・職業など社会的カテゴリーに基づく役割に関する知識である。集団に対する認知やステレオタイプの基礎となる。四つめは「事象スキーマ（event schema）」で、ある状況下において人がとる行動の手順やそこで生じる事象の系列に関する知識のことである。スクリプトとも呼ばれる。典型例として、レストランでの一連の行動（席に案内され、メニューを受け取り、注文をし、料理を待ち……）についての知識をあげることができる。社会的状況を推論したり判断する際の手がかりとなる。

認知心理学の貢献は、このような構成概念の提供にとどまらず、心的仕組みを正確に記述するための方法論が持ち込まれた点にもある。いずれにせよ、社会的認知に関する研究が発展してきたことによって、社会心理学の領域での従来の認知的な解釈が特別なものではなく、知覚、記憶、思考などの基礎心理学の領域の原理と統一的に解釈できることが示されたことの意義は大きい。

（神山貴弥）

キーワード 認知心理学／情報処理モデル／社会的スキーマ

〔文献〕(38)(61)(94)(101)

認《にん》知《ち》理《り》論《ろん》

認知とは、「生体が自らの生得的または経験的に獲得している既存の情報にもとづいて、外界の事物に関する情報を選択的にとり入れ、それに事物の相互関係、一貫性、真実性などに関する新しい情報を生体内に生成・蓄積したり、外部へ伝達したり、あるいはこのような情報を用いて適切な行為選択を行ったり適切な技能を行使するための生体の能動的な情報収集・処理活動を総称していうことばである」（佐伯　一九八二(78)）。この定義からわかるように、認知とは、外部あるいは内部からの刺激に基づく内的な一連の情報処理活動であり、またそうして獲得した知識自体のことである。従って、人間の行動を説明する際にこうした認知の存在を認め、その認知を介して行動を説明しようとする理論的立場の総称を認知理論という。

心理学の分野で、認知理論という用語が一般的に用いられるのは学習心理学の領域においてであるが、社会心理学の領域においても、内的な精神システムに焦点を当てて社会的行動を説明しようとする種々の理論を総称して認知理論と呼ぶ。

社会心理学の領域における代表的な認知理論として、古くはレヴィン（Lewin,K., 1951(61)）の場理論をあげることができる。彼は人間行動を説明する上で、行動が生起する場、すなわち個人がおかれた心理学的状況の作用を重視し、客観的環境とは区別されたこの心理学的世界の総体を生活空間と呼んだ。人の行動が外部の客観的環境に直接規定されて生ずるのではなく、外的環境からの刺激や情報を受けてその人の中に形成される生活空間によって規定されるという点で、認知的側面を強調した立場であることがわかる。

その後、このレヴィンの影響を受けて態度変容を認知の再体制化という点から説明した認知的斉合性理論（例えば、ハイダー（Heider,F., 1946㊴）の認知的均衡理論やフェスティンガー（Festinger,L., 1957㉒）の認知的不協和理論など）や、自己や他者の行動についての原因を解釈する過程に焦点をあてた種々の帰属理論（例えば、ジョーンズとデーヴィス（Jones,E.E. & Davis,K.E., 1965(51)）の対応推測理論やケリー（Kelley,H.H., 1967(54)）の共変モデルなど）なども代表的な認知理論といえよう。

なお近年、認知心理学の発展に伴い、社会心理学の領域においても認知心理学の諸概念や方法論を取り入れた研究が盛んに行われている。社会的認知という視点から、社会心理学的な現象を検討するこの学問的アプローチを総称して認知社会心理学と呼ぶが、この分野で展開される諸理論は必然的に認知理論ということになる。現在、印象形成や対人記憶などの対人認知、帰属などの社会的推論、態度や意思決定、自己認知・自己評価など数多くの研究テーマにおいて、認知心理学的アプローチから認知理論が展開されている。

（神山貴弥）

キーワード　認知過程／認知社会心理学

〔文　献〕㉒㊴(51)(54)(61)(78)

社《しゃ》会《かい》的《てき》感《かん》情《じょう》

社会的感情を定義することは非常に困難である。なぜなら、「感情」そのものの明確な定義が難しいからである。広義には、「感情」は経験の情感的あるいは情緒的な面をあらわす総称的用語として定義されるが、ここでは池上（一九九八㊼）がフィスクとテイラー（Fiske,S.T. & Taylor,S.E., 1991㉔）から作成している感情の分類と定義を図1に示しておく。ここで示されるように、感情が情動、気分、好み・評価を包括する概念であるとするならば、社会的感情は、私たちの社会的行動に影響を及ぼす情動、気分、好み・評価の総称とみなすことができるであろう。

このように社会的感情という用語自体は心理学において定着しているわけではないが、社会的行動に感情が影響を及ぼすことは、社会的行動を感情と認知との関連づけで理解しようとする研究において古くから示されている。例えば、ハイダー（Heider,F., 1946㊴）は人・物・事象に対する好意・非好意の感情に基づく対人関係をセンチメント関係と呼び、個人（P）、特定他者（O）、PとOに関わりのある人あるいは物、事象（X）からなる三者関係の分析を、PとOとXそれぞれのセンチメント関係のバランスから説明する認知的均衡理論を展開している。またダットンとアロン（Dutton,D. & Aron,A., 1974⑳）は、生理的変化の原因が周囲の状況によって誤って帰属されるという錯誤帰属の現象を、吊り橋上で引き起こされる恐怖や不安による生理的覚醒が、その状況でたまたまであった女性の魅力に誤って帰属されることで実証している。

ところでこうした社会的行動を感情と認知の関連づけで理解しようとする傾向は、近年の認知心理学の発展に伴いますます盛んになっている。このうちもっともよく知られているのが気分一致効果（mood congruent effect）に関する研究である。これは、ある特定の気分が生起すると、その気分のもつ評価的性質（ポジティブまたはネガティブ）に一致する方向で社会的な認知や行動が引き起こされるという現象で、対人認知、社会的判断、社会的行動などにおいてこの気分一致効果を支持する研究結果が多数示されている。

例えば、対人認知に関して、フォーガスとバウアー（Forgas,J.P. & Bower,G.H., 1987㉘）は、被験者に課題を実施し、その結果についての偽りのフィードバックによって被験者の気分を操作した上で（よい気分あるいは悪い気分）、別の実験と称して被験者にある人物についての記述文を読ませその印象評定を行わせたところ、よい気分の時には悪い気分の時よりもポジティブな印象判断が多く、逆に悪い気分の時にはよい気分の時よりもネガティブな印象判断が多いことを示している。バウアー（Bower,G.H., 1991⑩）はこうした気分一致効果を説明するにあたって、感情ネットワーク・モデルを提出した。このモデルに従えば、気分一致効果は、気分に一致する内容の情報が記憶内で活性化されて検索されやすくなることと、気分と一致する概念的知識（スキーマ）が活性化されてそれに適合する情報が選択的に取り入れられることによって生起すると説明される（図2）。

また認知心理学的アプローチから、感情が情報処理様式に影響することが示されている。例えば、シュワルツは（Schwarz,N., 1990(80)）は、ポジティブな感情は状況が良好な場合に生起するので、簡便で直感的な情報処理方略（ヒューリスティック型方略）が

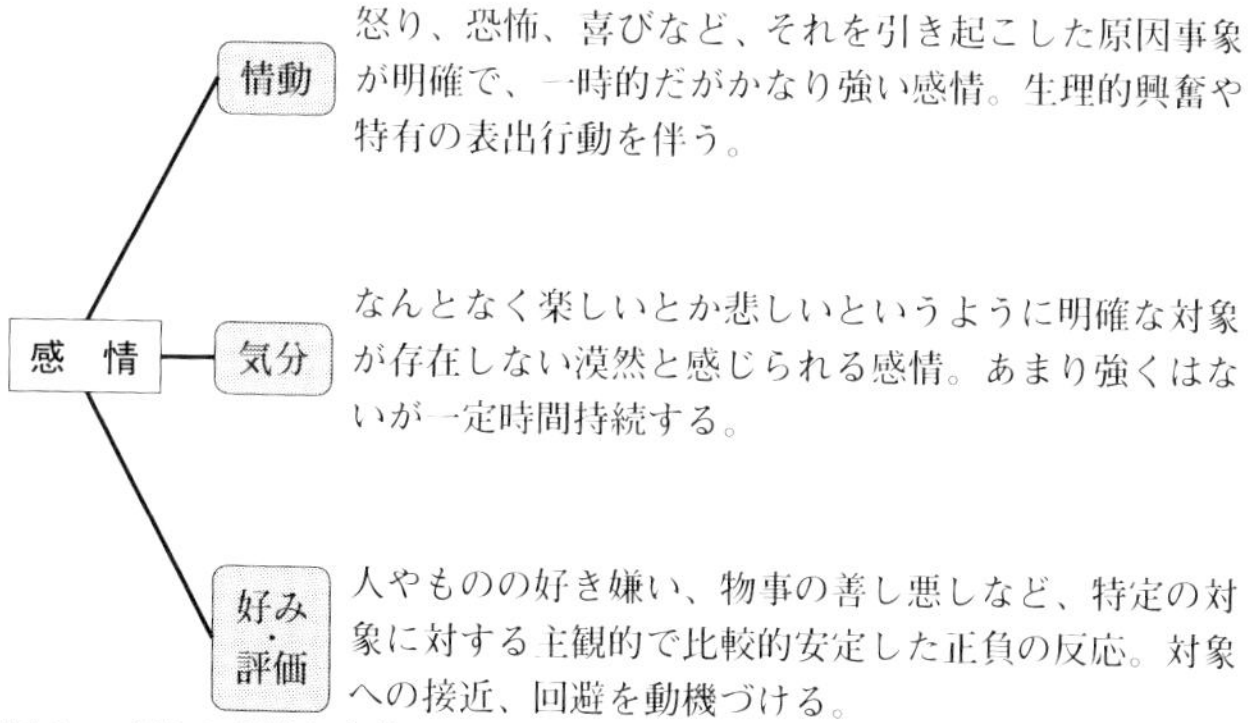

情動
怒り、恐怖、喜びなど、それを引き起こした原因事象が明確で、一時的だがかなり強い感情。生理的興奮や特有の表出行動を伴う。

なんとなく楽しいとか悲しいというように明確な対象が存在しない漠然と感じられる感情。あまり強くはないが一定時間持続する。
好み・評価
人やものの好き嫌い、物事の善し悪しなど、特定の対象に対する主観的で比較的安定した正負の反応。対象への接近、回避を動機づける。

図1　感情の分類と定義

（フィスクとテイラー（1991　文献㉕）より池上（1998　文献㊻）が作成）

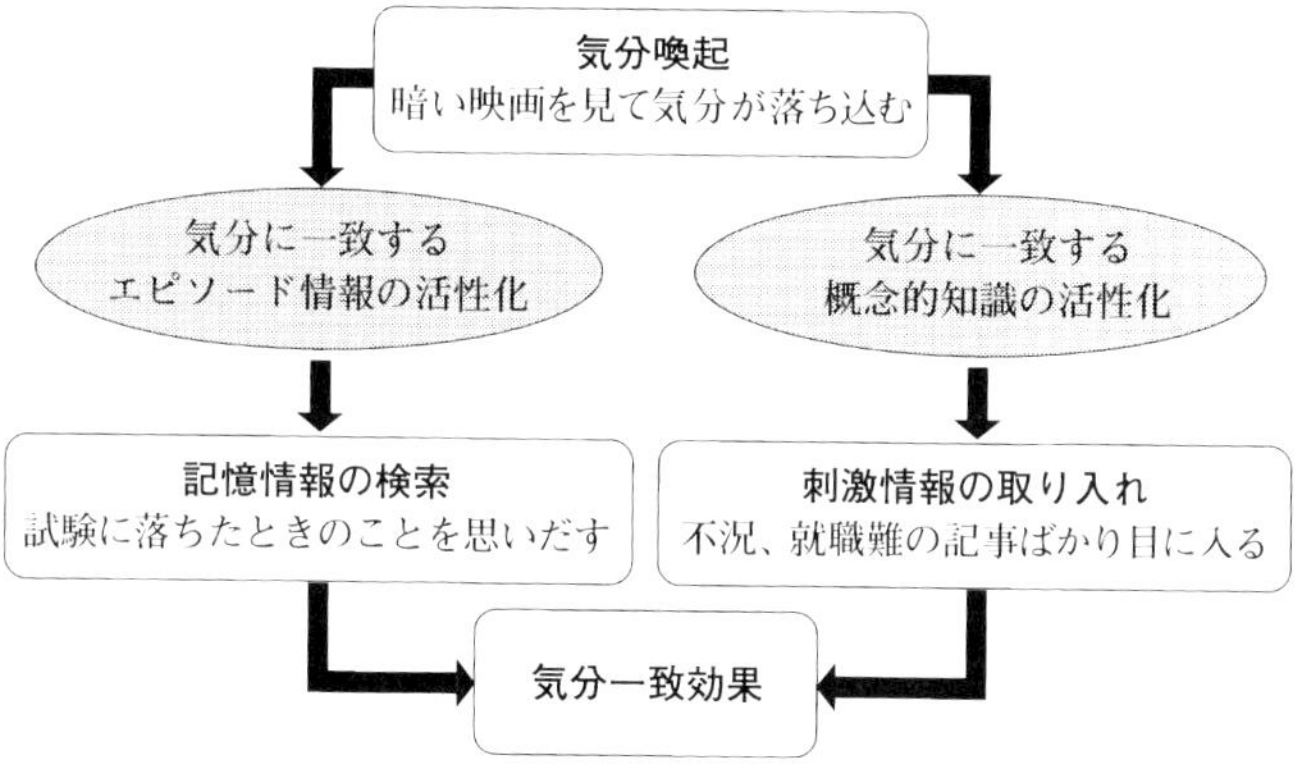

気分喚起
暗い映画を見て気分が落ち込む
気分に一致する
エピソード情報の活性化
気分に一致する
概念的知識の活性化
記憶情報の検索
試験に落ちたときのことを思いだす
刺激情報の取り入れ
不況、就職難の記事ばかり目に入る

図2　気分一致効果の生起メカニズム

（バウアー（1991　文献⑩）より池上（1998　文献㊼）が作成）

用いられやすいが、ネガティブな感情は状況が悪い場合に生起するので、分析的な情報処理方略（システマティック型方略）が用いられやすいと主張した。実際にシュワルツら（Schwarz,N., Bless,H., & Bohner,G., 1991(81)）は、説得場面においても、こうした感情に応じた情報処理が行われやすいことを確認している。また、フォーガス（Forgas,J.P., 1992㉗）は、社会的判断がどのように行われるのかを示す情報処理モデルとして、感情の影響を考慮した感情混入モデル（Affect Infusion Model; AIM）を提出している。

社会的感情に関する研究は、ここまでにみてきたように認知心理学的視点が導入された一九八〇年代以降、めざましい発展をとげてきた研究分野といえる。従ってその経緯から考えても社会的感情に関する研究は、今後とも社会的な認知や行動を認知心理学的視点から扱う研究の中に位置づけられるであろうが、認知的要素を扱う研究に比べて感情的要素を扱う研究の歴史は浅いことから、これからも当面はホットなトピックとして盛んな研究が期待される。

（神山貴弥）

キーワード　気分一致効果／感情ネットワーク・モデル／感情混入モデル

〔文　献〕　⑩⑳㉕㉗㉘㊴㊼(80)(81)

社会的動機《しゃかいてきどうき》(social motive)

人間行動をつき動かすもの、つまり行動の原動力になっている内的状態が動機(motive)であり、欲求(need)である。そして動機づけ(motivation)とは、動機や欲求が起因となって行動が一定の方向に導かれていく一連の過程を指している。生理的動機とは、生活体の生命の維持や種の保存に欠くことのできない動機であるのに対して、社会的動機とは、社会生活を送る中で、経験や学習によって獲得された動機である。

マズロー(Maslow, A. H., 1943[62])は、動機が群れをなし、有機連関的な階層構造をつくって働いていることを明らかにした。まず、欲求体系の根底には生理的欲求があり、生命維持に不可欠なこの欲求(空気・水・排尿・睡眠など)がある程度充足されない限り、他の心理的欲求は生じてこない。次に安全や安心を確保し、苦痛や不安、恐怖を避け、安定した状態を保ちたいという安全欲求が出現する。この欲求が満たされると、仲間に受け入れられたい、仲間が欲しい、といった所属と愛の欲求が大切なものとなる。この欲求が十分に満足されると、愛を求める存在からそれを与える存在へと変わっていくといわれている。

所属と愛の欲求が満たされた後に出現するのが自尊の欲求である。尊重して欲しい、自分の存在を認めて欲しい、他者から肯定的に評価されたい、地位、名誉、名声が欲しいといった欲求である。そして最後に表れるのが自己実現の欲求である。自己実現とは自分の潜在的な可能性や能力を最大限に開発・発揮して人間的に成長したい、自らの個性を生かして創造的な価値を実現し、充実感や生きがいを感じたいという欲求と定義される。マズローの分類で言えば、安全欲求から自己実現の欲求までが社会的動機ということになる。代表的な社会的動機の種類としては次のようなものがある。

(1) 親和動機　他者との接近や協力の源となる動機である。他者と仲良くなりたい、友好的な人間関係を築きたいという欲求である。

(2) 承認動機　他者から賞賛を得たい、推挙されたい、望ましい人間として認められ、尊敬されたいという欲求である。

(3) 独自性動機　他者とは違うユニークな存在でありたいとする欲求である。

(4) 達成動機　困難な目的や事態を成し遂げ、他者との競争で優れた結果を出そうとする欲求である。高い基準の目的の克服に魅力を感じて発生する動機といえる。

ところで達成動機の高い人は、失敗の危険性が適度である課題を選び、失敗をおそれ回避する傾向の人は、非常にむずかしいか、非常にやさしい課題を選ぶという。これはどうしてだろうか。アトキンソンの理論ではこのことをうまく説明してくれる(Atkinson, J. W., 1957⑦)。アトキンソンの理論では、達成(成功)への動機づけ(T_s)は、成功しようとする動機つまり達成欲求(M_s)、成功の主観的確率(P_s)、成功への誘因価(I_s)の関数、つまり$T_s = M_s \times P_s \times I_s$として表わされる。$I_s$は成功した時に経験する満足の強さを意味し、成功の見込みのうすい困難な仕事に成功した時の喜びは大きいから、誘因価(I_s)は、$1 - P_s$として示すことができる。

成功すると満足や誇りを感じる。だが失敗には恥の感情が伴う。この恥の感情は、失敗回避への動機づけ(T_f)と呼ばれ、T_sと同様に、$T_f = M_f \times P_f \times I_f$の関数と表わすこと

表1　成功への動機づけの失敗回避の動機づけ（Atkinson, J., 1957）

	成功への動機づけ $M_s \times P_s \times I_s$＝成功動機づけ	失敗回避への動機づけ $M_f \times P_f \times I_f$＝回避動機づけ	総合動機づけ（作業の魅力）
課題A	1 × .10× .90＝.09	1 × .90× －.10＝－.09	0
〃 B	1　.20　.80＝.16	1　.80　－.20　－.16	0
〃 C	1　.30　.70＝.21	1　.70　－.30　－.21	0
〃 D	1　.40　.60＝.24	1　.60　－.40　－.24	0
〃 E	1　.50　.50＝.25	1　.50　－.50　－.25	0
〃 F	1　.60　.40＝.24	1　.40　－.60　－.24	0
〃 G	1　.70　.30＝.21	1　.30　－.70　－.21	0
〃 H	1　.80　.20＝.16	1　.20　－.80　－.16	0
〃 I	1　.90　.10＝.09	1　.10　－.90　－.09	0

M：動機　P：期待（主観的困難度）　I：誘因　（$I_s＝1－P_s$、$I_f＝－P_s$）

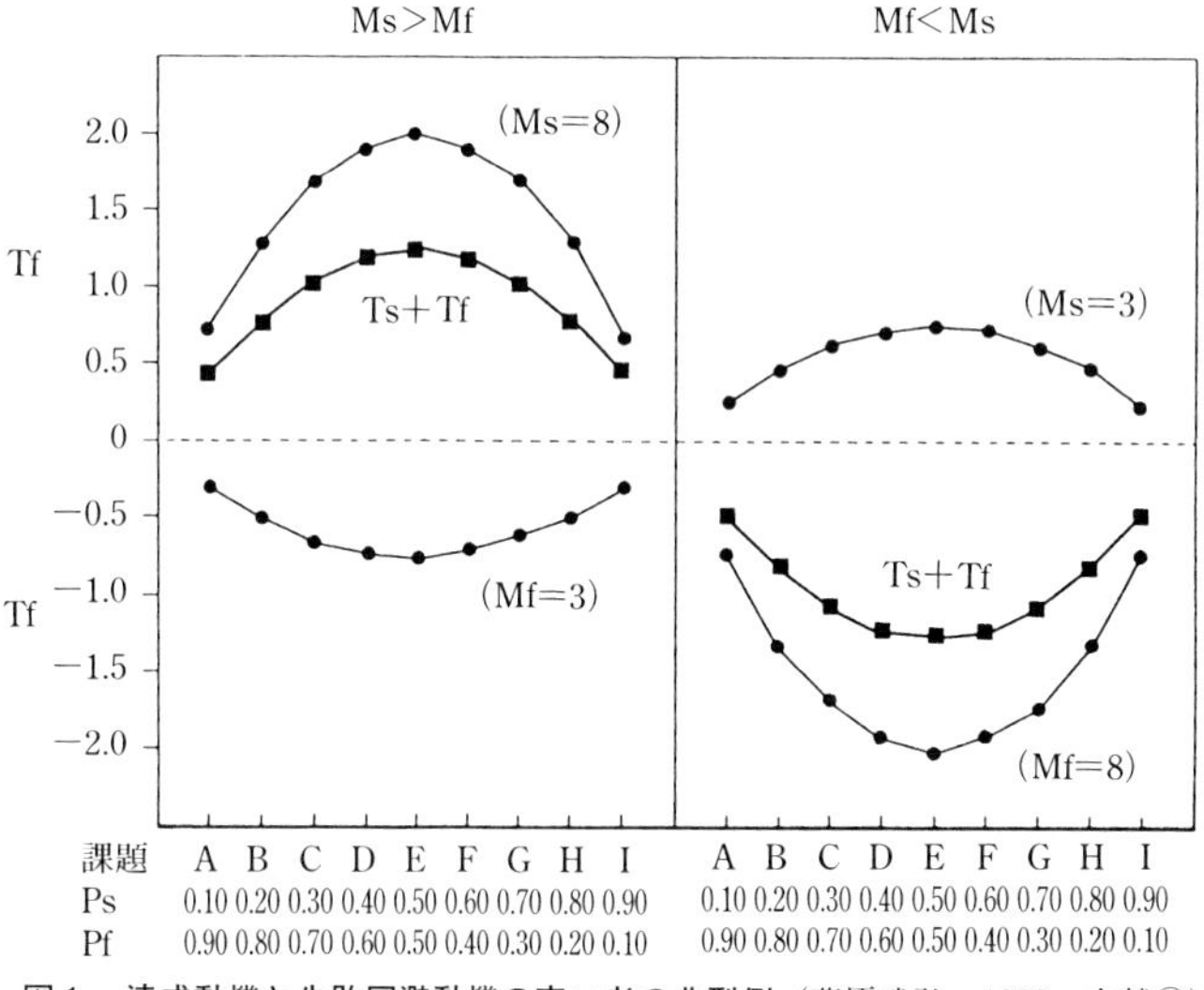

図1　達成動機と失敗回避動機の高い者の典型例（藤原武弘、1982　文献㉜）

ができる。Mfは、失敗回避の動機の強さである。Pfは失敗の主観的確率で、課題が困難になるにつれて高くなる。だからPsとはPf＝1－Psの関係になる。Ifは負の誘因価で、失敗した時に味わう不快感である。容易だと思っている課題に失敗した時に不快感は特に強くなるから、If＝－（1－Pf）＝－(Ps) となる。

ところで、課題に対する総動機づけは、成功への動機づけ(Ts)と失敗動機の動機づけ(Tf)の和として示すことができる。表1はPsが異なる課題に対して、達成動機の強さ(Ms)と失敗回避の動機の強さ(Mf)がそれぞれ1で等しい場合の総動機づけの例である。MsとMfの大きさが異なると、総動機づけにどのような違いがみられるのかを示したのが図1である。これによると、達成動機の方が失敗回避の動機より強い人(Ms＞Mf)、例えばMs＝8、Mf＝3は、Psが〇・五、つまり適度に困難な課題に強く動機づけられる。それに対して、失敗回避の動機の方が達成動機より強い人(Mf＞Ms)は、極端にやさしいか、むずかしい課題を選ぶ傾向がみられる。

（藤原武弘）

キーワード　達成動機／親和動機／承認動機

〔文　献〕　⑦㉜62

コミュニケーション

コミュニケーションとは、情報をやりとりする一連の過程と定義できる。コミュニケーションという用語は、日常用語としてもまた学問分野での専門用語としても多様な使われ方をしており、その意味を一義的に定めることは難しいが、深田（一九九八[36]）は従来のコミュニケーションという用語の使われ方を整理統合し、以下の各過程を強調する三つの基本概念に集約されることを示している。

（a）相互作用過程　当事者がお互いに働きかけ、応答しあう相互作用過程がコミュニケーションであるとみなす場合であり、コミュニケーションを通して相互理解と相互関係が成立すると考える立場である。（b）意味伝達過程　一方から他方へ意味を伝達する過程がコミュニケーションであるとみなす場合であり、コミュニケーションを通して当事者は意味を共有できると考える立場である。（c）影響過程　一方が他方に対して影響を及ぼす過程がコミュニケーションであるとみなす場合であり、コミュニケーションを通して人間は他者に影響を与えることができると考える立場である。

これらコミュニケーションの定義、その基本概念からわかるように、いずれにせよコミュニケーションはある種のプロセスとしてとらえられている。こうした観点から、いくつかのコミュニケーション・モデルが提出されているが、その原型ともいえるのが図1に示したシャノンとウィーバー（Shannon,C.E. & Weaver,W., 1949[82]）のモデルである。これは情報通信の効率を高めるために考え出された通信モデルではあるが、対人コミュニケーションにも共通する重要なプロセスが示されている。それらは、情報源から発せられた情報が送信機において記号化（encoding）され伝達されること、記号化された情報はあるチャネルを通して受信機へ送信されること、そして受信機において記号化された情報の解読化（decoding）が行われることである。

これらのプロセスはちょうど対人コミュニケーションにおける、送り手が伝達したいと考えている内容を言語的あるいは非言語的な記号に置き換えて表現すること（記号化）、記号化されたメッセージはあるチャネルを通じて受け手に伝えられること、そして受け手は受け取ったメッセージの意味を理解すること（解読化）に相応する。なお、シャノンらの通信モデルを軸に対人コミュニケーションの特徴である相互作用性を考慮したモデルとして、竹内（一九七三[93]）は社会的コミュニケーション・モデルを提出している（図2）。

ところで、これらのコミュニケーション・モデルから対人コミュニケーションにおいては様々な歪みが生ずる可能性があることがわかる。

その一つは、シャノンらの通信モデルにも示されているが、記号化された情報がチャネルを通過する際に雑音源からの影響を受けることにある。例えばチャネルとして電話を使用した場合、受け手は対面状況では得られる送り手からの視覚情報を受け取ることができなくなる。二つめは送り手および受け手のコンピテンスの問題で、送り手が伝達したいと考えている内容を十分に記号化できないために、あるいは受け手が記号化されたメッセージの意味を十分に解読できないために、コミュニケーションに歪みが生ずる可能性である。三つめは、記号の意味が共有されているか否かの問題で、送り手と受け手のそれぞれが記号化、解読化において十分なコンピテンスを有していても記号の意味が違えばそこで歪みが生ずる。そして四つめはコンテクストの問題である。途中から人の会話に参加した場合に話の文脈をつかむまではなかなか発言できないという例のように、コミュニケーションがどのような文脈において展開されているかが理解できていなければ歪みが生まれる。

なお、記号化手段として言語を用いたコミュニケーションを言語的コミュニケーション、表情や身振り、準言語などの非言語を用いたコミュニケーションを非言語的コミュニケーションと呼んでいるが、前述のコミュニケーションの基本概念から示された相互作用、意味伝達、影響のいずれの過程においても非言語がそれぞれの過程で期待される効果に及ぼす影響は非常に大きく、非言語的コミュニケーションの重要性が指摘されている(例えば、Mehrabian,A. & Ferris,S.R., 1967(66))。

(神山貴弥)

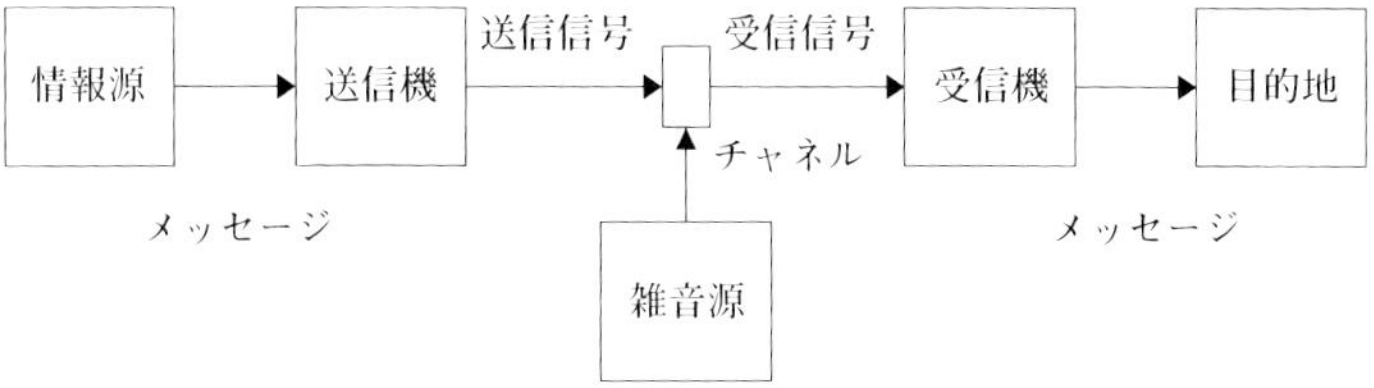

図1　シャノンとウイーバーのコミュニケーション・モデル　文献(82)

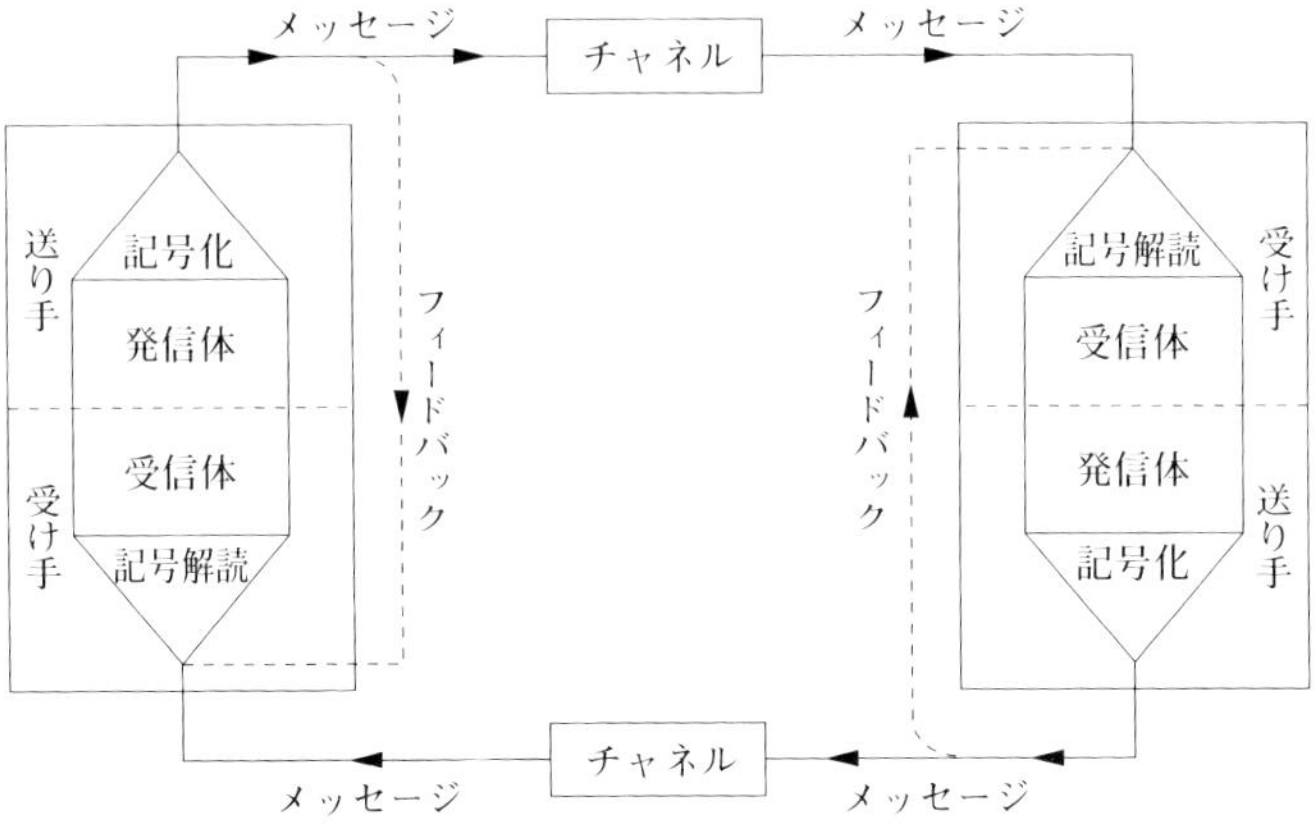

図2　竹内の社会的コミュニケーション・モデル　文献②

キーワード　記号化／解読化／コミュニケーションの歪み

〔文献〕　②㊱(66)(82)(93)

対《たい》人《じん》魅《み》力《りょく》 (interpersonal attraction)

対人魅力とは、人物対象に近づいたり、遠ざかったりするような方向づけを行うものである。それは相手についての信念や知識という認知成分、相手に対して感じたり、表出される感情成分、相手に近づくか避けるかという行動傾向の三つの成分から成り立っている。対人的態度と呼んでもよい。対人魅力に影響を及ぼす要因としては次のようなものがある。

(1) 物理的な近接性　人々が知り合うためには接触が必要である。物理的な距離が近いことで接触の機会が多くなり、その結果相手のことが好きになる。ザイアンス (Zajonc, R. B., 1968) は、同じ刺激に何回も接触しているうちに、その刺激に対する好意度が増大することを見出し、それを単純接触仮説と呼んだ。

(2) ムード　条件づけられた感情反応　報酬は好意的な感情を引き起こすので好まれ、罰は否定的な感情を引き起こすので嫌われる。報酬的刺激（歩道に落ちている五千円札）と中立刺激である他者が連合すると、正の感情が引き起こされ、その他者への魅力反応が生じる。

(3) 不安な条件　恐怖や不安を体験すると、親和欲求が高まり、その結果として相手への魅力が高まる。

(4) 個人的特性　私たちは、私たちをひきつけるような特性をもっている人々を好きになる。魅力的な特性とは、容姿がよいこと、知的で、有能で、正直で、思いやりがあり、真面目であることである。このなかで、他者への好意の発生にあたって特に影響力が強いのが容姿のよさ身体的魅力であり、身体的な魅力度が高い人々は好まれる。

(5) 態度の類似性　私たちは、ある種の一体感を共に味わった人に対して好意を抱くようになる。一体感は、次のような理由から生じる。a 同一の社会的な単位のメンバーであること。つまり人種、性、宗教、社会的集団が、同じであるということ。b 同一の特性、信念、態度をもっていること。c 共通の目標を分かちもっていたり、共通の脅威にさらされること、物の考え方が似た他者に惹かれる。社会的比較過程の理論によると、私たちは世の中のことについて自分の判断が正しいという確証を得たいという欲求がある。態度の類似した他者の存在は、自分の判断や考え方が妥当であるという保証を与える。自分の判断が正しいということは、好ましい体験であり、相手に魅力を感じる。

(6) 好意の返報性　私たちは自分たちを好いてくれる人に好意を抱き、自分たちを嫌っている人を嫌いになる傾向がある。他者が自分を好いてくれることは、他者からの承認を意味し、それは強力な報酬となる。

対人魅力に似た概念として、愛がある。愛

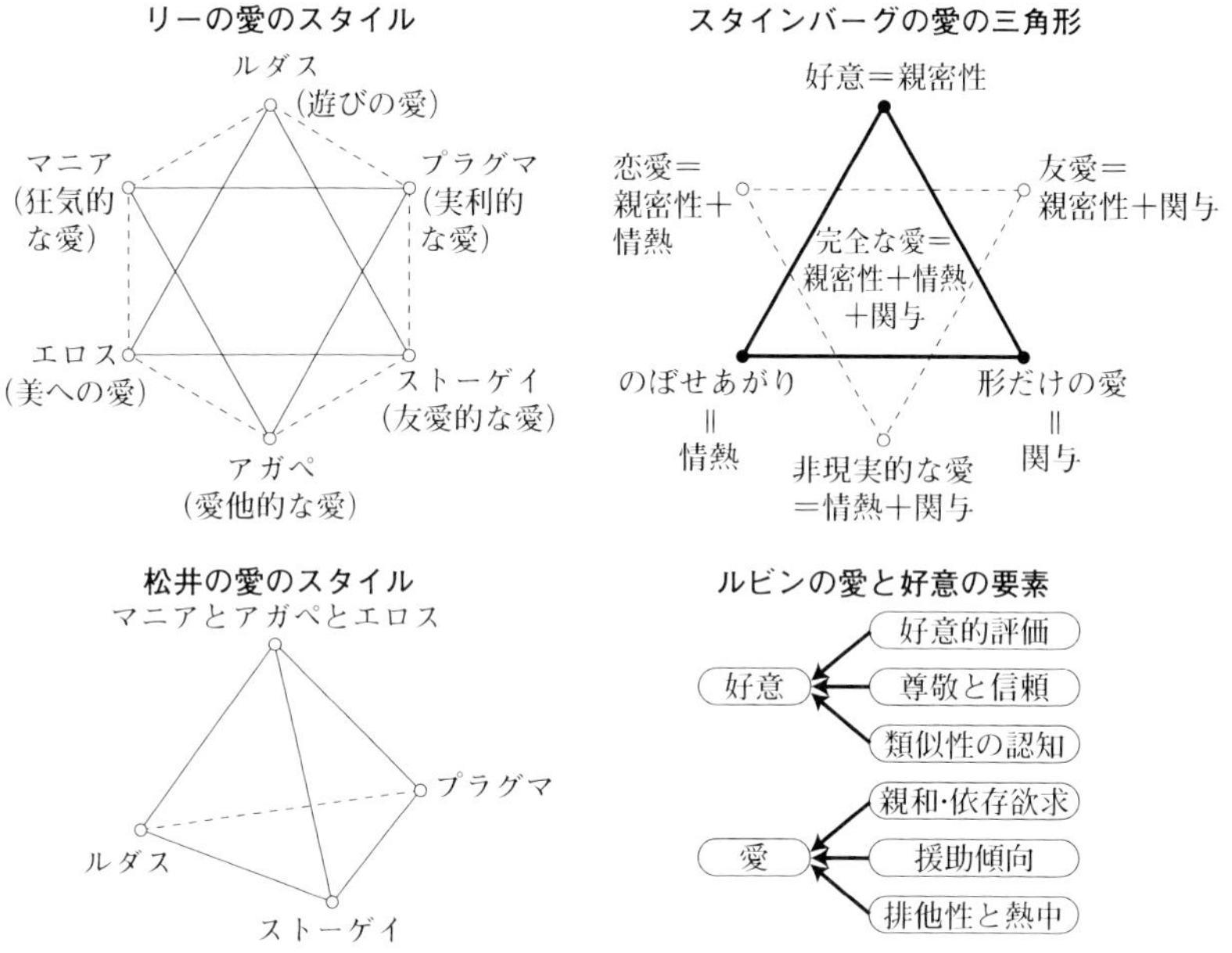

図1　愛の類型（藤原武弘・高橋超、1994　文献㉞）

の起源は、乳児の世話をしてくれる人との身体的接触にさかのぼる。一般的には、乳幼児は母親に対する愛が基盤となって、それが他者への愛となって発達、分化してゆく。この初期の愛の発達が妨げられると、大人になってから愛情関係を発達させることができなくなってしまう。愛には図1に示したように様々なタイプがある。

たとえば、スタインバーグの愛の三角形では、基本的には愛を親密性、情熱、関与といった三つの成分で捉え、更にこれら成分間の組み合わせで、恋愛、友愛、形だけの愛が派生的に生まれると仮定している。またリーは、ルダス、プラグマ、ストーゲイ、アガペ、エロス、マニアの六角形の形態で愛を仮定している。松井は更に実証的なデータに基づきリーのモデルを検討し、三角錐になるのではないかと述べている。

（藤原武弘）

キーワード　好意／愛／類似性／返報性

〔文　献〕㉞

対《たい》人《じん》関《かん》係《けい》
(interpersonal relationship)

人間関係と同義語として用いられる。対人関係の次元としては、次の四つが挙げられる（Wish, M., Deutch, M., & Kaplan, S.J., 1976(99)）。

(1) 競争的・敵対的—協力的・友好的：一般的な評価的次元。競争的・敵対的関係の例は、「看守と囚人」、協力的・友好的関係は「親友」、「夫と妻」である。

(2) 対等—非対等：一方が他方を統制しているかどうかに関わる次元。対等な関係としては「仕事の同僚」、非対等の関係としては「主人と召し使い」、「両親と子ども」。

(3) 表面的—親密的：親密さの程度に関わる次元。表面的な関係は「またいとこ」、親密な関係は「婚約者同士」、「夫と妻」。

(4) 社会情緒的・非公式的—課題志向的・公式的：特定の目的を達成するための人間関係。社会情緒的・非公式的な関係は「肉親」、「親友」、課題志向的・公式的な関係は「面接者と求職者」。

対人関係は、図1に示したように、四段階で発達してゆく（Levinger, G. & Snoek, D. J., 1972(60)）。

レベル0（接触なし）では、お互い相手の存在に気がついていない。レベル1（覚知）では、相手に気づき、印象はもったりしているが、まだ関わりがない。レベル2（表面的接触）では、挨拶をかわす程度の表面的な関わりをもつ段階である。レベル3（相互性）では、互いの影響を強く受け、共通の態度や行動が増え、お互いに依存しあい、一体感を高めていく。

対人関係では好意や情報が主に返報されるが、その他、いろいろな資源が交換される。フォア（Foa, U. G., 1971）は個別性と具体性の二次元から親密な対人関係で交換されるものを六つに分類している（図2参照）。ソーシャル・サポートとは、他者からの有益な援助のことである。道具的サポートとは、さまざまな問題を解決するための資源（物、情報）を与えるようなサポートであり、情緒的サポートは、問題に直面している人を情緒的に支えることである。ソーシャル・サポートが重要視されるのは、これが健康を促進する働きがあるからである。ストレスの高い状況に置かれても、ソーシャル・サポートがあれば、ストレスが緩和され、心身の健康度が高くなることが知られている。

対人関係の葛藤に対する反応　ラスバルト（Rusbult C. E., 1987(77)）は、行動が積極的であるか、消極的であるか、またその行動が問題の解決を目指した建設的なものか、妨害的なものかの二次元で図3のように四つのパターンに分類している。

対人関係の理論

(1) 公平理論

他者と比較して、自分の貢献度に見合った報酬が得られない時には、不満が生じ、逆に貢献していないのに過分な報酬が得られると罪悪感が生じる。不公平な状態が生じると、公平を回復することに動機づけられ、自分の投入量や結果を増減させたり、投入量や結果を歪曲して知覚する。

(2) 投資モデル

相互依存性理論からラスバルトが発展させたもの。〔コミットメント＝関係の満足度＋投資－代替選択肢の存在〕と表わされる。関係性に満足していたり、今までに投資した苦労、時間、金が多ければ、関係性を維持しようとする。また不満はなくても、他に魅力的な人がいれば、関係を維持しようとはしない。

（藤原武弘）

キーワード 資源の交換／公平理論／投資モデル

〔文献〕 ㉖㉞㊺⑥⓪⑦⑦⑨⑨

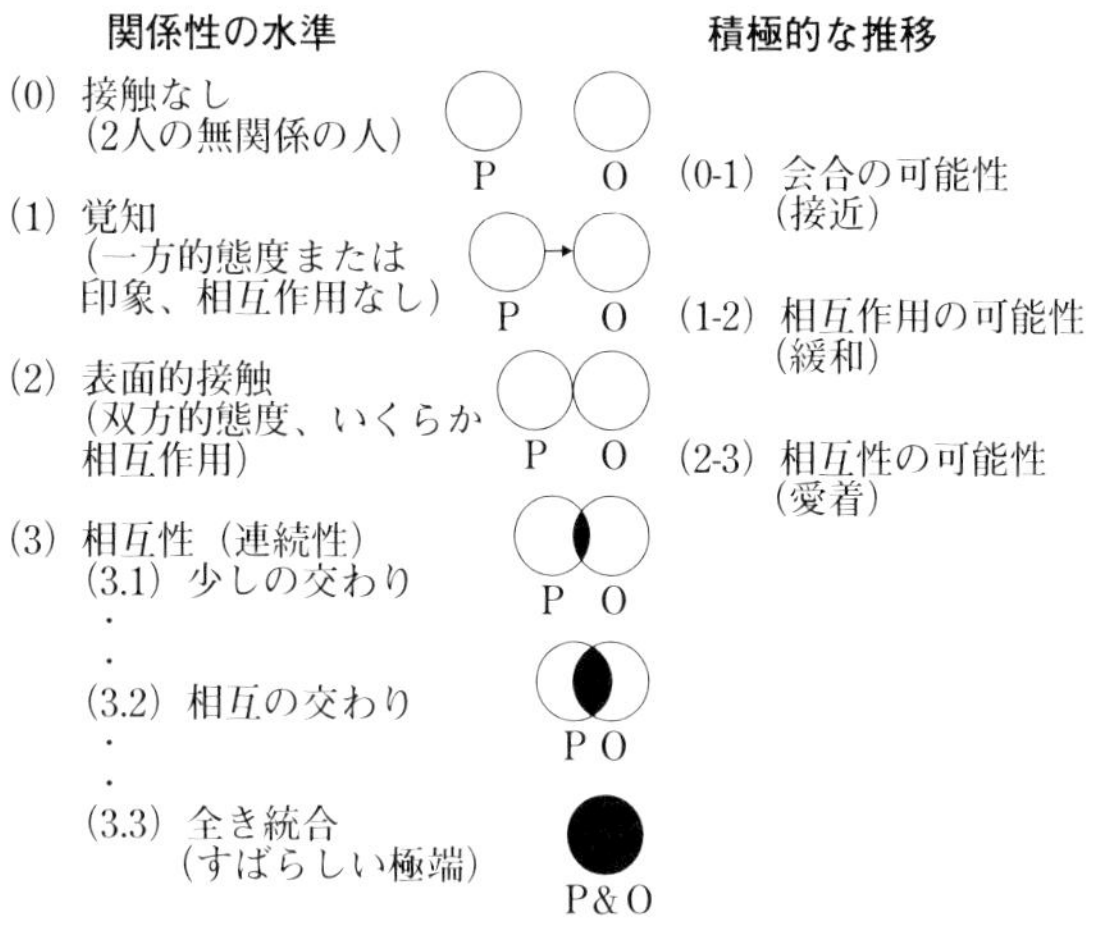

図1　関係性のレベル（Levinger & Snoek, 1972　文献⑥⓪）

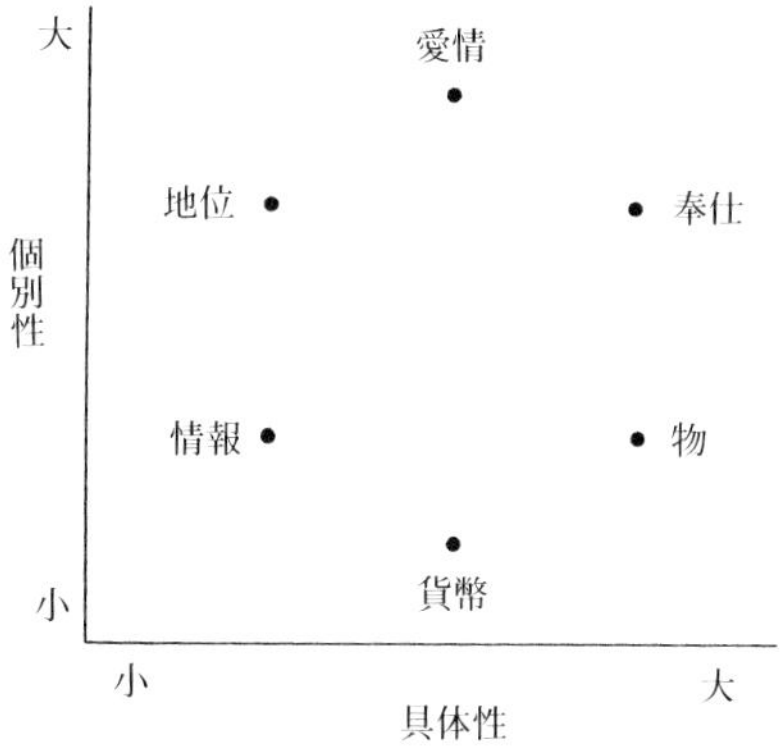

図2　フォア（1971　文献㉖）**の交換財円環図**

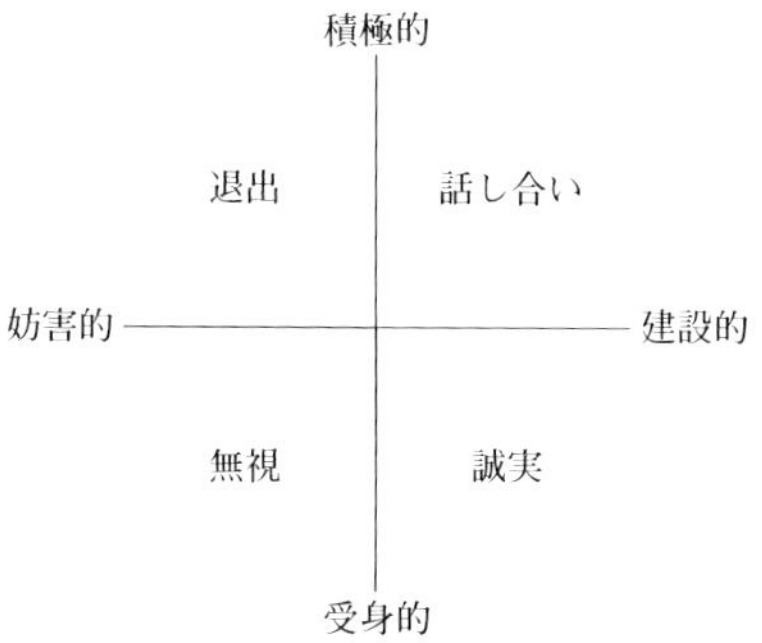

図3　退出–話し合い–誠実–無視モデル（Rusbult, 1987　文献⑦⑦）

態《たい》度《ど》測《そく》定《てい》法《ほう》

(attitude measurement)

1　サーストン法 (Thurstone method)

等現間隔法 (Equal appearing interval method) ともいう。サーストン法は、好意—非好意といった所与の一元連続体に関して、一つひとつの意見項目の尺度値の分布が等間隔になるように尺度を構成し、被験者によって選択された意見項目得点の平均によって、その個人の連続体上での位置を推定しようとする方法である。

尺度作成の過程は、まず測定しようとする態度対象に関する意見項目を、好意的から非好意的なものにまでわたるよう、できるだけ多くの意見を集める。次に、一群の判定者に、各々の意見項目がどれくらい好意的なのかを、一一段階に分類させ、各意見項目の中央値及び四分偏差値を算出する。この中央値が態度尺度となる。また四分偏差値の大きいものは、ステイトメントの意味が多義的であるため捨て去ることにする。最終的には、一一点から一点までの全域にできるだけ等間隔にちらばるように意見項目を選ぶ。このようにしてできあがった態度尺度を被験者に与え、自己の意見に近いものを選ばせる。選択されたステイトメントの尺度値の算術平均または中央値を算出し、各自の態度得点とする。

2　リカート法 (Likert method)

理論的には、ある個人のある特定のステイトメントに対する態度は、一つの態度尺度上で規準正規分布をする確率変数であると仮定する。この態度尺度の上で、五段階評定の場合には、a、b、c、dという四つの区分点があり、態度をあらわす確率変数nがa以下の値をとった時には、「強く反対」という反応が生じ、aとbの間の値をとった時には「反対」という反応が生じ……d以上の値をとった時には「強く賛成」という反応が生じると仮定する。この時、各段階の反応に対応する尺度値は、それぞれの区間における平均値 (z_1～z_5) と定める。以上はシグマ値法と呼ばれる尺度値算出法であるが、実際には、「強く賛成」から「強く反対」までの五反応に、5、4、3、2、1といった尺度値を与える簡略法を適用しても、結果には大差がないことが知られている。

実際の尺度構成の手段は、まず一定の態度に関する意見項目を数多く集め、その項目に対する賛成—反対の程度を五段階ないし七段階で評定を求める。次に簡略法ないしシグマ値法で、各カテゴリーのウェイトを定め、個人ごとの合計得点を算出する。

しかし、各意見項目がすべて同じ態度次元に属しているという保証はない。各意見項目がどの程度一次元性を保持しているのかを検討する必要がある。そこで項目分析が行われる。ここでは上位—下位分析と呼ばれる方法について説明する。まず合計得点を計算して、その得点の高い者から順番に並べ、上位群および下位群を二五％程度ずつ選び出す。次に各意見項目について両群間の平均に意味のある差があるかどうかを統計的に検定する。その結果から、両群の平均値の間に有意味な差が認められない意見項目は一次元性が疑わしいと考えられるので除去したり、訂正したりして、採点し直し、最終的な態度得点を決める。

3　SD法

(Semantic Differential method)

もともとは情緒的意味を測定するために、オズグッドら (Osgood, C.E., Suci, G.J. & Tannenbaum, P. H., 1957) によって開発された手法である。図1に示したように、一連の両極性形容詞対の尺度上に、いろいろな概念（人物、争点、絵、制度など何でもよい）の評定を求める。文化の異なるさまざまの国で、いろいろな概念について評定を求め、その結果を因子分析したところ、常に「評価」「活動的」「力量性」といった三つの主要な因子が見出されている。特に、良い―悪い、美しい―みにくい、正直な―不正直な、公平な―不公平なといった形容詞対よりなる「評価」の因子を用いて、態度の感情的成分を測定することができる。オズグッドらによれば、サーストン法やリカート法といった尺度とSD法との間には高い相関があり、SD法が、態度尺度として充分に有用であることが指摘されている。SD法は、形容詞対の選び方によっては、感情的成分といった単一の次元のみならず、認知的成分をも測定可能となり、その点では多次元的な尺度ともいえよう。

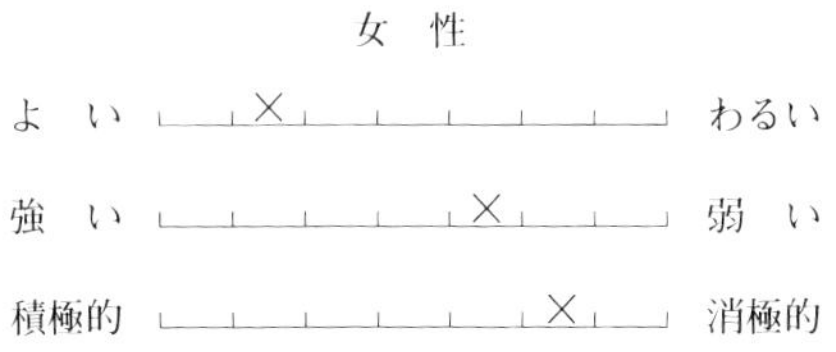

図1　SD法の尺度例（藤原武弘、1997　文献㉛）

4　生理的反応による方法

今まで紹介してきた態度測定法は、自己報告形式に基づくものである。自己報告法では、たとえば嘘をつく、自分を良く見せようとするといった、調査対象者の意図により反応が歪められる可能性がある。そうした欠点を補うためのものとして、自律神経系の反応を測定することで、態度を推測する方法がある。たとえば、古くは皮膚電気反応（GSR）を測定することで、偏見といった否定的な情動を測定する試みがなされていた。つまり、手のひらに弱い電流を流して抵抗の変化を捉えることで、情動のレベルを測定することが行われている。その他、関心の高い刺激対象に対した場合に（女性にとっての赤ん坊、男性にとっての女性のヌード写真）、瞳孔が拡大するという報告や高い恐怖を生じさせるフィルムは心拍数を増大させるという報告もあり、自律神経系の反応が態度の指標となることが明らかにされている。

（藤原武弘）

キーワード　サーストン法／リカート法／SD法

〔文　献〕㉛

態《たい》度《ど》変《へん》容《よう》

態度変化ともいう。私たちが日常用語として用いる態度は、例えば「態度が悪い」「反省の気持ちを態度で示す」などのように人の内的な精神状態が行動として外的にあらわれたもののことを指すことが多い。しかし、心理用語として用いられる場合には行動を含まない。むしろ、その行動を予測・説明するために考案された仮説的構成概念である。一般に、態度とはある対象（事物、人、集団、あるいは社会的事象）に対して一定の仕方で反応させる内的傾向のことと定義される。そして態度変容とは、ある一定期間持続していた態度が内的あるいは外的要因によって変化することをいう。

態度変容に関する研究が精力的に行われた一九五〇年代および一九六〇年代の研究を概括すると、大きく二つの流れが存在することがわかる。一つは、ホブランド（Hovland,C.I.）を中心とするエール学派による説得的コミュニケーションと態度変容に関する一連の研究である。説得的コミュニケーションとは、コミュニケーションの送り手がその受け手の態度を変化させることを意図して行われるコミュニケーションのことを指す。ここではコミュニケーションを介して説得が行われるということで、（一）送り手、（二）メッセージの内容・構成・提示方法、（三）受け手、などの要因を中心に態度変容に及ぼす効果が検討された。説得的コミュニケーションを介してという点に着目すれば、主に外的要因による態度変容に関する研究とも位置づけられる。

もう一つの流れは、認知的斉合性理論を検証しようとするものである。個人のある態度対象に対する認知要素間に斉合性がなければ、そうした事態は個人にとって不快な状態であり心理的緊張をもたらすことになる。こうした緊張状態を解消するためには、斉合していないいずれかの認知を改めて斉合性を保とうとするために、その結果として態度変容が生じると考えられる。こうした考えを基本とする態度変容モデルを総称して認知的斉合性理論と呼び、その検証が行われてきた。代表的な認知的斉合性理論としては、ハイダー（Heider,F., 1946）の認知的均衡理論、ニューカム（Newcomb,T.M., 1959(71)）のA-B-Xモデル、オズグッドとタンネンバウム（Osgood,C.E. & Tannenbaum,P.H., 1955(73)）の適合性理論、フェスティンガー（Festinger,L., 1957㉒）の認知的不協和理論などがある。個人内の認知要素間の斉合性に着目している点からは、主に内的要因による態度変容に関する研究とも位置づけられる。

ところで、態度変容に関する研究をこうした二つの流れからとらえる他に、態度変容の原理に焦点をあて、（一）態度対象との直接経験の影響によって生じる態度変容、（二）社会的に媒介された経験による態度変容、（三）誘因によって導かれた行動変容が関連する態度に及ぼすインパクト、という観点からの分類もある（Stroebe,W. & Yonas,K., 1988(88)）。

深田（一九八七㉟）が指摘するように、一九六〇年代までの態度変容研究は、一つの理論や公式を広範囲な態度変容現象に適用しようと試みたが、以後の研究では、限定された範囲の態度変容現象を説明するための理論が提出されてきている。例えば、ケルマン（Kelman,H.C., 1961(56)）の態度変容の三過程理論は、三種類の送り手の特性と態度変容

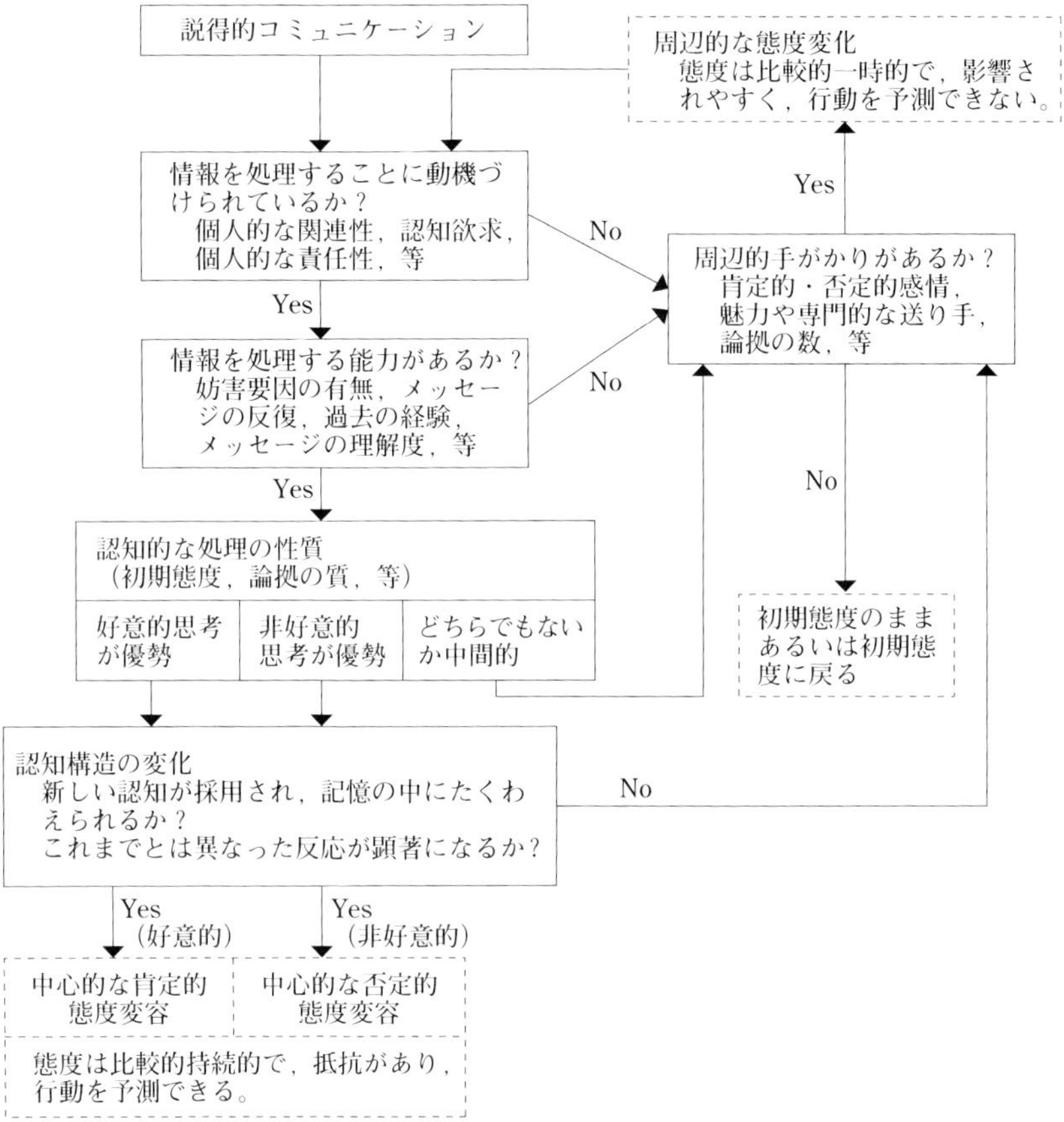
説得的コミュニケーション
周辺的な態度変化
態度は比較的一時的で，影響されやすく，行動を予測できない。
情報を処理することに動機づけられているか？
個人的な関連性，認知欲求，個人的な責任性，等
No
Yes
周辺的手がかりがあるか？
肯定的・否定的感情，
魅力や専門的な送り手，
論拠の数，等
Yes
情報を処理する能力があるか？
妨害要因の有無，メッセージの反復，過去の経験，メッセージの理解度，等
No
No
Yes
認知的な処理の性質
（初期態度，論拠の質，等）
好意的思考が優勢
非好意的思考が優勢
どちらでもないか中間的
初期態度のままあるいは初期態度に戻る
認知構造の変化
新しい認知が採用され，記憶の中にたくわえられるか？
これまでとは異なった反応が顕著になるか？
No
Yes
（好意的）
Yes
（非好意的）
中心的な肯定的態度変容
中心的な否定的態度変容
態度は比較的持続的で，抵抗があり，行動を予測できる。

図1　ペティらのELMの図式（文献）⑭

の性質との間の関係のみを説明するものであるし、マクガイア（McGuire,W.J., 1964⑥⑤）の接種理論は、社会的・文化的に自明の理である説得話題における態度変容にしか適用できないし、ブレーム（Brehm,J.W., 1966⑪）のリアクタンス理論は、社会的影響が個人の自由に対する脅威となる場合にのみ適用可能な理論である（深田　一九八七㉟）。

こうした態度変容に関する小理論が多く提出される中、近年、情報処理理論的アプローチから態度変容に関する一般理論の提出が行われている。その一つがペティとカシオッポ（Petty,R.E. & Cacioppo,J.T., 1986⑭）による精査可能性モデル（ELM：Elaboration Likelihood Model）である。図1に示したように、説得的コミュニケーションを処理する過程において情報処理のルートを決定する要因を示すとともに、態度変容に至るルートとして中心的ルートと周辺的ルートを想定して、従来の説得的コミュニケーションによる態度変容研究を広範囲に包括する理論を展開している。

（神山貴弥）

キーワード　説得的コミュニケーション／認知的斉合性理論／情報処理理論的アプローチ

〔**文　献**〕⑪㉒㉟㊽⑥⑤⑦①⑦③⑭⑧⑧

集団《しゅうだん》（集団凝集性《しゅうだんぎょうしゅうせい》・集団規範《しゅうだんきはん》）

「集団」の定義は研究者によってさまざまであるが、集団についての科学的研究の先駆者であるレヴィン（Lewin,K.,1890-1947）をはじめ、多くの研究者（例えば、Cartwright,D. & Zander,A.,1960⑮；蜂屋 一九八六㊲；Forsyth,D.R.,1999㉙）は、集団を「何らかの程度の相互依存関係にある二人以上の人々の集合」と捉えている。相互依存とは、「ある人の経験や行為や成果が、集団内の他の人々の経験や行為や成果につながっている」（Brown,R.,1988⑫）ということである（ただし、相互依存関係がなくても集団が成立することを主張する研究者もいる。詳細はTurner,J.C.,1987(96)またはHogg,M.A. & Abrams,D.,1988㊹を参照）。

集団には他にも次のような特徴がある。①人々の間に、ある程度持続的な相互作用があること、②集団目標があり、人々がそれを達成するために協力し合っていること、③人々の間に役割と地位の分化がみられること、④人々の行動や態度を規定する規範ができていること、⑤人々が同じ集団の成員（member）としての社会的アイデンティティを共有しており、他の人々と自分たちを区別できること、⑥人々がその集団に所属していることに魅力を感じており、そこにとどまろうとする強い愛着を感じていること。

集団目標とは、集団が将来において到達することを動機づけられた、集団にとって望ましい状態を意味する（佐々木　一九八六(79)）。集団目標は、集団の成員たちが協力し合ってはじめて達成できるものであり、個人的な目標が同じであってもそれが集団目標になるとは限らない（例えば、同じ女性と結婚したがっている三人の男性グループは、同じ個人目標をもっているが、それは集団目標ではない）。集団目標を達成するために具体的に取り組むべき問題を集団課題と呼び、集団課題の特性は集団過程に大きな影響を与える。

多くの集団には、通常、さまざまな役割が設けられており、地位階層が存在している。例えば、学校には、校長、教頭、クラス担任、生徒などの役割がある。これらの役割が集団成員に適切に割り当てられ、遂行されることによって、集団目標の達成が促進される。これらのように、集団成員間の関係性の安定したパターンのことを集団構造（group structure）という。集団構造は、地位・役割関係の他に、好悪感情から見た関係やコミュニケーション・ネットワークなどの側面からも捉えることができる。集団構造は、課題遂行や集団成員の意欲に影響を及ぼすことが知られている。

集団が活動を続けていくと、この集団の成員がどのように行動すべき（またはすべきでない）かの基準が形成されてくる。このように、集団成員が共有する行動の許容範囲や枠組みのことを集団規範（group norm）と呼ぶ。

集団規範の成立は、自動運動現象（完全暗室内で静止した小さな光点を凝視していると、それが動いているように見える錯覚）を利用したシェリフ（Sherif,M.,1935(83)）の実験によく表されている。シェリフは、まず被験者を単独で完全暗室に入れ、自動運動現象に関する知識を与えないで光点の移動距離を一〇〇回判断させ、各被験者の判断値がほぼ一定の大きさに収斂する（すなわち、個人的規範の形成）ことを確認した。その後、被験者を二人または三人一緒にして、他の人に聞こえるように各人に一〇〇回の判断を報告させたところ、異なった個人的規範をもつ人々の判断が、次第にその集団特有の狭い範囲の判断値、すなわち集団規範に向けて収斂することを見出した。先に集団判断を、後から個人判断を行った被験者たちの場合は、最初に形成された集団規範が後の個人判断セッションでも持続したのである。

このように、集団規範は、成員の行動だけでなく、知覚、評価、感情などにも影響を及ぼすことがあり、集団斉一化への圧力をもたらす要因となる。集団規範には、成員が自分の置かれた環境を解釈し予測する助けとなり、集団目標の達成を促進し、集団が集団として維持されることを助けるという機能がある。

集団への魅力に関連する集団の特徴は、集団凝集性（group cohesiveness）である。集団凝集性とは、「集団成員を集団に留まらせるように作用する力の総量」（Festinger,L.,1950㉑）と定義されている。基本的には集団の統一性や結束などの全体的特徴を表す概念であるが、具体的には、成員間の対人的な魅力度や、成員個人から見た集団の魅力度など、個人の側から見た集団の魅力として測定される場合が多い（このような観点は集団概念としての凝集性を捉えていないという批判もある。詳細はHogg,M.A.,1992㊸を参照）。集団凝集性は、集団規範への同調を促し、集団の分裂や崩壊を阻止する働きをもつ。その反面、集団に革新が求められる場合には有害な要因にもなりうる。例えば、ジャニス（Janis,I.L.,1982㊾）は、集団合議が浅慮とも呼べるような理に適わない決定を導いてしまう集団的浅慮（groupthink）という現象をもたらす一つの要因が、意思決定集団の高い凝集性であることを指摘している。

以上の特徴をどの程度備えているかは集団によって異なっており、一つの集団の中でも状況によってさまざまに変化し得る。レヴィンが集団とその成員の行動に関する行動科学を「グループ・ダイナミックス（group dynamics）」と呼んだように、集団は安定的・静的なものではなく、外部環境に影響を受けながらダイナミックに変化するものなのである。

（坂田桐子）

キーワード　集団構造／集団規範／集団凝集性

〔文　献〕⑫⑮㉑㉙㊲㊸㊹㊾(79)(83)(96)

同《どう》調《ちょう》行《こう》動《どう》

他者や集団の基準と同じ行動をとること、または行動や態度や判断などを他者や集団の期待に沿う方向に変化させることを同調(conformity)という。

アッシュ(Asch,S.E.,1951⑤, 1952⑥)は、線分の比較判断課題(図1)を用いて、同調に関する実験を行った。この課題は、左図の線分と同じ長さの線分を右図の三本から選ぶという、正解の明確な課題である。実際、被験者が一人でこの課題を行った統制群(一五名)では、一七五回の判断中七・四%の誤答が見られたに過ぎない。実験群では、半円状に着席した参加者七~九名が順に判断課題に回答することになっていたが、真の被験者は最後の方に座った一人だけであり、残りはサクラであった。サクラは一二試行中七試行で揃って同じ誤答をした。その結果、実験群の真の被験者三一名中、一回も誤答をしなかったのは六名にすぎなかった。総判断数二一七回中、多数派に同調した誤答は七二回(三三・二%)にのぼった。

このように、内面的な変化(私的受容)を伴わない表面的な同調を屈従または追従(compliance)と呼ぶ。その後の研究で、サクラの一人が他のサクラの誤答と別の誤答をすることによって多数派の全員一致が破られれば、同調率は激減することが見出されている。

ドイッチとジェラード(Deutsch, M. & Gerard,H.B.,1955⑲)は、同調過程に規範的影響と情報的影響という二種類の影響力が作用することを指摘した。規範的影響(normative influence)とは、他の集団メンバーから受容されたいという動機に基づいて、集団の基準や多数派の行動と一致する方向に自分の行動を変化させるという影響過程である。また、情報的影響(informational influence)とは、正しい判断を下したいという動機に基づいて、他の集団メンバーの意見や判断を参考にした結果、自分の判断や行動を変化させるという影響過程である。課題の正解は明白であったにもかかわらず多数派の誤答への同調が生じたアッシュの実験では、規範的影響による同調が主であったと考えられている。なお、ターナー(Turner,J.C.,1987⑯)は、自己カテゴリー化によって内集団への同一視が生じると、その内集団アイデンティティを特徴づける規範を習得してそれに一致した行動をとるという、準拠情報的影響(referent informational influence)によって同調を説明している。

(坂田桐子)

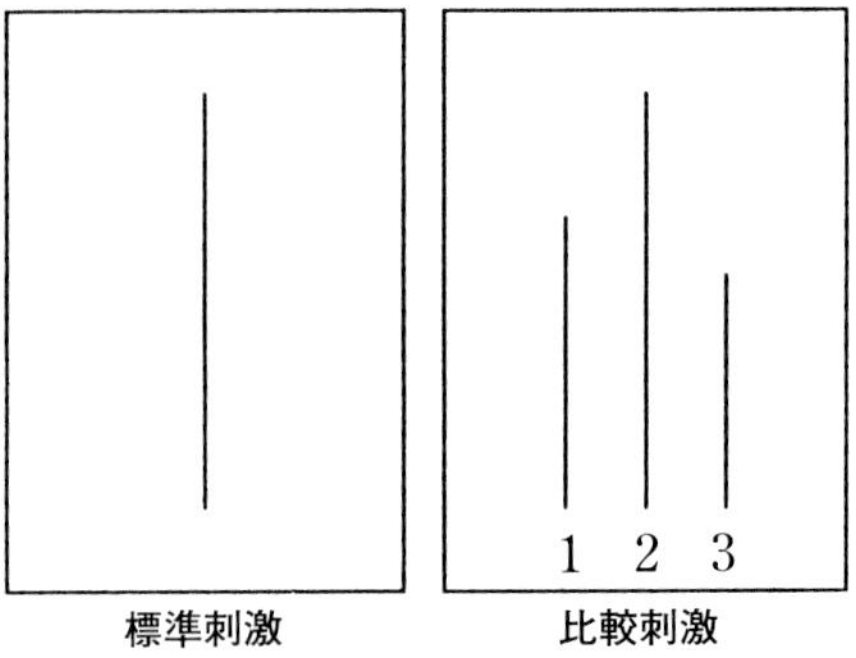

図1 アッシュの実験で用いられた線分の比較判断課題(文献⑥)

キーワード 規範的影響/情報的影響

〔文献〕⑤⑥⑲96

リーダーシップ（社会的勢力）

広義のリーダーシップ（leadership）とは、集団目標の達成を意図した、ある集団成員から他成員への影響の試みのことを指す。この影響の試みが他成員に受け入れられるとリーダーシップは成功であり、リーダーシップが比較的成功しやすい成員がリーダー（leader）である。企業における管理職などのように、役割や権限が定められている制度上のリーダーを公式リーダー（formal leader）、制度上のリーダーではないがリーダーシップの成功しやすい影響力のある成員を非公式リーダー（informal leader）と呼ぶ。集団内のリーダー以外のメンバーはフォロワー（follower）と呼ばれる。

成員がリーダーからの影響の試みを受け入れやすいのは、通常、リーダーの方が他の成員より大きな社会的勢力を持つからである。社会的勢力（social power）とは、ある個人が他者の行動や態度を自分の望む方向に変化させることのできる潜在的影響力のことであり、社会的勢力を成立させる基盤を勢力資源という。フレンチとレイブン（French,J.R.P.Jr. & Raven,B.H.,1959[30]）は、勢力資源の違いに基づく次の五種類の勢力を挙げている。「報酬勢力」と「強制勢力」は、人物Aが人物Bに対して物理的・心理的な報酬または罰を与える力をもつこと、「正当（legitimate）勢力」はAがBの行動に影響を与える正当な権利を有すること、「専門勢力」はAがある領域において卓越した技能や専門知識を有すること、そして「参照（referent）勢力」はAがBからの同一視や好意を向けられることによって、AがBに対してもつ勢力である。ただし、いずれの場合も、Aがそれらの勢力資源を有することをBが認識していなければ勢力関係は成立しない。

リーダーシップ理論の多くは、狭義のリーダーシップ、すなわち「リーダーが集団目標の達成に向けて他成員に影響を及ぼす過程」に焦点を当ててきた。リーダーシップ研究の初期には、リーダーの個人特性を追求する特性論的アプローチが主であった。これらの研究を展望したストッディル（Stogdill,R.M.,1974[87]）によると、一般的にリーダーはフォロワーに比べて、知能、自信、支配性、社交性、達成志向性などがわずかに高いものの、これらの傾向は研究間で一貫せず、個人特性だけではリーダーシップ現象の解明に限界があることが明らかになった。そのため、研究者の関心はリーダーの特性から行動へ移り、行動論的もしくは機能論的アプローチが主流となった。これらの研究（例えば、Cartwright, D. & Zander, A.,1960[15]；三隅・関・篠原 一九六九[68]）から、リーダーシップ機能は、集団目標の達成を促進する目標達成機能と、集団のまとまりを維持し強化する集団維持機能の二つに大きく分けられることが判明した。

三隅（一九六四[67]）は、産業組織や学級集団など多様な集団についての実証研究から、この二機能に対応するP（Performance）機能とM（Maintenance）機能に焦点を当てたＰＭ論を展開している。一般的に、集団の生産性の高さは、両機能を高度に発揮するＰＭ（ラージ・ピーエム）型リーダー＞Ｐ機能は強くＭ機能は弱いＰ型リーダー＞Ｐ機能が弱くＭ機能が強いＭ型リーダー＞両機能の弱いｐｍ（スモール・ピーエム）型リーダーの順になり、フォロワーの動機づけや集団の凝集性の高さは、ＰＭ型＞Ｍ型＞Ｐ型＞ｐｍ型の順になるという。

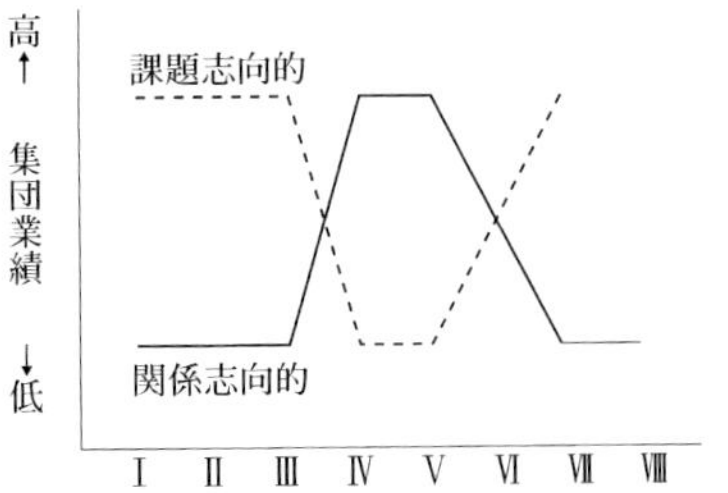

オクタント	Ⅰ	Ⅱ	Ⅲ	Ⅳ	Ⅴ	Ⅵ	Ⅶ	Ⅷ
リーダーと成員の関係	良	良	良	良	悪	悪	悪	悪
課題の構造	高	高	低	低	高	高	低	低
リーダーの地位勢力	強	弱	強	弱	強	弱	強	弱
リーダーの状況統制力	高統制			中統制				低統制

図１　リーダーシップ状況即応モデルの概念図
(Fiedler, F., 1978　文献㉔)

　一方、リーダーシップ行動の効果は課題の特性などの状況要因によって異なることも指摘され、状況理論が数多く提唱されることになる。代表的な理論の一つは、フィードラー（Fiedler,F.E.,1967㉓）のリーダーシップ状況即応モデル（contingency model of leadership）である。このモデルは、課題志向的―関係志向的次元で判定されるリーダーの特性と集団生産性との関係が、①リーダーと他の成員との関係（リーダーが成員から受ける支持の程度）、②課題の構造（課題目標やそこへ到達する手順が明確である程度）、③リーダーの地位勢力（リーダーの地位に付与されている権限の程度）の三要因の組み合わせから成る八つの集団状況（オクタントと呼ぶ）によって変動するというものである（図1）。

　リーダーが集団を統制しやすいオクタントⅠ～Ⅲ、および統制しにくいオクタントⅧのような状況では課題志向的リーダーが、中間のオクタントでは関係志向的リーダーが良い成績を上げやすいことが示されている（この理論のその後の発展については、Chemers,M.M.,1997⑯を参照）。状況理論には、他にＳＬ理論（situational leadership theory: Hersey,P. & Blanchard,K.H.,1977㊶）やパス・ゴール理論（path - goal theory: House,R.J.,1971㊻）などがある。

　なお、近年では、カリスマ性を備え、成員の志気を鼓舞し、創造的な発想を成員に促すことによって、集団に革新をもたらす変革型リーダーシップ（transformational leadership: Bass,B.M.,1998⑨）などの新しい視点も提唱されており、関心を集めている。

（坂田桐子）

キーワード　社会的勢力／リーダーシップＰＭ論／リーダーシップ状況即応モデル

〔文　献〕　⑨⑮⑯㉓㉔㉚㊶㊻(67)(68)(87)

攻《こう》撃《げき》行《こう》動《どう》
(aggressive behavior)

攻撃とは、どんな形であれ、危害を避けようとする他人に危害を加えようとしてなされる行動である（Barron, R. A., 1977⑧）。この定義は簡潔だがいくつか重要な点が含まれている。第一に攻撃を感情、動機、態度といった内的な状態ではなく、外に表れた行動に限定している。第二に、相手に危害を加えようとする意図があること。第三に、ここでの危害には肉体的な損傷のみならず、言語的、間接的な危害も含まれる。第四に、対象が無生物ではなく、人間に危害を加える行為のみを攻撃とみている。第五に、危険を避けようとしている人に危害が加えられた場合に攻撃が限定されている。攻撃行動のタイプとしては、バス（Buss, A. H., 1961）は、肉体的—言語的、積極的—消極的、直接的—間接的の三つの次元から攻撃を八つのパターンに分類している（表1参照）。

攻撃行動の理論としては、大きく分けて次の三つの理論がある。

1 本能行動としての攻撃

フロイト（Freud,S.）によれば、人間は誕生の瞬間から二つの対立する本能、すなわち成長し生き延びさせる生の本能（エロス）と自己破壊に向かって働く死の本能（タナトス）がある。その本能は抑制されなければ、生命の終わりをもたらす。そこで転移によって死の本能のエネルギーは外部に向けられ、その結果他人に対する攻撃が生まれるとフロイトは考えた。

2 動因説

動因説は、欲求不満—攻撃仮説とも呼ばれ、エール大学のダラード他（Dollard, J. et al., 1939）によって唱えられた。攻撃とは、欲求不満に対する反応として獲得された動因である。欲求不満とは、目標反応が阻止された時に生じる状態である。最近では、欲求不満—攻撃仮説は、内的要因と外的要因の両方を強調するように修正されている。バーコヴィッツ（Berkowitz,L., 1969）によれば、攻撃の可能性は、攻撃へのレディネスと攻撃を誘発し標的を提供する外的な手がかりの両方に依存する（図1参照）。いつも攻撃的な人は、強いレディネスをもっており、外部からの軽い挑発があればそれで十分である。しかし穏やかな態度の人であっても、もし反復する強い欲求不満や挑発に出会えば、攻撃的になるかもしれない。

3 社会的学習説

社会的学習説によれば、攻撃とは何らかの本能や動因によるものではなく、個人が経験した規範、報酬や罰、モデルの結果である。人間が攻撃反応を習得する仕方の中で重要なのは、攻撃によって報酬を得たという体験である。攻撃に続いて正の強化があれば、攻撃をする傾向は強まり、攻撃が繰り返される可能性が高まる。正の強化をする働きのものとは、金、玩具、菓子、自分の欲しいもの、社会的に認められること、地位の向上、他人から嫌な顔をされなくなることなど多様なものがある。

こうした直接学習以上に重要なのが観察学習である。人間は、攻撃に限らずさまざまな行動を、他人の行動やその結果を観察して習得する。バンデューラ（Bandura, A., 1973）は、幼児や成人が他人の攻撃を観察するだけで、今までしなかった新しい攻撃をするようになるのを実験で示している。攻撃の模範を示す社会的なモデルは、物理的にその場に存在する必要はない。例えば、映画、テレビ、物語といった象徴的表現に接しても学習という現象は生じる。だから攻撃のモデルが正の強化を受けているか、罪を免れているのを目撃した人は、自ら攻撃行動をするようになることが多い。現代ではテレビや映画で数多くの暴力的なシーンが放映されている。そこではヒーローである主人公が暴力的な行為によって問題解決が試みられ、映画に登場する人々からも感謝されたり、喝采を浴びている。視聴者は間接的ではあるが、知らず知らずのうちに、暴力行為に対する嫌悪感の減少、慣れ、ひいてはそれが良いものだという態度を身につけていくかもしれない。

（藤原武弘）

キーワード 欲求不満—攻撃仮説／観察学習／本能行動

〔文　献〕⑧㉝

表1　攻撃行動の8つのタイプ（Buss, A. H., 1961）

攻撃行動のタイプ	具体的例
I　身体的—積極的—直接的	突く、なぐる、銃で撃つ
II　身体的—積極的—間接的	落とし穴におとす、人になぐらせる
III　身体的—消極的—直接的	座りこみをする、バリケードをはる
IV　身体的—消極的—間接的	ストライキをする
V　言語的—積極的—直接的	ののしる、侮辱する
VI　言語的—積極的—間接的	人の悪口をいう、ゴシップを流す
VII　言語的—消極的—直接的	話しかけられても無視する
VIII　言語的—消極的—間接的	黙否して弁護しない

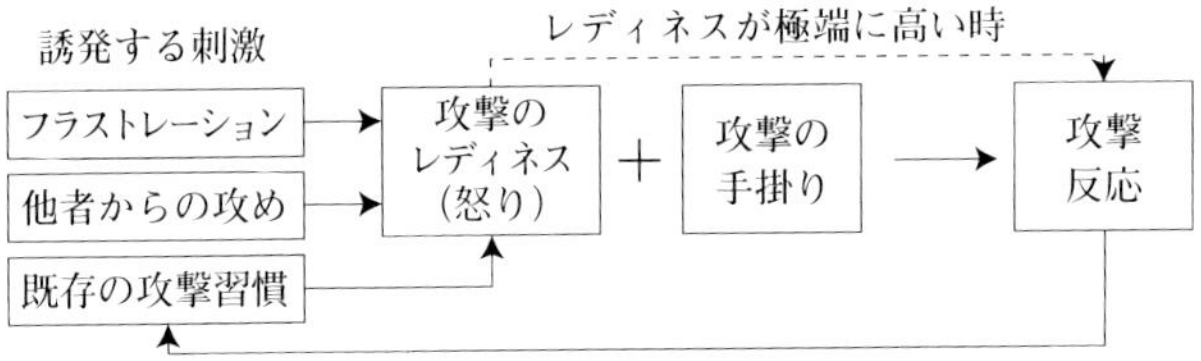

図1　バーコヴィッツの修正フラストレーション—攻撃仮説
（Shaffer, D. R., 1979 p.311）

援《えん》助《じょ》行《こう》動《どう》

援助行動（helping behavior）の定義は研究者によってさまざまであるが、一般的には「外的な報酬や返礼を目的とせず、自発的に行われた、他者に利益をもたらす行動」と定義される（松井　一九九八(64)）。従って、返礼を期待した贈答行動や社会的役割に基づく人助けは援助行動と見なさないが、援助者が感じる自己満足などの内的報酬を期待した行動は援助行動に含められる場合が多い。他者に利益をもたらすすべての行動を意味する向社会的行動（prosocial behavior）は援助行動の上位概念であり、一切の報酬を期待せず自分より他者の利益を望んで行われる愛他行動（altruistic behavior）は援助行動の下位概念である。援助行動に関する研究領域では、電車の中でお年寄りに席を譲ったり、急病の人を助けるなど、見知らぬ他者への一時的で私的な関わりを主な研究対象としてきており、既存の人間関係における持続的な相互扶助を研究対象とするソーシャル・サポート研究とは視点が異なる。

援助行動への心理学的な関心は、一九六四年にニューヨークで起きたキティ・ジェノヴィーズ殺害事件を契機として高まった。この事件は、深夜、帰宅途中の女性が暴漢に襲われているのを三八名もの市民が目撃しながら、誰もかけつけず、警察への通報も遅れたため、犠牲者が死に至ったというものである。ラタネとダーリィ（Latané,B. & Darley,J.M.1970(59)）は、このように援助要請者の周囲に他者が多く存在することによって援助行動が抑制されることを傍観者効果（bystander effect）と呼び、これが生じる理由として、①援助すべき責任が傍観者全員に分散される「責任の分散」、②他者が誰も援助しないのを見て、個々人が援助の必要のない状況だと解釈する「社会的影響」、③「援助することによって他者からでしゃばりだと思われたくない」など、他者からの評価を気にする「聴衆抑制」、の三点を明らかにした。以来、援助行動の規定因、援助行動の意思決定過程、および援助の行動様式の習得と発達の過程などに関する研究が数多く行われてきた。

援助行動の規定因としては、先述した他者（傍観者）の存在の他に、援助モデルの存在、援助者の気分、援助者の共感性、援助要請者の人口統計学的特徴などが挙げられる。他者を援助している援助モデルを観察することによって観察者の援助行動が促進されること、良い気分の人は悪い気分の人よりも援助的になること、援助要請者への共感が喚起されると援助行動が促進されること、女性や高齢者の方が男性や若年者より援助されやすいこと、などが概ね見出されている。

援助行動の意思決定過程について、ラタネら（一九七〇）は緊急事態の援助に関する意思決定モデルを提唱している（図1）。このモデルは、潜在的援助者が①緊急事態に気づき、②緊急事態であると正しく判断し、③援助の責任が自分にあると判断し、④自分が被る危険の大きさなどを考慮しながら介入様式を決定して、はじめて⑤介入を実行する、という流れを想定している。なじみの薄い場所や見知らぬ他者がいる状況では緊急事態に気

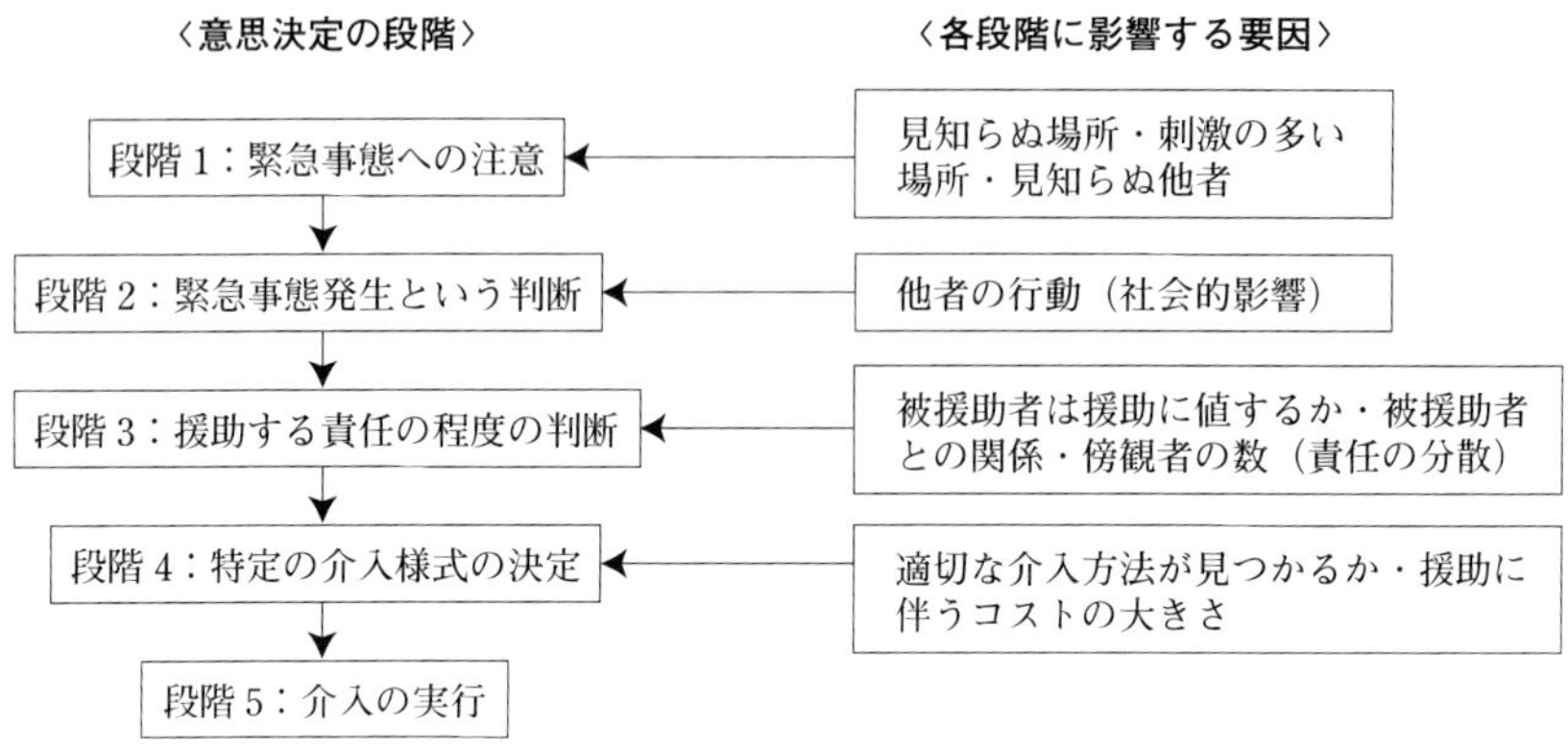

図1　ラタネら（1970　文献(59)）の緊急介入意思決定モデル

づきにくく（段階1）、先述の「社会的影響」が生じると事態の正しい判断が妨げられ（段階2）、多数の傍観者が存在すると「責任の分散」が生じる（段階3）ため、援助は生じにくくなる。また、介入のための能力や知識がなかったり、自分の身が危険にさらされるなど援助に伴うコストが大きかったりする（段階4）と、やはり援助は生じにくい。このモデルは認知過程に焦点を当てたところに特色がある。

一方、ピリアビンら（Piliavin, J.A.,et al.,1982(75)）のように、緊急事態で他者の困窮を観察することが不快な感情を喚起し、その不快さを低減しようとする動機づけと援助に伴うコストや報酬の計算によって、実際に介入するかどうかを決定するという、感情に注目したモデルもある。

この他にも、共感に注目したコークら（Coke,J. et al.,1978⑰）のモデル、従来の知見を統合した高木（一九九八(92)）のモデル、および援助状況の種類（日常的援助状況、寄付募金状況、緊急事態、ボランティア活動）ごとに生起する心理過程が異なることを考慮した松井（一九九一(63)）の状況対応モデルなど、それぞれに特徴あるモデルが提唱されている。また、援助者側の心理過程だけではなく、援助要請者の心理過程にも関心が向けられている（西川　一九九八(72)）。援助を要請することには、相手から無視されることへの恐れや、援助を求めるような事態に陥った自分の至らなさの露呈など、自尊心に脅威を与えるさまざまなコストが伴う。また、援助を受けることで、被援助者は援助者に何らかの形で返報しなければならないという心理的負債（indebtedness）を負うことになる。そのため、援助者と同様に、援助要請者も、援助要請を行うまでにいくつかの意思決定が必要になる。援助要請の生起過程については、相川（一九九九①）や高木（一九九八(92)）のモデルがある。

（坂田桐子）

キーワード　傍観者効果／援助の意思決定モデル／援助要請者の心理過程

〔文　献〕①⑰(59)(63)(64)(72)(75)(92)

流《りゅう》行《こう》（fashion）

流行とは、新しい行動様式が社会や集団の成員に普及していく過程であり、その結果として一時的ではあるが、一定の規模でそれが採用される集合現象である。流行と類似した概念として、ファッド（fad）、クレイズ（craze）などがあるが、その違いは図1に示した通りである。ファッド（一時的流行）とクレイズ（気の狂ったような急激な流行）は、いずれも流行に比べるとその命が短い。ただし両者には違いがあり、ファッドは少数者の好みで終わる一時的な現象、クレイズは急激に多数者の好みになる現象として区別される。

現代社会は、急速な技術革新、身分制の崩壊、権力構造の流動化、職業選択の自由、交通、コミュニケーションの頻度と速度の増大といった特徴に示されるように、変化、発展、進歩、拡大を理念とする開放的社会であり、そこでは新しい発想、技術が尊重される。更に大量に生産したものを大量に消費する必要のある、商業主義の圧力も手伝って、現代社会は流行を促進する条件が整っている。

流行の型に関しては、流行が人々の間にどのように広がっていくのかという、流行の伝播普及過程に注目して、池内（一九六八[48]）は次の三つに分類している。(1)一般化型（比較的初期は急激な普及の伸びを示し明らかに流行の様相を呈するが、その様式が目新しいもので無くなった後も、普及水準が維持され、定着する）、(2)減衰型（特定の様式を採用している期間がかなり短い）、(3)循環型（ほぼ同一の様式がある程度周期的に普及と衰退を繰り返す）（図2参照）。

流行現象の基本的特性として、鈴木（一九七七[89]）は、(1)新奇性（目新しい、珍しいものという印象を与えるもの）、(2)効用からの独立（役に立つものではない、情動的かつ非合理的傾向の産物）、(3)短命性（普及から消滅までの期間が短い）、(4)瑣末性（生活にとって本質的ではない「ささいなこと」をめぐって生じる）、(5)機能的選択肢の存在（流行しているものと、代替可能なものが存在する）、(6)周期性（時間軸上で反復やサイクルがある）を挙げている。

流行採用の動機としては、(1)自分の価値を高く見せようとする動機（自分の地位を高める、異性の注目や関心をひくための手段として流行を採用）、(2)集団や社会に適応しようとする動機（流行採用で自分が適切な行動を取っているという安心感を得、周囲の人間にも適切な人間であることを証明できる）、(3)個性化と自己実現の動機（他人とは違う人間だという、個別化、差別化のため、アイデンティティの確立のため）、(4)新奇なものを求める動機（環境や自己から刺激を求めるという、好奇心欲求）、(5)自我防衛の動機（抑圧された感情の発散、劣等感の克服）の五つを鈴木（一九七七[89]）は指摘している。

流行成立の条件としては、(1)所有あるいは習得のコスト（費用がかからなければ、流行が採用されやすい）、(2)使いこなすため

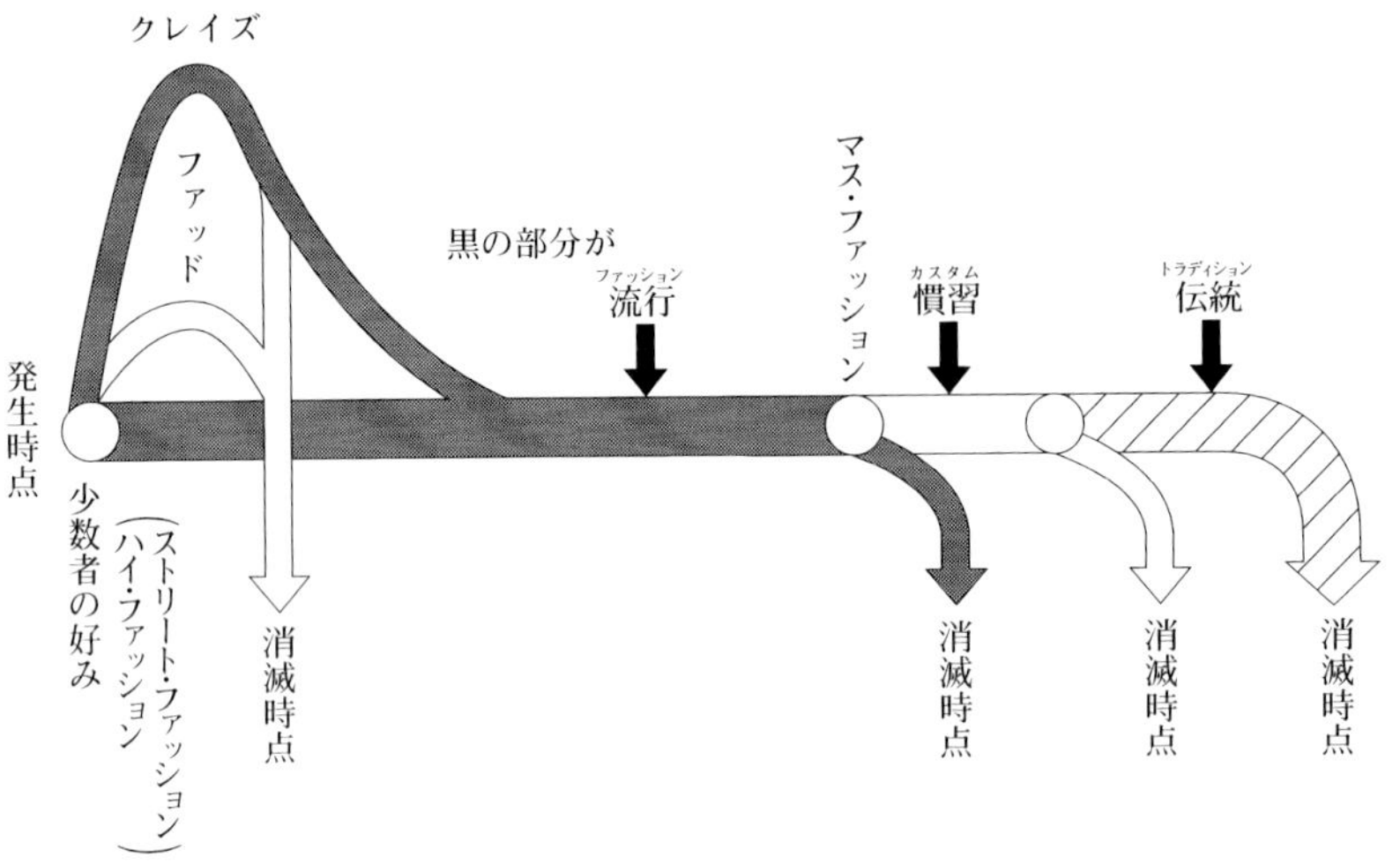

図1　ファッド、クレイズ、流行、慣習、伝統の関係（宮本、1972　文献(69)）

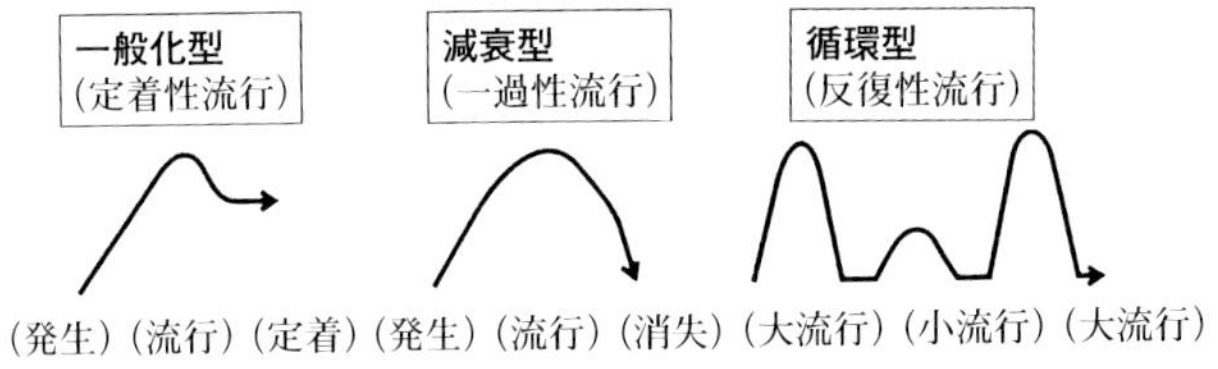

図2　流行の型（藤原武弘・高橋超、1994　文献㉞）

の予備知識や習得（衣服や装身具を身につけることは、たいした知識や技術も必要ではないので、流行になりやすい）、(3) 所有や使用の効果（満足感や優越感を得られれば、流行になる）、(4) 保続性（喫煙や飲酒のように習癖化すると、流行は定着する）、(5) 機能性（便利なものは受容される）、(6) 作り手の社会的威信（有名デザイナー、ブランドは採用される）の六つが指摘されている（池内（一九六八㊽）、川本（一九八一(53)））。

流行は普及過程の一つとして捉えられる。そこで普及過程の展開のどの段階でイノベーションが採用されるのかによって、採用者のカテゴリーは次の五つに分類される。(1)革新者・革新的採用者（冒険的な人々）、(2)初期採用者・初期少数採用者（尊敬される人々）、(3)前期追随者・前期多数採用者（慎重な人々）、(4)後期追随者・後期多数採用者（疑い深い人々）、(5)遅滞者・採用遅滞者（伝統的な人々）。

（藤原武弘）

キーワード　ファド／クレイズ／流行の型

〔文献〕㉞㊽(53)(69)(89)

流《りゅう》言《げん》 (rumor)

ある社会ないし集団の中で、情報内容について事実が確かめられることなく、人から人へと伝えられ、連鎖的に拡がってゆく社会的コミュニケーションのこと。デマ（demagogy、政治的煽動）は、不確定な経路を連鎖的に伝播していくという点では流言と類似しているが、デマはある目的のために意識的に歪曲ないし捏造された虚偽の情報で、流言とは異なる。

木下（一九七七⑰）は、流言発生の条件として個体的条件と社会的・集団的条件の二つを挙げている。個体的条件には、(1)主題への関心・興味（試験問題、異性関係、同僚の昇進といった、人々の興味をひき、関心をそそる主題で流言が発生しやすい）、(2)認知的あいまいさ（駅でもないのに電車が突然とまる、といった不確かな状況が流言を生みやすい）、(3)欲求・感情（強い不安感情が流言を誘発しやすい）、(4)性格（暗示への感受性の高さが流言を生む）、(5)批判能力（批判能力のなさが流言を生む）が含まれる。オールポートとポストマン（Allport, G. W. & Postman, L., 1947）は、流言発生のモデルとして、「R～i×a」という公式を提唱している。ここでのRは流言の大きさ、iは主題の重要性、aは主題のあいまいさである。

また、社会的・集団的条件には、(1)流言集団（流言の主題に関して共通の興味を抱く人々の集合）、(2)社会的緊張（戦争、天変地異、経済恐慌、選挙、試験）、(3)情報の不足（通信施設の破壊といった物理的制約や言論統制といった社会的制約）が含まれる。

流言の伝達にかかわる要因として、(1)流言集団（主題に対応する流言集団を選び出して伝わる）、(2)社会の中の人間関係（友人関係のネットワークに沿って伝わる）、(3)より大きな社会でのつながり（友人の友人といった、間接的なネットワークを含めると「世間は狭い」ので、流言は飛び火する）、(4)凝集性（凝集性の高い集団は流言が流れやすい）、(5)階層的構造（低い地位のものからより高い地位のものへ流言は流れる）、(6)生態学的な要因（伝え手と受け手の物理的な距離が近くなるほど、情報伝達量は加速的に増大する）を木下富雄（一九七七）は指摘している。

流言の変容の法則は次の三つである。(1)平均化（短く簡約化された単純な内容のものに変化すること）、(2)強調化（ある部分が特に選び出されて記憶されたり、実際以上に誇張して伝えられること）、(3)同化（合理化）（内容の取捨選択が行われ、あるいは置換、移入が行われ、全体の内容が個体の主体的枠組みにそった形に再構成される）。

（藤原武弘）

キーワード　デマ／流言集団／流言の変容

〔文献〕⑰

集合行動《しゅうごうこうどう》 (collective behavior)

　自然に発生し、集団のように組織化されておらず、将来の成り行きがあまり予測できない、計画性に欠けた、参加者同士の刺激に影響を受けやすい社会行動現象のこと。集合行動の現象的特徴として次の五つが指摘されている（児島和人　一九七八(58)）。(1) 全成員によって共有される明確な目標の欠如。(2) フォーマルな役割分化の不在。(3) 既存の規範からの逸脱。(4) 他の集団・集合体との境界の曖昧さ。(5) 相互作用の一時性、短期性。ただし、集合行動は制度的・組織的行動とはまったく異なるものではなく、むしろ比較的構造化されていない状況のもとで、既存の規範によって十分に統制されず、社会関係も秩序だってはいないが、それは同時に新たな構造・規範・秩序への移行過程を含んでいることに注意を払う必要がある。このように集合行動は無定形な性質を備えているので、多様であり、具体的には群集、暴動、パニック、リンチ、流行、流言、大衆行動、社会運動、革命等が含まれる。

　スメルサー（Smelser, N. J., 1962）、塩原（一九六七(85)）によると、集合行動は次の五つの基本類型に分類できる。(1) 集合逃走　直接の危機対象への恐怖からの逃走。「火星からの侵入」というラジオドラマを聞いた人々がそれを本当のニュースと間違え、パニックを起こした。(2) 願望表出行動　意味付け困難な状況への不安を、問題解決の効果のうすい願望表出行動により解消。幕末の「ええじゃないか」踊り、西欧中世の集合舞踏。(3) 敵意表出行動　不安や危機の対象の破壊、損傷、除去。リンチ、テロ、世直し、一揆、米騒動。(4) 規範志向行動　社会秩序の枠内で、既成の社会規範の改変。改良運動、体制内圧力運動。(5) 価値志向行動　社会の基本原理や価値の変革や復活。革命、宗教改革。

　流言と流行については別に独立に項目をたてているので、ここでは群集について述べる。

　群集とは、共通な関心を持った不特定多数の人々が、一定の空間に物理的に接触を持ちながら一時的に集まっている状態。ル・ボン（Le Bon, G. 1985）は、フランス革命の民衆のあり方を群集として捉え、それが非合理的で、感情的、暗示にかかりやすく、感染されやすいと規定し、群集が支配的になる社会は危機的であると述べた。ブラウン（Brown, R. W., 1954⑭）は群集を活動的と受動的に分け、図1のように分類している。

　群集は、モッブ（乱集、強烈な情動的雰囲気のもとで激しい行動に訴える群集）と聴衆（対象への受動的な関心から集まる人々の一時的な集合）に分けられる。モッブはさらに(1) 攻撃的なもの（テロ、リンチ、暴動）、(2) 逃走的なもの（予期しない突発的な危険に対する強い恐怖から逃れようとして収拾がつかない混乱に陥った群集。地震、火事、乗物事故の現場での混乱した状態）、(3) 獲得的なもの（特定の物的な対象の獲得を目指している状態。物不足不安から買い占め、買いだめ行動、銀行の取り付け騒ぎ）、(4) 表出

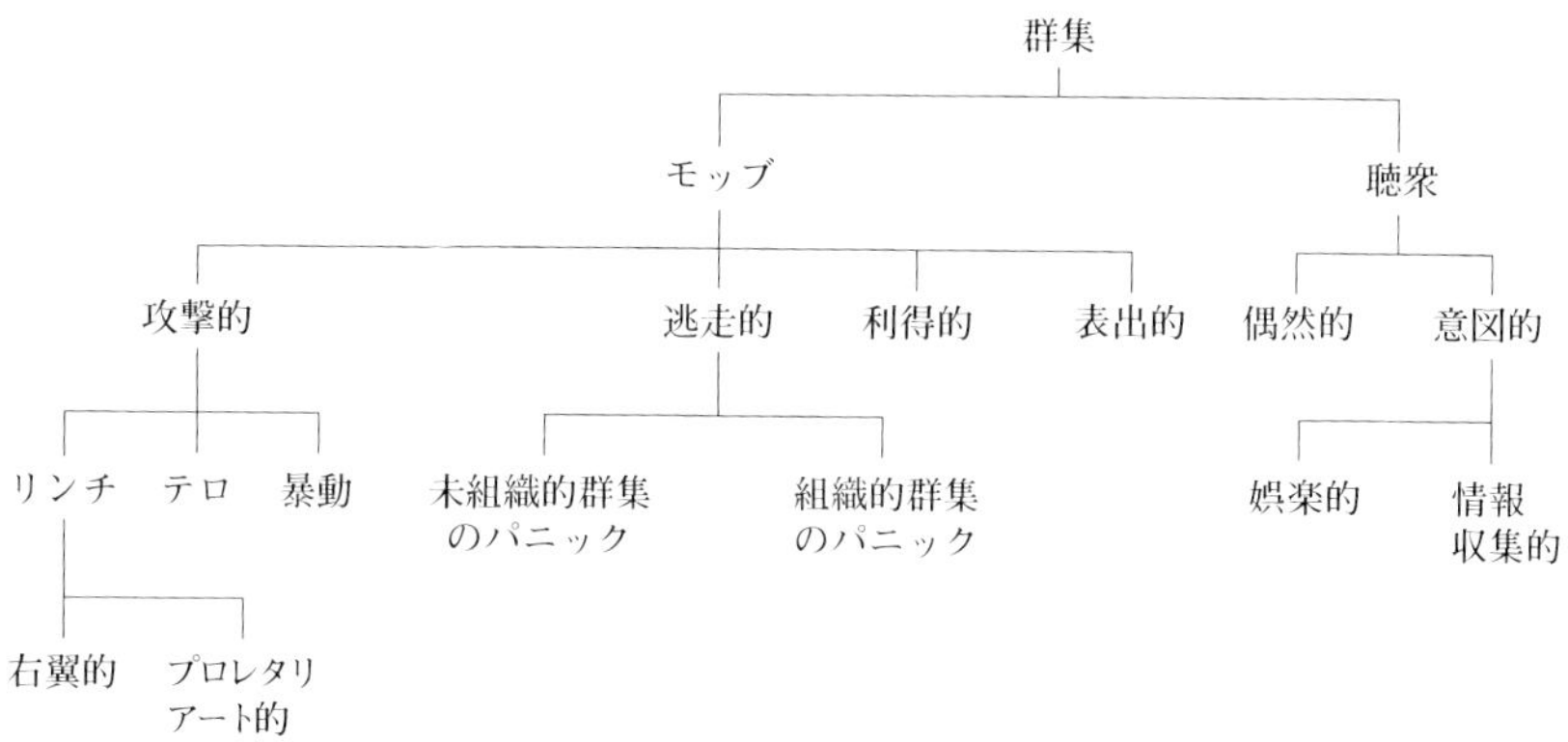

図1　群集の種類（Brown, 1954文献⑭）

的なもの（攻撃、逃避、獲得すべき特定の対象があるわけでなく、強い感情状態の結果として激しい動作的表出が喚起されるものをいう。酒宴の席の乱痴気騒ぎや宗教的恍惚のもとでの乱舞）。これに対して聴衆は、偶然的（通りすがりに特定の対象の周りに好奇心で集まった人々）、意図的（レクリエーション、教養など特定の目的のもとに意図的に集まった人々。講演会、音楽会、映画、演劇などの聴衆）に分けられる。聴衆は通常、モッブのように顕著な行動性、衝動性、情緒性を示さないが、状況の急変によってはモッブ化したり、パニックの状態に陥ったりすることがある。

集合行動の説明理論として主要なものを挙げると次の三つがある。

1　感染説

ある種の心理的感染に基づいて、感情、態度、行動が急速かつ無批判的に受け入れられることにより、通常の行動傾向とは違った画一的な反応パターンが生ずるとする説。模倣、同一視、ミリングの概念もこれに含まれる。

2　収斂説

類似した態度や行動傾向を持つ人々が、何らかの契機で集合し、それらの態度や傾向がいっそう活性化され、収斂するという説。

3　規範創出説

特定の状況に適合した固有の規範が新たに形成されることによって、集合行動が促進されたり、抑制されるという説。群集行動の成立場面では、日常の規範が不在であったり、不適切であるので、問題状況に応じた規範が創作される。

（藤原武弘）

キーワード　群集／モッブ／聴衆

〔文　献〕　⑭⑱㊺㊻

集団間関係《しゅうだんかんかんけい》・葛藤《かっとう》
（社会的ジレンマ）

集団間関係についての社会心理学的研究の領域では、特に集団間の対立的側面、すなわち集団間に生じる偏見や競争や葛藤とその緩和や解消に焦点が当てられてきた。集団間の差別的態度形成に関する理論として、現実的集団間葛藤理論（Sherif,M. et al.,1961(84)）および社会的アイデンティティ理論（Tajfel,H. et al.,1971(90)）が挙げられる。

現実的集団間葛藤理論（realistic group conflict theory）とは、集団間の客観的な利害関係が集団成員の集団間態度や行動を規定するのであり、一方の集団の目標達成が他方の集団の目標達成を犠牲にしてのみ実現しうるという目標葛藤関係が差別的態度や対立的行動を生じさせる、とするものである。シエリフら（一九六一(84)）は、十二歳前後の白人少年たちのサマー・キャンプという形で行われた三回の野外実験の中で、スポーツの対抗試合などによって、二つの少年集団の間に客観的利害葛藤を導入したところ、どちらの集団にも相手集団に対する敵対的感情が生じると共に、各集団内部では凝集性が高まり、自集団の成果を相手集団の成果より高く評価する内集団びいき（ingroup favoritism）が生じることを観察した。集団目標間の葛藤を解消するために、二つの集団が協力しなければ達成できないような上位目標をいくつか導入し、その達成に向けて協力を繰り返すと、相手集団への攻撃性や内集団びいきが減少した。

これに対して、タジフェルら（一九七一(90)）は、集団間に利害対立や競争の歴史が存在しなくても、単に人々を異なる集団に分類するだけで内集団びいきが生じると主張した。彼らは、些細な基準で被験者を二つの集団に振り分けた。この時、被験者は、自分がどちらの集団に所属しているかは知っているが、他者がどの集団にいるのかはわからず、被験者間の相互交流も一切ない状況に置かれる。このように、通常の集団生活に備わっているあらゆる特徴を極力排除した状況を最小条件集団（minimal group）状況という。

この状況下で図1のような報酬マトリックスを用いて内集団と外集団の成員（番号で呈示されているので誰かはわからない）に報酬を配分させたところ、被験者は外集団より内集団の相手に多くの金額を配分する内集団びいき（例えば、例1の14／9や13／10の選択）を示したのである。この結果に基づいて、タジフェルら（Tajfel,H. & Turner,J.C.,1986(91)）は、次のような社会的アイデンティティ理論（social identity theory）を展開した。

自己概念の中で、集団や社会的カテゴリー（民族、性別、職業など）の成員であることに基づく部分を社会的アイデンティティと呼ぶ。「一個人」であることよりも「集団（カテゴリー）の一員」であることが顕在的な状況に置かれると、人は社会的アイデンティティを高揚させることによって肯定的な自己概念を得ようとする。従って、最小条件集団実験の結果は、被験者が肯定的な社会的アイデンティティを得ようとして内集団に有利な集団間比較を行った結果、内集団びいきが生じたと解釈されるのである（ただし、最小条件集団実験の結果をこのように解釈することについては反論もある。例えばRabbie et al., 1989(76)や神ら 一九九六㊿を参照）。

集団間対立や偏見の解消については、異なる集団の人々が共通の目標の下で、対等な地

〈例1〉

内集団成員○○番	18	17	16	15	14	13	12	11	10	9	8	7	6	5
外集団成員○○番	5	6	7	8	9	10	11	12	13	14	15	16	17	18

〈例2〉

内集団成員○○番	7	8	9	10	11	12	13	14	15	16	17	18	19
外集団成員○○番	1	3	5	7	9	11	13	15	17	19	21	23	25

図1　最小条件集団実験で使用されたマトリックスの例（Tajfel et al.,1971　文献(90)）

位で接触することが偏見の低減に効果的だというオールポート（Allport,G.W.,1954）の指摘以来、効果的な集団間接触のあり方についての研究が蓄積されている。社会的アイデンティティ理論の枠組みからは、外集団のメンバーとしてではなく個人として他者と接触する非カテゴリー化（decategorization）や、対立している二つの集団を包括する上位カテゴリーに注目させる再カテゴリー化（recategorization）など、カテゴリー認知を再構成することによる偏見低減効果が検討されつつある（Brown,1995⑬；上瀬　一九九九(52)）。

ところで、個人と集団もしくは社会全体との利害葛藤の構造は、社会的ジレンマ（social dilemma）と呼ばれる。

社会的ジレンマとは、ドウズ（Dawes,1980⑱）の定義によると、①各個人は、その状況で「協力」か「非協力」のどちらかを選ぶことができる、②個々人にとっては、「協力」より「非協力」を選ぶ方が大きい利益が得られる、③しかし、全員が「非協力」を選択した場合に各個人が得る利益は、全員が「協力」を選択した場合の利益より小さい、という状況である。すなわち、個々人の合理的な選択や行動が、集団や社会全体の観点から見ると望ましくない結果をもたらすという状況である。家庭排水による河川の汚染問題や受験戦争の激化など、多くの社会問題がこれに当てはまる（例えば、広瀬　一九九五㊷を参照）。個人に「非協力」ではなく「協力」を選択させるには、①利得構造を変えて、「協力」の方が「非協力」より個人にとって得られる利益が大きくなるようにする、②人々の間のコミュニケーションを促して、相互協力のメリットを認識させる、③「自分が協力すれば他の人々も協力してくれるはずだ」という社会に対する一般的な信頼感を高める、等が有効であることが示されている（例えば、山岸　一九九〇(100)）。

（坂田桐子）

キーワード　現実的集団間葛藤理論／社会的アイデンティティ理論／社会的ジレンマ

〔文献〕②⑬⑱㊷㊿(52)(76)(84)(90)(91)(100)

産業・組織心理学

編集・馬場房子

様々な組織（例えば、会社、病院、学校、政府、地方自治体など）に関係のある人間（たとえば、経営者、管理者、いろいろな部門で働いている人々、消費者など）が、どのように行動するのかを研究した成果を学び、組織それ自体の存続・発展にとって、また一人ひとりの人間にとって、役立つことを提案できるように考えてほしい。

この分野は広範で多岐にわたる課題を包括しているだけではなく、課題解決をしていくという実践的な特質をもっているので、経営学、社会学、文化人類学などの関連諸科学とのかかわりが大きいことも知ってほしい。また、組織を取り巻く環境が著しく変化しているなかで、人間の行動が変化していること、さらに人間の行動の変化が環境そのものを変化させているというダイナミクスを理解することが求められている。

産業《さんぎょう》・組織《そしき》心理学《しんりがく》
(Industrial/Organizational Psychology)

心理学の一分野で、仕事あるいは広く職業についている人々の行動を研究する学問領域と定義することができる。「ミュンスターベルク（Münsterberg, Hugo）」の著書「心理学と産業能率」（Psychology and Industrial Efficiency）の刊行された一九一三年をもってこの学問領域が誕生したとされている。この本では、主として適性と職業指導、科学的管理法と能率・単調感と疲労、広告およびセールスマン等の問題が取り上げられている。「ミュンスターベルク」によれば、現代の実験室心理学と経済（商業および経済活動）に係わる諸問題との間を仲介する新しい科学であり、「経済心理学」と名付けている。この時期には、一九一四年に「リリアン・ギルブレス（Gilbreth, L.）」が「The Psychology of Management」を、一九一七年には「ムッシオ（Muscio, B.）」が「Lectures on Industrial Psychology」を、また、「ミュンスターベルク」が一九一八年に「Business Psychology」を著している。一九一〇年、二〇年代は、応用心理学の一分野としての産業・組織心理学「黎明期」といえる。

一九三二年になって、「ヴィテルス（Viteles, Morris）」が、働く者の動機づけ、職場集団、リーダーシップなどの問題をも取り上げた著書「産業心理学」（Industrial Psychology）を刊行し、今日の産業・組織心理学の基礎を確立した。

第二次世界大戦後、技術革新とともに、大量生産・大量消費の時代に入ると、企業の行うマーケティング・リサーチに心理学の技法を活用することから始まり、広く消費者行動の心理学がこの学問領域に取り込まれるようになった。アメリカ心理学会が独立した研究領域として、第十四部門「産業心理学」を設置したのは一九四五年である。

また、一九六〇年代に入って、これまで基本的には心理学の産業場面への応用と考えてこられたこの学問も転換期を迎えることになる。つまり、産業心理学は単なる応用科学ではなく、独自の視点を持つ独立した学問領域であるとする考え方が芽生えてきたのである。仕事あるいは職業についている人々は、必ずといってよいほど、ある組織に所属している。従来の産業心理学は、組織に何か解決すべき問題が発生したとき、その解決にこれまでの心理学の知見をあてはめる事で役立とうと考えてきた。しかし、この時代に入って、組織とは何か、組織はそこで働く人々にどのような影響を、また、働く人々の行動は組織にどのように影響を与えるのかに関心が生じ、組織心理学という領域が生まれてくる。

一九六〇年代には、従来、産業・組織心理学の分野に含まれていた「人間工学」「消費者心理学」の研究が大きく開花し、アメリカ心理学会も第二十一部門、第二十三部門としてそれぞれ新設している。そして、一九七三年、第十四部門も名称をついに「産業・組織

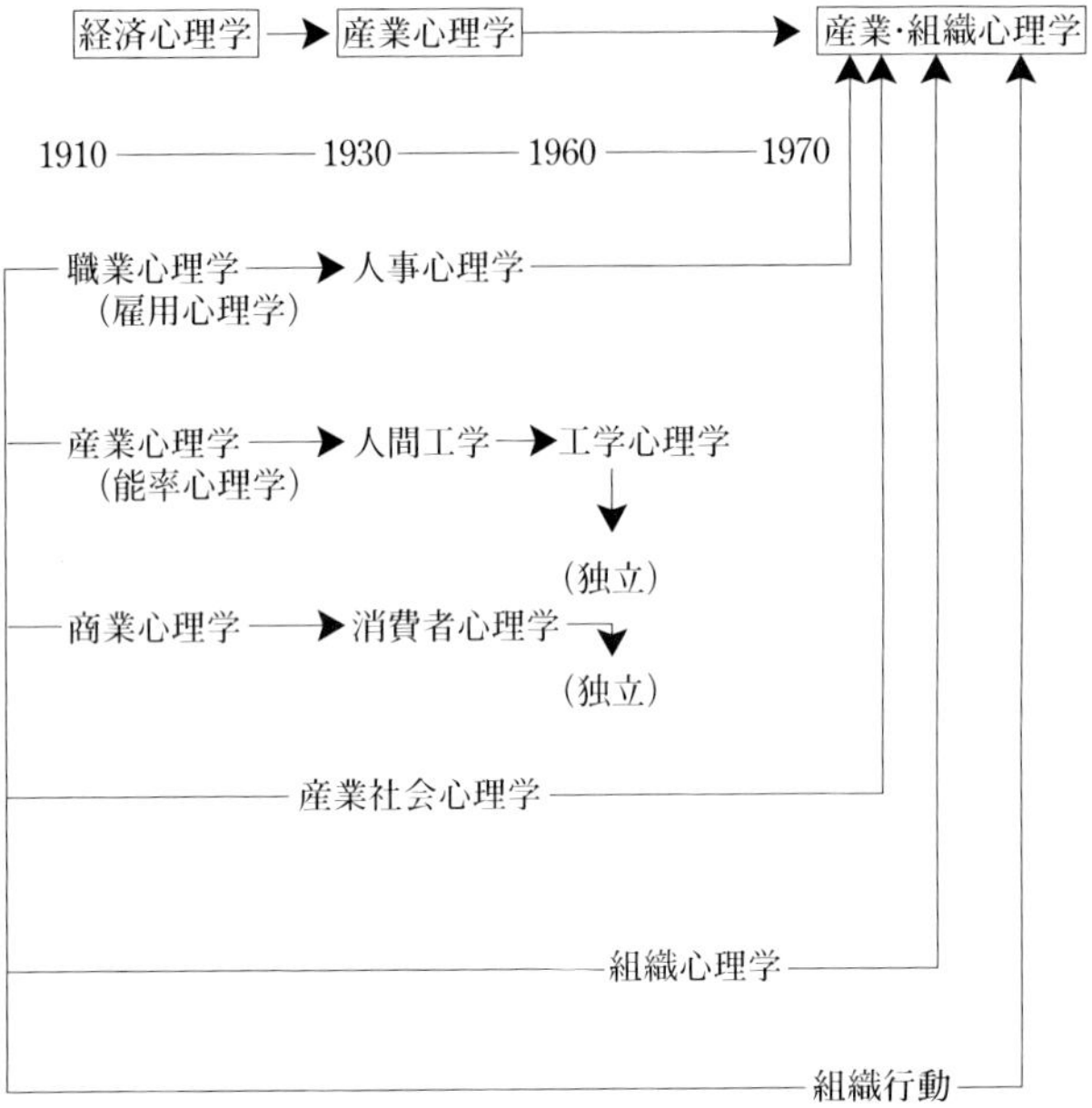

図１　産業・組織心理学の流れ

心理学」と変更し今日に到っている。

わが国でも、一九一〇年～一九二〇年代に科学的管理法の導入とともに、人間工学・能率研究等が盛んになった。その中心となったのが、今日の労働科学研究所の前身である「倉敷労働科学研究所」（一九二一年発足）である。また、名古屋高商（現名古屋大学経済学部）において、「古賀行義」が「商工心理学」の講座を開設したのが一九二四年である。

その後、一九五〇年代に入ると、わが国の経済復興とともに、産業・組織心理学の研究もようやく活発になった。その内容も、採用・適性検査、教育訓練、職務満足感、モラール、リーダーシップ、人間工学、交通、消費者行動等様々な問題が取り上げられている。

一九八五年には、専門研究団体として「産業・組織心理学会」が設立された。この学問の性質上、会員には研究者だけでなく、実務家がかなり多い。また、心理学専攻者だけでなく経営学、経済学、社会学などの専攻者も多く、学際的な学会であるといえる。下位分野として、（一）人事部門、（二）組織行動部門、（三）作業部門、（四）市場部門が置かれている。研究活動として、年一回の大会、年四回の研究会、年二回の機関誌「産業・組織心理学研究」等の発行などがあり今日に到っている。

従って、わが国においては、産業・組織心理学は、組織および組織に係わりを持つ人々の行動を研究する学問領域と定義出来るだろう。

最近の研究内容としては、従来からのテーマに加え、いわゆる日本的経営の変容傾向に伴う、採用方法・人事評価の公平性、女性の社会進出、また、キャリア形成に係わる諸問題など幅広いテーマが取り上げられている。

（馬場昌雄）

キーワード　人事心理学／組織行動／消費者心理学／アーゴノミクス（人間工学）

〔文　献〕⑥⑧⑨㉑㊵

組《そ》織《しき》観《かん》
（Images of Organization）

お互いに共通の目的を持った人々が集まり、その目的達成のために協同の仕組み、構造を考え出し、以来、より安全で、より快適な、そして、より良い生活へという人間の願いが組織を作り出し、人間の知恵が組織を改良し発展させてきた。この組織の改良、発展の流れを見ると、そこにいくつかの組織に対する見方の変遷を汲み取ることが出来る。

第一は、「機械的組織観」あるいは経営学で言う「古典的組織観」と呼べるものである。その考え方の基本は、組織をある特定組織における内部の問題として扱い、この所与の組織を最も合理的かつ効率的に組上げ、動かしていくことを最大の課題としていたことにあるといえる。組織をシステムとして捉えた時、この考え方は、環境との相互作用のない「閉鎖的システム（Closed System）観」といえるだろう。代表的なものとしては、「ウェーバー（Weber, Max）」の官僚制組織あるいはビューロクラシー（Bureaucracy）をあげる事が出来る。産業革命以後一九二〇年代まで、急速に発展してきた現代の組織はほとんどがこの考え方に依拠して作り上げられてきている。しかし、このような古典的組織観に対して二つの反省・批判が生じてくる。第一は、組織で働く人間の持つ「感情」に関してである。科学的管理や官僚制組織に代表される組織観は、人間の合理性あるいは合理的判断力を過大に期待しすぎた。そして、組織内で仕事に直接的・間接的に影響力を持つ人間の感情的側面を考慮することを忘れてしまっている。また、第二には、組織は、ある特定の環境内で活動を続けている。従って、もしこの環境が変化したとしたら、組織はその変化に対応していかない限り存続・発展が不可能になる。

そして、一九二〇年代に始まり一九三〇年代初めまで行われたホーソン研究の成果が、結果として人間関係論を生むことになる。ホーソン研究で明らかにされたことを要約すると次のように纏められるだろう。（一）働く者は個人的な感情や態度を働く場に持ち込み、それが生産性に大きな影響力をもっていること、（二）人々が組織内で相互作用を営むことにより、非公式集団が形成される。そしてこの非公式集団の行動基準が働く人々に影響を与え、同時に、生産性に対して強い影響力をもつ事になる、（三）管理・監督者の行動、リーダーシップが働くもの及び作業集団に影響を与え、場合によっては公式組織の目標達成に大きな作用を及ぼすこと、等である。

このようなホーソン研究の成果を取り入れた考え方を「新古典的組織観」と呼ぶ。また、このホーソン実験の成果が産業・組織心理学の発展に大きな影響を与えたことも無視できない。

一九六〇年代に入ると、第二次世界大戦後の経済発展に伴い、組織環境が大きく変容してくる。そして、これまでの組織観では処理できなかった環境変化への適応が、特に、企業組織において重要な課題となった。そこで主張されるようになったのが、第三の「有機的組織観」あるいは「オープン・システム(Open System)観」である。

本来、組織とは人間が作り出し、人間が動かしているものである。とすれば、有機体としての人間行動のありようをモデルにして組織というものを考えていくべきではないかという主張である。人間は受精以後、絶え間なく変化を続け発達している。人間の行動は、常に人間内部の力と、生活の場である環境の力との相互作用として理解していかなくてはならない。同じように、組織もその成立以後、常に存続・発展を続け、与えられた社会的責任を果たそうと活動している。組織の存続・発展というプロセスは、その環境への適応のプロセスでもある。

環境の中に存在する開放システムとしての組織は、まず、外的環境から、資金、原料、労働力、情報などのエネルギーを入力する。入力されたエネルギーは、組織内部において処理され、製品あるいはサービスとして外的環境に出力される。この出力の結果、組織は外的環境から金銭および働く者の心理的満足をフィードバックされる。そして、このフィードバックによって、次の入力エネルギーを獲得することになる。

組織をこのように考えていくことで、環境変化の情報を入手し適切に対応し、組織内部を維持・安定させ、結果として、手段としての利益を確保し、存続・発展という目的の達成が可能になる、というのが有機的組織観の特徴である。

近年、組織を自己学習する存在、情報処理する存在とし、人間でいう「頭脳」と考える見方、あるいは、現実社会を作り出す「文化」であるとする見方、また、権力やそのあり方をめぐるコンフリクトに注目した「政治システム」であるという見方等が主張されてきている。しかし、これらの組織観も、組織自体が有機的存在であることを否定することは出来ないだろう。

（馬場昌雄）

キーワード 組織環境／組織の有効性／オープン・システム

〔文　献〕 ⑥⑧⑨㉑㊵

組《そ》織《しき》行《こう》動《どう》 (Organizational Behavior)

ある組織に所属している人間が、その組織の中で、あるいは、その組織との係わり合いにおいて示す行動を記述し、理解し、予測することによって、人間と組織との望ましい、そして、あるべき関係の仕方を見出す事を目的とした学際的学問領域である。組織行動の扱う問題領域として、次のようなものがある。

（一）組織そのものの理解

組織とは何か、組織はどのようにしてその目的を達成しようとしているのか、組織に対して社会や人間はどのような考えを持っているのだろうか……。

（二）人間そのものの理解

人間とは何か、人間はどのようにして生きていくのか、その行動のメカニズムはどうなっているのだろうか……。

（三）組織と人間との相互作用の理解

組織という環境に置かれた場合、人間はどのような行動を示すのか、組織は人間の行動にどのような影響を与えるのか、人間の行動は組織にどのような影響を与えるのか……。

組織行動の研究にとって、第一と第二の問題領域はその前提になるものであり、この両者の知見を基礎として、第三の領域に含まれる問題を解決していくことが中心的課題であると言えよう。

一九六〇年代に使われ始め、一九七〇年代後半に定着したと考えられるこの学問領域は、個人としての人間行動の理解を志向する心理学と、その実生活への応用としての働く人々の理解を目的とした産業心理学、集団およびその中での人間行動の理解を志向する社会学、さらに、社会・文化という枠組み内での人間行動の理解を目指した文化人類学など多くの関連諸科学を統合した「行動科学」をその母体としている。

また、この時代において、経済活動の担い手としての企業組織のあり方、社会・経済情勢の大きな変化、社会構造と価値観の変化などの諸条件も組織行動誕生に強く影響を及ぼした。当初は便宜上、この学問領域は、大きくミクロ組織行動とマクロ組織行動とに分類されていた。

ミクロ組織行動とは、主として組織という環境内での人間行動の研究に重点をおき、取り上げる問題、研究方法は産業・組織心理学とほとんど重なり合っている。動機づけ、満足感、リーダーシップ、ストレス、キャリア、組織開発、意思決定、コミュニケイションなどが主要なトピックスである。

マクロ組織行動は、主として組織の行動と、その個人行動に与える影響に関心を持ち、社会学、文化人類学、経済学等の理論や研究方法に負う所が多い。組織理論、組織構造、環境への対応、権力の獲得・保持、文化の影響、国際比較、企業間競争等の問題が主として取り上げられている。

しかしながら、人間の行動、組織の行動は、いずれか一方の次元のみで理解されるものではなく、たとえば、組織構造の差異が働く人々の行動の違いを生じさせ、その人間の行動が組織の取るべき戦略・施策に影響を与えるというように、本来、相互作用として受け止められるべきものである。従って、今日では、ミクロおよびマクロを敢えて区分せず、総合した学問領域として「組織行動」と呼んでいる。この学問領域の年報とでも言うべき「組織行動研究」(Research in Organizational Behavior) は一九七九年より毎年発行され今日まで続いている。

現在、欧米の多くのビジネス・スクールにおいては、経営学修士（MBA）取得にあたって学習すべき基礎科目として位置づけられており、経営学、人的資源管理論の内容および研究に大きな影響を与えてきている。

（馬場昌雄）

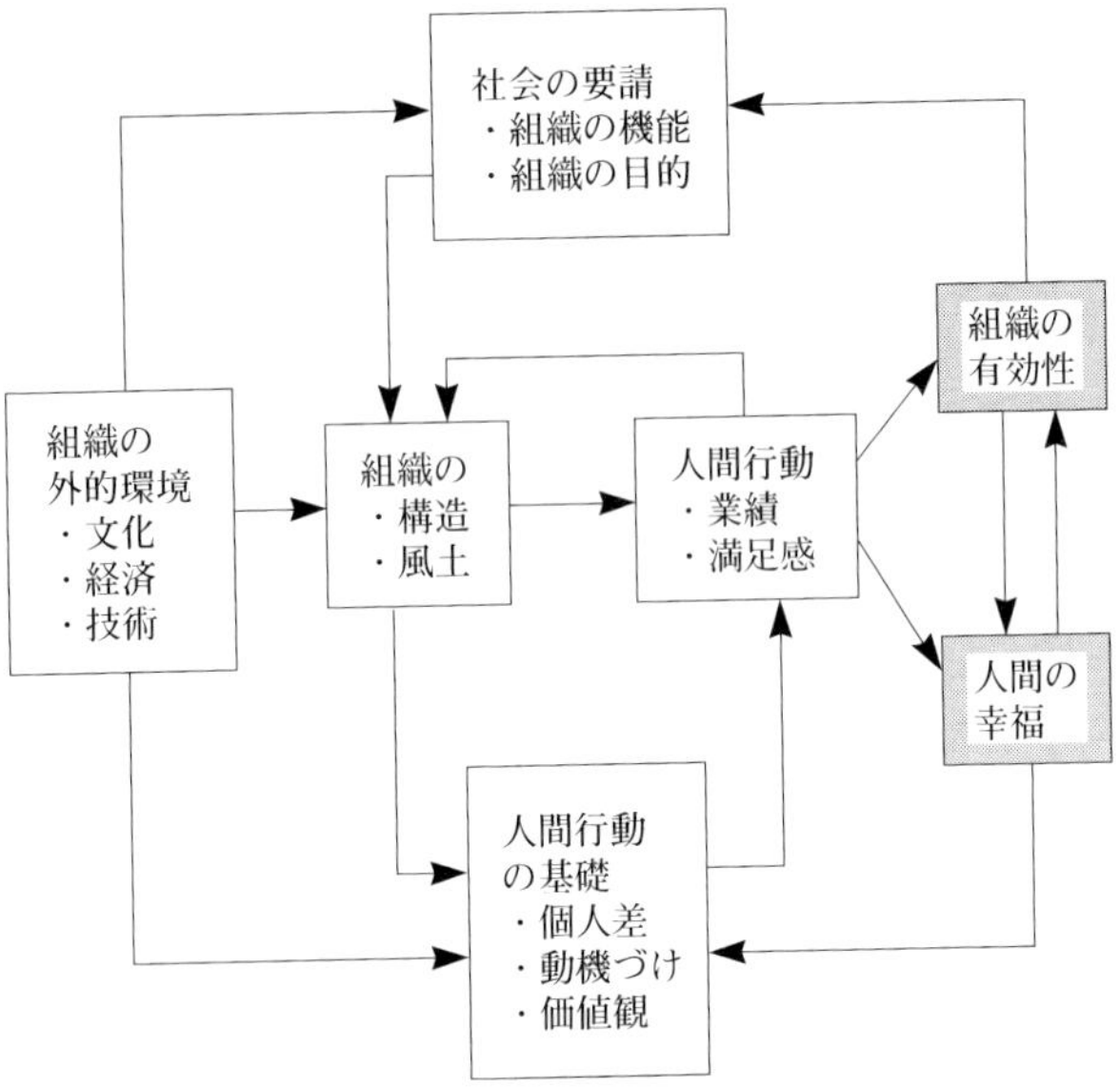

図1　組織行動の枠組

キーワード　産業・組織心理学／組織構造／組織観／組織環境

〔文　献〕⑥⑧⑨㉑㊵

組《そ》織《しき》環《かん》境《きょう》 (Organizational Environment)

最も広く定義すれば、組織環境とは、組織と何らかの関係を持ち、かつ、何らかの影響を与えるものの総称ということになる。

一般的には、組織自体の活動に大きな影響力をもつ高度に複雑な全体的環境を「マクロ環境」と呼ぶ。また、組織構造や製品あるいはサービスを作り出すための作業システム、そこで働く人々の相互関係に影響を及ぼす諸要因を「ミクロ環境」と呼んでいる。ここでは、前者を「外的環境」後者を「内的環境」と名付ける事にする。

外的環境の主要なものとして、①文化、②政治、③経済をあげる事が出来る。

文化とは、最も広く人間の生活様式であると定義できる。そしてこの生活様式は、ある社会の成員が分かち合っている習慣であり、世代から世代へと受け継がれる、誕生後に学習されたものである。政治・経済システムもこの文化を背景として派生したものである。

人間の行動は、その人の動機づけ、態度や信念、役割や価値観等によって規定されている。しかし、このような動機づけや価値観などは、その人の生まれ、育ち、生活を営んでいる地域や国や文化によって形成されている。経済・経営のグローバリゼイションが盛んに主張されている。このこと自体まったく誤った主張というわけではないが、われわれはどのような組織も、そこで働く人々の拠って立つ価値観や生活慣行などを無視して組織の行動を理解することは出来ない。例えば、いわゆる日本的経営をグローバル・スタンダードに合致させるべきという動きにしても、わが国の風土、そこから生み出された宗教、歴史の積み重ね等から形成されてきた、固有の文化を無視して実現できるものではない。

従って、組織が環境との相互作用を度外視して存在できない以上、外的環境としての文化を考慮に入れないで、単純にこれまでの日本的経営の変化を推進することは、組織の存続を脅かすことになると考える。もちろん、文化は不変なものではなく、時代とともに変容する。しかしながら、この変容は緩やかなものであり、世代という長期的展望によると考えるべきである。

外的環境として、政治や経済システムも大きな影響力をもっている。政治は、組織の成立や運営に関して、法律・法令などの形で影響力を行使する。組織というものの存在の正当性の源は政治にあるとも言えるだろう。わが国の場合、主として諸外国からの圧力によって様々な規制緩和が求められているが、今後どのような方向に進んでいくか、政治によって決定される部分は大きい。また、ある国がどのような経済システム、すなわち、物あるいはサービスの生産から流通に至るネットワークを組み上げているか、経済の景気循環の状態はどうか等も、組織の活動を左右する環境要因であることは言うまでも無いだろう。

さらに、組織が相互作用を持つ特定の外部組織、個人、制度なども外部環境と考えるこ

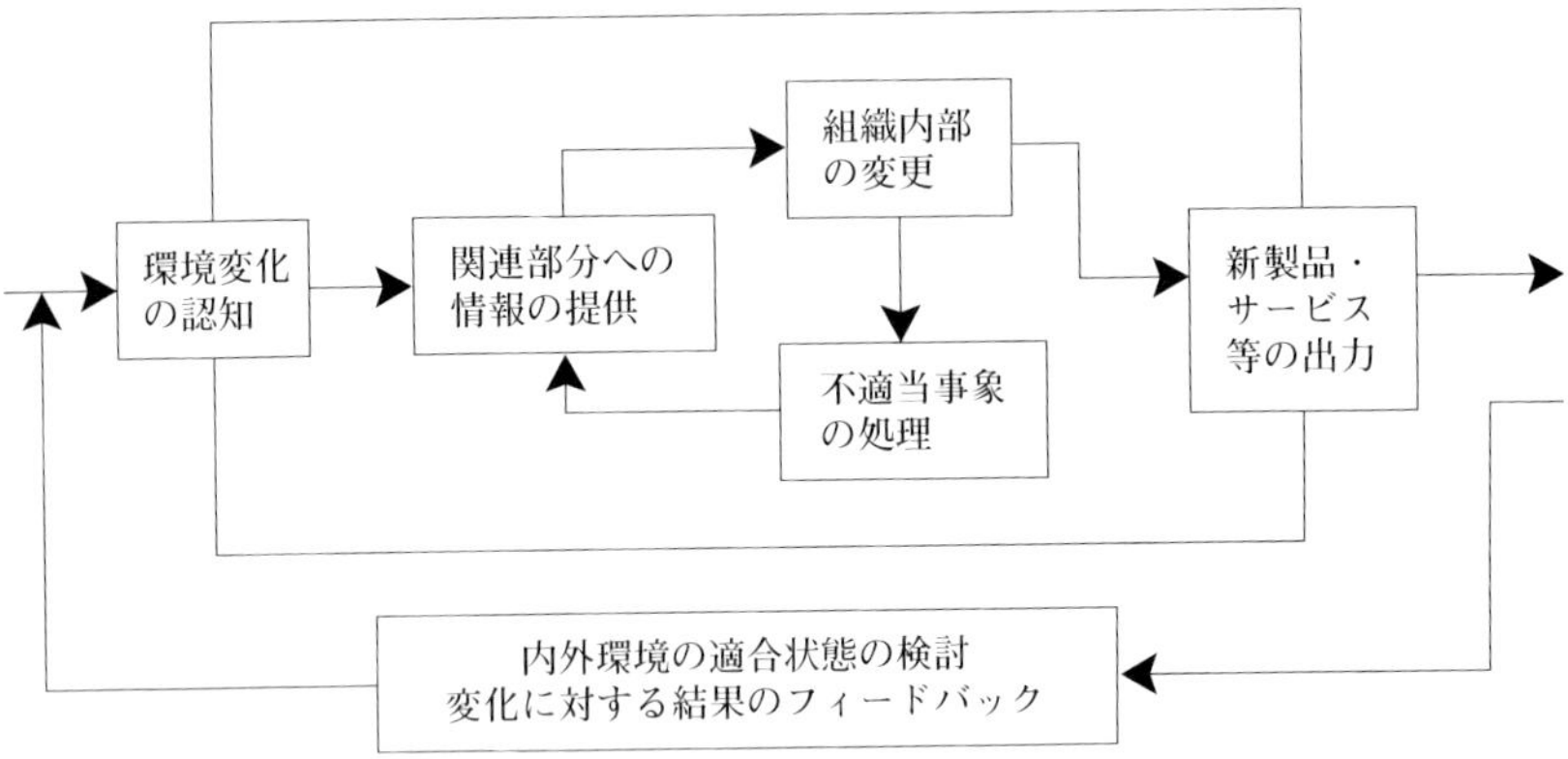

図1　環境変化への対応

とが出来る。競争会社、取引先、消費者および消費者団体、株主などが主なものである。「媒介環境」と呼ぶこともある。

一方、組織の内的環境とは、そこで働く人々、その行動に直接、間接に影響を持つ組織の構造、管理方策等を意味している。組織が存続・発展していくためには、外的環境に適応し、その変化に対応していくことが必須である。そして同時に、組織は、有能な人材を確保し、働く者の満足感を高めながら、生産性をも高めていかなければならない。

成員の選抜、キャリアの育成、ストレス管理、コンフリクトの解決、適切な意思決定、組織構造や職務の設計、また、組織開発、活性化などが主要な問題となる。この意味では、ミクロ組織行動や産業・組織心理学の取り扱う問題領域とほとんど重なり合っているといえる。

外的および内的環境を組織行動を制約する条件としてみてきたが、有機体としての組織も、逆に、文化・政治・経済に影響を与え、それを変容させる力をもっていることも当然である。環境とは、組織を制約すると同時に、組織に機会を提供する諸要因のことである。

有機的開放システムとしての組織は、従って、このような様々な環境からの働きかけ、すなわち環境の変化に対して、適切に対処、適応していかなければならない。図1は、組織の環境に対する対処、適応行動のプロセスを示したものである。環境変化の認知に関しては認知的不協和理論が、また、組織内部の変更に関しては成員の変化に対する心理的抵抗が問題解決の手掛かりとして重要な役割を果たすと考える。

（馬場昌雄）

キーワード　マクロ環境／ミクロ環境／文化

〔文　献〕⑥⑧⑨㉑㊵

組《そ》織《しき》文《ぶん》化《か》
(Organizational Culture)

どのような国家・民族あるいは個々の人間にも、それぞれ独自の性格があるように、存在する全ての組織にも、その組織に固有の性質あるいは特色が見られる。組織文化という概念は、このような個々の組織のもっているその組織全体としての特質をあらわすものである。より一般的な言葉として、「社風」と呼ばれていたものである。

組織の設立・操業の歴史を通じて作り出され、成員によって学習された、その組織独自の物事を処理するための方法であり、成員間で共有されている信念、価値観の体系である。そして、組織を構成する諸要素、成員の行動などによって表現されるものである。従って、組織文化は、組織の設立された、また、主として操業している国、社会の文化に根ざしている。また、創業者やこれまでの組織の歴史の中で主要な役割を果たした人物の、ものの考え方、哲学、信念、価値観、あるいは、その組織の業種や経営環境等にも根ざしているものといえよう。

組織文化の内容は、観察の容易な表層部分と、観察が困難な深層部分とから知ることが出来る。前者は、例えば、組織の年次報告書、会社案内、社内報などの文書類から社屋、社内のレイアウト、社章やロゴ等のシンボル、社内に伝わる様々な物語、更には、ある特定の時期に定期的に行われる活動、諸行事やいわゆる儀式など、文化の意味を伝える全てのモノ、行為、出来事が含まれよう。後者は、組織内で共有されている信念、価値観等で、成員の行動基準、倫理基準等、組織の外部からは、認知が困難なものである。

このような組織文化の持つ機能、果たす役割は、第一に、組織構造内部の安定・維持にあると言えるだろう。組織文化は、成員がその組織に固有の文化を共有していることによって、ある条件の下で成員の取るべき行動の基準を提供するという役割を持っている。従って、成員が意思決定を行う状況に置かれたとき、不確実性を低減させ、不必要なコンフリクトの生起を防ぐことになる。組織文化は、このような意味では成員の行動の調整・統制という役割を果たし、究極的には、組織内部の安定・維持を容易にしているものである。

第二は、成員の動機づけに関した機能をあげる事が出来る。組織成員が何らかの行動を取ろうとする時、組織文化は成員の抱く不安をある程度解消させる役割を持つ。また、成員が文化を共有することによって、メンバーの一員であるという所属要求を満足させることも出来よう。マズロー風な言い方をすれば、このような状態は、成員のより上位の要求を活性化するし、ハーズバーグの考え方を受け入れれば、成員の動機づけ要因を刺激することにもなる。

従って、第三に、組織自体の環境変化への対応を容易にし、成員の業績の向上をもたらし、組織の有効性を高めるという役割・機能を持っている。これは、組織文化の第一、第二の機能・役割の成果とでも言うべきものである。

もちろん、組織文化は今述べたように組織の存続・発展にとって常にプラスの機能のみを持つものではない。ある組織の中にどのような文化が形成されているかによっては、逆に存続・発展を阻害することにもなるだろうことは容易に想像できる。全てとはいえないまでも、いわゆる官僚制組織のもつ文化は、外的環境の変化への組織の対応を遅らせ、成員の動機づけの沈滞を生じさせ、組織の有効性を失わせる結果を引き起こす可能性を持っている。

組織文化を研究することの一つの意味は、その内容と現在の状態を明らかにすること。そして、もし現在成立している文化が組織にとって好ましくない作用を引き起こしているなら、それを是正する行動を即座にとるためのカルテを作成することにある。組織開発など、組織活性化の様々な手法は、このような組織にとって逆作用を引き起こす文化の変容を如何に行っていくかを考えて主張されているものである。

組織文化を研究する際の第一の問題は、ある所与の組織の文化をどのようにして測定するかということにあるだろう。一般的な方法として、観察法、質問紙法、面接法などが考えられるが、組織文化の定義から考えると、これらの方法を全て組み合わせて測定していくしかないだろう。これまでの所、質問紙調査表として「組織理念診断票」や「組織文化強度調査」など、また、半構成面接のための質問表等が開発されているが、決定的な測定用具までは開発されていないと言えよう。

また、第二に、仮に測定用具が開発されたとしても、次にその結果をどう解釈していくかという問題も残る。例えば、創業者あるいは経営陣の考え方が、組織内に十分浸透していたとしても、その考え方をどのように評価したらよいのか、果たして創業者らの考え方は、組織にとって望ましいのか否か。このような問題は研究者の理論的枠組みで決定せざるを得ないだろうが、その際研究者の価値観を正しいものとして最終評価を受け入れてしまってよいのか。

組織文化の研究に関しては、まだ多くの問題が残されているとはいえ、今後の発展に期待するところ大である。

二十一世紀に入った今日、世界経済の状況、グローバリゼーション、環境問題、あるいは、日本的経営の変容傾向など、組織環境は従来にも増して激しく変貌していくことが予想される。

このような時代、組織がどのような文化を作り上げていくか、また、産業・組織心理学者が残されている多くの問題をどのように研究し、解決していくか、益々重要な課題になると考える。

（馬場昌雄）

キーワード 組織の有効性／組織環境／文化／質問紙法／面接法／観察法

〔文　献〕⑥⑧⑨㉑㊵

日《に》本《ほん》的《てき》経《けい》営《えい》

(Japanese Management)

いわゆる日本的経営という言葉が盛んに使われ始めたのは、「アベグレン（Abegglen, J.C.）」の著書「日本の経営」の刊行された一九五八年以降のことであろう。彼によれば、日本の企業組織の一般的特質は、(一)終身雇用制度、(二)採用方法、(三)身分の持続、(四)年功序列賃金、(五)責任所在の曖昧さ、(六)従業員の私生活に対する会社の責任などである。また一般的には、終身雇用制度、年功序列（賃金）制度、企業内組合を三種の神器と呼んでいる。

また、米国では、これらの諸制度だけでなく、トヨタの生産方式であるジャスト・イン・タイムという方式を、その見た目の様子から「カンバン（看板）」システムと呼び、むしろ日本的経営の最良のものとして広く製造業で取り入れている。

このような日本的経営に関しては、従来から主として経営学者達によって研究されてきている。そして最近では、一九九〇年来のバブル経済の崩壊にともない、特に三種の神器の中でも、終身雇用、年功序列制度については、大きな曲がり角にある、あるいは、崩壊の道を進んでいるという主張が大勢を占めてきているようである。確かに現象面では、現在の日本企業の経営方針を見ると、従来のような新規学卒者のみを年度始めに採用するという傾向は、中途採用や年間を通じて採用をする方向に変化しつつあるし、年功序列の賃金制度も成果主義、能力主義そして年俸制へと変わっていく傾向が見られる。

しかしながら、日本的経営の特質について、産業・組織心理学の立場から考えるとき、このような現象の根底にあるものについての考察が必要になってくるのではないだろうか。同じような資本主義体制をとり、経済的発展を遂げてきたアメリカと日本とでは、経営の特質がかなり異なっている。何故、アメリカ的経営や日本的経営の特質は生まれてきたのか、また、これらの特質は有効に機能してきたのか、等である。どのような制度もそれが有効に機能するためには、すくなくとも、それらの制度が影響を与える人々に受容されなければならない。そして、その制度に対する人々の受容の根底には、歴史的・文化的に培われてきた価値観が存在していると考える事が出来る。現在、日本の企業組織で働いている、また、これから働こうとしている人々の価値観は、バブルの崩壊とその後の経済不況によって、わずか十年そこそこで本当に変容してしまうものなのであろうか。

わが国で「男女雇用機会均等法」が制定・施行されたのは一九八六年である。にもかかわらず、未だに働く女性に対する多くの差別が残っているのは、伝統的価値観に関係があ

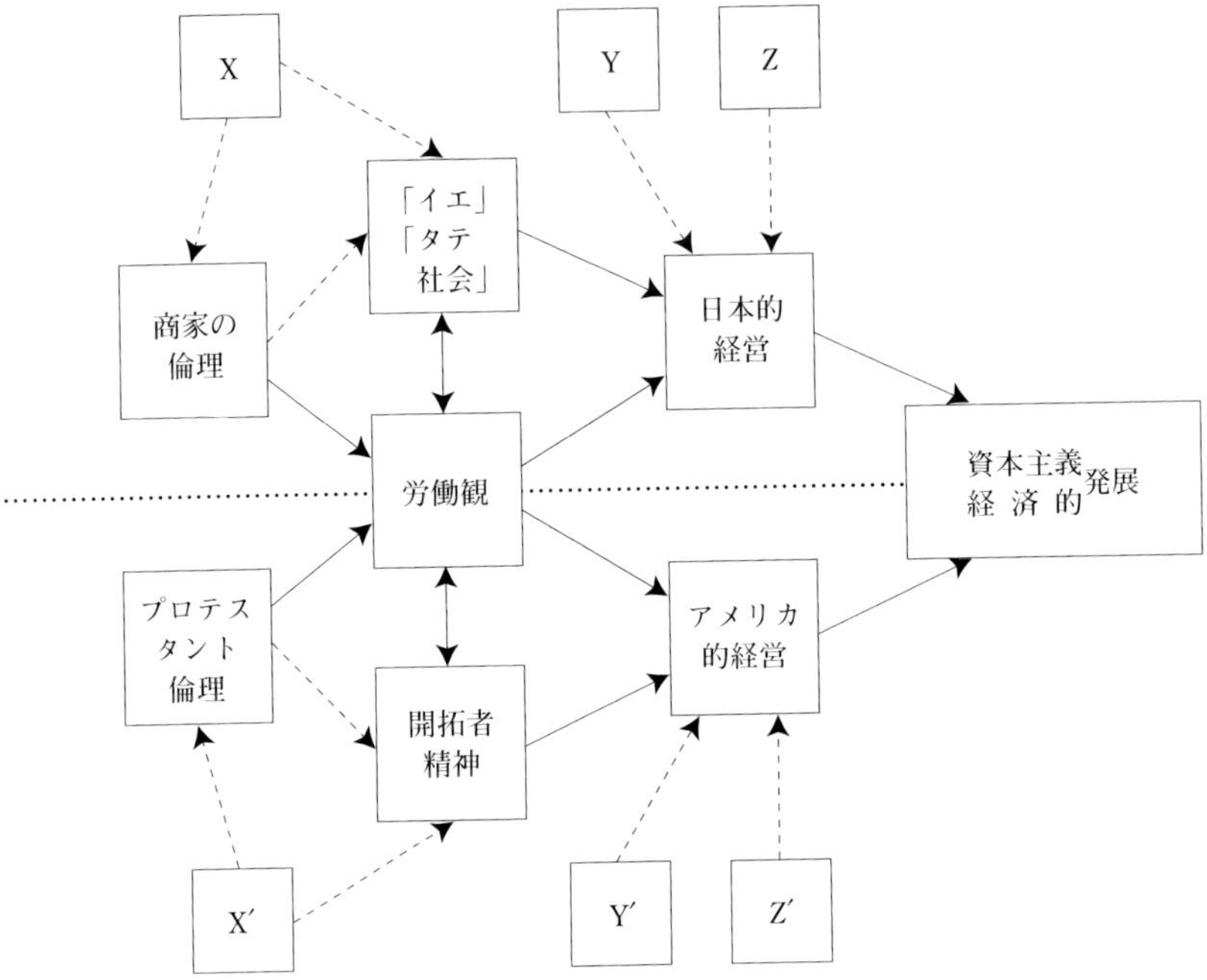

図1　経営特質の規定要因に関する仮定的図式

るという研究がある。また、日本的経営の特質に対する態度とわが国の家族制度に対する態度との間にかなりの相関があるという研究もある。次の図は、経営特質に関する研究のための手掛かりとしてまとめたものである。

それぞれの国が、固有の歴史や文化を持ち、そこに暮らす人々が独自の価値観を生み出し、それが生活や経営組織の根底で機能している以上、産業・組織心理学を研究する者には、今後ますます、経営学、社会学、文化人類学の知見に関心を持ち、様々な現象の何故について実証していく役割があると考える。

（馬場昌雄）

キーワード　価値観／歴史／文化

〔文　献〕⑥⑧⑨㉑㊵

組《そ》織《しき》の有《ゆう》効《こう》性《せい》
(Organizational Effectiveness)

組織を有機的開放システムとして捉え、その究極の目的を存続・発展であるとしたとき、組織の有効性とは、ある組織が、環境からの様々な働きかけに対して適切な適応を行うと同時に、自らの内部構造を維持・安定させ、成員の業績を高めることによって、存続・発展が達成されている程度を表す概念である。

組織の有効性、すなわち、目的達成度は、次のような三本の柱によって測定される。

第一の柱は「外的環境への適応」である。開放システムの行う行動は、大別して、自己の都合の良いように環境を変えようとする行動と、環境の働きかけに対して自己を変容させていく行動という二つしかない。どちらの行動を取るにせよ、ある時点での組織の適切な行動は、環境からの情報の正確な把握と、この情報の関連サブシステムへの迅速な伝達・再統合が前提となる。技術革新、社会・経済情勢そして文化的要因が直接大きな意味を持ってくる。

第二は「内部環境（内部構造）の安定と維持」である。外的環境への適応時、特に、組織が自己を変容させようとするときには、必ずといってよいほど、組織内部の形態や秩序に一種の混乱を引き起こすことになる。適切な意思決定を行うこと、変化を受容すること、また、内部に生ずるコンフリクトを最小にとどめ、解決していくことが必要である。

第三に「成員の業績」をあげる事が出来よう。組織を作り出し、実際に活動を行う存在としているのは人間、つまり、組織成員である。組織というシステムを維持するためのエネルギーの確保こそ、最も重要であるといえる。成員の動機づけ、能力の開発・育成、リーダーシップのあり方、あるいは、職務（再）設計等、多くの要因がこの柱を形成している。産業・組織心理学の中心となる研究テーマのほとんどがここに入ってくるともいえる。

そして、これらの三本の柱を相互に結びつけ、組織を一つの総合体として機能させる役割を果たしているのが「コミュニケーション」である。人間で言えば神経組織にあたるコミュニケーション無しには、環境からの情報の入力、システム各部分への情報の伝達など、有機体としての組織の活動は成立し得ないといえるだろう。

また、これらの三本の柱とその諸要因は、それぞれが密接に相互作用を行っている。例えば、組織の変化に対する成員の心理的抵抗は、ややもすると誤った意思決定を招き、外的環境への適応を失する状況を引き起こすことになる。また、リーダーシップの失敗は、成員の動機づけを低下させ、コンフリクトの多発から、成員の業績の低下へと進み、内部構造の維持・安定を困難にする等々である。

図1は、組織の有効性の考え方を示したものである。

組織有効性の研究の問題点として次のようなことが考えられる。有効性を組織全体の活

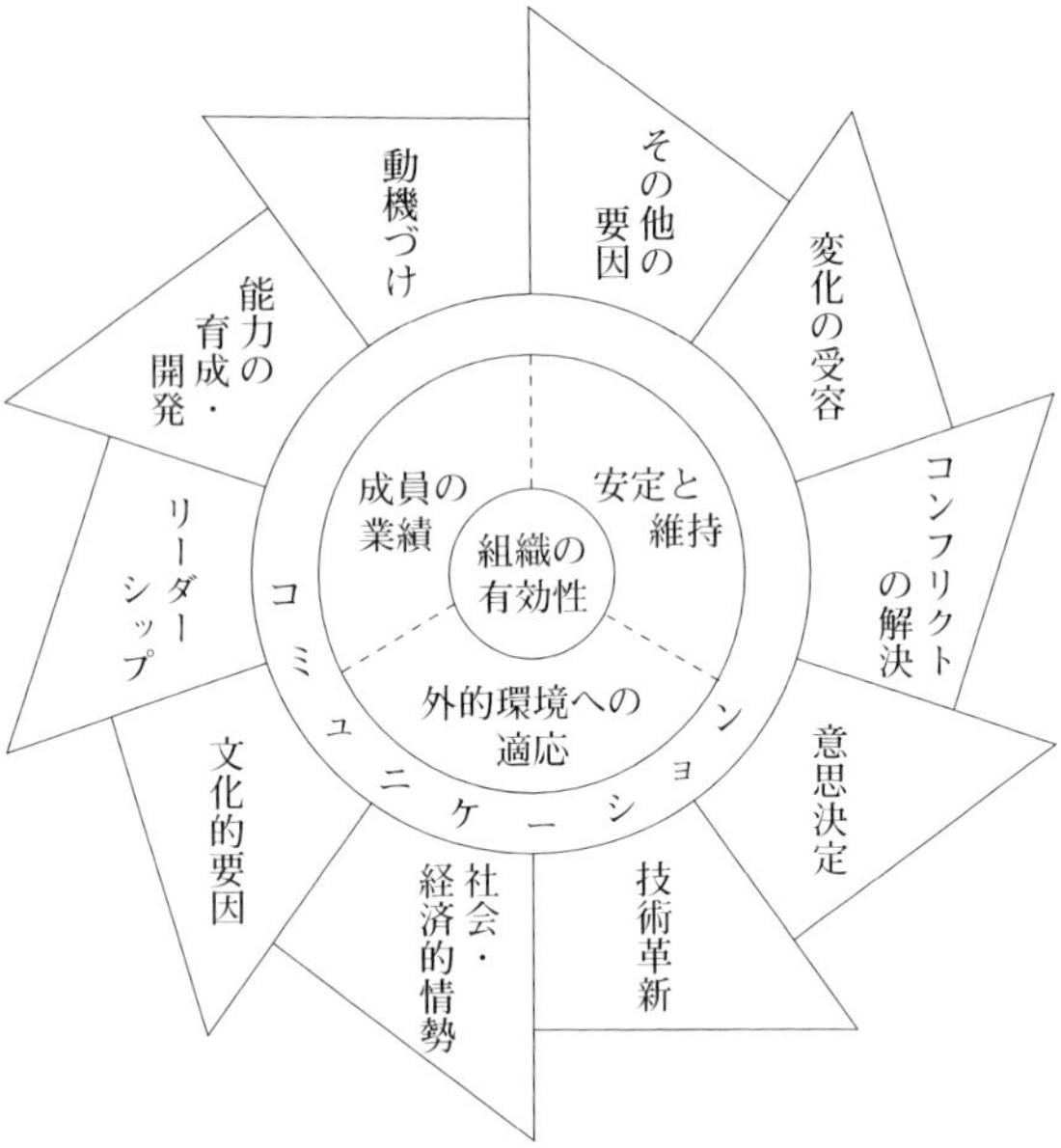

図1　組織の有効性

動の結果、従属変数として捉える場合、これに影響を与える独立変数や媒介変数を明らかにすることが必要である。このような作業は、一方において理論的な枠組みを基礎とした規範的なアプローチと、実証的なアプローチをどのように統合し検証していくかということである。第二には、全体としての有効性の指標をどのようにして得るかという問題がある。各変数の総和は果たして組織全体としての有効性を代表すると言えるだろうか。研究者の理論的枠組み如何によって、同じ組織についての異なった有効性の評価が生じる可能性もある。第三に、有効性を何時の時点で測定したらよいか、その時点で得られた指標はどう解釈できるのかという問題である。同業他種の組織の同時点での指標と比較すれば良いのか、あるいは、同じ組織について経年的に測定し比較すべきなのか等の問題である。今後解決していかなければならないと考える。

（馬場昌雄）

キーワード 外的環境／内部環境／コミュニケーション

〔文　献〕 ⑥⑧⑨㉑㊵

消《しょう》費《ひ》者《しゃ》心《しん》理《り》学《がく》

消費者心理学（Consumer Psychology）とは、消費者（生活者）としての人間の目に見える顕在的行動と目に見えない潜在的行動を行動科学的アプローチによって研究する学問分野であると言えよう。消費者の行動は、消費者を取り巻く環境との相互作用の結果として生起する複雑な社会的行動であるので、実際には、心理学だけでは理解することが出来ない。したがって、社会学、文化人類学、さらには、心理学の隣接諸科学の協力、すなわち、学際的アプローチ（Interdisciplinary Approach）を用いることによって研究することが多い。また、この分野の実践的特質から、ただ単に消費者の行動を理解するだけではなく、予測し、さらには提案したりすることまで期待されているといえよう。

この分野がいつ始まったかについては、一応、「スコット（Scott,W.D.)」が一九〇一年一二月二〇日の夕方、ノースウエスタン大学で、心理学の原理が販売や広告に応用できるというスピーチをした時としておこう。ただ、一九五〇年代にモチベーション・リサーチ（MR：Motivation Research）が盛んに行われるようになるまで、消費者行動の研究は企業の中では行われていたが、研究者の関心はあまり強くはなかった。実際には、MRを支持する「ディヒター（Dichter,E.)」や「チェスキン（Cheskin,L.)」を「パッカード（Packard, V.)」が批判したことが、消費者行動を学問的に研究しようという刺激を研究者たちに与えたのである。

消費者心理学が一つの研究分野として確立したのは、一九六〇年頃である。一九六〇年に、アメリカ心理学会に、消費者心理学という分科会が設けられ、消費者心理学の文献も質量ともに盛り上がりをみせたのである。たとえば、消費者行動に及ぼす期待や態度の重要性を強調した「カトーナ（Katona,G.)」らの研究、パーソナル・インフルエンスに関する「ラザースフェルド（Lazarsfeld,P.F.)」らの研究、知覚されたリスクに関する「バウアー（Bauer, R.A.)」の研究、さらに多数の研究者による消費者行動に関するモデルの研究などがなされた。

わが国においても、第二次世界大戦が終わってから、日本応用心理学会や日本心理学会で、消費者行動に関する研究が盛んに発表された。そして、一九六〇年代になって、「経営心理学講座全五巻」（ダイヤモンド社）が出版されたが、その中の第四巻と第五巻が「消費者心理学」に関わるものであり、「産業心理学講座全六巻」（朝倉書房）のうちの第六巻が「消費者心理学」に関わるものであった。一九六四年には、「小嶋外弘」の「消費者心理の研究」が出ている。この中で、小嶋は、消費者がいくつもの財布を持っていることを指摘しており、これがわが国の消費者心理学の本格的な研究の始まりと言っても過言ではない。

一九六〇年代の中ごろから一九七〇年代の中ごろには、理論研究も盛んになり、ミクロの研究にも焦点が当てられるようになっていった。変数や関係を単に確認したり、記述したりするだけではなく、因果関係を追求することもなされるようになっていった。研究方法もますます洗練されてきて、消費者心理学が成熟した科学的段階に入ってきたと指摘する人も出てきた。

しかし、一方では、消費者心理学が社会的な問題に関心を持ってくるようになると、どうしても学際的にならざるをえず、様々な研究分野の人々が協力して研究するようになってきたのである。わが国でも、心理学者はもちろんのこと、マーケティング、広告、その他の分野の研究者も消費者行動に関心を持ってきた。

一九七〇年代の中ごろに「フィシュバイン(Fishbein, M.)」が、「信念、態度、意図、および行動に関する枠組み」を提唱したことで、消費者行動への社会心理学者たちの関心を強めるきっかけを作った。

一九七〇年代の終わりごろになると、「消費者情報理論」が発展する。その代表的な研究者は、「ベットマン(Bettman, J.R.)」で、それまでの消費者行動のモデルは「刺激—反応理論」に依拠したものであったが、「情報処理パラダイム」は、情報処理と認知的アプローチ」を強調したものである。一九八〇年代でもっとも注目されたこの理論は、消費者個人の情報処理に焦点がおかれていて、社会的文脈や状況に充分配慮していないという批判がなされてきている。

「情報処理理論」に対する批判として出てきたのが「ハーシュマンとホルブロック(Hirschman,E.C.&Holbrook,M.B.)」による「ポストモダン・アプローチ」である。彼らは、情報処理理論を含むそれまでの消費者行動研究の実証主義に対して批判をするとともに、消費者行動の意味を考える視点を与えたこと、社会的文脈や状況を考慮に入れることの重要性を喚起したことは注目に値すると思われる。しかし、このアプローチに対しても、批判がないわけではない。その批判の一つは、解釈主義にしか過ぎないのではないのかというものである。

一九八五年には、産業・組織心理学会が設立され、四つの部門、すなわち、組織行動、人事、作業、市場が設けられている。市場部門での発表を見てみると、アクション・リサーチから数理的研究まで様々なアプローチによる研究が成されている。最近の市場部門研究会のテーマを見てみると、二〇〇〇年には、「オンライン上の消費者行動」(インターネットマーケティングの現状と可能性)、(電子メディアを通じた消費者間コミュニケーション過程:その実体と影響)、二〇〇一年には、「二十一世紀の消費者行動を探る」(自己破産はなぜ起きるのか)、(社会的行為としての消費の機能の継続的変化—快楽から自己確認へ)、(消費者行動に関する研究と企業実務の接点)など、現代社会で生起している生々しいものばかりである。

(馬場房子)

キーワード　学際的アプローチ／消費者情報理論／ポストモダン・アプローチ

〔文献〕⑤㊶㊸

広《こう》告《こく》心《しん》理《り》学《がく》

広告心理学（Advertising Psychology）とは、広告に関する人々の行動を科学的に研究する学問分野であると言えよう。人々は広告をどのように知覚（認知）しているのであろうか、人々はどんな広告を好んでいるのであろうか、どんな広告を記憶しているのであろうかなど、広告にかかわる人々の心理的側面を研究するのが、主要な研究の目的である。

この分野の始まりは、一九〇一年の一二月二〇日の夕方、ノースウエスタン大学で、「スコット（Scott,W.D.）」が心理学の原理が広告や販売に応用できるというスピーチをした時であると言われており、その後一九〇三年には、「広告の理論」、一九〇八年には、「広告心理学」という著書を出版している。

この「広告心理学」は、いち早く大正十三年（一九二四）、「佐々木十九」によって翻訳されて、わが国の広告業界で働く人々には、早くから知られていたのである。現在、この内容を見ても、広告心理学に関する基本的テーマが取り上げられていることに驚かされる。なお、同書は、昭和十四年（一九三九）に「松宮三郎」によっても翻訳されている。昭和七年（一九三二）には、「有田二郎」が「広告の心理学」を書き、流行が模倣心理に基づくものであり、その模倣心理は、広告宣伝によってこそますます流行していくものであることを強調した。その他、昭和十年代には、広告の心理学的研究が盛んに行われた。

第二次世界大戦が終了した後で、日本応用心理学会で、「朝倉利景」らが広告に関する研究発表をしている。また、「南博」らによって、広告の心理学的研究が行われた。戦後の代表的な著作は、「川勝久」の「広告の心理」（一九六二）、「朝倉利景」の「広告心理」（一九六二）、「仁科貞文」の「広告心理　消費者心理と広告計画」（一九七六）などである。

広告業界の人々が実務から得た広告心理学に関するよく知られているモデルは、「AIDAモデル」である。A（Attention）は注意、I（Interest）は関心、D（Desire）は欲望、A（Action）は行為を意味し、途中にM（Memory）の記憶を入れて「AIDMAモデル」と言われるものもある。具体的には、消費者は、どのような広告に注目する傾向にあるのか、どのような広告を好んでいるのか、どうすれば消費者は広告を記憶していて思い出してくれるのかなどに注目したのである。このモデルは、後に、研究者によって、洗練されたモデルに発展している。また、実務家は、様々なことを発見してきており、今でも通用するものが多い。たとえば、「3B」と言われるものが消費者の注意を引きやすいというものである。3Bは、Baby, Beauty, Beastである。また、「平方根の原理」、すなわち、消費者の注意を二倍引こうと思ったら、広告の大きさは四倍にしなくてはならないし、三倍引こうと思ったら、九倍にしなくてはならないなどを見いだしているのである。もちろん、この原理も、後に研究者によって、必ずしも正しくない場合があることが報告されているけれども、広告心理学の分野においては、実務家の活躍が先行していることを指摘しておきたい。

戦後になって、社会心理学が著しく発展して、広告心理学もその影響を大きく受けてきた。その一環として、広告を、「送り手」であるマーケターと「受け手」である消費者との間のコミュニケーションと捉えて研究がなされてきている。ここでは、「なに」をコミュニケーションするのかということと「なに」によってコミュニケーションするかが問題となる。たとえば、ある車、ある化粧品のような製品のブランドを消費者に知ってもらいたい、あるいは、ある企業グループの活動を知ってもらいたい、あるいはあるサービスを知ってもらいたいという目的がある場合、それを新聞で広告するのか、テレビで広告するのか、ラジオで広告するのか、雑誌で広告するのかなどを決めなければならない。その場合、どの広告媒体を使うと効果があるのかも考慮しなければならない。最近では四大媒体と言われている新聞、雑誌、ラジオ、テレビのほか、車内吊り広告やフロアー広告、さらにはインターネット広告など、次から次へと、新しいタイプの広告がでてきている。

広告効果を知ることは、マーケターにとっては重要なことではあるが、その方法には完璧なものはなく、試行錯誤を繰り返してきているといっても過言ではない。一九五〇年代から盛んに行われたコミュニケーションに関する実験の結果によると、「送り手の信憑性」が高い場合には「受け手」は一時的には説得されやすいが、時がたつと最も効果の高いのは「コミュニケーションの内容」であることがわかっている。また、恐怖訴求は、消費者に不安を与えすぎるので効果がなく、少しの不安を与えたほうがより消費者は説得されるということもわかっている。もちろん、実際の状況は大変複雑であるので、いつも消費者は同じようには反応しない。したがって、それぞれの状況下で、きめ細かく効果を見ていくことが必要になってくるのである。「広告の送り手」は、時代の空気をいち早く感じ取ることが重要である。

広告ほど消費者の文化、すなわちライフスタイルや価値観を明確に示すものはないように思う。広告を制作する人々は、その時代精神に敏感でなければ、消費者にアピールすることはできない。そのことは、とりもなおさず、広告の分析は、その時代の文化を研究することでもある。

広告に関する心理学的研究の最近の関心事は、広告情報の処理についてであろう。様々なモデルが提案されてきている。もっとも受け入れられているモデルは、「認知的情報処理モデル」である。ただ、このモデルにも「精緻化見込みモデル」、「認知的反応モデル」、「一貫性モデル」などいろいろある。さらに、最近注目されているモデルには「単なる接触の効果理論」がある。つまり、あるモノに対する好意は、認知的な活動が介在しなくても、単なる接触だけでも生じるというものである。


（馬場房子）

キーワード 広告の送り手／広告の受け手／広告文化

〔文　献〕⑰⑱㊴

生《せい》活《かつ》者《しゃ》の行《こう》動《どう》

消費者は、自分の持っている様々なニーズを満たすために主体的に行動している。主体的に生き、行動する消費者を特に「生活者」と言う人もいる。しかし、「生活者」という言葉は、いろいろな意味で用いられてきている。「天野正子」は、これまでの「生活者」についての様々な考えを詳細に調べて、日常生活では、「台所感覚」や「主婦感覚」がある消費者という意味で用いられたり、「庶民感覚」を持っている人という意味で用いられたりしているが、戦前からの「生活者」の概念をたどり、「三木清」のように、生活文化の担い手として行動する人間という意味で用いたり、経済学者の「大熊信行」のように、「生活者」と「消費者」を対置して用いる人もいることを明示している。さらに、「生活者」という言葉は、時代のキーワードであるし、現代的「お守り言葉」でさえあると指摘している。ここでは、主体的に生き、行動する消費者という意味で用いておこう。

主体的に生きる消費者である生活者たちは、グループで様々な行動をしてきている。同じような価値観を共有して活動していたグループは、昔からあったと思われるが、記録に残っているものは、アメリカで一七七五年に汚染した食品を売った人々に対する抗議行動とされている。わが国でよく知られている全国的な運動は、大正七年（一九一八）の米騒動だとする意見が多い。生活者にとってもっとも基本的なニーズは、「マズロー（Maslow,A.H.）」の「五階層説」で提唱されているように、生理的要求であり、次に、基本的なことは、安全・安定の要求であることが見て取れるのである。

戦後になって、大阪主婦の会の牛肉不買運動がきっかけで、「不良マッチ退治」をして、昭和二十三年（一九四八）に「主婦連合会」（以下「主婦連」という）が結成され、「奥むめお」が初代会長になった。また、同年、「生活協同組合」（以下「生協」という）も設立されている。その後、昭和二十七年（一九五二）に、「全国地域婦人団体連絡協議会」（以下「地婦連」という）が設立され、昭和三十一年（一九五六）には「全国消費者団体連絡会」（以下「全国消団連」という）が結成された。「主婦連」は、現在まで、それぞれの時代の問題を取り上げて活動をしてきている。たとえば、昭和二十四年には、「米価値上げ反対」、昭和二十六年には、「電気料金値上げ反対」、昭和三十五年には、「うそつきカンヅメ追放」など、最近では、「自販機のハミダシ問題」や「サッカーくじ」などに対して運動をしてきている。「地婦連」、「生協」、「全国消団連」も、それぞれ独自に、今日まで活動してきている。

一方、アメリカでは、第一次の「コンシューマリズム」は、世紀の変わり目に生起し、第二次の「コンシューマリズム」は、一九三三年の大恐慌の時に、安全でない薬品、化粧品、食品などに対して起こり、一九六〇年代に入って、アメリカの弁護士のラルフ・ネーダーが、自動車の安全性について、GMを告発し、第三次の「コンシューマリズム」が吹き荒れた。その影響を受けて、わが国でも、「竹内直一」を中心にして、「日本消費者連盟」が、昭和四十四年（一九六九）に設立され、告発型の運動がなされた。

昭和四十八年（一九七三）秋にオイル・ショックが起こり、生活者の関心は、省資源や省エネルギーに向けられた。戦後の物不足の時には、主として、基本的ニーズを満たすためのモノを手に入れるために行動していたが、高度経済成長時代を通じて次第にモノのあふれる生活に慣れ、さらに、より高次のニーズを満たすために行動するようになっていたのである。そこに、オイル・ショックが起きたので、生活者たちは、自分たちの生活を見つめなおし、節約したいと考えるようになった。この頃から、生活者のニーズは、ますます多様化していき、「生活の質」や生活者の「生き方」が問われるようになってきたといえよう。

一九八〇年代に入ると、生活者たちの関心は、モノからサービスへ移っていった。さらに、国際問題、情報問題、高齢者問題、環境問題などと多様な問題に関心がもたれるようになった。その中で、多くの生活者たちは、バブル経済の中で、海外に出かけ、様々なライフスタイルを学び、グローバルな視野で自分たちの生活を考えるようになったといえよう。これらの傾向を加速化したのは情報化の進展である。その上、高齢化社会が訪れ、これを看過できなくなっている。また、生活者たちは、知らず知らずのうちに、たくさんの買い物をして、その結果として大量のごみを出すようになっていった。そこで、生活者たちは、環境問題に関心をもってきた。

一九九〇年代になって、生活者の関心は、環境により良い商品・サービスを求めるようになり、いわゆる「グリーン・コンシューマリズム」が盛んになってきている。

一九九三年に実施された、東京都の「消費者団体基本調査」によれば、主要な消費者団体は、全国に、六〇〇以上あり、これらグループの最近の関心事は、一に、環境問題、二に、食品の安全性、三に、高齢者問題である。一九九八年に経済企画庁によって行われた調査では、全国に四、五九四の消費者団体があるとしている。それらの主な関心事は、一に、環境問題、二に、食生活、三に、高齢者問題である。これらの調査結果からも明示されているように、生活者たちは、実に多くの問題に直面し、それらの問題解決に向けて行動しているのである。

生活者の行動は、企業、政府、地方自治体などを、多かれ少なかれ、動かしてきている。たとえば、最近の遺伝子組み換え食品に対する生活者の強い安全性志向に対して、企業は、遺伝子組み換え大豆を使っていない食品を製造したり、販売したりしてきている。また、政府（農林水産省）も生活者の要望を受けて遺伝子組み換え食品の表示について検討し、平成十三年四月一日からJAS法に基づいて品質表示をするようにしたのである。

（馬場房子）

キーワード 生活者／ニーズ／コンシューマリズム

〔文献〕①④㉒

人《じん》事《じ》心《しん》理《り》学《がく》

人事心理学は、ミュンスターベルク(Münsterberg,H.)によって一九〇〇年代初頭にその基礎となる研究が展開された産業心理学の中核をなす分野であり、今日でも産業・組織心理学の重要な領域を担っている。人事管理や人的資源管理と重複し、産業心理学、組織心理学、経営心理学と同義に扱われることも少なくない。その出発点は、個人差の心理学にあり、行動や職務遂行における個人差に注目し、それらの差異を測定し予測する方法に重要な焦点を置いている。

人事心理学をその一分野とする産業心理学は、米国における二十世紀初頭の科学的管理法の成立・展開と、それに対する合理性や技術を優先するあまり「人」を軽視しているという批判や反対に対して、心理学の視点から、どのような人がどのような仕事に適しているか、より仕事に適応するためにはどのような知識・技能を付与し、どのように配置し、仕事の結果をどのように評価するか、などについて研究し、科学的管理法の欠点を補完する役割を果たした。そのため、人事心理学は、働く人々が、ある特定の企業や組織に採用されてから退職するまでの一連の管理である人事管理を心理学的に支える、という性格が強いとされている。

以下に、管理のプロセスに沿って重要な領域を見ていく。

〈職務分析〉

人事管理の最初の部分は、要員管理のために必要となる職務(Job 厳密には職位Position)の内容を明らかにする職務分析(Job Analysis)である。職務分析は、その職務を科学的に解明し、そこで必要とされる知識、技術・技能、経験、パーソナリティ特性や資格要件などのそれを担う個人に関する領域と、その職務にまつわる機械設備や扱う原料、その他の物理的特性からなる作業条件、そして、その職務が果たすべき責任や権限、関係者などの職務と組織の関係に関する事項が含まれる。

この職務分析やそれに基づく職務評価は、募集・採用、教育訓練、職務遂行の評価、配置・異動の決定、賃金の決定などに際して、その基準として大きな役割を果たし、また、部門間の業務の調整や、組織構造の設計の資料ともなる。

〈募集採用とさまざまな検査〉

職務分析を元に、個々の職務の特性やそれを担う資格要件が明示されると、それに基づいて募集・選抜・採用が行われる。その際には、その職務に向いている人を選抜するために、職業適性検査や職業興味検査、さらには、各種の性格検査などのさまざまなテスト・検査が用いられる。

これらのテストに関しては、知能検査を出発点として、人事心理学における研究の歴史は長いが、今日では、これらのテストを産業場面で選抜に用いることについては、米国などのように法的規制が厳しい国々もある。また、わが国のように、変化しつつあるとはいえ、新卒者の一括採用が中心で、個々の職務に対応した採用をしない国では、それらが、何のために何を測っているのかが見えにくく、妥当性を欠く場合もある。そのような場合は、面接に重点をおく事が多い。

〈教育訓練・能力開発〉

採用後に配置が行われるが、職務が要求する知識や技術のレベルとそれを担う個人のそれらとには多くの場合ギャップがある。また、働く人々は何時までもそのレベルにとどまっているわけではなく職業上のキャリアの発達が予想される。そのような、能力のギャップを埋めたり、将来のキャリアの発達を容易にするために教育訓練・能力開発が必要とされる。そのための効果の高い方法・技法の研究や開発には、産業・組織心理学の貢献は大きい。

〈評　価〉

現実の職務遂行が、組織の予定した基準（課業）に適合しているか、もしくは、どの程度達成したかを測るために、人事考課が行われ、それによって、教育訓練ニーズが発見されたり、昇進を含めた異動や賃金・賞与の決定が行われる。とりわけ、近年の成果主義・成績主義に基づく処遇や年俸制の導入に関しては、評価のシステムや内容が問われることが多く、研究が盛んになってきている。なお、評価に関しては、昇進・昇格前にその適格性を評価するヒューマン・アセスメントの導入も行われ、そのための研究の歴史も短くない。

〈その他の領域〉

働く人々は、人として満足できうる人的な環境や仕事の中で働く権利を有しており、かつ、その職業生活を通して自己を成長させていくものである。前者は、人事・労務管理の持つ人間関係管理的な側面やその重要な部分である快適環境作りに該当し、後者は、キャリア発達や従業員のキャリア管理に関係する。人間関係管理的な部分としては、リーダーシップ、動機づけやモラール、職務満足感や働き甲斐、そして、快適な職場作りという側面からは、快適な人的環境の整備や仕事（職務）の設計、そして、仕事ストレスとメンタルヘルスなども、この人事心理学の分野の重要な研究領域といえよう。

また、キャリアに関しては、組織の提供する能力開発以外に、自己啓発意欲や個人的な支援であるメンターなども検討すべき領域である。

なお、今後は、定年延長や少子化社会における若年労働者の不足などの影響で、労働人口に占める中高年齢者の割合が高くなると予想され、それらの人々の雇用と処遇を巡るさまざまな施策や女性の質的な仕事社会への進出に伴って生じる、ポジティブ・アクションやセクシャルハラスメントに代表されるような、様々な課題にジェンダーの視点から対応していくような取組みについても心理学の貢献が期待され、その領域も人事心理学の対象領域の一つとなってくるものと考えられる。

（小野公一）

キーワード　人事評価／キャリア発達／メンタルヘルス／職務満足感

人《じん》事《じ》評《ひょう》価《か》

（人事考課／ヒューマン・アセスメント）

企業がその中にいる働く人々を評価する制度としては、人事考課とヒューマン・アセスメントがある。

〈人事考課〉

人事考課は、働く人々の処遇の決定に必要な情報（能力、適性、業績・成績等）を把握するために、定期的に行われる個人別の評価であり、初期の段階では、査定とも呼ばれ、主に、昇給、賞与、異動・昇進の判断基準として用いられてきた。しかし、昭和四十年代から五十年代初頭にかけて能力主義化の中で、賞与・昇給や昇格・昇進などの異動のための査定という側面から、職能資格制度を中心とした人事制度との関係を強め、能力開発との関連も強く意識されるようになったとされている。それにともない、それ以前の、一人の上司によるある面で閻魔帳的マル秘評価から、より透明度の高い評価方法の模索が始まった。

さらに、近年のわが国における年功序列や終身雇用慣行の崩壊に伴って、従来の職能資格制度からより成果や成績を重視する人事制度へと移行するに従い、人事考課の結果が、働く人々の処遇により大きな影響を与え始めて来た。そこでは、人事考課の結果だけでなくシステム全体に関してよりいっそう公平性や、納得性、そして尺度の信頼性や妥当性が論議されるようになってきている。特に、人事考課のシステムとして、その基準設定の段階から被考課者を参加させる仕組みである目標管理・目標面接・考課面接などの重要性が、今日、論議されつつある。

人事考課の評価内容を大別すると、情意や態度などのパーソナリティ特性、能力、適性、勤怠、仕事の結果である成績・実績・業績、職務行動、などがあげられる。これらについては、多くの具体的な内容が上げられており、楠田丘は成績（仕事の質と量）、情意（規律性、協調性、積極性、責任性）、基本的能力（知識・技術、体力）、精神的習熟（理解・判断・決断力、創造・企画・開発力、表現・折衝・渉外力、指導・管理・統率力）という分類をしている㉖。考課の方法としては、評定尺度法やプロブスト法、成績順位法、記録法、相対比較法など多様なものが用いられている。

人事考課は、人が人を評価するものであり、そこには、ハロー効果をはじめとして、中心化傾向、寛大化傾向、論理的誤差、対比誤差などの心理的エラーが付きまとう可能性が強く、また、考課者自体が考課の意義や目的、結果の利用について十分理解しておらず、おざなり、もしくは、恣意的な評価をする危険性を孕んでおり、それらを問題点として指摘する調査結果も少なくない。そのことは、人事考課の信頼性を大きく損なうものであり、その対策として、考課者訓練の必要性が指摘されている。

なお、近年評価に関してコンピテンシーという言葉が、業績や成果との結びつきが強い概念として用いられることが少なくないが、未だ、明確な概念化がされておらず、極めて恣意的に使われている感が強い。

〈人事考課の公平性と納得性〉

また、前述のように、近年の成果主義に基づく処遇の基礎として人事考課が大きな役割を果たすようになると、被評価者が、評価のシステムや結果をどのように受け止めるかという点への関心も集まっている。特に、公平性や納得性の面での論議が高まっている。

納得性に関しては、期首の目標面接と期末の考課面接および自己評価の利用、考課項目や結果、絶対評価や相対評価などの効果方法、結果の利用法などの開示などでそれを高める工夫がされてきている。また、直属の上司一人による考課からそのうえの上司や、隣接部門の上司を加えた二重考課などの方法、さらには、より多くの人々を加えた多面考課を用いてその公平性を担保しようという動きも盛んである。また、上記の面接や自己評価の反映など被考課者が、成果の判断基準となる目標決定への参加も含めた評価過程へ参加することも、納得性を高めるための手法として、積極的に導入すべきであろう。そのことは、働く人々の目標への関与を高め仕事への動機づけにも結びつくといえよう。

公平性や納得性を高めることは、職務満足感や動機づけにも繋がり、近年では人事考課システム（目的・評価項目、手続きなど）についての認知をPSK（Perceived System Knowledge）という言葉であらわし、それらの関係の強さを示す実証的研究の結果の報告も少なくない㊼。

〈ヒューマン・アセスメント〉

ヒューマン・アセスメントは、人事考課が結果を重視しそれを処遇に反映したり、そこから今後の能力開発の課題を発見しようとするのに対して、今後想定される職位や管理的な職位に、候補者が十分耐えられる能力があるかどうかを評価するものである。その出発は、第二次世界大戦前であるとされ、戦後一般の企業社会の中での管理職の選抜のために用いられるようになった。

具体的には、新たな職位の候補者達を擬似的な仕事状況の中におき、意思決定やプレゼンテーション、集団討議などの課題を遂行させ、その仕事振りを専門の観察者が多方面から詳細に観察し、面接やパーソナリティ・テストや適性検査などの客観テストの結果などとあわせて判定するものである。このようにさまざまな測定ツールを複合的に組み合わせ、評価者の観察判断が介在することが多いことから測定よりも診断に近いともいわれている㉛。

この方法は、多くの時間と費用がかかるという欠点を持つが、候補者の潜在的な能力を事前に判定するうえでは非常に有効な方法と考えられている。わが国では、特定の職位の候補者というよりは新たに管理者になる候補者たちを選抜するためや教育訓練的な意図で用いられることが多い。

（小野公一）

キーワード 心理的エラー／能力主義／多面考課

〔文　献〕 ㉖㉛㊼

キャリア発達《はったつ》・育成《いくせい》

キャリアは、職務経歴と訳され、その範囲では、多くの文献に見るように、どのような仕事や職務につき、地位や所得がどのように変化したかをさす言葉といえるが、その一方では、そのような外面的な変化だけでなく、技能、専門性、そして、関係のネットワークに内包される情報や知識の蓄積が、労働経験の発展する連続を通して獲得されるプロセス（Bird, A.⑦）であるというような質的な面を含んだ言葉でもある。また、最近では、仕事に関するものと同様に、全ての生活役割をカバーするものにまで拡大してきており、ある人の生涯における全ての役割を扱う（Gouws, D.J.⑬）とされている。

〈キャリア発達の段階〉

このようにさまざまなものを外面的にせよ内面的にせよ経験し獲得していくプロセスと考えれば、キャリアは常に変化していくものとみなさなければならない。そこではキャリア発達という言葉が用いられる。キャリア発達は、ライフサイクルの段階と並行して研究されることが少なくない。キャリア発達の研究としては、人の一生を成長、探索、確立、維持、下降の各段階に分け、成長期を除く四段階について検討しているスーパー（Super, D.E.㊷）の研究が著名であるが、アームストロング（Armstrong, M.③）は、人事・労務管理の視点からキャリア発達をキャリアの出発点の拡大期、キャリアパスの確立期、成熟期にわけ、成熟期に人々は、成長を続けたり、プラトー状態に陥ったり、停滞もしくは下降状態のいずれかをたどり、人によって発達や進歩の度合いは異なるとしている。

また、発達過程におけるキャリア選択には、個人のキャリアを導き、制約し、安定させ、かつ、統合するキャリア・アンカーが、大きな影響をもつとされ、それは、その人が最も放棄したがらない欲求、才能、価値観の組み合わせであるとシャイン（Schein, E. H.㊲㊳）は指摘している。

〈キャリア発達を促進する要因〉

個人のキャリアは、さまざまな支援を含む促進要因を受けて発達が遂げられる。そのような促進要因は大きく分けて四つあり、ひとつは、キャリア・アンカーにささえられた自己啓発である。働く人々のキャリアの形成・発達は、自分の意思で積極的に仕事に関する知識・技術を高め経験を積んでいこうとする意欲、すなわち自己啓発意欲がないと、以下にみる第二・三・四の条件が整ったとしても、円滑には進まない。

そして、第二は、職業生活に入る以前の家庭生活、学校生活、そして地域社会における生活の中での学習や友人や先輩との交流、テレビや読書から得る知識・情報など、さまざまなものがキャリア観や職業意識の形成に役立っている。

第三のものは、企業が企業目的の円滑な遂行を目的に行う教育訓練・能力開発である。能力開発には、仕事をしながら行うＯＪＴと、仕事から離れて行うＯｆｆ−ＪＴがある。

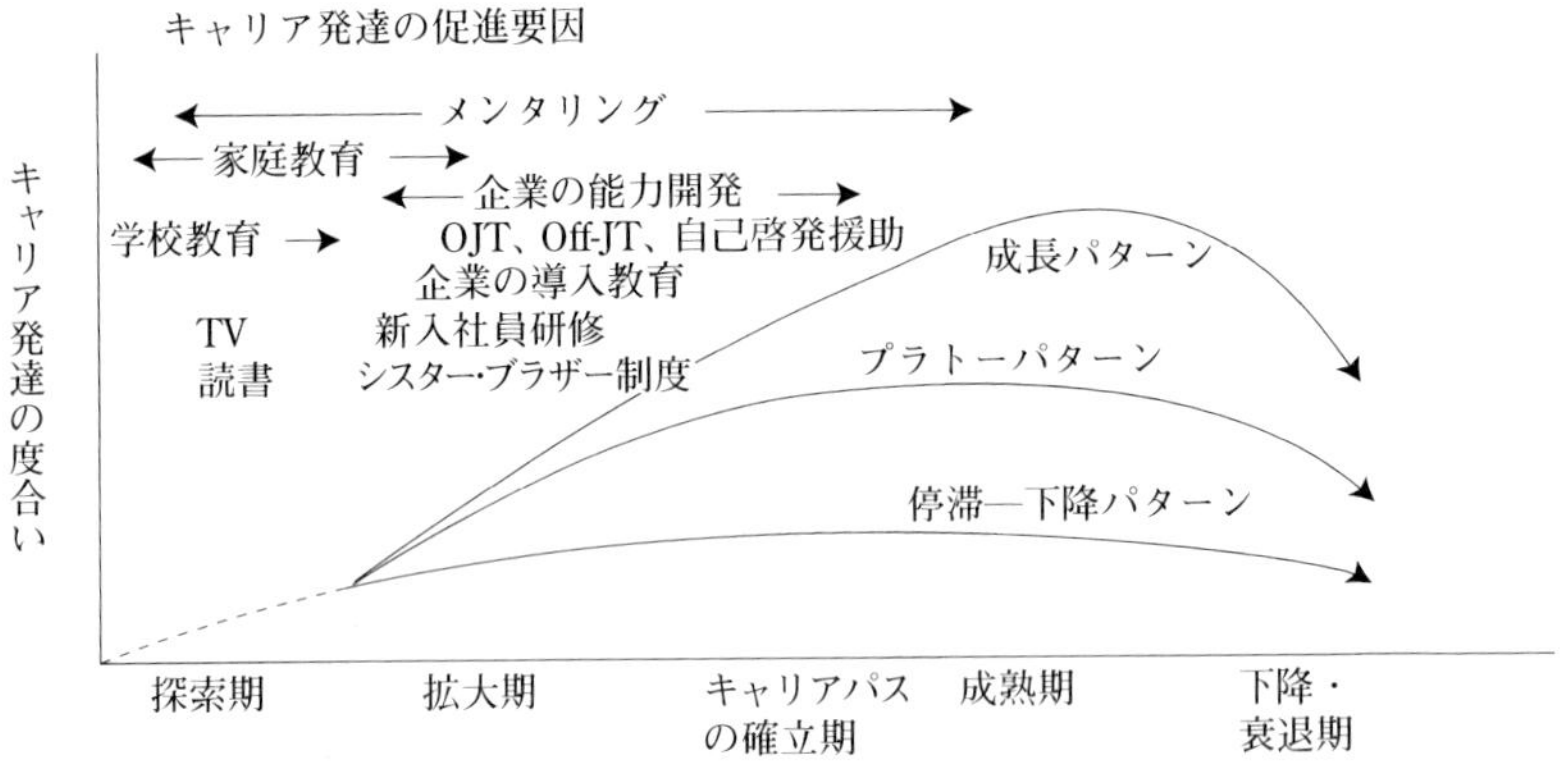

図１　キャリア発達の促進要因 (M.Armstrong 1995　文献③を参考に作成)

OJTは仕事をしながら行うので、場当り的になりがちであるが、キャリア開発の視点からは、計画的に行い、その足りないものをOff-JTが補うという組み合わせが必要である。特に、初期の導入教育では、新入者を組織や仕事に慣れさせる社会化のための内容に重点がおかれることが少なくない。また、自己啓発を支援するさまざまな制度を持つ企業も多い。

〈メンターとメンタリング〉

キャリア発達の促進要因の第四のものはメンターによるメンタリングである。

メンターとは、その人が持っている知識や、経験、ある種の力を用いて、それらを持たないプロトジーのキャリアの成功を助ける人のことである。多くの場合、メンターは年長者であり、年少・若年のプロトジーのキャリア発達を直接的・間接的に助けるとされている。メンターとプロトジーの関係は、両者の共通する価値観やシンパシーなどの上に成り立つ私的な関係であるが、近年は、組織が両者の組み合わせを仲介して、積極的にキャリア開発に役立てようとする公式メンターという施策がとられることもある。

メンターによって提供される支援をメンタリングといい、多くの研究はクラム(Kram, K.E.⑲)の分類にしたがい、直接キャリア発達を促進するキャリア機能と情緒的な安定や心理的な受容・承認の面で支える心理・社会的機能に大別しているが、それ以外に、現実に職業人としての手本になる役割モデルをひとつの重要な機能として独立させている研究も多い。

日本の働く人々を対象に実施された実証的な研究では、キャリア機能は、仕事能力の向上を援助するキャリア機能と管理者が日々の部下管理を通して行う管理者的行動機能に大別でき、心理社会的機能は、情緒的機能と受容・承認的な機能の二つに大きく分かれることが明らかになっている(小野㊱)。

(小野公一)

キーワード　キャリア・アンカー／メンター／教育訓練・能力開発／キャリア発達の段階

〔文献〕　③⑦⑬⑲㊱㊲㊳㊷

職務《しょくむ》満足感《まんぞくかん》と生活《せいかつ》満足感《まんぞくかん》

職務満足感については「個人の仕事の評価や仕事の経験からもたらされる喜ばしいもしくは肯定的な感情」というロック（Locke, E.A. ⑳）の定義が多くの研究で用いられており、一般的な定義ということができる。この定義では、働く人々が仕事に対して肯定的感情を抱く時、職務満足感を感じるとしてよいであろう。

〈職務満足感に関連する要因〉

職務満足感の研究として有名なハーズバーグ（Herzberg, F. ⑮）の動機づけ―衛生要因理論は、職務満足感の強力な決定要因で積極的に動機づけに影響を与える満足要因（動機づけ要因：達成、承認、仕事そのもの、責任、昇進）と、職務の中での環境的側面と関連し、職務不満の生起を防止する役目を果たす不満要因（衛生要因：会社の政策と経営、監督、給与、対人関係、および、作業条件）を抽出し、この二組の要因を職務満足感の両極をなすものではなく、互いに独立した要因群であるとしている。

この研究は、職務満足感や職務不満足感の原因を仕事そのものや仕事に関連するものに求めているが、初期の研究や近年の研究は、仕事に直接係わるもの以外の要因や、生活満足感と関連づけた要因を取り上げるものが多く、仕事の場で生じる感情を考える時、直接的に仕事に関連するものだけでなく、働く人々の背景にあるより広い領域の要因も考慮に入れるべきことを示している。

職務満足感に関連する要因についてまとめてみると、独立変数として職務満足感が影響を与えるものとしては、動機づけ、アブセンティズムやターンオーバー、生産性・業績などが共通している。それに対して職務満足感を従属変数としてみるとき、(1) 挑戦的な仕事や責任ある仕事、成長感や達成感など仕事そのものに関する要因、(2) 報酬や評価、労働時間などの労働条件、(3) 上司や同僚、そして顧客を含む人間関係、(4) 企業や職業の社会的威信など仕事の周辺的なもの、さらには、(5) より広く社会・経済的な状況、(6) 家族関係、そして、(7) その人のパーソナリティなどがあげられ、多くの変数は、職務満足感の測定尺度としてあげられる。

〈職務満足感の測定〉

職務満足感を測定する試みは、ハーズバーグのクリティカル・インシデント・メッソードを用いた面接調査を除いては、質問紙法を用いることが多い。

特に、信頼性や妥当性が検証され多くの研究で用いられているものに、仕事のタイプ、賃金、昇進の機会、監督、そして同僚という仕事の五領域に関連する一連の形容詞や短い言葉のリストで構成されるＪＤＩ（Job Descriptive Index）と、ハーズバーグがあげた要因に加えて能力の使用、活動性、創造性、独立、道徳性、社会保障、多様性などの二〇項目で構成されているＭＳＱ（Minnesota Satisfaction Questionnaire）がある。

その一方で、そのような個別の要因への評価の和ではなく、全体的に仕事に満足しているか否かを問う方が、その人の職務満足感をより正確に測れるのではないかという考え方もある。

〈生活満足感〉

仕事生活と非仕事生活は、排他的に独立し

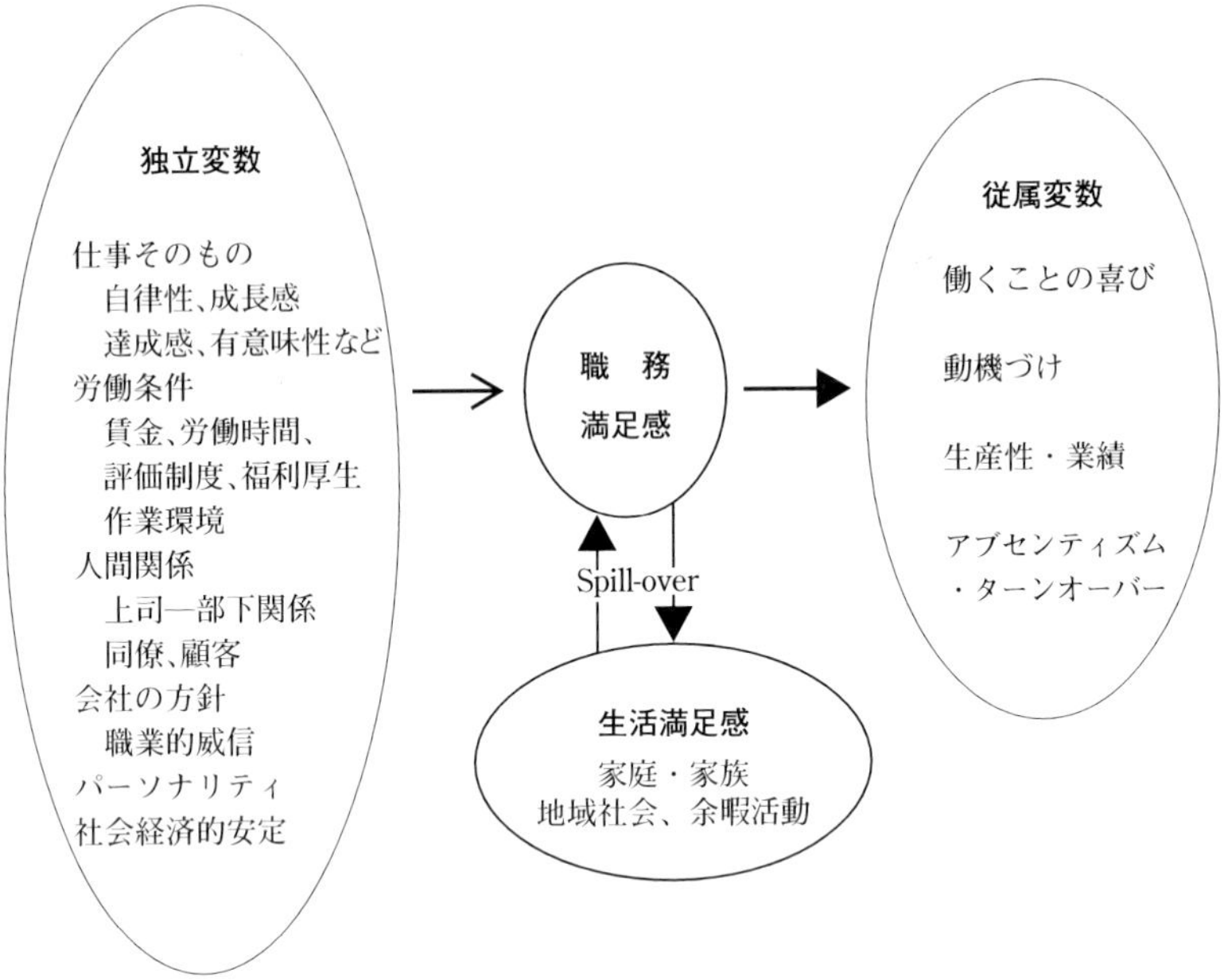

注：業績は、職務満足感の独立変数とされることもある。

図１　職務満足感とその関連要因

ているわけではなく、両者は相互に関連しているとされており、そこで生じる感情である職務満足感と生活満足感の関係については、一方の生活領域で生じた正（負）の感情はもう一方の生活領域に溢れ出し、その感情を正（負）に導くというSpill-overモデルが支持されている（小野㉝）。

生活満足感の構成要因は多様であるが、コミュニティ（人間関係、都市基盤、自然環境なども含む）、家庭・家族（または配偶者）との関係、余暇・レジャーなどに分類することができ、それらをもって非仕事生活の指標としている研究も多い。また、仕事と家族・家庭生活の葛藤の面から職務満足感や生活満足感をみる研究もなされている。さらにいえばそれらをすべての関わりの中で、自分自身をどのように成長・充実させ、生き甲斐に結び付けていくのかということに対する満足度も、考慮されるべきであろう。

（小野公一）

キーワード　ハーズバーグの動機づけ―衛生要因理論／Spill-overモデル

〔文　献〕　⑮⑳㉝

メンタルヘルス

メンタルヘルスは、一般的に精神衛生とか心の健康・精神的健康といわれ、精神的な疾病との関係で論じられることも少なくないが、より広く、人が環境に適応し精神的に"快"的で安定した健康な状態としてとらえ、心理的well-beingとほぼ同義と考えてよいであろう㉞。

産業・組織心理学の領域では、メンタルヘルスはそれを阻害する仕事ストレスやメンタルヘルス不全への対処だけでなく、疾病の発生を妨げ健康である状態をどのように維持するか、すなわち、働く人々が心身ともに健康でいられる仕事や仕事の場をどのように作るかという視点で論じられる。それらは、人事・労務管理の福利厚生・安全衛生の対象領域でもある。

〈ストレッサー：ストレスの原因〉

組織の中で働く人々のメンタルヘルスを脅かす仕事ストレスの原因（ストレッサー）としては、さまざまなものが考えられるが、大きく分けて、表1のように整理できよう。それらは、互いに独立したものではなく相互に関係している。また、仕事生活を取巻くさまざまな生活領域の中で生じる要因も無関係ではありえない。さらには、生理的な、疲労や疾病などの要因も関連してくる。

それ以外にも、男女の不公平な処遇やセクハラ、長時間労働やサービス残業を強制するような仕事の与え方やそれを肯定する組織風土なども、仕事ストレスにつながるものといえよう。

〈仕事ストレスの結果〉

このような仕事ストレスは結果として、仕事の場でのいらいらや憂鬱、仕事へのやる気の喪失、生理的な病気や精神的な病気などの個人的問題として片付けられがちなものから、遅刻・無断欠勤などの好ましくない勤務態度、離・退職、労働災害の生起などに繋がり、組織に与える損失は非常に大きいものがある。さらに近年では、過労自殺やバーンナウトなどが社会問題にさえなりつつある。

また、仕事ストレスはメンタルヘルスの指標の一つである職務満足感に負の影響を与えるとされているが、ソーシャル・サポートが多い人では、職務不満足感への影響が減じられるという研究も多い。

〈メンタルヘルス管理とその担い手〉

メンタルヘルスを維持するための施策としては、メンタルヘルスの啓蒙・啓発活動、その一環としてのメンタルヘルスの講習会等の開催、人事担当者等への研修の実施などの活動とならんで、健康相談や健康診断時の問診などより直接的な活動、そして、スポーツ・レクリエーション等の気分転換やリラクゼーション的な活動が多用されている。なお、さまざまな統計は、カウンセリングなどの専門家による予防・治療的活動が、わが国では盛んでないことを示している。

メンタルヘルス管理の担い手としては、産業医、看護婦、精神科医やカウンセラー等の専門家を考えがちであるが、職場におけるメンタルヘルスの基本は、健全なメンタルヘルスを維持できる環境作りであり、メンタルヘルス不全が生じたときの対処だけではないことを考えれば、現場の管理者がその主たる担い手であり、それを経営者層が理念や制度とその運用で支えるべきものと思われる。

特に、メンタルヘルスの管理の第一歩は、

表1　仕事ストレスの原因

分　類	内　容
仕事そのもの	仕事が要求する知識や技能の程度、達成感を得られる程度、責任の大きさ、他の人々からの承認、興味や適正との適合
役割の問題	期待された役割間の葛藤、期待された役割の曖昧さ、重過ぎる役割や責任
対人関係の葛藤	上司の仕事の与え方や指導・評価、リーダーシップ、協力関係を前提とする職務集団における同僚との関係、顧客との関係
地位・処遇とキャリアの問題	地位、昇進・昇進速度、キャリアの個人責任化、雇用の不安定さ、人事考課・評価のシステムや運用、成果主義
自己の仕事への統制や影響力	自律性、ローカス・オブ・コントロール（統制の所在）、疎外

（文献㉟　内容は新たにつけ加えた）

気付くことであるとされており、そこでも日常的に部下の行動や仕事に注意を払っていなければならない上司の重要性が強調されることが多い。また、早期発見という点では、家族や同僚も上司とならんで、重要な鍵をにぎっている㉟。

もう一つの担い手は組織そのものであり、メンタルヘルスを維持し、仕事ストレスを減じる事を可能にする仕事作り（職務設計）や組織風土作り、それに加えて、メンタルヘルスに関する制度面の整備、管理者の教育、キャリア形成の支援と雇用の安定、支持的な風土の形成、公正な処遇などが検討されなければならないであろう。そのような組織や人事・労務管理の視点でメンタルヘルスを考えるときには、職務満足感の維持・向上という視点から検討することの意味は大きい。

（小野公一）

キーワード　職務満足感／仕事ストレス／カウンセリング／ソーシャル・サポート

〔文　献〕㉞㉟

職務《しょくむ》（再《さい》）設計《せっけい》

職務や仕事を設計するという考え方は、特に、テーラー（Tayler, F.）の科学的管理法以来、仕事の流れとそこで働く人間との関係を考える時の重要な概念となっている。テーラーは、それ以前の、熟練工が頭の中で経験的に描いていた仕事の流れや個々の作業手順を科学的に分析し、作業に必要な要素を抽出し、誰もが同じ手順で同じ量だけ遂行できるよう標準化し、そして、それを課業として明示した。

しかし、このような職務の設計は、仕事の物理的側面や技術が、人間の様々な仕事に対する要求に先行するという色彩が非常に濃厚であった。そのため、科学的分析に裏付けられた職務の細分化・単純化と作業の標準化に基づく職務の設計は、ベルトコンベアーに象徴される単純で反復の程度が高く、働く人々に対する心理的な拘束性も高い流れ作業の中で、高度に展開され、大量生産を促進する一方で、人間性の無視や労働疎外をもたらし、GMのローズタウン工場の山猫ストなどに代表される労働者の抵抗を、先進工業国にもたらした。

このような問題が生じたのは、働く人々の持つ要求を仕事の場が満たせなかったためとされている。すなわち、働く人々のニーズが、科学的管理法の生成期に主流であった「生きるためのお金を稼ぐ」という金銭的な要求から、一九三〇年代以降の人間関係論が想定した「仕事の中の人間関係＝社会的関係を重視する」という社会的要求に変化した。さらに、一九六〇年代以降の組織心理学や行動科学の中では、働く人々の要求は、「仕事を通しての成長や自己実現」というものにシフトしている。

それに対し、仕事そのものを設計する思想は、科学的管理法の生成期のままで、物理的・技術的な合理性を優先し、そこで働く人々の能力発揮や人間らしさの発露を志向していないことから前に述べたような問題が生じている。そこで、働く人々の高次の要求、すなわち、仕事を自分でコントロールでき、仕事を通して成長し自己実現を目ざしたいという要求を満たす職務のあり方が、動機づけの理論とともに研究され、新たな仕事の設計が行われるようになった。そのような視点での職務設計を、職務再設計（Job Redesign）という。

〈動機づけ＝衛生要因理論と職務拡大・職務充実〉

職務再設計の有力な考え方に、職務拡大と職務充実がある。

職務拡大は、仕事の幅の拡大とも言われ、非常に幅狭く限定されていた個人の仕事を、その周辺の仕事も組み入れ、個々人が受け持つ仕事の幅を広げ、職務が要求する個人の技能・知識をより大きくするものである。それによって、職務の多様性を増し、また、まとまりのある仕事にすることで仕事の意味を実感しやすくさせ、職務の単調感からの脱皮をはかるものである。

ハーズバーグ（F. Herzberg, 1976）は、伝統的な産業工学的慣行（すなわち科学的管理法流の職務設計）から、働く人々の疎外化とそこから生じる問題を、動機づけ＝衛生理論を応用しよい仕事業績へと動機づけることによって阻止するための方法として、職務充実を論じている。

職務充実は、職務拡大を水平方向の拡大とするのならば、質的な拡大もしくは垂直的な拡大ということができ、職務遂行に際して、働く人々の裁量の余地を大きくし、作業計画や仕事手順についての自己の判断や工夫を行うことを認める。すなわち、各人の仕事の自律性を高めていこうとするものである。

職務充実の考え方を支えるものとして、職務特性論の研究が一九六〇年代に盛んに行われ、ハックマンとオルダム（Hackman, J. R. and Oldham, G.R.⑭）のＪＤＳ（Job Diagnostic Survey 職務診断調査）の研究は、職務のあり方に関して大きな影響を与えてきた。ＪＤＳは、仕事には、職務多様性、職務重要性、課業同一性という仕事の有意味感に関する三つの次元と、自律性およびフィードバックという合わせて五つの次元があり、それらの充足は、働く人々の成長要求を媒介として、高い生産性や職務満足感、低いターンオーバーやアブセンティズムに結びつくとしている。

〈社会＝技術システム論と自律的作業集団〉

職務再設計のもう一つの流れは、社会＝技術システム論から導かれた、（半）自律的作業集団の考え方である。この考え方は、北欧を中心に、産業民主主義やＱＷＬ（Quality of Working Life 労働生活の質的向上）を背景にして、展開されている。

仕事集団と新しい技術をいかに組み合わせるかという研究は、イギリスのタビストック人間関係研究所の実験が有名であり、そこでは、最新の技術を最高度に発揮するよりも、技術の進歩と職場集団のもつ関係性を組み合わせたほうが、生産性が高まることを発見した。現実の企業場面では、スウェーデンのボルボ社のカルマル工場における作業集団による生産形態が、それが生産性に与えた効果の判断は別として、労働の人間化の試みとして非常に有名である。

自律的作業集団の特徴は、職務拡大や職務充実が「個人の仕事」の幅や質を扱っているのに対して、作業集団の考え方を取入れ、働く人々の社会的要求と技術の調和を図ろうとすることにある。

〈その他の職務設計〉

それら以外に、労働の人間化やＱＷＬを目指した職務再設計の方法としては、仕事の単調感をなくすために一定期間ごとに職務を巡回するジョブ・ローテイション、隣接する課業をまとめて一つにするだけでなくそのまとまった職務を一定期間ごとに巡回し、単調感をなくすと共に、多能工化を図るというワーク・モジュール、などが挙げられている。

なお、これらの職務再設計が、必ずしも、全ての働く人々に歓迎されるものではない。ＪＤＳのところで見たように、根底にあるのは、高い成長要求を持つ人々であって、中には、ベルトコンベアーでの単純反復作業を好む人もいることを理解しておくべきである。

（小野公一）

キーワード 労働の人間化／社会＝技術システム論／職務充実

〔文　献〕⑭

作《さ》業《ぎょう》心《しん》理《り》学《がく》

人間とその労働や作業については、古くから研究されているが、その多くが、本質的には経済的要因に関係している。作業との関連でいえば、技術史そのものは、まさに作業の科学をまとめたものといえよう。その技術史の中に、作業心理学と深い関わりを持つ人の名を見つける事ができる。一八九八年に高速度工具鋼を発明した「フレデリック・ウィンスロー・テイラー（Taylor, F. W.）」である。彼はフィラデルフィアのミッドヴェイル製鋼会社の職長として、効率的な生産を常に目指していた。そのハード面が高速度工具鋼の発明であり、ソフト面が時間研究（Time Study）の生産現場への導入であった。テイラーは一八八三年に作業を要素作業に分解し、時間研究の基本的な方法を確立した。一八九五年には差別出来高制（A Piece Rate System）にもとづく作業能率の管理法を提唱した。一九〇三年には職場管理法（Shop Management）一九〇六年には、高速度工具鋼の発明と関わる「金属切削法について」(On the Art of Cutting Metals) を著した。このような過程をへて、人間の作業行動を自然科学的な効率の論理で割り切り、技術との融合を図り、ムダとムラとムリのない作業管理の標準方式を設定するという考え方をまとめた。これが一九一一年に出版された「科学的管理法の原理」(Principles of Scientific Management) という能率心理学の原点となる本である。

能率心理学のもう一つの核となるのが、「フランク・バンカー・ギルブレス（Gilbreth, F.B.）」と「リリアン・モーラー・ギルブレス（Gilbrerh, L.M.）」夫妻である。彼らは一八八四年に、最も効率の高い作業動作の標準化を目指して動作研究（Motion Study）を始めた。特に的確にデータを獲得する方法として写真法、とくに映画法を導入して、作業動作の分析を進めた。後年R・M・バーンズ（一九六八）により、テイラーとギルブレス夫妻の研究は、「動作時間研究（Time and Motion Study）」として作業研究（Work Study）の核をなす方法として高い評価を得ている。テイラーおよびギルブレス夫妻らの能率心理学は、二十世紀初頭におけるアメリカの実用主義と効率主義を支えた方法として注目される。

作業心理学のもう一つの大きな流れは、ドイツの「ヴント（Wundt, W.）」に実験心理学を学んだ、H・ミュンスターベルクの経済心理学である。日本では、アメリカのIndustrial Psychology を訳した産業心理学が一般的な用語となっているが、第二次世界大戦までは、経済心理学という言葉も心理学の世界では普通に使われていた。この経済心理学という言葉は、「ミュンスターベルク（Münsterberg, H.）」が一九一二年四月、母国のドイツのベルリン大学において、心理学の経済問題への応用研究が一例も見られなかったことに端を発している。彼は前年にベルリン大学で行った講義をとりまとめ、「Psychologie im Wirtschaftleben」（一九一二）を刊行した。翌年若干の補訂を加えて「Psychology and Industrial Efficiency」として、アメリカで産業心理学とよばれるものとなった本を出版した。ミュンスターベルクの経済心理学の体系を要約すると表1のようになる。

彼は「経済心理学」の体系を、まず人と仕事の二領域に分け、さらに両者の接点に「効果」(effect) 領域を設けて、広告・宣伝効果に関する研究事例をこの領域の中心に捉えている。現在、作業心理学の領域のテーマとして扱われるのは、第I部「最適の人」と第II部「最良の仕事」の二領域ということになろう。この経済心理学では経済活動を対象と

表1　ミュンスターベルクの経済心理学の体系（安藤、1975　文献②）

「経済心理学」	**第I部「最適の人」** 職業と適性・職業指導と科学的管理法・必要な実験心理学的方法・個人と集団・適性研究の応用事例、などに関する論述。
	第II部「最良の仕事」 学習と訓練・心的条件への物的条件の適合化・動作の経済・単調、注意、疲労の現象・労働力におよぼす物的、社会的影響の問題、などに関する論述。
	第III部「最高の効果」 経済的要求の充足・広告、陳列の効果・購買と販売の活動・宣伝、広告の不法な模倣行為の事例、などに関する論述。

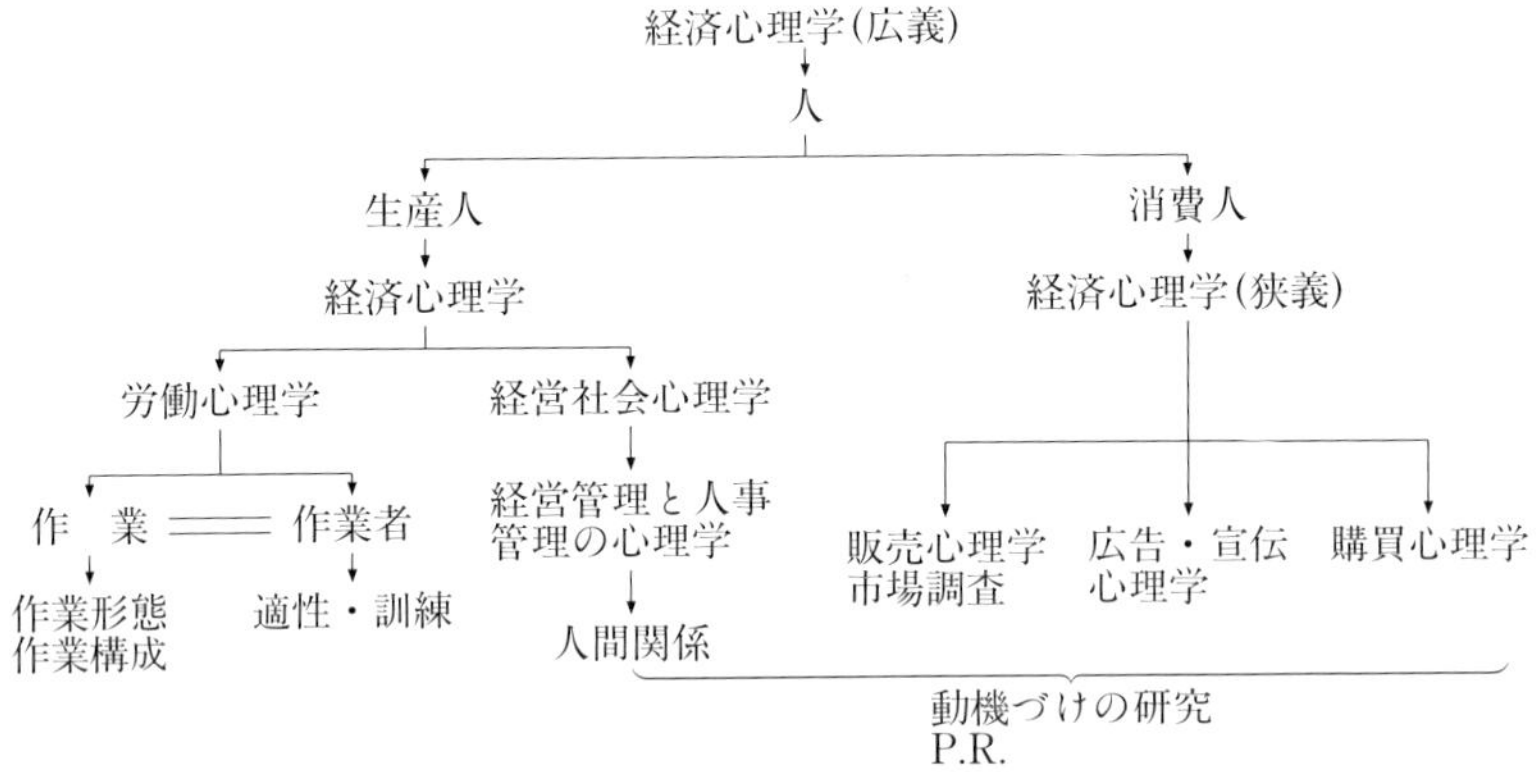

図1　ヘルヴィッヒの経済心理学の体系（安藤、1975　文献②）

して考えているため、経済活動をする人間を生産者と消費者の二つの範疇に分かち、その人間の精神過程を労働者の心理と購買者の心理に大別して捉えようとしていたのである。そのため、販売、購買、消費などの諸活動の研究は重要な領域とされていたのである。

現代のドイツでの産業心理学は、今も「経済心理学」である。ヘルヴィッヒは一九六一年に、経済心理学の体系を図1のようにまとめている。この図のうちの生産人→経営心理学→労働心理学の分野が作業心理学の分野ということになろう。

この図では産業・組織心理学会の一つの部門である組織行動部門にあたる組織心理学が分化していない。恐らく経営社会心理学に含まれているのであろう。

最後に、作業心理学とはと問われたら、作業者の特性に作業設備や環境を適合させる問題について心理学的に研究するとともに、作業の特殊要求に作業者を適合させる事について心理学的に研究する学問分野であるといえるだろう。

（岸田孝弥）

キーワード　時間研究／動作研究／能率心理学

〔文献〕②⑩

アーゴノミクス

アーゴノミクスの日本語訳は人間工学である。今まで人間工学という言葉の英語はHuman Engineeringであった。この言葉が初めてアメリカで公に使われたのは一九二二年である。J・オコナー（Johnson O'Connor）がボストンに人間工学研究所（Human Engineering Laboratories.Inc）を設立した際に、研究所名として使われていた。オコナーは人間の適性検査方式について研究していたので、現在なら産業・組織心理学の分野のうちの作業部門の研究者といってもよいであろう。

日本では松本亦太郎が心理研究第100号（一九二〇）に「人間工学」と題するレビュー論文を書いている。この松本の弟子である田中寛一が日本で最初の「人間工学」という名前の著書を出版したのが一九二一年であった。田中の著書には能率研究という副題が冠せられており、日本で人間工学という言葉が使われたのが、能率心理学の分野であることが分かる。

人間工学（Human Engineering）が第二次世界大戦中に軍事科学として発展したことは現在では有名な事なので、ここでは詳しくは触れない。

ただ工学心理学（Engineering Psychology）として、A・チャパニスやM・フィッツらが積極的に研究を進めた。現在でも工学心理学はアメリカでは心理学の一分野として残っている。アメリカ人間工学会（Human Factors & Ergonomics Society）とは別にアメリカ心理学会では心理学者が工学心理学を研究し発表している。

現在では国際人間工学会（ＩＥＡ：International Ergonomics Association）が組織され、人間工学という言葉の英語はErgonomicsに統一されてきている。

Ergonomicsは、作業（Work）を意味するErgoと法則（Laws）をあらわすノモス（nomos）をもとに造語したもので、作業の法則、作業の科学を意味する言葉である。

アーゴノミクスという言葉もＩＥＡにより次のように定義されている。

「人間工学は、システムにおける人間と他の要素とのインタラクションを理解するための科学的学問領域である。また人間工学は、人間の安寧とシステムの総合的性能との最適化を図るため、理論・原則・データ・設計方法を有効に活用する専門的職域である。人間工学者は、人々の要求・能力・限界等に適合するよう、仕事・製品・環境・システム等を設計し評価する役割を果たしている。」

この定義の意図するところは、システム・製品・環境デザインの応用実績の新体系化である。

日本人間工学会人間工学専門家資格認定委員会による人間工学の定義は「人間工学とは、人間の身体的・精神的能力とその限界など人間の特性に仕事、システム、製品、環境を調和させるために人間諸科学に基づいた知識を統合してその応用をはかる科学である。」

この定義の特徴は、システム、製品、環境に仕事を加えたところにある。

人間工学の対象とする領域については、ＩＳＯ―１１０６４第一部（制御室の人間工学的設計）において、人間工学的基本構想としてまとめられている。『人間工学的設計とは、人間を中心にして「機械／ハード・ソフト」、「環境／物理環境・心理環境」、「運用・管理」の三者の調和と適合をはかることにより、設計目的に対する効用を得ることである』とさ

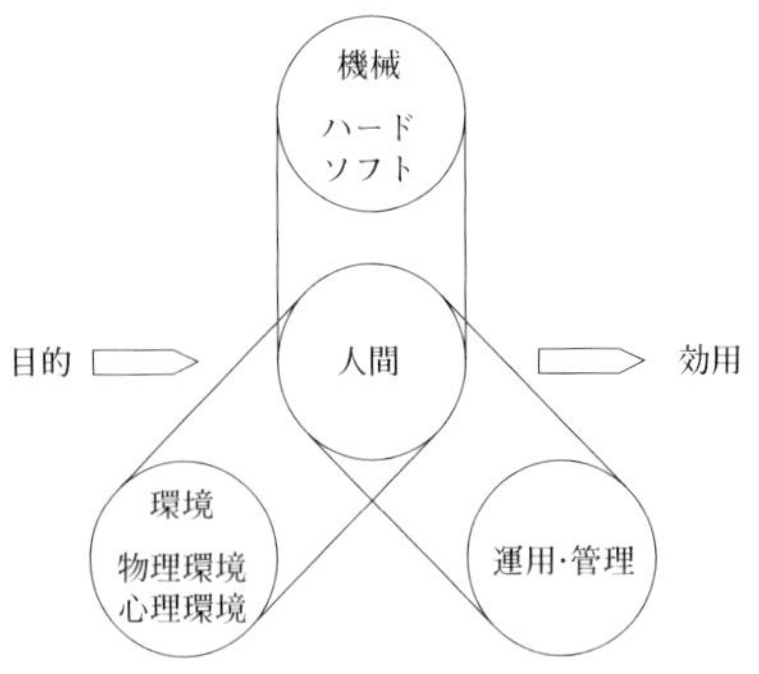

図1　人間工学的設計の基本構想
(ISO-11064part1「制御室の人間工学的設計」設計の原理)

れている。これを図示したのが図1である。この図の意味するところは、従来から人間工学の対象として考えられてきた人間—機械系、人間—環境系に留まらず人間と作業環境のシステムとしての「運用・管理」をも人間工学的設計の対象としているところにある。人間工学の対象領域に、日本人間工学会の定義にある仕事が、人間と作業環境のシステムの「運用・管理」という形で具体的に示されている。最近注目されている組織人間工学も、この「運用・管理」と深い関わりあいがある。

また日本人間工学会認定人間工学専門家資格認定委員会では、人間工学専門家として資格認定を行う際の専門知識・能力として、次の六つの分野をあげている。

I　人間工学の原理：人間工学の哲学と倫理、人間工学の歴史、人間工学の応用分野などの人間工学の背景に関する部分。人間工学の国際動向（ＩＳＯ等）や安全・環境等に対する関連法規なども、ここに含まれる。

II　人間の特性：生活・産業場面における人間の行動・パフォーマンスにかかわる基本的特性に関する部分。人体計測、運動・行動特性、生理・心理的特性、パターン認識、情報処理モデルなどが、ここに含まれる。

III　人間の特性の測定・評価：種々の人間の特性、すなわち行動・パフォーマンス、生理・生化学的、形態・姿勢等の測定・評価に関する部分。疲労、ストレス、単調感、ヒューマンエラー、不安全行動、作業姿勢などが含まれる。

IV　環境特性：生活・産業場面における人間の行動・パフォーマンスに影響を及ぼす基本的環境特性に関する部分。温熱環境などの物理的環境はもちろんのこと、情報環境、ヴァーチャル環境、町づくり環境などが含まれる。

V　人間工学の応用：生活産業場面で人間が使用する機器の設計、インターフェイスの設計、システムの設計、組織・職務形態の設計、生活・街づくりならびに安全・健康・福利にかかわる応用性の高い部分。感性工学、被服人間工学などもここに含まれる。

VI　人間工学評価：人間工学の統合原理に基づく実際的な応用場面における使いやすさ、働きやすさ、安全性、生産性、適応性等からの分析・評価に関する基本的知識。ＦＴＡ、ＰＤＣＡ、信頼性工学などが含まれる。

今まで人間工学は産業界のものと考えられてきたが、現在では健康、福祉、医療、交通都市計画など、人間の生活場面全般にその考え方が広がっており、二十一世紀では基本的な学問分野の一つとなる。（岸田孝弥）

キーワード　工学心理学／運用・管理／ＩＳＯ

〔文献〕㉓㉘㉙㊹㊺

リスク・マネジメント

　Riskを英和辞典で引けば、まず危険という日本語が目に入る。ただRiskを日本語にするなら、これで充分である。しかし、リスクというカタカナで表される日本語の意味は危険という言葉一つでは表せない。この点の理解がまず必要である。これについては、岡本浩一がリスク（Risk）という用語の用法に二つあることを次のように示し、リスクという言葉の理解を助けている。すなわち、①「危険なことがら」、②「危険なことがらが起こる確率」の二つである。

　米国のリスク学会の代表的な定義として、「リスク三重項（risk triplet）、R＝（Si, Pi, Di）」という表現がある。この式の意味は最初に、何が起こりうるだろうかというシナリオ（Si）がきて、次に、それに沿って問題開発と確認もしくは危害の同定（hazard identification）を行う。ここまでで、リスクという日本語の意味の①「危険なことがら」が把握される。二番目のPiは、それがどの程度起こりうるかということに注目することである。これは岡本の②「危険な事柄が起こる確率」である。そして三番目のDiは、起こったときのダメージの大きさとそれを何で測るかを示している。この三番目がリスク・マネジメントに関係してくる内容となる。

　リスク・マネジメントの定義となると、JCO臨界事故や雪印乳業低脂肪乳中毒事故のように、近年日本の企業において大きな事故が発生していることから、企業リスクに対処するため「リスク・マネジメントとはリスクに対して最小かつ経常化されたコストで適切な処理を行い、安定した経営を行うための管理手法である」と定義されよう。保険によるリスク・ファイナンシングは企業経営では重要なポイントとなる。このリスク・ファイナンシングとリスクそのものの管理、すなわちリスク・コントロールの二つを行うことが企業経営面でのリスク・マネジメントの基本である。これに対して、健康、安全、環境といった社会生活面も含めた場面での定義となると、次のものが参考になる。

　「リスク・マネジメントとは、不確実な状況下でのリスク問題に対応する関係者の意思決定と行動に関することである」。

　ただし、この定義では具体的なイメージがつかめないので、平石ら（一九九八）がさらに分かりやすく定義している。

　「リスク・マネジメントとは、多様な関係者が当該リスクの性質に関する知識や情報をもとに当該リスクに対応するための戦略、施策、制度等にはどのような代替案を選択するのが適切かを意思決定し、そのために行動することである」。

　心理学の分野では、リスク・マネジメントを人間集団としてリスクとつきあう作法と解し、このための人々の情報、体験、感性、叡智の交流の相互理解をリスク・コミュニケーションと呼ぶ。このリスク・コミュニケーションも広義のリスク・マネジメントの一翼をになうものと考えていくと、上述した二つの定義が一つのものとなることがわかる。次にリスク・マネジメントとしてのリスク・コミュニケーションとその具体的な事象として、①リスク・パーセプション、②リスク・コミュニケーション、③危機管理のための評価基準、④避難行動の情報システム、⑤製造物責任リスクと損害賠償、⑥資源管理と予見的リスク管理、⑦公共リスクと負担の公平性、⑧リスク管理と行政法、⑨リスク回避と保険、⑩リスクの費用便益、⑪リスクと文化などがあげられる。

深沢（二〇〇二）の総説を参考にして心理学領域でのリスク研究をまとめてみると、リスク・テーキング行動の研究とリスク・パーセプションに関する研究とが、重要な研究領域ということが分かる。リスク・テーキング行動の研究の中で、リスク状況を交通場面に限定し、実験的にリスク・テーキング行動を観察したり、また実際の交通場面での歩行者の横断行動に見られるリスク・テーキング行動を実験的に観察する等の一連の研究を行ったコーエンらは、リスク・テーキング行動を「成功に関して確信がもてない状況でも作業課題に取り掛かること」と述べており、「行為者が常に成功することがないような作業課題に取り掛かること」は、危険を招く行動（incurring hazard）として区別して定義している。

長山ら（一九六七）はリスク・テーキング行動と危険認知度（感受度）との関連について次のように述べている。「客観的な危険行動を分析すると、心理的に見て二つのタイプがある。一方は行為者が危険性を認知しないままに行動をしている場合であり、他方は危険を認知していて、敢えてその行動を取っている場合である。前者は危険に対しての感受度の問題であり、その感受度には個人差が認められ、危険認知の程度を設定することができる。後者はリスク・テーキングの問題であり、そこにも個人のリスキーの程度を設定することができる。だが両者は互いに無関係なものではなく、リスク・テーキング行動は危険認知の上になり立っている。」この他、須藤（一九六九）は「潜在危険」に対する教育の重要性を説いているが、「潜在危険」という言葉はリスクの持つ潜在性に言及したものとして注目される。この長山らや須藤の研究は、リスク・パーセプション研究に導くものとして重要である。

リスクの本質が「不確定性」にあるため、現在のところリスク・パーセプションに関する定義や研究方法が流動的であることは深沢の指摘する通りであるが、リスク・パーセプションという言葉が「人が様々な技術に直面し、また自らが望む活動（自動車の運転、飛行機への搭乗、株等の経済活動、競馬等のギャンブル、原子力発電の容認など）を行う際に、リスクの大きさ、リスクの内容（次元）、さらにはリスク源を主観的に評価すること」という意味で使われていることは確かである。現在、リスク・パーセプション研究はリスク・テーキング行動や意思決定過程の解明に関心を持つ研究者、あるいは数理心理パラダイムの開発に関心を持つ研究者によって広範囲に行われている。特にリスクに関する各人の認知体系が示すリスク・イメージに関する研究やリスク階層構造の中から、危険源を抽出する知覚確認過程に関する研究に注目が集まっている。なお、リスク評価値の定量化研究で有名なスロヴィックの定型化された項目にしても、米国では代表的な項目といわれている電動芝刈機などは日本では一般的とはいえず、研究方法上の検討を要するなど、リスク研究でやるべきことは、まだあるというのが現状である。

（岸田孝弥）

キーワード　リスク・テーキング／リスク・パーセプション／リスク・コミュニケーション

〔文献〕⑫⑯㉚㉜

交《こう》通《つう》心《しん》理《り》学《がく》

交通心理学は応用心理学の一分野として分化してきた。交通心理学に関わる初期の研究としては、ミュンスターベルク（Münsterberg, H. 1912）の「心理学と経済生活」の中に紹介されている市電運転者の検査方法に関する研究が有名である。現在の運転適性検査の研究のさきがけと言えよう。運転者の適性検査の研究として、多くの研究者に影響を与えたのがドレイク（Drake, C. A. 1940）の事故傾向性の仮説についての論文である。知覚―運動機能のパフォーマンスの良否の観点から行われた運転者適性検査の多くがドレイクの仮説を参照して開発された。自動車大国アメリカにおける交通心理学の成果を紹介したのがローワー（Lauer, 1960）の「運転の心理学」である。この著書の中でローワーは交通心理学研究の重要性を明示している。

日本における交通心理学の分野に関わる先駆的研究としては、広義の交通心理学となる航空機のパイロットの適材選抜に関する研究と航空諸条件の心身に及ぼす影響に関する研究の二つの研究がある。この二つの研究は、一九二一年に設立された東京帝国大学航空研究所航空心理部で行われたものである。この航空心理に関する研究に対して、心理学者が関わったもう一つの分野が鉄道事故の心理的対策の研究である。しかし、この分野の研究は第二次大戦後の一九四六年の運輸省保安科学研究所の発足まで待たねばならなかった。

ここで、広義の交通心理学という言葉について触れておきたい。人間が生活するに際して、人と物の輸送は欠くことができない。そこで輸送に際して質と量、そしてその目的に応じて交通手段を選ぶとする。大量輸送ならば鉄道交通・または船舶による海上交通となろう。時間を短縮したいならば飛行機による航空交通となる。ドア・ツー・ドアといった個人レベルの交通ならば車・道路交通となる。以上のような各種交通に関わる心理学的な問題を扱う分野を広義の交通心理学と言う。しかし、一般には道路交通に関わる心理学・特に車・道路交通に関わる心理学を交通心理学といっている。

道路交通を構成する要素として、人（運転者・歩行者）、車両、道路及び交通管理（交通法規）が挙げられる。これらは相互に関係し、その領域が広いので、交通心理学の研究領域は広いものとならざるを得ない。また、その研究内容も学際的研究となる場合が多い。

交通心理学が解決しなければならない主要な問題領域と研究課題は以下のとおりである。

1　人的要因に基づく交通事故の問題

①運転行動の分析…年齢、性別、心身状態、リスクテーキング行動、携帯電話・カーナビの使用、副次行動の有無など運転行動のパターンは多様化している。特に高齢者や若者では交通事故との係わり合いが大きいので、運転行動のパターンを分析することが重要になる。その際に運転行動をチェックする尺度を作成することが必要となる。

②運転機能の分析…視力、動体視力、視野、動体視野、奥行知覚などが各種走行速度のもとで標識・信号の認知、その他の交通環境の認知に及ぼす影響について、交通事故との関わりの視点からの研究が必要である。また飲酒をしても運転する人の生理学研究のみならず社会心理的な背景の研究も必要である。さらにスピード感覚や反応時間、車間時間などの

問題についても交通事故の防止の視点から研究を深める必要がある。

③主として人に起因する直接的または間接的な交通事故の原因分析…事故現場へ交通心理学を専攻した訓練された調査員を派遣して、事故発生時の現場で生のデータ（事故状況・運転者の運転状況・運転者や車の基本データ等）を収集し、原因分析を行う研究方法の確立。日本では一九七四年一月に一ケ月間金沢市で行われたことがある。また現在つくば市内の交通事故について「交通事故総合分析センター」が担当して事故の詳細調査（ミクロ調査）という形で行われているが、研究方法として日本全体に広がるまでに至っていない。

④道路交通から排除すべき運転者の不適格因子とその評価の研究…適性検査については、運輸企業での運転者の採用等において、相変わらず需要が多い。信頼性の高いテストバッテリーの開発や、事故反復者のスクリーニングテストの開発なども社会から期待の大きいテーマである。

⑤交通規範と違反行動の分析…違反者の特性分析や社会的環境との関連分析、特に違反の発生過程と社会パターン、文化の関連性の研究は重要である。

2　歩行者の行動特性の問題…道路横断時における歩行者、特に高齢者、幼児、小学生などの行動を分析し、特徴を明らかにする。交通量や横断歩道の有無、歩行者用信号の有無、交差点の形状、歩道橋の有無などの横断施設との関係を分析することが必要となろう。

3　自転車利用者の行動特性の問題…自転車利用者のマナーの悪さは指摘されるのみで、改善の方策が進まない。各市町村単位で、二人乗りや無灯火、傘さしなどの危険な乗り方の実態の把握と自転車事故との関係の分析がもっと行われることが期待される。また実際の自転車事故の原因分析が進められるべきである。

4　交通安全教育と緊急事態における道路利用者の反応と教育・広報の問題

①参加実践体験型の交通安全教育の実証的研究。交通心理学会で進めている一時停止運動なども、この手法にもとづくと考えられる。高齢者、児童、生徒における交通安全教育を積極的に実施すべきである。

②トンネル内火災や地震、火山の噴火、集中豪雨などの緊急時における運転者をはじめとする道路利用者の反応の研究と対応の仕方の教育、情報提供システムの研究が今後重要となる。

③生涯教育としての交通安全教育システムの開発

5　道路交通環境の整備の問題

①信号、照明、標識、視線誘導、道路標示などの適切な道路交通環境整備のための研究

②ITS（高度道路交通システム）についての交通心理学の視点からの研究が必要となろう。

この他にも従来から行われている運転疲労や過労の研究や長時間運転の問題も夜行長距離バスの普及や高速道路の利用車両の増大とともに無視できない。また車椅子や高齢者、身体障害者等についても「交通バリアフリー法」との関係で推進すべき研究領域である。自動二輪車等の事故の研究も忘れてはならない。

（岸田孝弥）

キーワード　運転行動／歩行者／道路交通

〔文献〕⑪㉔㉕㉗㊻

臨床心理学

編集・田畑　治

臨床心理学は、現実に生きている人間が生活を営むあらゆる場（家庭、学校、職場、地域など）で生じる心理的・精神的な問題に関して、その問題解決のための援助をすることを目的とする。つまり究極的には、問題に悩む〝クライエント〟と呼ばれる個人の福祉やこころの安定を維持・発展していくことを使命とする。

この分野で考え、学んでほしいことは実に多岐にわたる。本章では、最低限必要な知識として述べている。臨床心理学の〝基礎知識〟や〝理論〟は、大学の学部段階で学ぶことが主となるが、他方で〝実習体験〟や〝臨床経験〟が深められなければならない。これを深化させるには、さらに大学院で学ぶ必要がある。〝知識や理論〟を縦糸とすると、〝実習体験〟〝臨床体験〟は横糸となり、両者は編み上げていかれる性質のものである。

人間の福祉や安定を促進し、発展させるには、それにかかわる人間が主体的に考えたり、絶えず継続的に研修をすることが求められる。

臨床《りんしょう》心理《しんり》学《がく》の定義《ていぎ》・目的《もくてき》

——実践の学、技術の学、関係の学として

臨床心理学（clinical psychology）は、心理学の基礎分野と応用分野とに区分すると、応用分野に入れられる比較的新しい分野に属する。

アメリカ合衆国では、一八九六年にウイットマー（Witmer,L.）がペンシルバニア大学に障害児の診療のための心理診療所（Psychological Clinic）を創設したのが始まりとされる（ライスマン：Reisman,J.M. 1976：邦訳一九八二(58)）。その後、一九一八年には、アメリカ心理学会（American Psychological Association：APA）に臨床心理部会ができてから、徐々に整備・発展してきている。一九四五年に第二次世界大戦が終結した後、参戦した復員兵に対する心理的なケアのために臨床心理学者が登用される必要性が生じた。一九四七年にはAPAの臨床心理部会に教育訓練のための委員会が設置された。そこでは博士課程で、博士号（Ph.D.）という高い水準で教育訓練や養成がなされるようになった。そのモデルは〝科学者—専門職者モデル〟（scientist - practioner model）と称される。そこでは、臨床心理学は「人間のパーソナリティに関する体系的な知識を得る方法として、また個人の精神的福祉の増進のために、それらの知識を用いる技術を発展させていく学問である」と定義された。その後、数回の検討が加えられて、今日に至っている。しかし、一九七〇年代にもう一つのモデルを志向する〝実務家モデル〟（Veilodel）の専門職大学院（professional school）が出てきて、学位名称も心理学博士（Psy.D）であり、APAも認可している。今日に至っている両モデルを併せて、二〇〇〇年現在で二〇四校を数え、その隆盛ぶりがわかる。

わが国では、一九四五年以降になって臨床心理学は外国から輸入されて展開してきたが、まだ〝医学モデル〟を志向していた。しかし、今日では、〝心理—発達・教育モデル〟を志向し、臨床心理学が独自の課題領域・実践分野を持つという主張や考え方が主流を占めてきている。一九六八年には、心理学関連の一六団体が日本臨床心理士資格認定協会を発足させ、大学院修士課程（心理学専攻）修了レベルで『臨床心理士』資格を認定するようになった。そして日本社会において、とかく後回しにされてきた現実に生きる人間の〝こころの問題〟が、特に一九九五年に阪神・淡路大震災が生じ、〝こころの専門家〟の存在や貢献が国民に注目されることとなり、ニードや期待が高まってきている。こころの専門家、臨床心理士は、乳幼児から高齢者までの現実に生きる人々の心理的な問題—例えば乳幼児の嘔吐、未熟出産、突然死など：児童・生徒・学生の不登校、いじめ、引きこもり、怠学、無気力、非行、薬物嗜癖、拒食・過食、HIVなど：成人の出勤拒否、自殺、過労死、育児不安、アルコール依存、鬱状態など：高齢者の孤独・自殺、痴ほう状態、悲嘆・喪失など—に対して実践をしつつ、心理学の態度・技術を用い、建設的な人間関係（関係）を維持しつつ、健全かつ生きる力を啓発し、増進できるよう究明する任務が、臨床心理学の目標・目的である。（田畑　治）

キーワード 臨床心理学：実践の学／技術の学／関係の学

〔文　献〕(89)(99)(100)(104)

臨床心理学《りんしょうしんりがく》の基礎理論《きそりろん》

——人間・行動を把握する諸理論

臨床心理学の基礎理論を何に求めるかは、なかなか困難である。しかし、心理学理論あるいはモデルとして、従来からおおよそ以下の三つの大きい理論がある。

1　精神分析理論

これは、精神分析（psycho-analysis）を創始したフロイト（Freud,S.）の構想である。彼は、人間の精神装置（こころの構造）に親から子に継続される〝無意識的なもの〟（＝リビドー：性的衝動）を構想した。日常生活で願望や欲求が満たされず、無意識下に抑圧されたものが、ちょっとした言い間違い、失錯行為や夢に出現するという。例えば恩師の祝賀会で、〝乾杯する〟（an-stossen）というべきところ、〝反吐（ヘド）を催す〟（auf-stossen）と言った場合や、夢の中で、日常生活で果たせなかったものが出現することも、無意識のなせる作用や働きである。

また無意識（＝イド）は大海にもたとえられ、海をせき止めて干拓を作る（自我）のに、その海の力は膨大で干拓事業がかなり困難であることにもたとえられる。さらにまた自動車にたとえるとエンジン（＝イド）を操作するのは運転手（＝自我）であり、交通法規（＝超自我）と対比される。フロイトの創始した理論は、その後多くの後継者たちによって、修正・発展させられ、数多い学派が出てきている。

精神分析は、歴史的に三つの異なった意味をもってきている。

①は、フロイトによって導き出された一つの〝心理学体系〟としてである。これは、心的機能における無意識的なものと力動的な力との役割を特に強調している点にある。

②は、主として自由連想を用い、転移（transference）と抵抗（resistance）の分析を行う心理療法の一形式である。

③は、精神分析一般のなかで、フロイト派のアプローチを新フロイト派やその他の学派と区別するという意味がある。

2　学習理論、あるいは行動理論

臨床的な問題行動（例えば暗闇が怖く外出ができない、学校に怖くて行けないなど）に対して、問題行動の発生の変化の過程を学習されたものというふうに、理解する考え方がある。この立場は、外に現れた行動を取り上げて究明していくこと、数々の動物実験などを積み重ねて出来上がった理論であることに特徴がある。

学習理論ないし行動理論の基本特徴は、以下のような四点がある（田中　一九六八[103]）。(1)問題とされる行動は、不適切な行動を習得した結果、もしくは適切な行動を習得しなかった結果であること、(2)問題行動を改変するとは、不適切な行動に代わって適切な行動を学習させること、(3)臨床心理学が対象とするのは、〈こころ〉ないし精神内界の諸要因ではなく、観察可能な行動であること、そして(4)問題行動の発現や維持に影響を及ぼす要因としては、内部要因よりも外部の環境刺激との関係を重視することである。

このようにこの理論では、精神分析理論とは、対照的な考え方をしている。問題とされる顕現行動（例えば、症状や異常行動）を絶えずターゲットにすることを特徴とする。

3 成長理論

これは、心理学の〈第三勢力〉と呼ばれる立場での理論や考え方である。〝現象学的〟とか、〝実存的〟とか、〝ヒューマニスティック（人間性の）〟といった形容詞が冠せられることが多い。この立場の特徴は、臨床心理学において最も重要な要素と思われる行動変化の過程を人間が本来もっている成長する力、潜在能力に求めているからである。

この理論の共通特徴は、以下の五点に絞られる（田中 一九八八(103)）。

(1) 人は本来、成長する力（growthful potentiality）を備えており、望ましい条件下では、その個人がもっている機能を十分に発揮しうること。

(2) 問題行動は、例えば「自分の真の姿を否認しなければ他者に受け入れられない」とクライエントが認知しているために生ずる。したがって、クライエントの存在が無条件に受容される状況を設定していくことが行動変化を導く第一歩であること。

(3) このように、問題行動は当のクライエントが自分の生きている世界をどのように知覚するかによって生起するのであって、精神内界の諸要因や外的な環境要因に規定されるものではないこと。

(4) クライエントの世界を知るためには、クライエントの体験を彼の枠組みで捉えること、つまり共感的に理解することとその理解を伝えかえすことが大切であること。

(5) 人間は、自分がどのように行動するかを選択する自由をもった責任主体であること。

この理論は、人間を能動的な存在と見ており、不適応行動の除去のみならず、積極的な精神健康を促進することに関心を寄せているところに特徴が見られる。

以上の三理論は、主に個人レベルでの立場であるが、この他に今日、家族やコミュニティを視野に入れるシステム理論〈→家族心理学（コミュニティ心理学を含む）〉がある。

（田畑 治）

キーワード 精神分析理論／学習理論ないし行動理論／成長理論

〔文 献〕(103)

臨《りん》床《しょう》心《しん》理《り》学《がく》の方《ほう》法《ほう》・研《けん》究《きゅう》法《ほう》

臨床心理学の方法・研究法は、伝統的な心理学一般の諸方法・研究法もあるが、臨床心理学特有な方法（実践型研究、仮説生成法下山、二〇〇〇[97]）もある。

1 観察

心理学一般での観察は対象に対する関与の仕方の有・無で、①自然的観察、②実験的観察、③関与的観察に区分される。臨床心理学の出発は、相手の観察から始まる。記録は、目で見たものを記述すること、ほかにチェックリスト、VTRなどで行うことができる。

①自然的観察：臨床場面では、クライエントが、例えば待合室で過ごしている時に観察される行動、あるいは面接室から退室後の行動の観察があげられる。つまりこちら側の働きかけがない、〝操作を加えない〟、ありのままの姿や行動の観察である。例えば、無口でいる、どことなく落ち着かない表情や様子、どことなく警戒した風情、乱れた服装、あるいはうつむいて早足に帰路につく、というふうなものがある。

②実験的観察：これは臨床場面では、ある〝刺激条件〟を与えた下での行動を観察するものである。刺激条件には、例えば不安を喚起する刺激を与えて相手の反応を観察する、遊具を与えてそれについての相手の反応を見るなどである。心理検査実施もある意味では、実験観察法である、といえる。

③関与的観察：これは臨床場面での本来の観察である。すなわち、臨床家が相手（クライエント）と〝関わりながらの観察〟をすることである。そこでは臨床家とクライエントとの友好的な人間関係が確立されることがきわめて重要な要因になる。つまり、こちらの友好的な働きかけに対して、クライエントは反応や応答をするが、これは臨床家への反映とみることができる。臨床家→クライエント→臨床家→クライエントの連鎖・チェインの連続になる。そこで臨床家はクライエントの反応を主観の世界に浸りながら、反面で客観的な理解をしていくことが求められる。クライエントは、こちらへの反応を総体として生み出すのである。もしこちらが事務的な応答であれば、相手も投げやりな反応になるであろうし、反対にこちらが親身になって相手に関与すれば、相手も自分の問題に真剣に取り組むようになるであろう。つまり面接場面が深まっていくことが起こる。

2 面接

臨床場面は、相手であるクライエントという現実に生きている生身の人間である人に援助をしていくことである。好意的に会ってもらえば、相手も警戒心を解き、安心して次第に自分の問題に目を向けていくようになる。つまり面接は〝面対面〟の対応であり、それを通じて受容や対決を行うものである。従来から、よく指摘されるのは、面接は臨床場面で有力な手段に〝ことば〟と〝言葉外のもの〟がある。そこでは、主として〝ことば〟を媒介にしてやり取りをするが、実はそれ以外の〝ことばでないことば〟も手段とし、媒体にすることが多い。そして〝ノン―バーバル・コミュニケーション〟こそ最重視されなければならない。これには、表情、声の調子、イントネーション・抑揚、目の様子、視線・目と目のコンタクト、動作、態度、姿勢、仕ぐさ、服装、髪型、化粧具合、装飾品、履物などがすべて手がかりになる。つまり、ことばは発していなくても、表情・動作や仕ぐさで、感情や気分を相互に伝達しているからである。またこちら側の、ことば、声の調子、行動がよく一致し、三位一体に統合されていることが有効である。

3 検　査

心理学の検査（心理テスト）には、さまざまな検査があり、いくつかに分類される。分類には、標準化された検査と非標準化の検査とがある。また検査に使用する手段で質問紙形式のもの、作業検査形式のもの、描画形式のもの、投影法形式のものなどもある。また検査する内容による分類もある。発達検査、知能検査、性格検査・人格検査、作業検査、認知機能検査などである。〈→ 各論：臨床心理査定 8〉

4 事例研究

臨床場面で会う特定の個人のことを事例という。それを受理後から査定や治療過程に沿って行うのが事例研究である。臨床心理学では、この事例研究はとても重視される。

事例研究においては、その個人の生活してきた歴史を事例史（case history）といい、乳幼児・児童の場合は、その保護者・親など重要な人が語ることから資料が収集される。思春期・青年期以降の年代になると、本人自身の記憶や回想に基づくことが多いが、この場合に語られた〝客観的な事実〟と〝了解された主観的な事実〟とが混在することがあるが、いずれも個人にとって意味を持つものとして重視される。

5 調査・統計

一定の知りたい目的に基づいて構成し、作成された質問項目数十項目をしつらえ、相手に実施し、集積した資料を計量的に解析していくものである。例えば、来談者（クライエント）がある問題や傾向（〝孤独感〟、〝自己愛傾向〟、親子関係など）について、どのような感じ方や考え方をしているか、実施者の意図によって作成された質問紙を実施して多量にデータを収集し、それをコンピュータに入力し、計量的に解析する方法である。

6 実践型研究

これについては、下山（二〇〇〇 (97)）に詳しい記述があるので、それを参照すること。

（田畑　治）

キーワード 観察／面接／検査／事例研究／調査・統計／実践型研究

〔文　献〕(97)

臨床《りんしょう》心理学《しんりがく》とその近接《きんせつ》領域《りょういき》

臨床心理学は二十世紀中ごろから急速に発展してきた若い学問であり、多くの近接領域の知見・技術からたくさんの示唆を得てきたし、今日でも密接な関係にある。わが国における臨床心理学を集大成した〈臨床心理学大系〉の第十五巻『臨床心理学の周辺』（河合・福島・星野編　一九九一(51)）には、一五の隣接諸科学が取り上げられている。それは、宗教学、精神人類学、病跡学と表現病理学、臨床音楽心理学、医療心理学、健康心理学、供述心理学、裁判心理学、トランスパーソナル心理学、神話学、社会心理学、比較心理学、霊長類学、精神薬理学、社会学である。

ここでは紙幅の都合もあり、それらすべてについて触れるわけにもいかないので、精神医学、心身医学、人間科学、健康心理学との関連に絞って述べる。

精神分裂病等の精神障害の病因や病態の研究、治療・予防の研究を行う精神医学は、数ある近接領域の中でも、臨床心理学とは最も関係が深いし、最も影響を及ぼしている。初期の臨床心理学がモデルとしたのは精神医学モデルであった。病院臨床でなくても、心理臨床家が精神障害者と出会うことはよくある。クライエントの病態水準の把握、精神障害の理解、病気の原因の考え方（外因性、内因性、心因性）、薬物療法のこと等が特に関連がある。

心理社会的要因がその発症や経過に関与している身体的疾患である心身症の病因や病態の研究、治療・予防の研究を行う心身医学も、臨床心理学とは関係が深い。心理臨床の現場では、何らかの身体の不調を訴えるクライエントは結構いるし、心身症である場合もよくある。心身相関についての理解、心身症と普通の身体的病気との鑑別診断、治療法（サイコセラピー、薬物療法、社会的側面からのアプローチ）等が深い関連がある。

人間に関わる学問である人間科学（宗教学、哲学、精神人類学、社会心理学、霊長類学、社会学等）も、やはり臨床心理学と密接な関係がある。心理臨床の対象は人間であり、人間について広くかつ深く認識・理解を行うには、人間科学の豊かな知が欠かせない。人間は、臨床心理学という限定された学問だけで認識・理解できるほど単純なものではない。また人間科学にとっても、臨床心理学で見出された知が貢献できる。

健康の増進と維持、疾病の予防と治療、ヘルスシステム等に関わる健康心理学も、臨床心理学と非常に関係がある。臨床心理学でも健康という概念は大事な概念であり、それをどのように実現していくかということに取り組んでいるからである。日本の健康心理学者の主要な研究テーマは、ストレス、ライフサイクル、高齢者の健康問題、健康増進、タイプA行動等であり（本明　一九九七(65)）、臨床心理学者の研究テーマとかなり重なる。

（野島一彦）

キーワード　精神医学／心身医学／健康心理学

〔文　献〕(51)(65)

臨床《りんしょう》心理《しんり》学《がく》と法律《ほうりつ》、倫理《りんり》

臨床心理学の知識・技法が用いられる実践の領域は、教育（スクールカウンセラー、教育センター等）、福祉（児童相談所、福祉事務所等）、保健・医療（保健所、病院等）、司法・矯正（家庭裁判所、少年鑑別所、刑務所等）、産業（メンタルヘルス担当等）等、多岐にわたっている。それらの領域は、それぞれに法律でそのあり方が規定されている。したがって、臨床心理学的実践は、何の制約も受けずに臨床心理学の論理のみで自由に行うということは許されず、その領域における法律を遵守しながら行われなければならない。だから、臨床心理学的実践に携わる人達は、例えば、学校教育に関連する法律、福祉に関連する法律、保健・医療に関連する法律等をきちんと知り、それを守るようにしなければならない。

ちなみに、臨床心理学の知識・技法を持つ専門家である『臨床心理士』（約八、八〇〇名）の資格認定をしている財団法人日本臨床心理士資格認定協会の臨床心理士の受験資格に関する内規では、大学院における授業科目について、「臨床心理関連行政論」を選択必修科目群に入れている。これは、臨床心理学的実践には、関連する法律を学ぶことが大事であるという認識があるからである。

ところで法律という次元とは別に（職業）倫理という次元でも、臨床心理学は守るべきことがいろいろある。一万人以上の会員を抱えるわが国最大の心理学の学会である日本心理臨床学会では、「日本心理臨床学会倫理規定」「日本心理臨床学会倫理綱領」「日本心理臨床学会会員のための倫理基準」を制定している。これらは学会ホームページ（http://www.u-netsurf.ne.jp/pajcp/index.html）に全文が掲載されている。

倫理綱領の前文では次のように述べられている。「日本心理臨床学会会員は、その臨床活動及び研究によって得られた知識と技能を人々の心の健康増進のために用いるよう努めるものである。そのため会員は、常に自らの専門的な臨床業務及びその研究が人々の生活に重大な影響を与えるものであるという社会的責任を自覚し、以下の綱領を遵守する義務を負うものである」。そしてこの前文の後には、次のような十の項目について述べられている。責任、技能、査定技法、援助・介入技法、研究、秘密保持、公開、他専門職との関係、記録の保管、倫理の遵守。そして倫理違反者には、厳重注意、一定期間の学会参加への停止、会員資格の取消し、その他の裁定が行われることになっている。

また『臨床心理士』の資格認定をしている財団法人日本臨床心理士資格認定協会も、「臨床心理士倫理規定」「臨床心理士倫理綱領」を制定しており、倫理違反者には、厳重注意、一定期間の登録停止、登録の抹消等の処理を行っている。

（野島一彦）

キーワード　法律／倫理規定／倫理綱領

〔文献〕㊼

臨床心理査定《りんしょうしんりさてい》（アセスメント）の意味《いみ》と課題《かだい》

臨床心理査定（アセスメント）とは、心理療法（カウンセリング）など種々の臨床心理学的援助の過程において、対象となる個人または集団について理解するために、面接や心理検査などの技法を用いて行うかかわりのことである。クライエントに対する臨床的理解なくして有効な援助実践は成り立たない。では何のために、何をどのように理解すればよいのだろうか。

1　援助につながるものであること

アセスメントの目的は、個々のクライエントにとっての解決すべき問題を明らかにし、それに適した援助方法を見いだすことにある。したがって、問題点や逸脱行動の発見のみにこだわらず、その人らしさとして行動特性や性格特徴をとらえ、人物像を記述し、さらに発達変化可能性の探求を心がけることが大切である。クライエントの状態や症状に単に名前（診断）をつけ分類するだけでは、意味がないばかりか無用な先入観や偏見を生む危険性がある。アセスメントという言葉は、パーソナリティ評価や病理の見立てを含んではいるが、より広い概念と言える。

2　かかわりの中で進められるものであること

援助方針を決定するためには、初回面接におけるアセスメントが重要となる。日常の人間関係においても、その「人」を知らずして関係は始まらないと考えるのは自然なことであろう。しかし、私たちはお互いに他者のすべてを知り尽くすことは決してできない。援助に必要な情報を得る努力はしつつ、クライエントの自己開示のペースを考慮して進めていかなくてはいけない。また、アセスメントは技術であると同時にかかわりの一つの形態である。人は変化成長する存在であり、とくに他者との関係の中で新たに表出されてくるものがある。「関与しながらの観察（サリヴァン）」であることをふまえつつ、かかわりの過程すべてがアセスメントの連続ととらえる視点も必要である。

3　クライエントの自己理解に役立つものとなること

何よりも忘れてならないことは、アセスメントはセラピスト（カウンセラー）とクライエントとの共同作業であるという点である。アセスされた内容とそれにもとづく方針が両者に共有されてこそ効果的な援助が可能となる。具体的には、個人のプライバシーを守り、主体性を尊重する姿勢をもつこと、セラピストが理解した内容をクライエントに明確に伝えていくこと、そして十分に話し合うことを心がけ、クライエントが安心して自分の問題に取り組み、それについて語ることのできる場を提供する。

（森田美弥子）

キーワード　臨床的理解／援助方針決定／初回面接／関与しながらの観察

〔文　献〕　③⑩㊻㉟

臨床《りんしょう》心理《しんり》査定《さてい》面接《めんせつ》

クライエントとその問題を理解するために必要な情報収集を意図して設定された場を臨床心理査定面接と位置づける。援助過程の流れや時期によって臨床心理査定（アセスメント）の意味や目的は多少異なってくる。

1 初回もしくは初期過程におけるアセスメント面接

初回面接はクライエントとセラピスト（カウンセラー）の出会いの場であり、その後の信頼関係の基盤を形成する重要な時である。同時に、受理面接（インテーク面接）とも呼ばれ、クライエントの問題を把握しその後の援助方針をたてる時である。情報収集は、初回だけでなく導入期面接（診断面接）として心理療法の初期数回が当てられることもある。

情報として必要とされるのは、客観的な属性（名前、年齢、所属など身分証明的事実）、問題（主訴）とその経過、生育史・家族背景、現在の社会適応（職場・学校などでの様子、対人関係、興味関心の対象など）、と多岐にわたる。治療・相談に訪れたクライエントにはさまざまな思いがあり、すべてが語られるとは限らない。語られないことに大きな意味があると考え、クライエントのペースを考慮して聴いていく。また、非言語的な表現（態度、表情、話し方、関係のもち方など）にもクライエントの意識化されていない気持ちがこめられている。さらに、クライエント自身の問題意識や来談動機（なぜ今ここへ来談したのか、何を求めているのか）を十分に把握した上で援助方針を伝え、インフォームド・コンセントを形成することが、初期のアセスメント面接の役割である。

2 援助過程の途中もしくは終了時におけるアセスメント面接

その後の援助過程において関係の深まりとともにクライエントに対する臨床的理解が進んでいくが、時にクライエントの変化や現状がつかめず関係が膠着状態になったと感じられる場合、何らかの転機が訪れ終結を視野に入れる段階に達した場合など、あらためてアセスメントを行って次の展開に臨むことがある。このような場合には、心理検査を導入することが少なくないが、それまでの関係性に影響を与えるため慎重に行うことが望ましい。

どの時点のアセスメント面接でも共通していえることは、クライエントについての情報がどのように援助に生かされていくか、まずはセラピスト側が認識していること、そしてそれをクライエントと共有していくことである。不用意に侵入的になってはいけないが、必要なことは率直に尋ね、理解を深めることが、誠実な援助にもつながる。

（森田美弥子）

キーワード 受理面接／導入期面接／インフォームド・コンセント／心理検査

〔文献〕③⑩(66)(86)

臨床心理検査《りんしょうしんりけんさ》

心理検査は、臨床心理査定（アセスメント）のための重要な技法と位置づけられている。臨床実践で多く用いられるものとしては、ロールシャッハ・テスト、TAT、バウム・テストに代表される投映法のパーソナリティ検査、WAISやWISC、田中ビネーといった知能検査、その他SDSやCMIなどの質問紙法、ベンダー・ゲシュタルト・テストなどの作業検査法があげられる。検査実施にあたっての留意点を以下にあげる。

1　検査実施の目的

何を知りたいのか、誰がなぜ必要としているのかを明確にしておく。第一義的にはもちろんクライエントのための実施であるはずだが、要請はさまざまな人からある。担当の臨床心理士自身の判断、または医師など他のスタッフからの依頼によることが主であるが、家族や学校・勤務先、クライエント本人が希望する場合もある。理由としては、病理やパーソナリティの見立て、援助方針決定や経過把握の手がかり、予後や社会適応についての参考資料、診断書や報告の提出、自己理解のため、などがある。

2　検査の選択

心理検査を行うことが効果的かどうか、クライエントは検査の負担に耐えられる状態かといった判断をした上で、実施の目的に最適な検査を選択する。必要に応じてテスト・バッテリーを組む。

3　実施に際して

心理検査場面は課題状況であると同時に一対一の対人状況である。テスターの自己紹介から始め、クライエントに検査実施の目的を説明し、同意を得ることが大切である。クライエントが検査を受けることをどう感じているか、動機づけのあり方とその度合は検査の反応や回答にも反映する。そうした検査時の態度や行動そのものが、その人ならではの課題対処や対人関係の特徴を示している。

4　結果の分析・解釈

検査結果からクライエントの臨床的理解をする際には、二つの視点が必要である。一つは標準的な反応や一定の基準との合致あるいは逸脱の程度からその人の病理や発達水準を位置づけていく視点、もう一つはその人らしさの世界を受けとめ個性を記述していこうとする視点である。

5　結果のフィードバック

クライエントに対しては、その問題意識に対応する内容をわかりやすい言葉で伝え、そこでどう感じたかさらに話し合う。スタッフとの情報交換は、それぞれが守秘義務を負う専門家であるという前提のもとで、十分になされることが望ましい。その際、検査結果がどう活用されるのかをきちんと把握しておく必要がある。

（森田美弥子）

キーワード　投影法／質問紙法／作業検査法／知能検査／テスト・バッテリー／検査場面

〔文　献〕③⑩66 86

臨床《りんしょう》心理《しんり》査定《さてい》

乳幼児《にゅうようじ》の身体《しんたい》・心理《しんり》発達《はったつ》の査定《さてい》

行動や発達評価の目的は、その子ども自身の発達の特徴や、能力を知ることで、一人ひとりの子どもの発達と家族にあった援助の方法を見出していくことにある。

ブラゼルトン新生児行動評価（NBAS）は新生児行動の組織化と母子相互作用を援助する働きかけを目的とした新生児の行動評価であり、出生後から一ヵ月後に実施した行動評価はその後の発達的予後をある程度予測するといわれている。NBASを親と一緒に実施したり、子どもの能力や適切な刺激について親に返すことで、家庭でのかかわり方についてのポンイトを伝えることができ、家庭での母子関係を促進させるという効果がある。

三歳未満の乳幼児の場合、運動機能を含めた全体的な発達をとらえる発達テストが採用されることが多い。

津守・稲毛式乳幼児精神発達検査は、養育者からの聴取による評価法であり、厳密に行えば、発達段階の特徴を捉え、養育環境についても広く情報を得ることができる。この検査は発達年齢（DA）の算出にとどまらず、「運動」「探索・操作」「社会」「生活」「言語・理解」の五領域の発達プロフィールを得ることができ、特異的な発達障害の診断に際しての有用な情報の採取が可能となる。養育者の自己記入式でおこなうと、発達段階では考えられない項目ができると回答したり、児の家庭での様子が正確に確認できないため、児の様子を観察しながら実施するのが望ましい。

新版K式発達検査は子ども自身に実際に行うものであり、上手に検査にのせることができれば、全体的な発達についての客観的な情報を得ることができる。検査を実施できるかどうかは、知能水準には関係なく、個人差や、情緒的な反応等によることが大きい印象がある。この検査は全体の発達指数（DQ）の他に、「姿勢・運動（P—M）」「認知・適応（C—A）」「言語・社会（L—S）」の三領域の発達プロフィールを得ることができる。検査を実施する際、子どもの課題への取り組みを母親と一緒に観察しながら行うことによって、子どもの反応パターンや発達の理解を親に促すことができるというメリットがある。

三歳をすぎてくると子どもへの直接的な検査が可能となるため知能検査が採用されることが望まれる。

発達的な遅れや偏りを持つ児の場合、育てにくかったり、分かりにくい子が多く、母子の相互作用の過程や環境との適応過程に問題が生じやすい。そのため、親へ結果を伝える際には、評価のみを伝えるのではなく、発達の積極的な面を強調しながら、全体像をフィードバックすることで、より適切なかかわりができるように説明していくことが必要である。また、乳幼児期の発達は変化してくることがあるため、一回のテストですべてを判定するのではなく、経過を追って判断していくことが重要となる。

（永田雅子）

キーワード ブラゼルトン新生児行動評価／津守・稲毛式乳幼児精神発達検査／新版K式発達検査

〔文献〕②⑫㊶(96)(108)

臨床《りんしょう》心理《しんり》査定《さてい》

認知《にんち》発達《はったつ》・知能《ちのう》の査定《さてい》

年齢が高くなってくると、子どもへの直接的検査が実施でき、全体的な発達だけではなく、その個人内差異や高次機能を細かく検討することが可能となる。その時、まず、知能テストが第一の選択となる。三歳以降であれば、全体的な知能指数が算出でき、比較的短時間で実施できる田中ビネー知能テストが選択されることが多いが、学齢期に入ると、一般的には、WISC—III知能テスト（日本では一九九八年にWISC—Rから改訂）が使用される。WISC—IIIは知的レベルや知能構造の偏りの大まかな把握ができるという意味では有用である。WISC—IIIは六種類の言語性下位検査と七種類の動作性下位検査から構成される。全検査IQ（FIQ）とともに、言語性IQ（VIQ）、動作性IQ（PIQ）が算出でき、その他、四種類の群指数、「言語理解」「知覚統合」「注意記憶」「処理速度」が求められる。一般的にVIQとPIQの差が一五より大きい場合には、有意差があるといわれており、VIQ>PIQの場合、言語理解、言語表出に問題があること、PIQ>VIQの場合、視知覚、視覚—運動協応、空間的認知に問題があることが示唆される。

情報処理の特徴をとらえるK—ABC心理教育アセスメントバッテリーは、知能を新しい問題を解決し情報を処理する個人の情報処理能力と捉え、優位な情報処理スタイルを教育指導の手がかりとしていくことをねらいとしている。WISC—IIIと異なり、問題解決に関わる能力（認知処理過程尺度）と、学校教育や日常生活の中で習得される知識、技能（習得度）を区別して測定評価している。

また、三歳以上になれば人物画が可能となるため身体イメージや、空間関係の理解などをみるためにグットイナフ人物画知能テスト（DAM）を実施したり、五歳以降では視覚—運動認知、構成行為を測定するテストであるベンダー・ゲシュタルト・テスト（BGT）を取り入れたりするなど、他のテストと組み合わせて実施することも望まれる。それぞれの検査には長所、短所があり、どういう目的で実施するかによってテストを選択する必要がある。

テストというある一定の構造化された場面での子どもの行動や、反応パターンは、その子自身の特徴をとらえることができる最良の場となりうる。そのため、母子分離の状況、検査への取り組み、検査者との距離のとり方、教示の理解、注意集中などを注意深く観察すること、また、そのテスト課題の取り組み方、戦略の立て方、具体的な失敗の仕方などを検討することが重要となる。その情報と、検査結果を合わせて検討することで、発達の特徴をつかみ、IEP（個別教育プログラム）をたてることができる。また、検査でえられた指数は、あくまでも大きな目安であり、経過を追っていきながら、さまざまな角度から、子どもの知能・認知発達をとらえることが重要といえる。

（永田雅子）

キーワード WISC—III知能テスト／K—ABC心理教育アセスメントバッテリー／グットイナフ人物画知能テスト／ベンダー・ゲシュタルト・テスト

〔文献〕㊵㊿(54)(55)(102)(116)

臨床心理査定《りんしょうしんりさてい》

性格《せいかく》・パーソナリティの査定《さてい》

　査定（assessment）とは元来、sessが「税」のことなので、財産や科料を評価するという意味である。それゆえ、心理臨床における性格・パーソナリティの査定とは「クライエントの性格や自我のありかた、健康度や病理度やその水準、症状の意味や診断、心理療法の可能性や方法、効果の予測や経過の見通し等々について評価すること」である。

　それはもっとも広義には「人間理解」ということになり、また、もっとも狭義には「性格検査」（personality test）、または「心理検査」（psychological testing）の意味となる。この両面の意味とも重要であるが、性格の査定という言葉は多くは狭義の意味において用いられる。

　性格の検査であるからにはまず、「性格」（character）、または「パーソナリティ」（personality）とは何か、が明確化されていなければならない。それは、実体的な「もの」ではなくて、その人のありかたが一定の傾向にあるという「こと」である。この「こと」は、たとえば、さまざまにありうるありかた（「存在様式」）として「類型」的に把握することも可能である。伝統的な心理学においては、性格はまた種々の「特性」によって測定されうると考えられてきた。この性格の類型論（typology）と特性論（traits theory）の問題について詳しくは、人格心理学や性格心理学の成書にゆずるが、それらに限らず検査者・臨床家がどのような全体的な人格理論、人間に対する見方をもっているのかということが重要である。個々の情報はそのような理論や見方によって意味づけられるからである。また、用いようとするそれぞれの検査は人格のどのような側面を捉えようとしているのかについてもよく理解しておく必要がある。

　心理臨床においては、実践上の要請からきわめて具体的に、診断や病態水準、心理的援助の可能性、治療方針や技法、等々を明らかにすることが検査実施の目的となることが多いが、このような何のために実施するのかという、その時どきの目的や目標をはっきりさせておかなければならない。

　心理検査の実施にあたって、このほかにもいくつか前提になることがある。なかでももっとも重要な前提となるのは、検査の実施は「被検査者の福祉のためにのみなされなければならない」ということである。被検査者にとって、検査を行うことが行わない場合よりも明らかに利点が多いと判断される場合にのみ実施されるべきであり、目前のこの被検査者にとって必要なときには実施し、そうでないときにはすべきではないということである。この実施する・しないの判断、するなら何をいつするか等の判断は、心理臨床家の専門性と主体性に任されるべきものである。

　これらの事がらは心理臨床家の責任性および倫理性の主題とかかわっている。すなわち実施する検査が何を狙いとしてどのように構成されているのか、結果はどのような基準でいかなる意味をもつのか、限界や問題点、実施することの影響、等々に関して心理臨床家は知りつくし、実施法についても十分に習熟していなければならないし、また、被検査者のプライバシー保護と守秘義務に留意すること、いわゆるインフォームド・コンセント（「十分な説明による同意」）および「拒否する権利」を尊重すること等も守られなければならない（池田　一九九五㉞）。

性格検査の種類には、質問紙法、作業検査法、描画法、投映法などがあげられる。質問紙法（questionnaire method）は、人格目録法（personality inventory）ともいうが、これは自己報告によって人格特性の構造を測定する技法であり、比較的手軽であるため広く用いられている。検査の狙いが明白で、回答が意識的な自己報告によるので意図的に歪曲されやすいところが難点であるが、それを克服するための種々の工夫もなされている。今日よく用いられているものとしては、MMPI（ミネソタ多面的人格目録）、矢田部・ギルフォード性格検査（YG）、MPI（モーズレイ性格検査）、MAS（顕在性不安尺度）、向性検査、心情質検査、性度検査、CMI（コーネル・メディカル・インデックス）、EPPS（エドワーズ・パーソナル・プレファレンス・スケジュール）等々がある。

作業検査法（performance test）としては、内田クレペリン検査が代表的である。描画法（drawing test）は、投映法に含まれうるが、これにはバウム・テスト（樹木画検査）、HTP（家と樹木と人物描写検査）、家族画法、自由画テスト、風景構成法、なぐりがき法、等々があり、また描画ではないが、写真等を貼り付けるコラージュ法は最近よく用いられるようになっている。

投映法（投影法 projective technique）には、ロールシャッハ法、TAT（主題統覚検査）、CAT（児童統覚検査）、SCT（文章完成法）、言語連想検査、PFスタディ、ソンディ・テスト等々がある。

ロールシャッハ法は、一九二一年、スイスの精神科医ヘルマン・ロールシャッハによって開発されたが、その後とくに米国で発展を見た。その流れを汲んで、わが国でも反応分類システムに関していくつかの流派がある。これら流派の相違は主に量的分析の基準に関するものであるが、質的分析に関してはどの実践家も大体、共通した視点を持っている。この点でロールシャッハ解釈には「現象学的接近の姿勢」（池田　二〇〇一㊱）が必要である。

ロールシャッハ反応は、意識的に操作されにくい水準にあるので、SCTなど意識的、現実的な反応内容の得られる検査と組み合わせるのが有効である。

これら投映法は、描画法が芸術療法に、箱庭作りが箱庭療法に位置づけられているように、自己表現や治療者との関係を深める手段になるという意味で、単に検査や内面理解の方法であることを超え、治療的に用いられうる点に特長がある。いわゆるフィードバック・ロールシャッハやフィードバック・TATといった用法であるが、このような用い方をしてこそ、投映法本来の意義がある。

（池田豊應）

キーワード　質問紙法／投映法／ロールシャッハ法／TAT／バウム・テスト

〔文献〕㉞㊱

臨床心理査定《りんしょうしんりさてい》
行動《こうどう》の査定《さてい》

人格理解のための情報に関して、齋藤（一九九一[92]）は①行動情報、②自己報告情報、③投映情報、に区分しているが、もっとも外にあらわになった、いわゆる客観的事実的水準のものが行動情報である。これは他者による観察ないしは理解によって成立する。この行動情報は、さらに次の三つに分けられる（齋藤[92]）。

1　心理療法面接における直接観察情報

これは「関与観察」によって得られるもので、観察者の要因および被面接者との関係の要因に規定される。このような行動について面接者と被面接者の相互関係、およびその相互関係と観察との相互関係の中で、どこまでリアルな情報を得ることができるかは面接者の臨床的総合能力にかかっている。刻一刻の観察と被観察の相互交換の連鎖、送信と受信の重奏の積み重ねから次第にまとまった印象が形成されていくが、「分裂病感」のような瞬時の本質直感的な印象形成もありうる。

菅野純（一九六七[49]）は、こうした印象形成にかかわるノンバーバル行動を、①時間的行動、②空間的行動、③身体的行動、④外観、⑤音声に分けてまとめているが、筆者はこれに「態度」（たとえば、丁寧な、横柄な、元気な、沈んだ等々）を加えるとよいと思っている。

2　現実生活場面での行動情報

病院などの施設のスタッフが観察した行動、家族ほかさまざまな情報提供者によるもの、本人が報告したもの、生活史聴取の中で重要性をおびてくるもの、治療的文脈で注目されてくるもの等々さまざまであるが、行動は本人が作り出した具体的現実であり、本人が何をしたかは人格理解にとって大きな重みをもつ。

3　条件観察における行動情報

上の「1　心理療法面接における直接観察情報」と「2　現実生活場面での行動情報」が自然観察的条件下の行動資料であるのに対して、これは心理検査や人為的に設定した何らかの実験的条件下での観察に基づく行動資料である。これには明確な共通条件があるため、個人間の相対的比較が可能である。投映法では、テスト行動だけではなく、検査者へのかかわり方などの周辺的行動も対象となる。また、自己報告法における「反応スタイル」や投映法における「反応継起」など、より微妙な資料も行動情報である。行動情報は言語的な自己内省報告とは対照的に、本人の自己理解にただちにはなりにくい無意識的要素を多分にもっており、それだけ他者の観察と解読に委ねられるところが大きい点で特徴的な、意義深い情報である。もちろんそれだけではなく、行動には意志的、長期計画的なもの、意図的自己演出を意味するもの等々があることは当然である。

（池田豊應）

キーワード　心理療法面接における直接観察情報／現実生活場面での行動情報／条件観察における行動情報

〔文　献〕[49] [92]

臨《りん》床《しょう》心《しん》理《り》査《さ》定《てい》
投《とう》映《えい》法《ほう》

投映法とは、projective techniqueあるいはprojection testの訳語である。projection（投影）は本来、「精神分析」の用語であり、「自分自身のなかにある傾向を否認、抑圧した結果、それを他者や外界に目ざとく見つけること」であるが、投映法というときの投映には、必ずしもこのような無意識化されたものの反映ばかりではなく、意識的・前意識的な関心や志向性の素直なあらわれや、あるいはほとんどそのような投映的負荷を伴わない単なる外的適応としての反応も多く含まれている。この意味で、projective techniqueという場合には、投映法として映の字を当てることが多い。

投映法は「新奇な、一義的ではないという点で不明瞭な状況を提示し、それに対する自由度の高い反応を求めることによって、もっともその人らしいありかたを表出させ、その個人を解釈的に理解しようとする方法である」と定義することができる。それゆえ、投映法は標準化された特殊な面接法である。このため、実施から解釈まで、被検査者と検査者・臨床家との人間関係が重要な要因となっている。このことがまた投映法に治療的性格を与えるもとになっている。

今日もっとも広く用いられている投映法の代表は、ロールシャッハ法である。これは一九二一年にスイスの精神科医ヘルマン・ロールシャッハによってはじめられた、インクを垂らした偶然図形が何に見えるかを問うことによって精神を診断しようとする方法である。ここには知覚と人格の関係仮説がある。知覚には、外界からの刺激によって事象を受け取るという側面と主体が能動的に対象を発見または構成するという側面がある。主体は、実はその知覚において、同時にその都度そこではじめて、主体として成立している。このような知覚による世界と主体の構成の連続的過程が人格である。だから、知覚のありかたを知ることが人格のありかたを知ることになるのである。なお、知覚の前者の側面を代表するのが「色彩反応」であり、後者の側面を代表するのが「人間運動反応」である。この両者の比率が、ロールシャッハ解釈の重要な一つの基準になっている（池田　一九九五㉟）。

TATもまた、ロールシャッハ法と並ぶ有名な投映法である。これはマレーとモーガンによって一九三五年に発表された、特定の場面等の描かれた絵を刺激として自由な「物語づくり」を求める人格検査であるが、分析・解釈の枠組みはまだ統一的なものが確立されていないため、TATはかなり自由な使い方ができる余地があり、この点が大きな魅力になっている。筆者はエンカウンター・グループの媒体として用いている。

（池田豊應）

キーワード　特殊な面接法／知覚と人格／ヘルマン・ロールシャッハ／マレーとモーガン

〔文　献〕㉟

臨床《りんしょう》心理《しんり》査定《さてい》
査定《さてい》結果《けっか》の総合《そうごう》と伝達《でんたつ》の仕方《しかた》

各種の心理査定は、その独自の視点によって捉えようとする目標や側面も多様である。すなわち、発達か知能か性格か、あるいはより意識的か無意識的か、あるいは言語的か非言語的か等々である。これら各側面から得られた知見は、その切り口によってはじめて把握された資料であり、どれもそれぞれに重要であるから、その個々のデータはそれぞれの査定の存立根拠となっている仮説や理論に基づいて正確に整理し、確実に検討しなければならない。

各々の査定の切り口はそれぞれ次元が異なり、それらの差し示す内容が矛盾する場合もありうる。また、たとえば知能検査において性格的側面の資料が得られ、投映法において知的側面の検討ができたり、意識的な行動次元の情報や質問紙法などによる自己報告情報に無意識的なメッセージがあり、より無意識的である投映法の反応の中により意識的な自己理解が示されたりもするので、次には、こうしたさまざまな切り口による情報が総合され、一つのまとまった立体的な全体像へと統合されなければならない。そのためには、各側面の資料を有機的に関連づける人間理解のための包括的理論が必要であり、それによって被検査者のありようが生き生きと構造的、力動的に把握され、本来の目的であるその後の実際の援助実践に生かせる「所見」となりうるのである。

このようにして各心理査定の側面をまとめ、基本的な全体的人格構造を述べることは、所見作成の上でもっとも中核的な作業であるが、そのほかにも検査レポートには、症状形成の問題（人格構造、家族関係、生活史上の事がら、環境状況等々との関係でその症状がいかに形成され、またそれはいかなる意味をもつのかについての見解）、鑑別診断にかかわる意見、治療方針の検討と予後の予測などが述べられることが望ましい。

このレポートは、依頼者に報告する場合でも自分自身が治療者の場合でも、被検査者への理解を深め、臨床的援助に役立てるために検討し言語化したものに変わりはない。その内容は被検査者本人にもフィードバックされる必要があるが、その場合にもこの原点が大前提である。筆者（一九九五㉞㉟）は「面接のテーマにして話し合う」ようにするのがよいと思っている。すなわち、診断的、評価的な事がらには触れず、ロールシャッハ解釈の継列分析的検討を一緒に行うような形で、治療的方向を共に模索する対話を行うのである。この本人への伝え方について具体的には、木村（一九九二(52)）が参考になる。

（池田豊應）

キーワード　所見／全体的人格構造／検査レポート／鑑別診断／予後／継列分析

〔文　献〕㉞㉟(52)

臨床《りんしょう》心理《しんり》面接《めんせつ》
——定義、介入方法の種別、心理療法・カウンセリングなどの種別

臨床場面で出会う人々（＝Clients）は、乳幼児から児童・生徒、学生、さらには成人や高齢者に至るまでの幅広い年齢層がある。またそのような人々に臨床的に会う場（＝Setting）も、医療・病院領域、学校・園領域、大学（短大を含む）領域、児童・高齢者福祉領域、産業・職場領域、司法・矯正領域、地域社会（コミュニティ）、さらには異文化間領域に至るまで広い領域がある。対象・相手とする人々への心理的な援助活動（Activity）にも幅がある。例えば、今すぐにでも手を打ち、介入しないと〝心理的精神的な生命〟が危うい状態への介入から、今は心理的に健康であり、不健康が自覚されていないがそのうちに起こりうることを見込んで予防的な手を打つこと、ないし〝心理教育的な援助〟を必要とするものまでの幅がある。

おしなべて臨床心理面接というのは、「個人またはグループに対して面接を行い、問題を解決させたり、個人の人生や生き方を高めさせたりするような目的で、個人に影響を及ぼす活動である」と定義されよう。

ところで、臨床心理面接には、いったいどのような介入方法があるであろうか。

臨床心理面接は、従来から狭義には心理療法（psychotherapy）、サイコ・セラピー、精神療法（psychotherapie）、カウンセリングと呼ばれてきた経過がある。しかし、今日では広義には〝小グループ〟などの心理的な健康の促進的な取り組みもある（ウオルロンドー スキナー、Walrond-Skinner, S., 1986; 邦訳一九九九[115]）。また危機介入（crisis intervention）やコンサルテーション（consultation）などのコミュニティ心理学的なアプローチもある（山本、二〇〇〇[123]）。

そしてまた心理療法には、個人療法もあれば集団形態での療法もあるし、大人の心理療法に対して子どもの遊戯療法（play therapy）もある。また心理療法とカウンセリングとの区別をするものもあったり、なかったりしている。さらに西洋の心理療法や東洋において開発された心理療法（例えば森田療法や内観療法など）があり、また医療行為と重複したり、医療行為とそれ以外の臨床心理行為との境界が曖昧な部分もある。

ここでは、臨床査定面接（アセスメント面接）と一応区別して述べることにする。アメリカ心理学会（ＡＰＡ、一九九九[5]）によれば、心理療法には大別して①生物学的心理療法と②心理学的心理療法がある。

①は、医学的なものであり、身体に働きかける〝微視的（＝脳への医学的な関与）〟、〝薬物的（＝種々の医薬の投与）〟、〝遺伝子的（＝染色体の操作）〟、〝古典的（＝電気ショック、ロボトミーなど）〟な手法を用い、実施できるのは医師や医学者である。

これに対して、②は、心理学的なものであり、その手段そのものが本来心理的である。例えば主として言葉を媒介にして相手に働きかけたり、異常行動を対象にしてアプローチをしていくものもある。これは一定の教育・

訓練を積んだ臨床心理士（クリニカルサイコロジスト）、心理療法家、心理学的カウンセラー、医師などが関わることができる。

ここで心理療法の広がりを簡単に述べておく。一口に心理療法といっても、その数はへリンク（一九八〇㉚）の『心理療法ハンドブック』によれば、アメリカで実践されている心理療法は二五五種もあるという。これには、精神分析を始めとして実に数多くの種類があることがわかる。それには東洋に根ざした療法として、〝阿闍世コンプレックス〟、〝合気道〟、〝マンダラ・セラピー〟、〝仏教　洞察瞑想〟、〝瞑想療法〟、その他は〝心理療法としての料理〟とか〝コンピュータ・セラピー〟といったものもあげられている。

つぎに、心理療法における共通事項について、簡単に述べておこう。

①心理療法は、古くから民間で実施されている祈禱や呪術のような原始的宗教的色彩の強いものとは、一応区別される。心理療法は、自然主義的で科学的な根拠に基づいて行われるものをいう。つまり、それぞれの心理療法は、一つの体系をなしており、一定の治療目標、適応症、治療理論、治療技法・方法、治療過程および治療成果に定式がある。

②心理療法は、一定の教育・訓練を受けた専門家によって実施されることである。心理療法に携わる人は、心理療法に関する知識や理論、治療的な態度、治療技法・治療方法などに、精通していることが必要な条件になる。また心理療法に従事する人は、相手に関わるということに関連のある法律や倫理規程・綱領（例えば人格の尊厳を守ること、守秘義務を遂行することなど）について、十分にわきまえのある人のことである。つまり相手に関わることの社会的な責任の自覚をし、遂行できる人をいう。

③心理療法は、主として言語を媒介にして行われるものである。心理療法に携わる人は、相手に主として言語を媒介にして接していき、相手からも主として言語を媒介にして理解し、把握していくことである。臨床心理面接場面では、心理療法に関わる人と来談者（クライエント）とが主として言葉を媒介にして相互に関わることを手段とし、かつ影響をもたらすのである。手段としての言語以外に重要な手がかりがあることを認識していくことが肝心である。相手から得る、あるいは相手に与える非言語的な手段（例えば、声の調子、抑揚、表情、動作・態度、服装や髪型など）にも、十分に配慮をしていくことが求められる。来談者はそのようなことにも十分敏感であることを自覚していくことが必要である。

（田畑　治）

キーワード　定義と広がり／心理学的心理療法／治療体系／心理療法の共通事項

〔文　献〕　⑤㉚(115)(123)

精神分析《せいしんぶんせき》（Psychoanalysis）

二十世紀初頭、フロイト（Freud, S.）によって創始された心理療法のこと。

治療形態として、患者は、一回四五分から五〇分のセッションを週三回以上（いわゆる毎日分析）もち、寝いす（カウチ）の上に横になり自由連想を通して、症状、不適応行動、人格構造の背後にある無意識内の不安、欲求、願望、葛藤などの問題を、分析家との転移関係を通して解決していく。治療目標として、症状の消失、情緒的成長、人格構造の変化を目指している。

精神分析の理論と技法の原点は、一八九五年のフロイトとブロイアーの共著による「ヒステリー研究」にある。フロイトは、催眠を用いて、ヒステリー患者の無意識内に抑圧されているものを感情を伴って意識化させると、ヒステリー症状が消失することを発見し、精神症状には無意識の力が大きく影響しているという考え方に至った。一九〇〇年頃を境に、フロイトは催眠を放棄し、自由連想を用いて患者の無意識内に抑圧されているものを分析し、意識化させる心理療法を精神分析と名付けたのである。

フロイトは、一九一五年までに臨床実践を通してその理論と技法を発展させた。例えば、治療過程において、患者の幼児期の重要な対象関係や防衛のパターンなどが、反復強迫と呼ばれる無意識の本能の力により、分析家に対して転移（Transference）されることが明らかとなった。この転移現象がしばしば治療に対する抵抗（Resistance）として働くため、常に転移と抵抗の分析が重要視されるようになり、このような精神分析の基本技法を古典的フロイト派（Classical Freudian）と呼んでいる。

フロイト以降、現代まで後継者たちにより様々な理論や技法が発展してきている。代表的な理論体系として、欲動論（Drive Theory）、自我心理学（Ego Psychology）、対象関係論（Object Relations Theory）、自己心理学（Self Psychology）、さらに、これら四つの基本的なアプローチを統合したポスト・フロイト派（Multi‐Model Freudian）があげられる。治療対象も、ヒステリー、強迫神経症、恐怖症などの神経症から、性格の問題、適応障害、境界人格障害、さらに精神病域まで、その範囲を拡大した。

技法的には、治療過程における分析家と患者の情緒的な交流にウエイトがおかれてきている。すなわち、分析家が行なう介入や解釈投与よりも、患者が転移の中で分析家との新しい情緒体験をし、それを内在化することや、分析家の逆転移の臨床的利用が、患者に成長と変化をもたらすと考えられている。

（青木滋昌）

キーワード　抵抗／転移／逆転移／ポスト・フロイト派

〔文献〕㉑

精神《せいしん》分析《ぶんせき》的《てき》心理《しんり》療法《りょうほう》
(Psychoanalytic Psychotherapy)

現在、世界中で最も多く実践されている心理療法の一つ。

フロイト (Freud, S.) によって創始された精神分析では、週三回以上のセッションをもつ、いわゆる毎日分析が一般的であった (精神分析の項を参照のこと)。しかし、一九六〇年代頃から欧米では、患者たちの時間的、経済的な負担が大きいという理由により、精神分析の理論や技法を修正、応用した心理療法が広く行なわれるようになってきた。これを精神分析的心理療法と呼ぶのである。

治療形態として、患者は、一回四五分から五〇分のセッションを週一～二回のペースでもち、治療者と対面する位置に座り (寝いすに横になることもある)、自由連想風の対話をする。治療目標は、患者の症状の消失、自我の強化、自己感覚の安定、より良い現実適応などを目指し、いわゆる精神分析でいう、深い人格構造の変化までは追求しないのが一般的である。

代表的な治療アプローチとして、自我心理学 (Ego Psychology) や、自己心理学 (Self Psychology)、ポスト・フロイト派 (Multi-Model Freudian) の理論体系が用いられることが多い。具体的には、セッションの中で治療者は、患者の自由連想風の話を受容・共感的に聞く。そのことにより、患者は治療者に対して、「わかってほしい」、「治療者は信頼できる」といった、自我心理学のアプローチでいう陽性転移 (Positive Transference) や、自己心理学のアプローチでいう自己対象転移 (Selfobject Transference) を呈してくる。この転移状況により、患者の弱った自我は治療者に支えられ活性化し、人格構造の外枠ともいえる自己感覚も安定してくるのである。その結果、患者の症状は消失し、現実に対して再適応が可能になってくる。もちろん、治療過程で必要に応じて、患者の治療に対する無意識的な抵抗を分析したり、症状の背後にある、抑圧してきた陰性感情 (敵意、怒りなど) を表出 (Express) させ、患者の 性格や対人関係の問題なども話し合うのである。したがって、治療の基本技法は精神分析のそれと同様であり、転移性の治癒ではないことを強調しておく。

近年では、精神分析的心理療法においても、治療者と患者の情緒的な交流のあり方や、治療者の逆転移の臨床的利用が重視されてきている。また、治療者と患者のコミュニケーションの方法として、言葉以外に描画、粘土作品、箱庭などの芸術的なものを媒介にする精神分析的表現心理療法 (Psychoanalytic Expressive Psychotherapy) が実践されている。

(青木滋昌)

キーワード　陽性転移／自己対象転移／逆転移／ポスト・フロイト派

〔文　献〕⑪

ブリーフ・サイコセラピー

フロイトの伝統的精神分析療法が通常数年間におよぶ長期療法のため、クライエントも限定されることから、フロイトの弟子のフェレンツィ (Ferenczi,S.) とランク (Rank,O.) によって、治療期間を大幅に短縮し短期療法 (short term therapy) を目標にしたブリーフ・サイコセラピー (brief psychotherapy) が提唱された。

ブリーフ・サイコセラピーの特徴は、治療者の能動性と柔軟性にあり、具体的にはつぎのような点にある。

①面接時間を柔軟に短縮する。②治療回数を柔軟に減らす。③治療期間を柔軟に短期化する。④自由連想法を使わずに対面法による面接を行う。⑤現在の生活に関連する感情的葛藤に重点をおいて分析を試み、過去の心理的外傷体験については必要に応じ究明する。⑥クライエントの実生活に指示を与えたり干渉したりして、それを治療の手法として利用する。⑦面接回数を操作して過度の転移反応を避けたり弱めたり、逆に強めたりコントロールする。

ところで、近年では面接回数を一五回程度を上限とし、ほぼ数ヵ月以内の短期間の治療終結を目標にブリーフ・サイコセラピーが導入されている。その中でも、クライシス・インターベンション (危機介入：crisis intervention) の場合は、一回から六回程度の面接回数でクライエントへの緊急援助を達成することが望まれている。またマン (Mann,J.) や上地安昭が提唱している時間制限心理療法 (time limited psychotherapy)では、実質面接回数を治療開始前に一二回と明確に限定して実施するところにその特徴がある。それに、最も短期的なセラピーの手法としてシングルセッション・セラピー (single session therapy) がある。この一回限りの治療では面接時間が一時間を超える場合もある。従来のインテーク面接に相当する初回面接のみでもセラピーが成立するとの新たな認識は、心理療法に対する革新的な見解といえよう。

なお、ブリーフ・サイコセラピーの技法の特徴はつぎの点にある。

①予備面接においてクライエントの早期診断をおこないブリーフ・サイコセラピーに適合するクライエントを選択する。②予備面接の段階で治療時間(回数)を短期に制限することをクライエントに伝え了承を得る。③慢性的症状ではなく、最近発生したクライエントの症状に治療の焦点を定める。④積極的な治療の促進と必要に応じセラピストの指示的、教示的役割が有効に働く。⑤クライエントとの陽性転移関係を早期に確立し治療の進展を促進する。⑥とくに危機介入においては、初回面接にクライエントの感情表出を促しカタルシスがおこる状況を工夫する。⑦折衷的治療技法による治療法の柔軟性に努める。

最後に、わが国の学校カウンセリングの技法モデルとしてブリーフ・カウンセリングへの注目が高まっていることを述べておく。

(上地安昭)

キーワード　短期療法／時間制限心理療法

〔文献〕⑽⑼

ヒューマニスティックな心理療法《しんりりょうほう》

現代の心理療法は、精神分析的心理療法、行動主義的心理療法、ヒューマニスティック的心理療法、トランスパーソナル的心理療法の四大潮流に分けられる。それぞれ人間存在の本質を無意識に反応する存在、刺激に反応する存在、生成過程にある存在、超越する存在ととらえている。

ヒューマニスティックな心理療法は人間性の積極的健康的側面に着目し、米国においてとくに精神分析的心理療法と行動主義的心理療法に対抗して台頭してきた。その背景には現象学と実存主義が流れている。ヒューマニスティックな心理療法は、人間を目的と価値と選択権をもち自己決定の権利と能力を備えた存在とみる。人間はその自由意志によって、自らがもつ成長と幸福への潜在力を最大限に発揮することができ、その最高の動機は自己実現（self-actualization）への動機である。この立場の心理治療では、次のことによって人間の潜在力に制約を加える神経症的諸力から解放することになる。

つまり、①個人的世界観や自己概念の共感的理解、②十全な自己覚知を促すこと、③独自な自己および自己の選択に基づく行動の自由と責任を十全に受け入れられるよう力づけること、④人間としての潜在力を十分に実現すること、などによるのである。

この立場は単一の治療理論あるいは単一の治療法ではなく、一つの志向である。その志向するものは、人間を全体としてとらえる全体論、現象学的な観点、現在（いま、ここ）の体験的場への関与、個性記述、生活史や環境的決定因よりも目標・価値・希望・将来、選択・創造性・価値づけ・自己実現といった人間独自の性質、人間がもつ積極的健康的側面などである。

ヒューマニスティックな心理療法の立場には、C・R・ロジャーズのクライエント中心療法、F・S・パールズのゲシュタルト療法、E・バーンの交流分析、G・A・ケリーの個人的構成概念の心理療法、V・E・フランクルの実存分析（ロゴセラピー）がある。それぞれ特徴があるが、現在の現象的経験と治療者─患者の出会いを強調する点などでは一致している。批判としては、次の点が指摘されている。

①その対象は、比較的自我統合のよい健康な人たちで、自分の人生により大きな意味と充足を求める人たちにもっとも適している。②出会いや治療関係の質は治療的な必要条件だが、必ずしも十分条件ではない。治療技法や専門的訓練を軽視している。③意識的現在的経験を過大視し、歴史的無意識的決定因、環境因、素因など他の要因を軽視している。④基本的な用語が曖昧で、明確な定義を欠いている。概念と方法はさらに洗練させる必要がある。体系的な理論化や実証も不可能な曖昧な一般化が幅をきかせている。

（伊藤義美）

キーワード　生成過程／自己実現／出会い

〔文献〕㉘㊷(53)(61)(88)

実《じつ》存《ぞん》分《ぶん》析《せき》

人間の本質を問題とする人間学派には、ビンスワンガー（Binswanger,L.）の現象学的人間学、ボス（Boss,M.）の現存在分析、ロロ・メイ（Rollo May）などが含まれるが、ここではフランクルのロゴセラピー（Logotherapy）をとりあげる。ロゴセラピーは、オーストリアの精神医学者のヴィクトール・フランクル（Viktor E. Frankl）によって開発された。フランクル自身の強制収容所での体験から生まれ、「生きるべき理由をもっている者だけが、ほとんどあらゆる生きる事態に耐えうる」というニーチェのことばに真実を見いだした。ロゴセラピーでは、とくに精神的または哲学的な問題、すなわち生と死、仕事、苦悩・愛などの意味に関する問題をかかえた人間を援助する。人間の心理的問題のみを扱う心理療法を補うものである。人間の動機で最も基本的なものは、意味への意志（will to meaning）である。この欲求の充足が妨げられると実存的欲求不満が生じ、これに由来する人生の無意味感は実存的真空とされる。これが高じると、神経症（精神因神経症）や精神病を引きおこすことになるのである。

治療の最終目標は、患者が人生の目標と目的を見いだすよう援助することである。人間の実存のひとつの本質をなすものであるので、自分の責任性が強調される。この責任性は義務を含み、その義務は人生の意味を理解することから生まれるのである。実存的欲求不満に悩む患者の価値的あるいは哲学的葛藤をとらえ、自分の信念と行動に対する自分自身の責任性を自覚させようとする。治療者は自分自身の価値観を知り、それを患者に押しつけることはしないが、必要な場合には確信をもってそれを患者に言えなければならない。患者の現在の精神的問題、症状に対する態度、および将来が強調される。

ロゴセラピーの技法には、逆説的志向（paradoxical intention）と反省除去（dereflection）がある。これは強迫行動と恐怖症的行動を治療するために有効とされる。患者が恐怖の対象を恐れて、それを避けようとすればするほど予期不安が高まる。この悪循環を断ち切るために、恐れるものそのものを自ら志向し欲することが勧められる。これが逆説的志向である。これをユーモアをもって行うのである。自分自身と自分の弱点を笑うことは、克服の重要な一歩になるからである。この例として、教官が解剖室に入ってくると身体が震えるのではないかという恐怖感で実際に身震いが起こったが、意図的にすごい身震いを起こそうと思うと身震いは起こらない女子学生の例をあげうる。反省除去というのは、恐れるものを無視するようにさせる方法である。これが効果をあげるためには、患者を予期不安から反省除去し、事物へのより積極的な探求に向かわせなければならない。

実存分析は、意味、実存、哲学といった問題を正面からとりあげ、人間の実存的問題に対処する道を指し示しているのである。

（伊藤義美）

キーワード　V・E・フランクル／ロゴセラピー／意味への意志／逆説的志向

〔文献〕⑰⑱⑲⑳㉞

クライエント中心療法《ちゅうしんりょうほう》

クライエント中心療法とは、米国の心理学者カール・ロジャーズ（Carl R. Rogers, 1902-1987）が創始し、発展してきたカウンセリング・心理療法の立場である。その発展にともない、対象は患者、クライエント、パーソン（人間）、社会と変わり、方法はカウンセリング、心理療法、アプローチと変わってきた。したがってその名称は、非指示的カウンセリング（一九四〇～一九五〇）、クライエント中心療法（一九五一～現在）、体験過程療法（一九六七～現在）、エンカウンター・グループ（一九六〇後半～現在）、パーソンセンタード・アプローチ（一九七四～現在）などと変わってきている。

非指示的カウンセリングでは、技法的に「指示しない」ことに特徴があった。クライエント中心療法（CCT：Client-Centered Therapy）では、方法よりも基本的な治療的態度がより強調された。体験過程療法では、体験過程が重視され、基本的態度を前提条件としてセラピストの行動にはより広範な活動が含まれるようになった。エンカウンター・グループでは、より健康な人々を対象にして小グループ（八～一二名）による集中的グループ経験を通して心理的成長と対人関係の改善がはかられた。パーソンセンタード・アプローチ（PCA）では、エンカウンター・グループを主な方法として教育組織の変革、地域的文化的葛藤の解決、国際的紛争の解決などの社会的応用がはかられるようになった。さらに小グループよりもコミュニティ・グループが用いられるようになってきている。

こうした発展のなかで一貫している基本的仮説が、二つある。一つは、人間有機体がもっている実現傾向への信頼である。実現傾向は、「有機体を維持し強化する方向に全能力を発展させようとする、有機体に内在する傾向」である。もう一つの基本的仮説は、この実現傾向はある特徴的な人間関係によって解放されるというものである。この特徴的な人間関係とは、建設的なパーソナリティ変化の必要・十分条件（一九五七）を備えた人間関係である。建設的なパーソナリティ変化の必要・十分条件のうちセラピストの中核条件は、自己一致、無条件の肯定的な関心、共感的理解である。自己一致は、クライエントとの関係のなかで真実で一致しており、統合されていることである。無条件の肯定的関心は、クライエントの体験のすべての側面を暖かく受容し、尊重することである。共感的理解は、クライエントの私的な世界をあたかも自分自身のものであるかのように感じとり、しかもこの〝あたかも…のように〟という性格を失わないことである。

クライエント中心療法は、心理治療、教育、結婚、親子、集団、企業・組織、人種・民族、国際関係などの幅広い問題に適用できる。現在では、米国よりも日本やヨーロッパの国々（イギリス、ドイツ、フランス、オーストリア、ベルギー、オランダなど）で盛んである。

（伊藤義美）

キーワード　C・R・ロジャーズ／セラピストの中核条件／実現傾向

〔文　献〕㉖㊸⑹⑼⑾

ベーシック・エンカウンター・グループ

カール・ロジャーズ（Carl R. Rogers）の「基本的出会いグループ」のことである。エンカウンター・グループは集中的グループ経験一般をさすことがあるが、ベーシック・エンカウンター・グループ（Basic Encounter Group）という場合は、ロジャーズのクライエント中心療法あるいはパーソンセンタード・アプローチの原理を適用した小グループによる集中的グループ経験を表す。これは、心理治療としてよりも心理的成長を志向する成長志向グループである。このグループでは、個人の成長、対人的コミュニケーションおよび対人関係の発展と改善がはかれる。米国では人間性回復運動と連動し、カリフォルニアで一九六〇年後半から盛んになった。わが国には一九七〇年に導入されており、「人間関係研究会」などが実践と研究を推進してきている。

この小グループは、通常ファシリテーター（促進者、一名か二名）とメンバー（参加者、八名～一二名）から構成される。会期は二泊三日から長いもので五泊六日がある。あらかじめ話題を決めない自由な話し合いを中心に過ごし、そのなかで真実の対話と自己の探究が行われる。年齢、性別、職業、地位などの違いを越えて、一人ひとりが対等の人間として心を開いて率直に真実を語り合うのである。エンカウンター・グループ体験の特徴としては、①日常的規範や日常性からの離脱、②集中的グループ経験、③率直で素直な感情表現、④個々人の尊重、⑤権力の分散、⑥ファシリテーターのメンバー化、などがあげられる。グループ経験を通して、メンバーはより率直になる。自分が理解され、受け入れられていると感じると、自分自身を防衛する必要がなくなる。自分の感情にも気づくようになるので、より現実的で客観的になってくる。グループの安全さが自他への態度を変えるので、もはや恐れを抱かなくなる。他者への理解と受容が増大する。また、ありのままの自己を認められるようになり、自己指導的になる。自分自身の生活、生き方に自分で責任をもつようになる。自分自身を信頼し、他者によって信頼されていると感じ、他者を信頼することができるようになる。自分自身の独自性を受け入れるので、より創造的になるのである。

批判としては、①グループの効果が長続きしない、②グループで心理的損傷が起こることがある、③グループから現実生活に復帰することが難しい場合がある、があげられる。

エンカウンター・グループは家庭、教育、医療、産業、地域社会、異文化、国際関係などにおいて、真の対話と理解、本当の出会いを実現する有効な方法と考えられる。今日では、大グループのコミュニティ・グループなど多様な形でのグループ実践がなされている。実際の記録教材として、ロジャーズがファシリテーターを務めている『出会いへの道―あるエンカウンター・グループの記録―』や『鋼鉄のシャッター―北アイルランド紛争とエンカウンター・グループ―』などがある。

（伊藤義美）

キーワード　集中的グループ経験／成長志向グループ／ファシリテーター

〔文　献〕㉘㊷⑰⑰⑳⑼

フォーカシング

心理学者で哲学者であるシカゴ大学のユージン・ジェンドリン（Eugene T. Gendlin, 1926– ）が創始した概念であり方法である。パーソナリティ変化の現象やプロセスを表すのにも用いられる。その療法はかつては体験過程療法と呼ばれたが、最近はフォーカシングを重視してフォーカシング指向心理療法（Gendlin,1996）と称されている。

フォーカシング（Focusing）とは、①内側のはっきりしない何かに注意を向けること、②はっきりと身体（からだ）で感じることができる、③その身体（からだ）の感じに触れ続け、優しい、友好的な、判断しないやり方で、開けるために時間をあたえること、④その人の人生・生活の何かの部分とつながっている、⑤成長や変化の小さな体験的一歩をもたらす、などである。重要な概念は、フェルトセンス（felt sense）、フォーカシング的態度、パートナーシップなどである。

フェルトセンスの特徴は、①意識と無意識の境界領域で形成される、②独特で明白だが、最初はただはっきりしない雰囲気・質として感じられるだけ、③身体（からだ）で感じられる、④内的に複雑だが、一つの全体として体験される、⑤体験的一歩を重ねることで進む、⑥体験的一歩によって人は自分自身に近づいていく、⑦プロセスの一歩には、それ自体に成長の方向がある、⑧体験的一歩の理論的な説明は、後から振り返ってみることでしかできない、である。

フォーカシング的態度は、①そこにあるものは何でもその存在を許すこと、②どんなものにも優しく友好的であること、③尊重し、共にいて、待つこと、④生じてくるものは何でも受け取ること、⑤技法よりも重要である、という特徴をもつ。フォーカサー（フォーカシングをする人）はこの態度を内的なフェルトセンスに向け、リスナー（リスニングをする人）やガイド（ガイディングをする人）はフォーカサーと自らのフェルトセンスに向けるのである。

フォーカシングを教えるためのステップとして、①空間をつくる、②フェルトセンス、③取っ手（ハンドル）をつかむ、④共鳴させる、⑤尋ねる（問いかける）、⑥受け取る、があげられている。パーソナリティ変化につながる体験的一歩を促すための技法として、①微妙なそれぞれの雰囲気を聴き取り、確認する、②「そこにある何か」を創り出すために応答する、③「ハンドル」となることばやイメージを見つける、④ハンドルのことばやイメージが共鳴するかどうかを感じ取る、⑤フェルトセンスを呼び出し、それにフォーカスするようにクライエントに具体的に働きかける、⑥「それに軽く触れ」、それを感じ、それとともに居て、そのそばにとどまるための教示を与える、⑦フェルトセンスに友好的態度で接し、そこから生じるものすべてを優しく受け取る、などが指摘されている。

フォーカシングは、他のカウンセリングや心理療法の立場との併用、問題解決や創造的活動、セルフヘルプなど、その適用の可能性は大変大きい。

（伊藤義美）

キーワード E・T・ジェンドリン／フェルトセンス／フォーカシング的態度／フォーカシング・パートナーシップ

〔文　献〕㉔㉕㉛㊳㊸

行《こう》動《どう》療《りょう》法《ほう》

行動療法は、一九五〇年代から主にアイゼンク（Eysenck,H.J.）、ウォルピ（Wolpe,J.）、スキナー（Skinner, B.F.）によって、学習心理学を中心とした行動理論に基づいて、人間の苦悩や障害を改善する新たな心理学的アプローチとして成立し発展してきた。今日では適用対象も拡大の一途をたどり、そのため行動療法は単一の理論的枠組みというよりも、実証された研究知見に基づく科学的な治療アプローチの総称になってきている。

行動療法の一般的特徴は次のようになる。

①行動療法では、不適応行動または症状を誤った学習や必要な行動の欠落の結果として捉える。誤学習は学習解除の方略で、行動欠落は獲得の方略で解決できる。②行動療法には、行動の制御変数として環境要因を重視する応用行動分析から、内的要因を重視する認知行動療法まで幅広くある。しかしいずれも過去や人格特性ではなく、現在の生活場面に焦点を当てる。これによってそれらの実験的操作が可能となり、不適応行動の維持要因の特定や効果的治療法の提供が可能になる。③行動療法は科学的であり、治療計画は実証された研究知見に基づいて立案され、効果判定のため単一事例研究法が用いられる。この慣行は良好かつ速やかな治療成果を保証する一助になる。④行動療法は場所を選ばない。不適応行動が出現しやすい通常環境を治療の場にもできる。また関係者を訓練することによって治療の場の拡大もできる。⑤行動療法では技法を組み合わせ、治療パッケージとしても適用できる。⑥治療者—来談者関係は協調的である。治療計画は双方の合意によって作成され、最終目標は来談者の自己制御にある。

行動療法の診断過程は、行動アセスメントまたは行動分析ともいわれ、治療計画が策定される。具体的には、不適応行動を形成・維持している要因の特定、欠落している必要な行動の特定、必要な適応行動の形成や不適応行動の除去に合致する合理的な治療技法の選択、介入効果の測定法の選択などが含まれる。

治療技法は三つに分類される。①レスポンデント技法には不安や恐怖の解消に有効な系統的脱感作法、新たな条件反応を学習させる積極的条件付け法などがある。②オペラント技法には新たな行動や技能を形成させる漸次接近法、行動を増加させる強化法などがある。③認知技法には社会的技能に汎用されやすいモデリング法や自己監視法などがある。

行動療法の治療過程は介入ともいわれる。治療効果は単一事例研究法によって客観的に測定される。有効である場合には、通常、最低でも六カ月間の追跡調査が必要とされる。

行動療法は多くの生物学的・心理社会的疾病、例えばDSM—Ⅳに登場するほぼすべての病態、筋障害や血管障害、生活習慣病やストレス関連障害などの治療や予防のために汎用され、特に米国では行動療法がこれらに対する最適治療法の一つに位置付けられている。

（内田一成）

キーワード　行動理論／応用行動分析／認知行動療法

〔文　献〕⑩⑦

催《さい》眠《みん》療《りょう》法《ほう》

　催眠療法は、十八世紀後半にウイーンの医師メスメル（Mesmer,F.A.）が「動物磁気説」による治療を行って以来、心理臨床の歴史のなかで最も早くから行われてきている心理療法である。そして、催眠療法は精神分析を始め自律訓練法・イメージ療法・家族療法・短期療法などさまざまな心理療法を生み出してきている。

　催眠療法は、独立した療法としての狭義の催眠療法と、他の療法と併用する折衷的療法としての広義の催眠療法の二つに大きく分けることができる。

狭義の催眠療法

　催眠現象を体験していく心理活動そのものを利用して心理療法を行うもの。メスメル以来の暗示を中心とした催眠暗示法もこれに入る。最近注目を集めている、エリクソン（Erickson,M.H.）の催眠療法と、その流れを組むストラテジー催眠療法、課題努力法を基盤とした成瀬悟策の催眠療法などが狭義の催眠療法に含まれる。具体的な技法として次のものがある。

○症状除去法―喫煙・夜尿・不眠・肥満など習慣性の問題行動の改善
○症状転移法―苦痛の少ない症状への置換え
○無痛暗示―ペインコントロール
○持続催眠法―長時間催眠状態を持続させる
○リラクセイション法―催眠によるリラックスの仕方と持続の体得

折衷的催眠療法

　催眠は治療仮説が全く異なる精神分析と行動療法のいずれとも併用されているし、ほとんどの心理療法に催眠を用いようとすれば可能といえる。これは催眠療法には、全ての心理療法に共通する基礎的な治療要因が内包されているためと考えられる。具体的な技法として次のものがある。

○精神分析との併用―催眠分析、催眠夢法、映画投影法、心像連想法、情動強調法、自動書記・催眠描画法、年齢退行など
○行動療法との併用―催眠暗示条件付け法、催眠による系統的脱感作法など
○イメージ療法との併用―イメージ減感法、メンタル・リハーサル、イメージ学習法、自己像視法など

催眠療法の適用領域

　催眠療法は精神神経科における心理療法はもちろんのこと、内科・歯科・麻酔科・皮膚科・産婦人科・耳鼻科などの医療領域や、リハビリテーションやスポーツ・芸術の領域、教育現場、美容や健康に関する領域において用いられている。最近では、多重人格などの解離性同一障害やＰＴＳＤで治療効果が見直されている。

　催眠というと、クライエントの意思に関係なく治療者の思いにより治療ができると受け取られやすいが、催眠療法は催眠の特徴を活かして、クライエントが意識的・無意識的に持っている治療的ニーズに応えられるように適切な援助をすることであり、もっともクライエント中心的療法である。

（田中新正）

キーワード　精神分析／自律訓練法／イメージ療法

〔文　献〕　⑱⑮⑯⑳(105)(106)

認《にん》知《ち》行《こう》動《どう》療《りょう》法《ほう》

認知行動療法は、行動の制御変数として環境要因を重視する行動療法に加え、その媒介として思考や信念などの認知要因を重視し、効果の実証された行動技法と認知技法を機能的に組み合わせることによって、問題解決を図ろうとする治療アプローチの総称である。

その成立に大きな影響を及ぼしたのが一九七〇年代のバンデューラ（Bandura, A.）による社会的学習理論と、ベック（Beck, A.T.）によるうつ病に対する認知療法の理論的・臨床的研究である。今日、認知行動療法の適用対象は拡大の一途をたどっている。それにつれてさまざまな病態についての認知モデルとその治療パッケージが数多く考案されている。

認知行動療法の一般的特徴は次のようになる。

①認知行動療法では、さまざまな心理的障害を、その個人に特有な認知活動の媒介によって学習された結果、または必要な技能の欠落の結果として捉える。非機能的な認知は学習の解除や修正の方略で、技能の欠落は獲得の方略で改善できる。②認知行動療法では、現在の生活状況での認知過程に焦点を当てる。認知過程は検証可能なように整えられ、他の行動論的パラダイムと統合される。これによって認知過程の実験的操作や実利的な治療効果の提供が可能になる。③認知行動療法では、治療効果が実証されている行動技法と認知技法を機能的に組み合わせた治療パッケージが用いられる。ベックの認知療法をはじめ、合理情動療法、行動的家族療法、不安管理訓練、多面的行動療法、社会的スキル訓練、行動的夫婦療法、ストレス免疫訓練、問題解決療法などがそれにあたる。④認知行動療法は科学性を重視し、認知と行動・情動の双方を治療効果の評価対象にする。最近、行動目録や評定尺度を指標にした単一事例研究法の利用例が増えてきている。⑤認知行動療法の治療者―来談者関係は協同的である。治療パッケージは双方の協議によって立案され、最終目標は来談者の自己制御にある。

認知行動療法の診断―治療過程では、問題のメカニズムを整理し、来談者がそれを正しく理解し、必要な対処方法を学べるように、心理教育指導を行う。次に、不適応状態にある認知と行動・情動様式の因果関係を機能的に分析し、それらを修正し得る治療パッケージを作成し実施する。そのために認知技法と行動技法が用いられる。認知技法には、思考を裏付ける証拠についての質問、認知的リハーサル、認知的再体制化法、自己教示法、そして行動技法には活動スケジュール法、習熟度・満足度スケジュール表、行動リハーサル、主張訓練法など多くの技法がある。

認知行動療法はうつ病以外にも精神分裂病、強迫性障害、パニック障害、人格障害、摂食障害、物質使用障害、外傷後ストレス障害などの治療に著効を上げている。最近米国では、認知行動療法は薬物療法とともにうつ病に対する標準治療法に位置付けられてきている。

（内田一成）

キーワード 認知モデル／治療パッケージ／行動療法

〔文献〕㊻

児《じ》童《どう》心《しん》理《り》療法《りょうほう》（遊《ゆう》戯《ぎ》療法《りょうほう》）

　子ども（幼児・児童）は、欲求や葛藤を言語によって表現することは一般的には困難であり、遊びや描画、箱庭等を通して象徴的に表現することが多い。従ってどのような心理療法の立場に立とうとも、クライエントの成長のためには共通して「遊戯」を重視しているので、子どもを対象として行われる心理療法をまとめて遊戯療法とよんでいる。

　遊戯療法の対象となるのは、場面緘黙症、不登校、心身症、PTSD等の神経症圏の子どもたちであり、基本的には環境因性、心因性による問題行動（症状）を示す子どもたちといえる。しかしながら我が国では、佐藤ら（一九七八(95)）に見られるように一九六〇年代より精神遅滞や自閉症等の発達障害児にも実践されてきている。

　子どもたちは、週一回、五〇～六〇分のプレイの時間を原則として治療機関に通うことになるが、どのように遊戯療法を実践していくかについてはセラピストの立場によって微妙に異なってくる。

　①感情転移を最も重視し、言語による精神分析的解釈を行ったクライン（Klein,M.）、②セラピストとクライエントとの治療的人間関係の形成を重視したアレン（Allen,F.）の関係療法、③遊びの治癒力を重視したウィニコット（Wincott,D.W.）等が代表的立場であろう。

　このような立場の違いはあるもののロジャーズ派のアクスライン（Axline,V., 1947⑧）の提唱した八原則は、我が国では遊戯療法の基本として広く受け入れられている。

　①ラポールの確立。②子どものありのままの受容。③自由に表現できる雰囲気。④洞察を得られるような適切な反射。⑤子どもに責任をもたせる。⑥子どもがリードする。⑦治療はゆっくり進む過程である。⑧必要な制限。

　遊戯療法の過程に関しては、多くの事例研究が積み重ねられ、「見立て」が可能となってきている。例えば神野（一九六六㊼）は場面緘黙女児にプレイを実践し、緊張期→活動期→攻撃期→甘え期→退行期→開口期に至る過程を報告している。緘黙児に限らず神経症圏の子どもたちは、「甘え」や「攻撃」を中心に据えながらプレイは流れていくのであり、プレイの初期、中期、終結期の治療過程に関してかなり明らかにされてきている。また発達障害児とりわけ自閉症児に対する遊戯療法は、器質障害が定説化してからは実践されることが少なくなってきたが、「心の理論」や社会性障害が注目されるようになった一九九〇年頃より再び遊戯療法が見直されるようになった。しかし自閉症児の治療過程は不明確な点が多く今後の課題である。

　児童心理療法は、子どものもつ遊びの治癒力とセラピストとクライエントとの人間関係の構築（創造）という二つの大きな要因が複雑に絡み合いながらダイナミックに展開されていくプロセスといえよう。

（神野秀雄）

キーワード　アクスラインの八原則／心の理論

〔文　献〕⑧㊼(68)(95)(125)

集団心《しゅうだんしん》理療法《りりょうほう》

集団心理療法とは集団の構成員一人ひとりの人格と行動の比較的すみやかな改善をもたらすことを第一次的目的として、特別に準備された集団の場を利用して行なわれる治療の一形式である。そこでは、集団力動の作用、集団のもつ文化の影響などが重要な役割を果たし、病的症状や病的反応様式を修正し、現実適応能力の改善をはかろうとする。ヤロム(Yalom, I.D.)は、治療効果の基本的因子として、①希望の注入、②普遍性、③情報の分与、④愛他主義、⑤原初的家族関係の修正反復、⑥社会化能力の発展、⑦模倣行動、⑧人間関係の学習、⑨集団の凝集性、⑩カタルシス、⑪実存的要素をあげている。

集団に参加した一人ひとりが自分の考えを発表したり行動することによって、自分を省みる機会となる。自分の行動のみではなく他人の行動をみることは、人間関係の在り方や持ち方を反省する機会となり、また、自分の感情を表現しても、受容され、共有され、吟味される体験は、今までにない新しい体験としてとり入れられる。この感情修正体験は、参加者のそれまでの固定され歪曲された感情反応を修正し、低い自己評価を高めることになる。集団は擬似家族的雰囲気を醸し出し、このような場での家族に対する感情の復活は、幼少期からの家庭内での歪んだ人間関係を修正する機会になる。

これら諸々の集団での体験は、集団凝集性を高める。自分を正当に評価し、他人を尊敬し、人とのつながりを強めることは治療効果として表われる。

ビオン(Bion,W.R.)は、いわゆる「指導者不在の集団」の考え方を発展させている。集団力動として、依存、闘争—逃避、ペアリングの三つの現象をあげ、集団の発展は、包含、力、親密性の三つの相でとらえられるとし、集団力動の発展を、抵抗、攻撃性、創造性の三つの段階としてとらえている。治療者は、集団に参加している一人ひとりの治療ということを考え、集団力動を把握し、進行させなければならない。時には、中立性を守るよりも、むしろ生の人間として感情を生き生きと表現することが治療的になることがあるといわれる。

日本における集団心理療法の歴史は比較的新しい。日本社会がもっているタテ構造が集団心理療法の場に持込まれやすいとか、家族的、同窓会的集まりの志向性とか、「われわれ意識」が強く出て構成員同士の相互作用が生まれにくく、言語表現が不活発などが特徴としてあげられたりしたが、欧米との差はほとんどないと指摘されている。

児童の集団心理療法は、スラブソン(Slavson, S.R.)によって一九三〇年代になされた。遊びなどの集団内での仲間との活動や情緒的交流が治療的効果をあげる。児童の集団心理療法は、治療キャンプなど様々な工夫がなされて発展してきている。

(吉野　要)

キーワード 集団力動/感情修正体験/集団凝集性

〔文献〕(117)(118)(120)(121)(122)

動《どう》作《さ》法《ほう》

　脳性まひのため動かなかった手が、催眠暗示により動くようになったという小林茂（一九六四）の報告がきっかけとなり、成瀬悟策を中心に脳性まひ児・者の動作改善を目的とした動作訓練が研究開発されてきた。一九七〇年代からは、脳性まひ以外の自閉症を始めとする情緒障害や知的障害にも効果が確認されると同時に、精神病患者や神経症患者にも効果があることが確かめられ、今日では高齢者やスポーツ選手まで適用される臨床動作法として現在も発展しつつある。

　動作法とは、援助者や実験者が目的に添って、クライエントや被験者に課題としての動作を特定し、動作課題を通して援助や介入をしていく方法である。現在、動作法は用いられる目的によって図のような用語に分類されている。臨床的な援助や臨床研究を目的として動作法を用いる場合は臨床動作法と呼ばれ、姿勢や動作の実験研究に動作法を用いる場合は、実験動作法と呼ばれる。

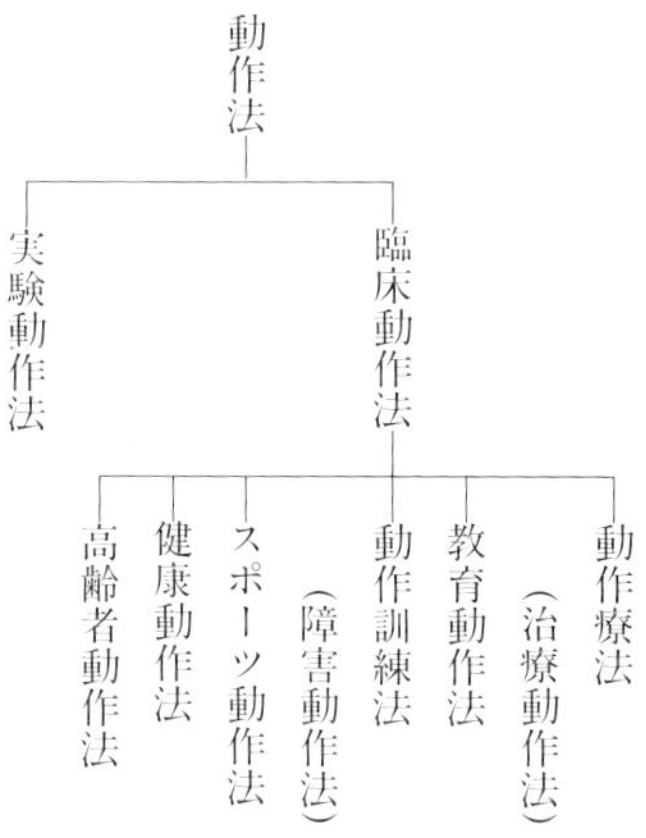

図1　動作法の分類

　臨床動作法は、成瀬が心理臨床における一般的・共通的な治療原理として、洞察原理や行動原理を包摂する「体験の原理」による体験治療論に基づいている。体験治療論では、体験の内容よりも、体験の仕方（様式）が変わることに焦点が当てられる。臨床動作法で用いられる基本的な動作課題の姿勢は、坐位・膝立ち・立位・歩行である。これらの課題を通してクライエントに求められる主な動作努力と、体験される様式は以下のものである。

①リラクセーション［自己弛緩］―自己に働きかける、他者に任せる。
②動かす［腕上げ、バランスとり］―自体制御、主動感、自由感などの体験
③タテ（縦）になる［タテに坐る、立つ］―自己存在・自己軸・自己確実感などの体験
④コミュニケーション［課題の受け入れ、動作によるやりとり］―共同作業、他者信頼、自己信頼の体験
⑤自体・自己モニター［自体感・自己感の明確化］―自体・自己の気づきと変容の実感の体験。

　臨床動作法は主たる道具として動作を用い、クライエントの望ましくない日常の体験様式を、治療場面の動作課題を通してクライエントがより望ましい体験様式に変えていく努力の仕方を援助し、望ましい生活体験へと変化を図る方法である。

（田中新正）

キーワード　臨床動作法／体験治療論／リラクセーション

〔文献〕　(77)(79)(81)(82)(106)

東洋的心理療法《とうようてきしんりりょうほう》
(内観療法《ないかんりょうほう》・森田療法《もりたりょうほう》)

日本の文化、風土、風俗などを背景に広く行なわれていた心を癒す方法の中でも、内観療法と森田療法は、臨床心理学、精神医学などの領域でとりあげられ、構造や心理機制や治療過程などが科学的に研究され、心理療法として体系化されているものの代表である。

1　内観療法

内観療法(内観または内観法とも呼ばれる)の原法は、「身調べ」と呼ばれた浄土真宗の信者の間で行なわれていた求道の方法の一つに求めることができる。この身調べを体験した吉本伊信(一九一六—一九八八)が改善し発展させ、広めてきたものである。その方向は、①内観本来の目的であった一般の人々の人間修養の方法、②産業界における人間関係のより良い形成の方法、③学校教育界における生徒指導の方法、④矯正教育界における更生の方法、⑤医療の場において心理療法の方法として応用されている。内観は人間関係を真に維持していける人間となるように意識的に努力する過程であり、他人に対する自分の在り方をみつめるものである。その力は誰しも持っているという深い人間信頼が根底にある。内観の方法は、部屋の片隅を屏風で囲い、その中に安坐し、日常生活から隔絶された状態で最低一週間早朝から夜まで集中的に生育歴にそって重要な他者に対しての自分をみつめる。その方法は、①してもらったこと、②して返したこと、③迷惑かけたことを具体的事実に即して調べるものである。これを「集中内観」と呼ぶ。集中内観終了後の毎日の生活の中で短時間の内観が要求される。これは「日常内観」と呼ばれる。

2　森田療法

森田正馬(一八七四—一九三八)によって創案された心理療法である。森田は、神経症の治療のために、西欧の種々の療法を用いたが実効が少なく、これらを批判的、採長補短的に修正しとりいれていく一方で、日本古来の伝統的、土着思想の治療的価値を再発見し、独自の技法を案出した。治療は臥褥療法と作業療法とからなる。その特色をまとめると次のようである。①無意識を分析しない。②症状の内容を解釈しない。③過去は過去として葬り去り、もっぱら現在だけを問題とし、その現在からの解放・解脱の手段を追求する。④症状形成の根本的なものが欲望であるとするが、「生の欲望」として積極的に肯定・是認する。そして欲望を健康な正当な方向に導き発展させる。⑤自然なもの、現実、事実を尊び、自然に即し調和して生きることを強調する。⑥作業の重視。言語レベルでの治療者―患者間の交渉を重視せず、働くことになりきることをすすめる。これら森田療法がもつ特色は、森田自身の人生観、哲学の反映といえ、「事実唯真」とか「自然法爾」という深い人間観が根底にあり、森田療法を独創的な心理療法にしている。

(吉野　要)

キーワード　内観療法/森田療法/身調べ/吉本伊信/集中内観/日常内観/臥褥療法/作業療法/森田正馬

〔文　献〕㊺㊽㊲㊷㊹㊾85 94 98 126 127

危《き》機《き》介《かい》入《にゅう》（クライシスインターベンション）

危機介入とは

危機状態にある人に対して、その問題発生状況の的確な理解に基づいた集中的で具体的な働きかけを行うことにより、崩れたバランス状態を元の状態またはより良い状態に回復させるための心理的援助の方法をいう。

危機状態とは

危機理論で有名なキャプラン（Caplan,G. 1961⑬）は、危機状態を「人生上の重要目標の達成が妨げられた時、はじめに習慣的な課題解決方法を用いて解決しようとするが、それでも克服できない結果発生する状態である。危機状態になると混乱と動揺の時期がしばらく続き、その間、打開するための様々な試みがなされ、結果的にはある順応が、その人自身や周りにとって最も良い結果をもたらすか、あるいはそうでないかたちで形成される」と定義する。危機という日本語は「危険」と「転機、好機」の意味をあわせ持ち、より悪い危険な方向へ進むか、良い方向へ向かうかのまさに「分かれ目」を意味している（原語のCrisis、語源のギリシャ語Kairosとも「峠」、「分岐点」の意味）。また、この危機はライフサイクルの中で（発達的危機）、また家庭・職場・学校・地域などの生活場面で（偶発的危機）発生する。

危機状態の特徴

危機状態は次のような特徴を持っている。1　有効であった対処方法を使い切ってしまい、どうして良いかわからないので、危険な状態であり様々な病的症状を示す。しかし危機状態そのものは病気ではない。2　一方、解決のための新しい対処方法を求める欲求、動機づけが最も高まっている状態でもある。3　したがって自己変革、成長のための最適な時期である。4　ただしこの期間はそれほど長くは続かず、通常一～六週間ほどである。

危機介入の方法

以上から、有効な心理的援助とするためには、危機状態のピークにタイミング良く、援助サービスを準備して介入する必要がある。その為の条件と手順はおよそ次のとおりである。1　利用しやすいサービスシステムを保障し、依頼を受けたら即時介入する。2　危機状態の混乱・動揺の程度の査定を精神症状、行動障害から行う。緊急保護の必要性や他の専門家への紹介、本人の健康度や問題解決能力などを検討し、介入に耐えられるかどうかを見極める。3　さらに危機状態の理解を深める、発生に関わる時間的構造、本人の意味づけや状況認知の仕方、これまでの対処行動パターン、利用した準備資源など。4.　介入方法を検討する。状況認知のリフレイミング、自我資源の活用、利用可能な外的援助資源（専門家・専門機関など）の検討など。5　介入の具体的方針に基づき、本人と関係者の取り組みが行われ、実行・フィードバック・修正のプロセスが繰り返され効果が確認されると「開かれた終結」となる。

（原　裕視）

キーワード　危機（状態）／クライシス／危機介入（クライシスインターベンション）／発達的危機／偶発的危機／自我資源／外的援助資源

〔文　献〕　①⑬(123)

コミュニティアプローチ

コミュニティアプローチとは

「コミュニティアプローチ」と「臨床心理学的地域援助」とは同義ではない。すなわち「地域社会に対する臨床心理学的援助」や「地域社会における心理臨床活動など」とは同じではない。なぜならコミュニティアプローチという言葉には、基本的発想や対象、姿勢や方法論などもっと広い意味が含まれているからである。したがって、機能的コミュニティとしての「家族、学校、職場組織、地域社会などの社会システムやそのシステム相互間のネットワーク」に対する、「コミュニティ心理学的なアプローチである」と広く捉えておいた方がよい。

コミュニティアプローチの基本的発想

このアプローチの基になるコミュニティ心理学的発想は次のようなものである。1 伝統的心理臨床の密室主義、心理主義パラダイムからの脱却。すなわち社会環境、人と社会の相互作用を重視し、現実社会で実際に役に立つ援助を提供する。2 医療・医学パラダイムからの脱却。すなわち、修理モデルから発達・成長促進モデルへ。また、治療から心の健康増進へと予防的アプローチの重視。3 専門性、援助責任の考え方の転換。すなわち、コミュニティの人々との連携による援助と、ケアネットワークの一員としての専門性の発揮。高度な専門家だけが援助の責任を引き受けるのでなく、コミュニティとともに背負うという考え方の重視。4 個人とコミュニティの両方のエンパワーメントを追求する。つまり、個人の精神病理やその精神的健康の回復に焦点づける個人志向の介入から、環境としてのコミュニティに働きかけてその支援能力、健康増進能力などを強化するシステム志向の介入を重視。またコミュニティ全体の精神健康の保持と増進を目的としたコミュニティへの介入(社会的介入)も重視する。

具体的実践の中で重視される考え方や姿勢

さらに、この発想にもとづいて具体的に動く際に大切にされるのは、1 人と環境の適合性を高めること、2 人間行動の社会環境要因を重視して理解し、社会資源を活用して働きかけること、3 生活者としてのクライエントを理解し、生活システムが十分機能するように援助してゆくこと、4 サービス提供としての心理臨床活動を行うこと、5 コミュニティにおける現実の心理・社会的問題に対して、その問題解決に向けてコミットすることなどである。

用いられる技法

伝統的心理臨床における心理査定、心理面接相談も否定されるわけではなく、必要に応じて当該サービスにリファーされる。が、コミュニティアプローチで多用されるのは、1 短期・未来志向・問題解決志向のブリーフサイコセラピー(カウンセリング)である。また、2 危機介入と、3 コンサルテーションおよび、4 ソーシャルサポート・ネットワーキングなどが代表的な技法であり、個人臨床とはもっとも異なるアプローチといえる。その際に、非専門家の参加や協力体制づくり(ボランティア、自助グループなど)を重視する。さらに、5 心理教育的活動、啓発活動はますます重視されてきている活動である。

(原 裕視)

キーワード 予防的アプローチ/システム志向の介入/危機介入/コンサルテーション/ソーシャルサポート/エンパワーメント

〔文 献〕 (16)(59)(87)(124)

発《はっ》達《たつ》遅《ち》滞《たい》
(Developmental retardation)

発達遅滞は乳幼児期の子どもに通常見られるべき発達の姿が何らかの原因で損なわれていることによる発達の遅れか、ないしは歪みがおきている状態像を捉えての用語である。この用語は発達障害とか精神遅滞のように、そこに含まれる障害が明確に定義づけられているものではない。

発達遅滞は主として乳幼児の発達臨床の場面で精神面や身体面での成長・発達の様相を評価する用語として使われている。

個体の発達的変化には個人差や変化の大きいこともあるがその出現する順序は大体一定している。乳幼児の身体運動の発達はその一例である。運動を統制する神経系や筋肉の発達が頭部から尾部へと発達していくことで示されている。精神発達においても、例えば、言語の発達では喃語の意味を伴わない音声の出現に始まり、母音、ついで各種の子音が発音でき、一歳前後から意味のある「ことば」が可能となる。発達のすべての現象はつぎの発達への準備としての性格を備えている。発達という現象は時間的な関連性で捉えることができ、通常の平均的な発達の姿を想定することができる。発達遅滞とはこの通常の平均的な発達の様相からの偏りの有無である。

発達する可能性をもつ乳幼児期は障害の確定的な診断には慎重さが必要であるが、同時にまた、診断を曖昧なままにすることは避けるべきである。より的確な診断をするためには当該する児の発達の様相についての継続的な経過観察が必要である。

一般的には心身の発達に遅れがある場合に使用される術語としては発達遅滞よりは「発達障害」(Developmental disorder) が使われている。しかし発達障害という用語の捉え方としては、障害が病気の固定を意味する傾向があるのではといった観点からそれを避ける意味で発達遅滞を使用することもある。いずれにしろ発達遅滞も発達障害も同義語的色彩は強い。発達障害といった場合は発達の遅れを原因論的観点から捉えているのに対して発達遅滞は、その状態像を念頭において捉えている観がある。発達に遅れがみられる子どもが発達遅滞児である。特定の病気を示す用語ではない。

身体面の発達として、親の養育にたいする放置・保護の怠慢から成長障害にはしばしば発達遅滞を伴うことが特徴的である㊹。

発達障害は胎生期、あるいは生後の比較的早期にさまざまな原因が作用して中枢神経系に障害が生ずる結果、認知・言語・社会性、さらには運動機能面の獲得が障害される状態を総称するものといえる。DSM—IIIでは発達障害を「精神遅滞」・「広汎性発達障害」・「特異的発達障害」と広範囲な状態像を包括していたが、DSM—IVでは広汎性発達障害としての分類・診断となっている。

（神谷育司）

キーワード　発達遅滞／発達障害／発達遅滞児

〔文献〕㊹

児童《じどう》虐待《ぎゃくたい》（子《こ》ども虐待《ぎゃくたい》）

児童虐待（子ども虐待）といった場合その年齢層はどの程度までを指しているのか疑問の余地がある㊲。国の法律や条令で「子ども」の呼称や年齢区分が、さまざまであることによる。当初の虐待関係法の児童虐待防止法では児童とは十四歳未満であったが児童福祉法・労働基準法・学校教育法・警察法によって何歳までを児童とするかはいずれの法においても年齢区分が異なっている。しかし、一般的には児童虐待の児童とは児童福祉法に定める十八歳未満とすることが妥当である。

子どもへの虐待とは、親が、または、「親に代わる保護者」による行為であることが一般的であるが、最近は学校の教師・児童福祉施設の職員などの「おとな」による子どもへの不当な行為を虐待とする考えもある。虐待といっても殴る・蹴るといった身体的な暴力によるものだけでなく、身体的暴力をともなわない心理的虐待や養護に怠慢であったり、放置することも虐待と考えられる。

平成九年に厚生省児童局が監修した手引書(56)によれば「子どもの虐待のタイプ」を次の四つに分類している。

①身体的虐待・殴る、蹴る、投げ落とす、首をしめる、溺れさす、逆さづりにする、タバコの火を押し付ける、毒物を飲ませるといった身体的な暴力。②性的虐待・子どもに性的行為や性交に及んだり、家庭外では知人や見知らぬ人から性的暴力を受けること。③心理的虐待・ことばによる脅かしや子どもからの働きかけを無視し、拒否的な態度で心理的外傷を与える行為。④子どもの保護・養育を放置し、怠慢なネグレクトする行為で、具体的には家に監禁したり、十分な栄養を与えず、なお、重篤な病気でも医者に連れて行かないといった事態であるとか、乳幼児を車の中に放置し、熱中症で死亡するといった事例も虐待と考えられる。

児童虐待の実態を全国の児童相談所で処理している養護相談の事例で調べると虐待の件数は近年増加の傾向にある。平成二年度は一、一〇一例であるが五年後の平成七年度は二、七二二例と二倍強に増加している（(56)）。これは児童相談所が把握した例であり、なお、他の機関や未発見のものまでを想定するとかなりの数と考えられる。

子どもの虐待への対応には困難な問題が山積すると言われている。一つには虐待をする家族は家族自体が多くの問題を抱えているため子どもの虐待の問題に対処するには、一機関だけでことを処理することは困難であり、幾つかの機関が連携せざるを得ないことが挙げられ、さらに、虐待は親から子へと伝えられる世代間伝達といわれるように、子どもを虐待する親自身の問題にも対処せざるを得ないといった複雑な問題を内包していることにもよる。

（神谷育司）

キーワード 児童虐待（子ども虐待）／児童福祉法／子ども虐待タイプ／世代間伝達

〔文献〕 ㊲(56)

学《がく》習《しゅう》障《しょう》害《がい》・ＡＤＨＤ
(Learning Disabilities・Attention-Deficit/Hyperactivity Disorder)

わが国で学習障害が話題となったのは一九六八年の小児科学会総会での「小児の微細脳損傷」のパネル・ディスカッションである。この会で長畑正道(72)は「行動異常と微細脳損傷」の問題を、新井清三郎・上野幸子⑦は「微細脳損傷と学業不振」の問題を提起している。心理学会レベルでは一九七九年の第二一回日本教育心理学会での「Learning Disabilitiesをめぐる問題について」と題する、東洋・森永良子⑨らによるシンポジウムの企画である。この会で、今後検討すべき課題としてＬＤとＭＢＤ（Minimal Brain Dysfunction）との関連性が取り上げられ、さらに、指導体制・治療教育の在り方が必須な課題であることが提案された。

このシンポジウムが開催された当時はなぜ新たな障害児用語を使うのかといった批判がなされた。学習障害という用語は学業不振や学業遅滞などと同義語でなく新たな概念として現行の学校教育の中で落ちこぼれ的な存在である子ども達への新たな対応として、一人ひとりの子どもを活かす教育への指針となることが要請された㊽。

学習障害にたいする社会的関心の高まりに即応し、平成四年に文部省は「学習障害及びこれに類似する学習上の困難を有する児童生徒の指導方法に関する調査研究協力者会議」を設置し、学習障害児への対応について各種の観点からの検討がなされ、同会議は平成十一年に最終報告を出している。

同会議による学習障害児の定義について、「学習障害児とは、基本的には全般的な知的発達に遅れはないが、聞く、話す、読む、書く、計算する又は推論する能力のうち特定のものの習得と使用に著しい困難を示す様々な状態を指すものである。学習障害は、その原因として、中枢神経系に何らかの機能障害があると推定されるが、視覚障害、聴覚障害、知的障害、情緒障害などの障害や、環境的な要因が直接の原因となるものではない」と定めている(63)。なお、調査研究協力者会議は発足以来七年間にわたる調査研究の結果を踏まえ、今回のＬＤの定義や判断基準・実態把握の基準（試案）を提起している。今回の最終報告に基づく定義ではＬＤは教育用語であることを確認し、学校教育現場での子ども達への実践的な取り組みを重視し、その具体的な方策を提言している。この定義に関して、「基本的には全般的な知的発達に遅れはない」とは例外的に知的発達の遅れを示すＬＤもいるが、ＬＤの診断には知的障害は含まれない。

さらに、学習障害児で中枢神経学的な機能障害が確定できるのは三割程度であるとされているが、「読字困難」「発達性失語症」などは中枢神経系の機能障害に起因していることを考えた場合、これら症例と学習障害とは極めて関連性が深いことと考え併せると推定的ではあるが原因論とすることは妥当なものであるとしている。そしてなお、推定原因であるとしてもこれを定義から除外するとＬＤの概念が曖昧なものになる恐れがあることにもよるとしている（(119)25頁）。

学習障害の定義は従来から二つの立場がある。一つは医学モデルを離れて教育サービスのパラダイムを摸索するものであるのに対して医学の立場では「ＬＤを発達障害の中に位置づけ科学的で整合性のある定義に基づいた診断基準」㉓を追求する立場である。

ＤＳＭ―Ⅳで学習障害という用語が始めて使用されている。原語はLearning Disorderである。この範疇には読字障害・算数障害・書字表出障害・特定不能の学習障害が含まれている。「特定不能の学習障害」とは「どの特定の学習障害の基準も満たさない学習の障害のためのものである。」⑮とされている。

学習障害児の出現率については、未だ全国的な規模による統計的数値を得るに至っていない。推測可能な研究結果としては一九八二年に関東近辺の小学校二十数校の一年生から四年生まで三、七六三名を対象に調査した結果では、その出現率は二・二％で男女比は五：二という報告がある(110)。

ＡＤＨＤ（Attention deficit hyperactivity disorder）注意欠陥・多動性障害は一部の自閉症・知的障害・学習障害の子どもにみられる行動上の問題であるが、行動面での問題に焦点を当てたのがＡＤＨＤであり、認知・学習上の問題に的を当てたのが学習障害である。ＤＳＭ―Ⅳでは両者を別の概念で捉えている。この両者にはしばしば合併がみられることからその鑑別診断には慎重さが必要である。

ＡＤＨＤの主症状としては不注意・多動性・衝動性の三つが挙げられ、これらの行動特性により診断される。診断基準の一つの項目が不注意である。不注意の行動特徴としてＤＳＭ―Ⅳには九項目の症状が提示されている。日常生活の活動で順序だてて物事を考えたり、遊びや活動で注意を持続することが困難であり、外界の僅かな刺激に反応し、また、指示に従わないといった行動特徴を示す。多動性としては教室等で勝手に席を離れることがみられ、しばしばじっとしていられず、まるでエンジンで動かされているような症状を呈し、衝動性については一人よがりで思いつくままに行動する傾向が見られる、という行動特徴がある。

ＡＤＨＤと学習障害とは学習面や態度、行動で類似した臨床像を呈し、その判別には困難さをともなう。その重複の程度について、上野一彦（(111)59頁）は「三〇％から五〇％以上にその可能性があるとしている。ＡＤＨＤや「広汎性発達障害」が学習障害の直接の原因である場合はＬＤと診断しない」としている。広汎性発達障害の一部とＬＤとは発達障害として近似した臨床像を示す症例があり教育的配慮では慎重な処遇が必要である。

（神谷育司）

キーワード 学習障害／ＡＤＨＤ／ＤＳＭ―Ⅳ／広汎性発達障害

〔文献〕⑦⑨⑮㉓㊽(63)(72)(110)(111)(119)

情《じょう》緒《ちょ》障《しょう》害《がい》

情緒障害という言葉は、emotional disturbanceの訳語であり、一九六一年に児童福祉法の一部が改正されて、情緒障害児短期治療施設が発足した頃から使われ始めたものであり、学術用語というよりは、行政用語といった意味合いがつよい。林㉙は、情緒障害児を、「我々は、欲求不満や葛藤が解消されないで、絶えず強い情緒的緊張状態におかれると不安に陥り、不適当な情緒的反応を示すようになる。それが、さまざまな問題行動や、神経症的反応や、精神身体症状、などの形で表現されるわけであるが、このような情緒的適応障害の状態にある児童を情緒障害児と呼ぶ。なお、情緒の未発達ないし未分化のため、年齢に相応した情緒的行動がとれない場合は、退行を示す場合と同様に、情緒障害児とみなしてもよい」と定義している。

また、現実的には、厚生省は、「その設置及び運営の基準について」等の中で、情緒障害児が示す問題行動として、「非社会的行動、反社会的行動、神経症習癖、その他」といった区分を提示し統計資料を蓄積してきている。この区分を具体的に述べると、非社会的行動としては、「緘黙、登校拒否、自閉様症状、孤立・内気・小心、その他」、反社会的行動としては、「反抗・乱暴、盗み・持ち出し、怠学、授業妨害、その他（浮浪徘徊、火遊びなど）」、神経症習癖としては、「チック・爪かみ、夜尿・遺尿、その他」ということになる。

一方、中央児童福祉審議会（一九六七）は、「当面この施設に入所すべき児童」として「家庭、学校、近隣での人間関係のゆがみによって感情生活に支障をきたし、社会適応が困難になった児童、たとえば、登校拒否、緘黙、引っ込み思案などの非社会的問題を有する児童、反抗・怠学・金品持ち出し等の反社会的問題行動を有する児童、吃音、夜尿、チックなどの神経性習癖を有する児童」を挙げており、「行動面で類似するものであっても身体的な疾患や知的障害などの一次的な原因が存在するものおよび自閉症ないし自閉傾向の強い児童は除く」としている。

以上のように、情緒障害という概念は、児童が示す多くの不適応行動や症状を含んでいるのであるが、最近クローズアップされてきているのは、親たちから虐待された児童の増加である。そのため、情緒障害児短期治療施設においても、情緒障害の程度の重度化に伴う治療期間の長期化、きめこまかな心理治療の重要性、等が指摘されてきている。

（生島博之）

キーワード 情緒障害児短期治療施設／情緒障害児学級

〔文献〕㉙(60)

知《ち》的《てき》障《しょう》害《がい》(精《せい》神《しん》遅《ち》滞《たい》)

これまで、教育や福祉その他の分野の関係法律で使われていた「精神薄弱」(mental deficiency)という用語は、一九九九年より「知的障害」(intellectual disability) という用語に改められた。それ以前から、関係学会等では知的障害という語が使われていた。

AAMR (アメリカ精神遅滞学会) の手引きやAPA (アメリカ精神医学会) のDSM—IV (「精神疾患の分類と診断の手引き」〈第4版〉) さらにはWHO (世界保健機構) のICD—10 (「精神および行動の障害」〈第10版〉) では、「精神遅滞」(mental retardation) という用語を使っている。

DSM—IVによると、精神遅滞 (つまり知的障害) は、①明らかに平均以下の知的機能 (個別知能検査でIQおよそ七〇程度以下)、②個人生活と社会生活上の適応障害 (意思伝達、対人的・社会的技能、学習能力、自律性等の二つ以上の領域での適応困難)、③発症は十八歳未満、と規定している。日本においては、「精神薄弱 (知的障害) 者とは、先天性または出産時ないし出生後早期に、脳髄に何らかの障害 (脳の器質的疾患か機能不全) を受けているため、知能の未発達の状態にとどまり、そのため精神活動が劣弱で、社会への適応が著しく困難な状態を示している者をいう」という定義がよく挙げられる。知能障害の程度から、最重度 (IQ二〇〜二五以下)、重度 (IQ二五〜四〇)、中度 (IQ四〇〜五五)、軽度 (五五〜七〇) と分けられるが、IQの数値は知能検査によって多少の違いがある。

知能障害と適応行動の障害をもたらす脳組織・機能の障害の主な原因として、①感染および中毒 (風疹、トキソプラズマ原虫、有機水銀中毒など)、②外傷または物理的作用 (難産等による脳障害など)、③代謝障害や栄養障害 (蛋白質代謝障害など)、④染色体障害 (ダウン症など)、⑤胎児 (妊娠期) の障害 (未熟産による心身の発達障害など)、⑥出生後の脳障害(脳炎、脳膜炎等による)、⑦精神的・情緒的障害に伴うもの、⑧文化的・教育的環境の剥奪・欠乏によるもの、⑨その他特定・推定できないもの、が挙げられる。

知的障害 (者) の主障害は、認知機能・言語機能の未発達 (劣弱) であるが、とくに中・重度障害レベルでは、身体運動機能・感覚運動機能や情緒・社会性の未熟性や特異性も挙げられる。脳障害に起因する知的障害では、未発達性ばかりでなく認知や行動面での偏りや不均衡がみられる (自閉症や学習障害やADHDとの関連性)。従って。知的障害は、狭義の治療ではなく、発達援助 (治療教育) と生活援助 (福祉) の対象となる。薬物等の医療的対応が必要な事例もあるが、二次的に情緒的・行動的問題 (不適応症) を生じさせ易いことから、受容・共感・信頼を基盤にした心理臨床的対応が必須の条件となる。

(松坂清俊)

キーワード 精神遅滞/知的障害の原因/IQ程度

〔文献〕⑥

学校《がっこう》恐怖症《きょうふしょう》・不《ふ》登校《とうこう》

学校恐怖症という概念は一九四一年にアメリカのジョンソン（Johnson,A.M.）らによって、児童によく見られる非行的な怠学とは異なるもので、大きな不安を伴い、長期にわたって学校を休む一種の情緒障害に対して用いられたのが最初であり、その後、同様の状態を表すものとして登校拒否という名称が用いられるようになった。さらに近年では、登校拒否という用語に変わって不登校という用語が一般に用いられている。

若林慎一郎は、学校恐怖症の子どもは典型的には次のような症状を示すとしている⑴⑴⑷。(1) 親や家族の勧めにも拘わらず、登校を頑強に拒む。理由を尋ねても言わないか、あるいは極めて些細なことである。通常、頭痛、腹痛などの身体症状が多い。(2) 前の晩には、明日は登校すると言い、時間割を揃えたり登校の用意をするが、次の日の朝になると、登校できない。(3) 登校時間を過ぎたり、登校しなくてもよい状況になると起きだし、その後一日中元気に過ごす。(4) 下校時間になるまでは、外に出たがらないが、それ以後は外に遊びに出たりする。(5) 日曜日や休日など学校が休みの時は一般的に元気がよい。(6) 学校の話題に触れると不機嫌になったり、部屋に閉じこもったりするが、そうでなければ案外気楽にやっているように見える。

しかし、最近このような典型的な症状を示す子どもは少なくなってきており、昼間でも人目を気にせず出歩いたり、非行との区別が不明確なものもある。

子どもの性格傾向としては、基本的に真面目、几帳面で完全主義的で、いわゆる聞き分けのよい、よい子で通っていることが多い。母親の性格傾向も一般的に強迫的で、子どものことを心配し、先取り的に手を出してしまうというタイプが多い。一方、父親も強迫的で社会的には真面目で信用のおける人として通っているが、家庭の問題に関与するのは苦手で、家族からはやや距離をおいていることが多い。いわゆる家庭における父親の心理的不在といわれる事態である。小学校高学年頃より不登校を呈する年長タイプでは、このように過保護過干渉的な母親のもとで、聞き分けのよい子として適応してきた子どもが、自己決定を迫られる、自立という思春期的な課題に直面して、不適応状態に陥り、ともかくも家庭に退却することによって登校拒否が始まる。幼稚園や小学校低学年で不登校を呈する年少タイプには、分離不安によって一過性に不登校を呈するものが多いが、不登校状態が長期化する難治例も見られる。

しかし、近年の不登校の増加傾向とともに、そこには多様なケースが含まれるようになり、これまで述べてきた典型例は相対的に減少してきていると思われる。

治療的には、年少タイプでは、分離不安を解消するような母子への心理療法的な働きかけが必要であり、年長タイプでは、子どもの自立を促すような心理療法が有用である。

学校恐怖症の予後は比較的よいと言われており、七割程度のものはその後社会適応していくが、中に少数ではあるが、経過中に精神分裂病などの重篤な精神障害を発症してくるものがある。

（本城秀次）

キーワード　学校恐怖症／登校拒否／不登校

〔文　献〕㉝⑴⑴⑷

家《か》庭《てい》内《ない》暴《ぼう》力《りょく》

家庭内暴力はわが国では一九七〇年代から注目されるようになった現象である。家庭内暴力という用語は、欧米諸国では夫婦間の暴力や児童虐待など家庭内に存在するあらゆる暴力に対して用いられているが、わが国では子どもが親や兄弟、祖父母などに対して用いる暴力に対して限定して用いられてきている。

家庭内暴力の種類としては、(1)殴る、蹴る、突き飛ばす、土下座させるなど、直接身体に加えられるもの、(2)物を投げつける、家具調度を壊す、衣類をずたずたにするなど物品に加えられるもの、(3)罵詈雑言、怒声、叫ぶ、喚くなど言葉によるものが区別されている。家庭内暴力を呈する子どもは十歳頃から急増し、十六、七歳頃にピークに達する。すなわち、思春期、青年期の子どもに多く見られる現象である。暴力の対象としては、われわれの資料では、母親に対する暴力(六四・六%)、家具や物品の破壊(三六・九%)、同胞に対する暴力(二九・二%)、父親に対する暴力(二三・一%)であり、母親に対する暴力が最も多い。

家庭内暴力の背景としては、母子関係など心理社会的な要因が重視されがちであるが、実際には、精神遅滞、てんかん、注意欠陥多動障害、自閉性障害など何らかの器質的背景を有するものや精神分裂病などの重篤な精神障害を有するものが約四〇%存在しており、家庭内暴力を呈する背景として、精神医学的な診断を正確に行なうことが重要である。そして、残りの六〇%が神経症レベルのものと考えられる。これらの子どもをわれわれは、(1)登校拒否を伴う例、(2)強迫症状や心気症状などの神経症症状を呈する例、(3)家庭内暴力のみの例、(4)非行を伴う例、に分類しているが、そのうち、登校拒否を伴う例が最も多い。すなわち、神経症レベルの家庭内暴力では、登校拒否との関連が密接であり、登校拒否の経過中に家庭内暴力を呈してくるケースが多く見られる。

登校拒否を伴う家庭内暴力のケースでは、子どもの性格傾向は登校拒否のそれと類似しているが、登校拒否単独例に比べて、自己中心的な面が強いように思われる。両親の性格傾向も登校拒否単独例の両親のそれと類似しているが、性格傾向に硬さが見られ、柔軟性に乏しいように思われる。また、登校拒否で家庭内暴力を呈する子どもは呈さない子どもに比べて、幼児期早期に親から暴力や差別的な取り扱いを受けているものが多く、外界に対して迫害的な不安を有していることが多い。そのため、いじめ等に対して容易に迫害的不安を持ちやすい。

治療的には、まず精神医学的な診断を正確に行なうことが必要である。精神分裂病等の障害があればそれに対する治療がまず優先される。神経症レベルのケースに対しては心理療法的なアプローチが行なわれるが、暴力が激しい場合には薬物療法を併用した方がよい。

家庭内暴力の予後については、暴力それ自体は比較的短期間に軽快していくことが多いが、社会適応等については必ずしも楽観できないように思われる。

(本城秀次)

キーワード　家庭内暴力/登校拒否/精神障害

〔文献〕㉜㊴(113)

いじめ

いじめが社会の注目をあびるようになったのは、いじめによると思われる生徒の自殺事件発生が大きい。このような事件が報道される度に、「自殺の原因は何か」「どうすれば、いじめによる自殺は防止できるのか」などと問題提起され、「いじめの撲滅」がスローガンとなる。そして、実際、教育現場においては、教師たちが日々これらの問題に真摯に取り組んでいるのだが、「いじめの根絶論を省みる」姿勢に欠けると、「悪者さがし」と「監視の強化」に傾いてしまうことになる危険性がある。

いじめの指導においては、いじめられっ子への援助は当然であるが、いじめっ子へのカウンセリング的かかわりが特に大切である。何故なら、斎藤（一九九八[93]）が、「いじめは欠損したパワーの補完として行われる」「嫉妬はいじめを発動させる」「いじめはトラウマ（心的外傷）後遺症を残す」「いじめ・いじめられ関係は家族の中に起源をもつ」等と論じているように、いじめっ子は心の中に鬱積した感情を抱いていることが多いからである。そして、子どもを虐待する親にみられる〈世代間伝達〉の概念はいじめっ子についても当てはまることが多い。つまり、暴力にさらされて育った子どもは自らの筋力の力が増すと、周囲を暴力で支配しようとするようになる。彼らは犠牲者の瞳の中に「かつての虐げられた自己」を見いだし、これを圧殺することで弱い自分を排除しようとするのである。

さて、いじめの指導に関して、まず大切なことは、いじめの事実に気づく感受性を養うことである。そのためには、いじめの進行する過程——「標的化から透明化」——を熟知しなければならない。なぜなら、教師や大人の目には、生徒たちのふざけと見えていたものが実はいじめであったと後に判明したり、「権力をもっている存在」である教師が、いじめっ子による「良心外し」に加担することにより、いじめられっ子に「大人は無力だ」と失望させ、ついには、「これみてさとれ」という最後の意地の実行を引き起こさせてしまう危険があるからである。

次に、いじめは、なにも学校の中だけの現象ではないという当り前の現実——親による子どもの虐待、兄弟げんか、姑の嫁いびり、会社における窓際族や肩たたき、等——に目を向けると同時に、自分自身の心の中に潜んでいる〈いじめの衝動〉に気づくことも重要である。そうすることにより、いじめっ子の「吐き気」や「妬み」を共感的に理解したり、いじめられっ子の「抵抗したくてもできない辛さ」がわかったり、「逃げることは卑怯ではない」こと、等を理解することが可能になるであろう。

（生島博之）

キーワード いじめっ子／自殺／虐待

〔文献〕 [73] [93]

非行《ひこう》（反社会的行動《はんしゃかいてきこうどう》）

非行（反社会的行動）、あるいは非行少年という言葉は、専門用語というよりは、行政的な観点なども含まれたものである。一般には、成人が法に反する行為をすると「犯罪」と呼ばれるが、未成年が同様の行為をした場合には「非行」と呼ばれることになる。

日本の少年法では、二十歳未満の者を「少年」と呼び、十四歳以上で罪を犯した少年を「犯罪少年」、十四歳未満で刑罰法令に触れる行為があった少年を「触法少年」、二十歳未満で保護者の正当な監督に服しないとか、自己または他人の徳性を害する行為をするなどの性癖があって、将来、罪を犯し、または刑罰法令に触れる行為をする恐れのある少年を「虞犯少年」として分類し、これらを総称して「非行少年」と呼んでいる。

そして、非行少年たちが教育現場や児童福祉の現場などにおいて具体的に示す姿は、盗み、物品の持ち出し、けんか、たかり、家出、無断外泊、不純異性交遊、深夜徘徊、シンナーなどの薬物乱用、飲酒、喫煙、怠学、性的いたずら、凶器所持、器物破損、火遊び、虚言、暴走族にみられる道路交通における共同危険行為、等ということになる。

そのため、非行少年たちは、「問題児」とみなされ、処罰や指導が重視されがちとなるが、教育的アプローチや心理療法的アプローチを取り入れることも必要である。問題行動とは、周囲の人々に「題（テーマ）を問うている」行為であり、この問い（非行少年の心の叫び）を共感的に理解しない限り、彼らの立ち直りの手がかりをつかむことは困難となることが多い。

例えば、高木[101]は、家出について「恐怖、怒り、あるいは恨みに対する直接反応である」と論じ、「子どもは親から不当な扱いを受けていると感じるときに家出することがある。家族のうち、ほかのすべての子供には与えられている特権を自分はあたえられていないかもしれない。かれはおこって家出することによって家族に報復する」「同胞と比較されたり、絶えずガミガミ言われている子供は、これを恨みに思って家出することがある。その際、自分が姿を消せば、親は自分のことをもっと心配してくれ、自分のよい点を認めてくれるだろうと考える」「子供は教師から都合の悪い報告を親に渡すように言われる。成績が悪かったり、行状に問題があったりすると、これまできびしい罰で脅かされてきた。家に帰るのがこわいので、家出をする。どんな困難があっても、家にいて折檻されるよりはましだと思う」などと解説している。

このように、家出の心理を探求したり、家出を、自立（「家を出る」）や「出家」などのイメージへと拡充して理解することも大切である。

（生島博之）

キーワード　触法少年／虞犯少年／問題行動

〔文献〕[101]

自《じ》殺《さつ》

自殺や自傷を定義づけることは思ったより容易ではない。自分を傷つける可能性を知っていながら、危険な行動をすることがある。その場合、自分を傷つけたかどうかを判断することは難しい。自分を傷つけたいという願望が心の深層に存在したかどうかを判断することは難しい。自分を傷つけたいという願望が言語化されることもあるが、洞察を欠いていたり、否認されていたりすることも多い。また、神経性無食欲症に見られる極度の飢餓状態は通常自傷や自殺とは言わない。しかし、そこに自己破壊性を読み取ることは容易である。さらに、神経性無食欲症にうつ症状が伴ったり、自殺や自傷行為が見られたりすることもある。

また、本人自身が、自殺や自傷について、どれほどの致命性を自覚しているか、分かりにくいことも多い。ある行為の致命性についての客観的データは、その行為を行なう本人自身がどのくらいの可能性で死に至ると考えていたかということと必ずしも同じではない。その本人がどのような考えで自殺あるいは自傷行為をしたかを確かめることが重要である。このように、自殺という一見明らかに見える行為の周辺領域には非常にあいまいな部分が残っている。

ところで、自殺や自傷行為には、抑うつ感が随伴している場合とそうでない場合がある。死についての反復的思考、自殺念慮、自殺企図はうつ病の症状の一つとして挙げられている。境界性人格障害でしばしば見られる自殺行為、自傷行為は必ずしも抑うつ感を伴っている訳ではない。もちろん、境界性人格障害に気分障害が合併することはよく見られることではある。しかし自殺には、うつ病だけでなく、精神分裂病、物質依存、人格障害、身体疾患、喪失体験、幼少時の家庭・養育状況（虐待など）、さらに社会適応などが関係する。

これまで、日本の自殺死亡者数については、青年期と老年期の二峰性の年齢分布を示すことが特徴的と言われてきた。しかし、近年は、高齢者になる程自殺が増加する傾向を示している。すなわち、中・高齢者の自殺の増加が最近の特徴である。

自殺の危険因子としては、先に述べた精神障害などとともに、未婚者、離婚、死別者、自殺企図歴、自殺の家族歴、失業などが挙げられている。死についての反復的思考、自殺念慮、自殺企図などが見られた場合、うつ状態の有無を含め、適切な評価がなされなければならない。自殺、自傷の恐れのある場合には、入院治療も含めた適切な保護が必要である。それとともに、死についての思考や、合併する精神障害について心理療法や薬物療法が行なわれるべきである。

（猪子香代）

キーワード 自殺念慮／自殺企図／うつ病／自傷

〔文　献〕④⑭74

神《しん》経《けい》性《せい》習《しゅう》癖《へき》

神経性習癖とは、狭義にとらえるか広義にとらえるかによって見方は異なるが、具体的には、指しゃぶり、爪かみ、鼻ほじり、性器いじり、壁に頭をぶつける、等の身体に関するもの、夜驚、悪夢、夢中遊行などの睡眠に関するもの、吃音、緘黙、汚言、ジル―ドーラトゥレット症候群、などの言語に関するもの、食欲不振、過食などの食事に関するもの、遺尿、遺糞、等の排泄に関するもの、チック、抜毛症、虚言、盗癖、など行為に関するもの、等をさしていることが多い。

このように、神経性習癖は、いつのまにか習慣的にその人が身につけてしまった身体運動であったり、むしろその人らしさを特徴づけるトレードマークであったりする場合もあるが、大人の側からは「子どもの困った癖」あるいは「わけの分からない癖」としてみられることが多い。そして、なんとか治したい、やめさせたいという気持ちから矯正や叱責の対象となり、かえってその癖が固着したり、悪化するということが生じる。

そこで、神経性習癖を示す児童に対しては、その子どもの年齢や発達段階、情緒の発達段階、養育環境などの観点から検討すると同時に、その症状や行動の背景に潜んでいる心理的な葛藤に目を向けて理解し、心理療法的なアプローチでかかわることが必要である。

例えば、指しゃぶりや爪かみは身体をなぶる習癖のうち、最も代表的なものであり、口唇期との関連や移行対象論からの解釈などがされているが、「口さみしい」「噛みつきたい」等の言葉から連想されるように、対人関係（とくに親子関係）の中での心理的な葛藤を内包していると思われる。特に、爪かみに関しては、「爪かみは、学校でのむずかしいテストや親の処罰を予期したり、何かに興奮したことから生じた緊張状態のあらわれである」「指すいする子どもは、静かな、落ち着いた、感情的でない子どもだが、爪をかむ子どもは、過度に活動的な、すばしこい、落ち着きのない、精力的な子どもである」「爪かみは、恐怖や不安による興奮、望みが達せられないような状況において起こる」等と論じられている。それ故、依存欲求、不安感情、潜在的な攻撃性や焦燥感などに目を向けてケアすることが望まれる。

また、チックや汚言症については、「幼児的もしくは未成熟な精神発達、依存と敵意、敵意と恐怖、の三つを重視すべきだ」「チックには敵意とエロチックな構成要素が関与する」「チックは、危険な恥ずべき衝動の抑制に起源をもち、もとになる衝動行為の部分的表現か、又は危険を防ぐ身振りである」等と論じられている。このように、いろいろな学説を吟味しながら、神経性習癖を理解する努力をすることが望まれる。

（生島博之）

キーワード 指しゃぶり／吃音／遺糞

家族心理学
コミュニティ心理学

編集・岡堂哲雄

心理臨床学的な支援の歴史は僅かに百年余に過ぎないけれども、最近30年の展開のなかで際立っているのは家族及び地域への積極的な取り組みであって、学習すべき事柄もまた、新鮮で興味深いものが多い。

心理療法・カウンセリングの分野では、1960年代から今日まで新しい理論及び技法を提示できたのは、おもに家族療法にかかわるものであった。家族療法が心理的支援の取り組みを拡大深化させてきただけでなく、ブリーフ・セラピーを生み出す母胎となっている。その背景には、文明先進諸国で生じている伝統的な家族の脆弱化・解体化がある。同性愛カップルの承認や離婚後も子の養育を父母が続ける継続家族の国際的な普及など新たな課題も数多い。

子育て支援や高齢者介護などにかかわる地域社会の再構築に際しても、心理臨床学的な支援が要請されている。

家族心理《かぞくしんり》学《がく》の課題《かだい》と方法《ほうほう》

家族心理学（family psychology）は、一九八〇年代に確立した心理科学の一分野である。家族心理学とは、主としてシステムズ・アプローチによって家族にかかわる心理学的諸現象を研究する心理学である。具体的には、夫妻・親子・きょうだいなどの家族内の関係、結婚や離婚に関する心理─社会的な事象、家族の形成・発達・崩壊などの家族過程（family process）が研究課題である。

二十世紀後半に進んだ家族の絆の脆弱化がもたらした諸問題と、それから生じる家族危機（family crisis）への的確な対処が期待される。また、支援を要する家族の形が多様化し、たとえば離婚後に子どもと同居しなくても親行為を継続することが前提条件の継続家族（successive family）などがある。これらの家族関係にかかわる諸問題に取り組む家族心理学のおもな課題は、次の二つである。

第一は、子ども（あるいは配偶者）の問題行動や心理面の症状、夫妻間の葛藤、老親との不和、幼児及び高齢者への虐待などの問題をもつ家族に対する心理─社会的な支援（家族療法、家族心理療法、家族カウンセリング、夫妻療法、カップル・カウンセリングなど）に関する理論及び実際についての研究である。

個人カウンセリングの場合では、家族は問題の背景とみなされ、環境調整の対象として扱われるにすぎなかったが、心の問題解決にはクライエントと家族を同時に支援対象とすることにより、格段の成果を蓄積している。

第二の課題は、心の問題を予防するために、家族の健全な発達を促す心理─教育的な方法の理論と実際に関する研究である。成熟あるいは老化といった家族成員の加齢による変化は、家族関係のありようを変える契機となる。しかし、家族関係は現状維持の傾向が強く、変化に適応できないことがしばしばあって、よわい立場の成員に心の問題を派生させることが知られている。このような臨床的な知識を学習することで、心の問題を未然に防ぎ、予防することが必要である。

心理学研究の方法は、心理臨床的な取り組みを含めて直線的因果律によって現象を説明する。たとえば、精神力動的な立場では、幼児期に家族の中で受けた心の傷（原因）が思春期以後の神経症（結果）の源泉である、と考える。これに対して、一般システム理論に基づくシステムズ・アプローチでは、因果の循環性や円環性を重視する。たとえば、口喧しい妻と口数少ない夫の関係については、夫は「妻が口数が多いので、こちらは無口になってしまう」といい、妻は「夫が必要なことさえ言わないので、私が多弁になってしまう」というのである。この循環的因果律の問題点は、個人の責任を曖昧にするところにあって、夫妻間暴力に対する支援者グループから厳しく批判されている。

（岡堂哲雄）

キーワード　家族関係／家族過程／循環的因果律

〔文献〕⑦⑫⑬⑭㉝㉞㊱

家族発達《かぞくはったつ》と危機管理《ききかんり》

家族関係が時の経過と共に変化することは、自然な事象である。かつて家父長制によるイエ制度下の多世代同居の家族においては、親族共同体が家族の危機管理に当たっていた。二十世紀中葉からの夫婦家族制による核家族では、血縁による危機管理の能力が失われ、青少年問題などのさまざまな問題に対処できなくなった。これらの問題への取り組みの中で家族心理療法等の支援技術が開発されたが、同時に問題発生を予防する危機管理が求められるようになった。それには、時と共に変化する家族過程を、充分に把握しなければならない。たとえば、子どもが思春期になると、家族はどのように親子関係を変化させるべきか、ということに関連する知識と対処法が修得されていれば、子どもの心の問題が予防できるかもしれない。

さらに、ちょうど個人の生涯発達論が心理—社会的な援助や介入の前提になるように、家族発達段階論が、家族への調整的な介入のためにも不可欠の条件である。多くの家族には、一定の諸段階を経過して発達する傾向がある。

各段階には、その段階固有の生活現象があり、すべての家族成員に適応と変化をもとめる新しい課題がある。これを、家族ライフタスクと呼ぶ。この家族ライフタスクは、文化的歴史的な状況によって可変的である。たとえば、乳幼児をもつ家族のライフタスクは、二十世紀の中葉と終末期とでは明らかに異なるように思われる。ディスクールとして維持される古いライフタスクを強調することは、援助的ではないばかりか、むしろ病原的である。

どんな歴史的文化的状況においても、個人・家族は日常生活で必要な課題に取り組んでいる。この取り組みが家族にとって心理的危機となることがあるし、多少とも緊張と組織の動揺がみられる。家族は、この課題に取り組みながら、再組織化することで安定した状態に達することが可能になる。

発達的に必然的な危機の可能性を把握できれば、また偶発的な危機についての条件を知っていれば、家族は危機への対処能力を育てることができるであろう。家族全体はもちろん、その成員も特定段階にしがみつくことなく、また急激な変化に圧倒されることなく、成長できるような方向で安定と変化を統合することが、家族にとって基本的な課題である。各段階には、文化的歴史的にみて特定の課題があり、家族はそれを克服していかなければならない。新しい変化に家族が適応できないときには、問題状況が出現するであろう。ある段階の課題が充分に克服されないで、次の段階に進むと、その課題の解決はいっそう難しくなるかもしれない。

家族への援助が的確になされるには、対象の家族が、いまどの段階にいて、どんな問題に取り組んでいるかを、はっきり把握することが大切である。もちろん、この把握には決して差別的な偏見が入り込まないように配慮することと、健全性・異常性についての視点が柔軟でなければならない。家族過程段階論は、家族査定の枠組となるものであるが、固定的にとらえてはならない。あくまでも参考として使用すべきであり、つねに当該家族システムの力動性を成長的に捉える姿勢が維持されるべきである。次に、家族過程の順序にしたがって、課題と危機の要点を述べ、当該家族に必須の危機管理能力を支援することに役立てたい。ここでは、結婚から配偶者の死まで家族過程を六段階に分け、そのおもな家族ライフタスク（A）と家族病理の要点（B）を挙げておく。

第Ⅰ段階　婚礼から第一子出生までの時期
A　基本的な課題［信頼性　対　幻滅感］
　双方の家族からの自立
B　軽　度　利己性からの葛藤
　中等度　実家への依存・癒着
　重　度　離婚への傾斜

第Ⅱ段階　出産・育児期の家族
A　基本的な課題［養育性　対　閉塞感］
　家族ルールの構築
B　軽　度　育児が的確にできない
　中等度　妻の育児不安
　　マタニティ・ブルー
　重　度　育児放棄→致死、
　　乳幼児虐待→殺害

第Ⅲ段階　子どもが学童期の家族
A　基本的な課題
　［個性重視　対　擬似一体感］
B　軽　度　親役割変化に対応困難
　友だち遊びができない子ども
　中等度　子どもの退行現象（夜尿等）
　夫の職場逃避、妻のアルコール依存傾向
　重　度　社会参加不安　学校恐怖症

第Ⅳ段階　十代の子どもをもつ家族
A　基本的な課題
　［信愛性　対　束縛・追放］
　子どもの既習得役割の一部放棄とアイデンティティの確立
B　軽　度　親役割変化に対応困難
　思春期と思秋期の衝突
　中等度　子どもの退行現象（ひきこもり、不登校、怠学、家出、不良交遊等）
　重　度　子どもの犯罪、自殺、摂食障害、神経症・精神病
　親の思秋期（向老期）うつ状態、自殺、生活習慣病発症

第Ⅴ段階　子どもが巣立ちを終えた家族
A　基本的な課題
　［再構成　対　落胆・失意］
　自立した子どもに介入しない
　親離れ・子離れへの対処
B　軽　度　家庭にひきこもる子ども、自立した子どもの孤独感
　中等度　空になった巣症候群
　重　度　熟年離婚、うつ病、自殺

第Ⅵ段階　老年期の夫婦家族
A　基本的な課題
　［受容・諦観　対　絶望］
　老年期神話の克服
B　軽　度　頑固さに執着、無用者意識
　中等度　喪失・死の不安と恐怖
　重　度　呆け症状、自殺

（岡堂哲雄）

キーワード　家族発達／家族過程／家族ライフタスク

〔文　献〕⑦⑫⑬⑭㉝㉞㊱

家《か》族《ぞく》教《きょう》育《いく》

家族の人々が心や行動の障害の発生を予期できれば、その予防はかなり可能になるであろう。家族発達の各段階には、必然的で危機誘発的な課題が含まれている。たとえば、子どもが思春期を迎えたとき、家族関係や親子関係のあり方を的確に変えることができれば、子どもの反社会化や引きこもりなどの問題の発生を未然に予防できるであろう。

家族教育とは、家族の発達段階、その移行期に生じやすい危機を理解し、それへの対処の仕方について、家族が学習し、心の危機管理の能力を高めるためになされる教育である。家族心理学の専門家による学習情報の提供と、家族の自発的に学ぶ姿勢が要請される。

家族教育が求められる背景には、高度技術化・情報化の進行とともに核家族化、コミュニティ解体化がひろがり、家族危機への対処の仕組みとしての血縁・地縁による伝統的な支援システムが崩壊し、家族内の問題は小さな核家族が自ら解決を迫られることとなった。思春期・青年期問題が多発し、その原因探究と問題解決への努力がなされ、家族の関係や相互作用の改善が必至と見られるようになった。この動きに沿って、家族療法や家族カウンセリングの分野が発展したが、治療的援助よりも、問題発生を抑制する危機管理の必要性が強調されるようになったわけである。

家族教育は、結婚前の準備教育に始まり、家族発達諸段階ごとに必須の事象を学習することなど、さまざまな取り組みが可能である。

婚前カウンセリングは、一九八〇年代のアメリカで普及したもので、家族教育のなかでもっとも成果を上げている分野である。結婚を約束した男女が、結婚生活を構成する諸領域についての見方・取り組み方の一致や差異をチェックし、葛藤や軋轢が生じやすい問題領域を認識し、相互に歩み寄ることができれば、関係の崩壊や離婚は避けられるであろう。ミネソタ大学のD・H・オルソン(Olson,D.H.)やジョージア州立大学のL・ラバーテ(L'Abate,L.)の実践的研究は、わが国にも紹介されている。

心理―社会的な問題からの夫婦間葛藤とその解決は、マリッジ・カウンセリングあるいは夫婦療法の対象とされてきたが、一九八〇年代になって夫と妻の関係がいっそう幸福に感じられることを目標とする家族教育的な支援が普及することになった。

家族教育は、家庭教育とはまったく異なる概念である。家庭教育は、明治政府が明治二〇年頃に学校教育を補完するものとして位置付けたことに始まる。第二次大戦後の昭和三九年に「家庭教育学級」が新設され、家庭教育にかかわる学習機会が拡大されることになり、今日に至る。

（岡堂哲雄）

キーワード　心の危機管理／婚前カウンセリング

〔文献〕⑦⑫⑬⑭㉝㉞㊱

家族《かぞく》心理《しんり》査定《さてい》

家族心理査定は、家族に対する心理的な支援に必須の情報を集め、的確な支援方法を選択するために行われる。それには、次の一〇の質問について自問自答してみるとよい。

① 家族のだれが、家族を代表して援助を求めてきたか。

② 現在の問題または症状を示しているクライエントと他の成員とどのように結びついているか。

③ システムの機能不全を誘発した最近の出来事があるか。

④ この機能不全は急性のものか、それとも慢性的な機能パターンなのか。

⑤ 家族システムは援助関係にどの程度喜んでかかわるだろうか。

⑥ そのシステムはどの程度癒着しているか、ばらばらであるか。

⑦ カウンセラーとして、このようなシステムにかかわるにふさわしい技能や資源はなにか。

⑧ 世代間の影響を示す事実があるか。

⑨ カウンセラーと結びつきたがっているサブシステムまたは成員がいるか。援助関係を嫌がっているものがいるか。

⑩ 援助を始めるに際して考慮すべき事項があるか。たとえば、これまでに受けた治療やカウンセリング、他のカウンセラーの関与、身体医学上の問題、法律上問題等。

核家族では夫妻が家族関係の基盤となるので、カップルの相互作用を観察査定することが必要となる。それぞれが親たちからどの程度分離―個体化しているかを知るには青年期当時の友人関係を話題にするとよい。また、初期の二者関係を理解するには、婚約期間の長さや質を取り上げて話し合うとよいかもしれない。さらに、結婚の決心を支援したのはどちらの親か、その支援の程度について話してもらうことも考えておきたい。夫妻それぞれの親との絆の堅さや強さ、夫妻の調整能力を明らかにするために、夫妻の出生家族に対する忠誠心について穏やかに疑問を投げかけてみることが必要な事例がある。

なお、家族心理査定書に含まれるべき項目を、次に示すことにする。

(1) 家族の記述
(2) 現在の問題（主訴）
(3) 臨床的査定
(4) 原因の挙示
(5) 援助の目標と方法
(6) 援助過程の予測
(7) 予後の見通し
(8) カウンセラーの役割

過去に類似の事例を扱ったことがあれば、家族への巻き込まれ問題、抵抗への対処、制御の問題などについて触れ、事例への取り組みを省察する。また、どのようなスーパーヴィジョンを期待してるかを付記する。

（岡堂哲雄）

キーワード 家族システム／家族心理査定書

〔文　献〕 ⑦⑫⑬⑭㉝㉞㊱

家《か》族《ぞく》心《しん》理《り》療《りょう》法《ほう》

心理学の立場から問題児とその家族に対して支援が試みられた最初の頃（一九五〇年代）は、家族集団療法（family group therapy）と呼ばれた。その後の展開を通じて、心理療法のなかに特化して位置付けると家族心理療法（family psychotherapy）と称され、さらに包括的には家族療法（family therapy）とされる。家族心理学の視点から見ると、家族カウンセリング（family counseling）というのがよいかもしれない。わが国では、夫妻間の心の問題への家族心理学的支援をマリタル・セラピーとかカップル・カウンセリングとして特化して論じることは少ないようである。

家族心理療法、家族療法には構造派、戦略派などさまざまな理論モデルがある。これらの理論モデルに共通することをまとめてみよう。

1　準備すべきこと

① 援助の方向性

家族関係の均衡回復と発達の促進を重く見る。家族心理査定の結果を基に、家族システムの力に応じて第一次変化または第二次変化が選択されるであろう。

② 援助目標の設定

援助関係は、クライエント家族とカウンセラーからなる援助システムのなかで成り立つ。具体的には、第一に症状の緩和を目指し、第二に家族のライフタスク達成の支援ということになろう。

③ カウンセラーの役割

カウンセラーは自分の臨床的な知識と技能に加えて、自分の家族との絆や経験等を含む個人史を持ち込む傾向に気付かなければならない。

④ 面接対象者と頻度

子どもの事例では、母親だけでなく父親と面接することを考慮したい。

⑤ 家族全員との面接

家族療法発展の初期には、生活を共にする家族全員との面接が必須とされていた。援助効果の面から見れば、家族全員との面接にこだわる必要はないとされている。

⑥ 親子関係サブシステム

子どもの問題では、両親と問題をもつ子ども（ＩＰという）との面接、きょうだい全員との面接が計画される。

⑦ 夫妻関係サブシステム

家族システムのなかでもっとも重要なのは、夫妻関係である。最初から夫妻が同席できるように企てることが大切である。

⑧ 世代間ネットワーク

祖父母が同居していたり、家族と頻繁に交流がある場合には、時に家族面接に招くことが期待される。

2　援助システムの構築

① 援助関係の取り決め

クライエント家族との間にラポールをつくり上げ、治療同盟を確立する。

② 援助への抵抗の理解

援助への抵抗は、個人療法よりも複雑である。

③ 援助過程における距離と動き

援助の初期には、家族との間に必要な距離

をおき、過剰な参与による巻き込まれを予防することになる。カウンセラーは、家族についての慎重な観察に基づいて動くことが期待される。

④　揺すぶり

カウンセラーが家族システムに向けて行う相互作用的な動きを、揺すぶりという。それには、「肩入れ」「コーチする」などさまざまな取り組みがある。

3　初回面接

①　援助システムの構築

家族と共に援助システムを構築する際、家族カウンセリングの構造と方向性について、家族に理解を求め、インフォームド・コンセントを確認する。

②　援助構造の理解

家族関係の構造を理解する最初の手掛かりは、家族を面接室に招き入れたとき、家族がどのように着席するかを観察することである。家族カウンセリングでは、移動可能な椅子（おりたたみ椅子等）が適当であって、ソファーやカウンセラー専用の椅子などはむしろ無用である。移動可能な椅子であれば、援助経過によって着席場所が変えられるし、回数毎の座席が記録されれば、家族関係の変化が一目瞭然である。

③　援助過程の把握

第一回面接で観察される過程は、当該システムの感情的な雰囲気で、成員間に見られる気持ちの隔たりや恐れや不安、つくり笑いや理屈づけなど、家族独特の相互作用である。家族システム査定の一部として、カウンセラーは主訴に関する事柄を慎重に見極めようと努めることになる。

この時点で、カウンセラーが心得ておくべきことを、簡単に示すことにしたい。

○なにが問題で、どのくらい続いてきたかを尋ねよう。
○この問題が家族にとって、どんな意味をもつか確かめてみよう。
○症状のドラマ（物語）を広げないようにする。
○症状が家族に与えている影響（学業、職業、近隣等）を徐々に話題にしていこう。
○家族のコミュニケーションのパターンを言語面および非言語面から観察する。誰が誰にいつ話すか。どのように話しかけ、見つめ合っているか。会話の流れに特徴が見られるか。さらに、身体の接触が見られるか、などの情報把握によって支援方法が決まる。

4　中間期～家族システム変化

①　第一次変化による効果

②　第二次変化による再構成

5　終結過程

家族カウンセリングは、家族システムが機能維持に必須の安定性を回復し、専門的援助がなくても持続的に発達できると査定されたときに終結される。

（岡堂哲雄）

キーワード　援助システム／第二次変化／インフォームド・コンセント

〔文　献〕⑦⑫⑬⑭㉝㉞㊱

一般《いっぱん》システム理論《りろん》と構造《こうぞう》派《は》家《か》族《ぞく》療法《りょうほう》

フォン－ベルタランフィー（von Bertalanffy, L.,1968）が提唱した科学を統一的に理解するための基礎理論である。無生物・生物・精神過程・社会過程のいずれをも貫く一般原理が同形性をもつことを定式化し、とりわけ生態系などの開放システムの特徴を強調した。この理論では、システムとは「相互作用し合う要素の複合体」と定義され、以下の特徴をもつとされている。

①ある要素は、さらに小さく分けられるサブシステムにより成り立っており、システムはそれよりも一回り大きなシステムのサブシステムである。

②システムは単なる部分の寄せ集めではなく、諸部分があるパターンによって組み合わされてできた統合体であり、その独自性は境界によって維持されている。

③システムは、もの、エネルギー、情報をシステム外の環境と交換するかしないかによって、開放システムと閉鎖システムに分けられる。

④多くのばあい、システム内の活動はブラック・ボックスのように未知で、インプットとアウトプットのみが知覚できる。

⑤ブラック・ボックスは、時、空間をもつ形態形成体である。

⑥生きた生物体は、本質的に開放システムであり、環境との間に、もの、ことを交換し合うシステムである。そのため、等結果性（equifinality：異なった初期条件と異なった方法からでも同一の最終状態に達する）と等能性（equipotentiality：同じ「起源」からでも異なった結果が生み出される）をもつ。

⑦開放システムの世界では、原因と結果が直線的に結びつくような直線的因果律は成り立たず、すべてがすべての原因であり結果であって、円環的・循環的因果律が成立する。

このように、一般システム理論は還元主義を排し、ものごとを環境から分離することなく、そのものごとが起こっている生きた文脈でとらえることを強調する。したがって、有機体の構造自体、部分間の直線的な関係よりも、円環的・循環的関係によってできる「結び合わさったパターン」が重視されることになる。

この理論に注目し、サイバネティックス理論とともに家族理解のための基礎理論としたのは、文化人類学者のベイトソン（Bateson, G.）であった。彼は、家族療法や短期療法で著名なMRI（カリフォルニアのパロアルトにある研究所）の創設者の一人であり、家族療法理論の初期の発展におおいに貢献したことで知られている。

一九六〇年代から七〇年代にかけて家族療法は理論的にも実践面でも飛躍を遂げたが、その中心の一つがフィラデルフィア児童相談所であった。当時の所長であったミニューチン（Minuchin, S.）は、コミュニケーション研究の専門家であり、ベイトソン・グループの一員であったヘイリー（Haley, J.）を同僚として迎え、後に「構造派家族療法」と呼ばれるようになる家族療法の理論と技法を、互いに協力しながら発展させていった。

　ミニューチンらは数多くの家族療法事例を経験するうちに、理論的基盤として採用したシステム論的観点から見てこれらの家族に共通するいくつかの類型的特徴があることに気づき始めた。そこから、家族療法の初期の理論形成において重要な役割を果たす「構造的類型論」が誕生することになる（Hoffman, L., 1981）。構造的類型論の最初の試みは、非行少年の家族を調べるために企画された研究計画から始まった。その詳細は、『スラム街の家族』（Families of Slums）で報告されている（Minuchin, et al., 1969）。

　この少年達の家族は、二つのカテゴリーに分類された。一つは、「もつれ（enmeshed）家族」であり、他は「遊離（disengaged）家族」であった。もつれ家族は、各家族員の間で高い共鳴状態が発生しやすく、反対に遊離家族では、互いの強い結びつきがなく、関係の絆が弱いか、もしくは存在しない。

　もつれ家族の特徴は、その成員が「しっかり組み合った」ところにある。この家族の特徴は、セラピストがある一部の家族員を治療的目的から変化（改善）させようとすると、たちまち他の家族員の側で相補的な抵抗が生じることにみてとれる。それは、『ピーターパン』に出てくる「ないない島」にいる少年達の状況に似ている。つまり、一人がベッドで寝返りすれば、全員が同時に寝返りしなければならないからだ。他方の遊離家族は、原子核のモデルに似ていて、家族員は互いに無関係な孤立した軌道を長いモーメントで移動していく。このタイプの家族は、きわめてゆるやかに組み合ったシステムの部分のようにふるまうのである。したがって、家族員の一部が治療目標に沿った変化をしたとしても、他の家族員には何も波及的な影響を及ぼさない可能性が高い。

　構造派家族療法は、上述した単純な構造類型論から進んで境界、提携、勢力などの概念を用いて、あらゆる家族構造を図像的に表示する手法を開発し、エナクトメント（実演化）と呼ばれる技法を用いて、面接室内で家族構造に直接働きかけるようにもなった。

　最近の構造派家族療法は、家族システム論の進化に対応するかのように、さらに複雑性と柔軟性を増しつつある。とりわけ、ミニューチンのスーパーヴィジョンはさまざまに異なった背景を持つ訓練生を対象として実施され、多文化的要素を重視している（Minuchin, S. et al., 1996 ㉗）。

（亀口憲治）

キーワード システム／構造派／エナクトメント（実演化）

〔文　献〕㉗

サイバネティックスと戦略派《せんりゃくは》家族《かぞく》療法《りょうほう》

生命現象を含むあらゆるシステムの制御理論として発展してきたサイバネティックスでは、フィードバックやホメオスタシスなどの概念が使われる。もっとも卑近な例としては、サーモスタットによる温度の自動調節が知られている。外気温が上がればヒーターのスイッチを切り、下がればスイッチを入れて一定以上の変化が生じないように調節する。このような自動調節の仕組みを「負のフィードバック」と呼ぶ。負のフィードバックにより維持される安定状態が、ホメオスタシスである。

家族システムの理解にホメオスタシスの概念がどのように使われるかを見てみよう。たとえば、夫が支配的で妻が従属的な夫婦関係である場合に、子どもが問題を起こすことで密かに母親の味方をすることがある。つまり、それによって子どもの問題に関しては妻が主導権を握ることになり、支配的な夫も一段下に下がらざるをえないからである。しかし、夫婦関係のシーソーが妻側で上がりすぎれば、夫は妻を押し下げ始める。そうなると、子どもがまた問題を生じさせて母親に加担せざるをえなくなる。

夫婦の争いが公然のものとなっている家族システムでは、子どもが症状を示すことでその争いが阻止される。夫婦喧嘩（夫婦がシーソーにのって激しく上下動をさせている情景にたとえることができる）が始まると、子どもがいつも喘息やアトピーなどの症状を悪化させ、両親は心配のあまり協力して対処せざるをえなくなり、結果的に夫婦の争いは一時的にでも停止せざるをえなくなる。しかし、当事者である家族は、自分達がそのようなホメオスタティックなシーソーに乗っているとの自覚を持つことは少なく、同じような行動の連鎖を延々と続けていることも少なくない。

そこで、ＭＲＩのグループやヘイリーらが一九七〇年代に発展させた戦略派家族療法は、家族システム内でのフィードバック連鎖（悪循環）を効果的に断つ技法を開発しようとした。その際に理論的な裏づけとなったのが、マルヤマ（Maruyama, M.）らの提唱する第二サイバネティックスの発想法であった。つまり、悪循環に陥った負のフィードバック連鎖を停止するためには、正のフィードバック連鎖、つまり誤差や逸脱を縮小させるのではなく、逆に増幅させるような回路を組み込む必要があると判断した。前者をシステムの第一次変化とすれば、後者は第二次変化と呼ぶことができる。

第二次変化は、通常の範囲の行動が外部の状況変化やシステムそれ自体の変化のために役に立たなくなってしまった事態に適用される。彼らの著書『変化』のなかで、ＭＲＩのワツラウィックらは（Watzlawik, L.）、この二種類の変化を自動車の運転でアクセルを踏むことと、ギアを切り替えることのちがいにたとえている。家族システムでは、それまで関係を制御してきた規則が変わると第二次変化が始まる。たとえば、五十五歳の女性が初めて九十歳の姑に反抗して、昼食に自分の友人を招待したいと主張した。数日後に、その姑が重病にかかって入院するようなことも生じる。

第二次変化は、時とともに進行する家族の自然な変化の一部でもある。母親は自分が作る料理を息子が喜ばなくなったことに気づくかもしれない。少年は反抗的になり始めている。しかし、母親は自分の下した選択を息子が受け入れることを期待している。母親は息子の反抗に対して憤慨する気持ちと栄養不足になるのではないかという不安が入り混じった反応を示す。そこで、母親は息子に食べさせようと躍起になるが、息子の方はよけいに反発を強めていく。これはMRIグループが「終わりなきゲーム」と呼ぶ状態に発展していく問題の好例であり、解決策と見えたものが、次の新たな問題になっていく。第二次変化が必要とされているときに、第一次変化で対応しようとするからである。母・息子関係は相補的であったものが、より対称的で対等な関係へと変化していく。たとえば、母親が決断して子どもの食べたがるものを食べさせたり、あるいは干渉を止めるなどの行動変化を示す。

たとえば、戦略派の家族療法家は家族の行動連鎖を注意深く観察し、父親が母親のようには息子の食事の問題で動揺していないことに気づく。父親が母親に頭が上がらないと感じていると、息子は反抗的になり、それに母親は対抗せざるをえないが、結局無力感を抱いてしまい落ち込むことになる。その母親を父親は助ける仕儀になり、息子も反抗的でなくなる。安心した母親は父親に対して支配的にふるまうようになり、またもとの連鎖が繰り返されていることが確認された。

そこで、セラピストは次のような指示を出す。夫が、週に一度は洒落たレストランに妻を連れだし、息子には自宅で自分の食べるものの心配をさせる。もし、この指示が実行されれば、少年はその晩は母親の小言を聞かずに食事ができるだろうし、夫婦はそれまで避けてきた自分達夫婦の問題に直接向き合うようになるだろう。夫婦の問題に巻き込まれていた息子の問題行動はやがて軽減されることが期待される。また、埋もれていた夫婦関係の問題が表面化することもある。その際には、子どもの問題ではなく、夫婦関係の問題に焦点化した治療的介入や支持的援助が必要になる。

この派の治療技法としては、リフレーミング技法やパラドックス技法が有名であり、その根底には禅仏教の公案にみられるような大胆な発想の転換も含まれている。

イタリアのミラノ派は、戦略派の中でもパラドックスを用いた技法を最も高度に発展させ「対抗逆説」の技法を考案したことで知られている。また、円環的質問法と呼ばれる面接技法を洗練させ、月一回の面接を一〇回継続する手法を確立した（Gelcer, E. et al. 1990 ⑦)。

（亀口憲治）

キーワード フィードバック／ホメオスタシス／MRIグループ

〔文　献〕 ⑦

オートポイエーシスと物語療法《ものがたりりょうほう》

マトゥラーナ（Maturana, H.）やヴァレラ（Varela, F.）によるオートポイエーシスの発想は、第三世代のシステム論とも呼ばれ、一九九〇年代以降多くの家族療法家の注目を集めてきた。オートポイエーシスとは、連続的に自らを生み出しつづける産出過程のネットワークのことである。それは、システムの産出的作動を継続することだけを唯一の必要・十分条件としているので、その作動が止まれば、システムが消滅することを前提としている。

この新たなパラダイムには、家族システム論の進化につながる潜在的な有用性があるとされている。マホニー（Mahoney, M., 1991）は、そのような観点からオートポイエーシス理論の有益な側面を以下のように指摘している。

○生きているシステムの生存に不可欠なシステム的な統合を図る意義
○すべての適応と知に内在する自己言及的な性質
○学びの可塑性
○知の全存在的な具体的表現
○人間同士の関わりの重要な媒介として言語（およびシンボル）を重視する
○主体と客体の間の伝統的な区別を再評価する

いずれにしてもオートポイエーシスは、システムを内側から記述する科学的な試みである。マトゥラーナとヴァレラは、生きているシステムの内部を観察する際の足場となるモデルを構築しようとしたのである。

思考や表象は絶えず現れては消え、消えては現れる。川の流れにも例えられる意識や感情を構成要素として連続的に産出しつづける機構が心的システムである。社会システムはコミュニケーションを構成要素とする。家族システムがオートポイエーシス的であるといえるのは、家庭内に繰り返し起こるコミュニケーション・パターンが小規則（直前のコミュニケーション状態が次のコミュニケーションを産出する）に基づいて継続的につむぎ出されているからである（十島　二〇〇一㊸）。

オートポイエーシス理論は、社会構成主義理論などと並んで最新の家族療法的アプローチである物語療法（ナラティブ・セラピー）の理論的支柱ともなっている。家族によってつむぎ出されるコミュニケーションの産物は時とともに消え去るだけでなく、家族の物語として各家族員の心の中に記憶され、その一部として組み込まれ、生きつづける。クライエント家族とセラピストとの間で交わされる症状や問題をめぐる面接室内での会話を、この「物語」の観点から徹底的に追求していったのが、ホワイト（White, M.）やエプストン（Epston, D.）らの家族療法家であった。

ベイトソン的認識論を源流とする社会構成主義の立場に立てば、絶対的な客観的現実は存在しないことになる。人間は、家族関係の中で、体験を物語（ストーリー）として構成しつつ、自分の人生物語を作り上げている。

そうする以外に，人生という劇場での自己の固有な役割を見出すことはできないからである。この原理を理解すると，相談に訪れる家族がある規格をみたすことへの失敗感にとらわれていることが見えてくる。セラピストは，家族が信じ込んでいる規格や規範に挑戦できるように援助する。言いかえれば，自分が作り上げた，あるいは他者によって押し付けられたストーリーが人生体験として実現されていない場合，問題が生じるともいえる（国谷　一九九八⑳）。

したがって，悩みをかかえた家族を心理的に援助するためには，現状に合わないドミナント・ストーリー（繰り返されてきた話）をそれまで気づかれていなかったオルタナティヴ・ストーリー（別の話）と交替させ，死に体と化していた家族の会話やコミュニケーションを活性化させ，生き返らせることが必要になる。

この目的を具体的に実現してくれる手段の一つが，問題を外在化する技法である。これは人が自分の心の中に封じこめていた問題点を自己の外側に存在する事物（比喩的でも象徴的でも，あるいは類推的でも）として取りだし，それを客観的に見たり，取り扱ったりできるように援助することである。

具体例を示すことにしよう。両親の矛盾した期待・要求に押しつぶされ，精神的にきわめて不安定になり，不登校状態に陥っていた一人娘のことをたいそう心配していた母親が，次のような話を始めた。「夫と私の考えはいつもちがっているんです。それで，娘が『お父さんとお母さんが話を始めると，たいがい話が通じないので，いつも私が通訳みたいに間にはいらなきゃならない。でも，とても疲れるから嫌だ』って，よく言うんです」。そこで，セラピストは，「そうでしょうね。通訳の仕事は，自分の考えや思いはいっさい出さずに，言葉の違う二人の橋渡しをしなくてはならないから，大変でしょうね。通訳の仕事は短くしてあげないといけませんね。そうでないと，娘さんは，自分の言葉をしゃべることもできませんからね。通訳の足りない部分は，私（セラピスト）が代役を務めましょう」。

その後，娘は一人旅に出かけ，他県の親類の家に滞在するうちにその地方の方言を話せるようになった。両親も，娘抜きで話せるようになり，二人で外出するまでになった。

葛藤と混乱の中にあるクライエント家族を援助するうえで，体験を組織化し，意味づけていく「物語」の特性を最大限に生かそうとするのが「物語療法」である。物語の枠組によって臨床場面に登場する家族像に新たな記述の可能性が開かれる。また，慢性化した問題の背景には個人の怒りや悲しみの感情が潜伏していることもある。問題や症状はクライエント家族によって内的に体験されたものである。つまり，問題や症状は物語として再現される。

（亀口憲治）

キーワード　ストーリー／外在化／心的システム

〔文　献〕⑳㊸

精神力動論《せいしんりきどうろん》と
ボーエンの家族療法《かぞくりょうほう》

フロイト（Freud, S.）が精神分析を発展させる過程で重視したメタ心理学における三つの観点のうちの一つで、精神現象をさまざまな心的力動の相互作用や葛藤から生じるものとして捉えようとする理論である。

「力動的」という言葉は、とくに無意識について説明する際に使われる。なぜなら、無意識的なこころの働きは、単に意識の外にあるというだけでなく、強烈な本能衝動の力で意識に上ろうとするものの、別の力によって抑圧され意識に接近することを阻まれているものとして理解されているからである。このように、個人の内界では、さまざまな心的作用がぶつかり合い、葛藤しながら影響を及ぼし合っている。この点を、「力動的」と呼んだのである。

フロイトは後期の著作である『快楽原則の彼岸』、『集団心理と自我分析』、『自我とエロス』などを通じて、自己保存と種族保存とをエロスの概念のもとに総括し、これと、静かに働きつづけている死の欲動とを対立させた。この欲動は、ごく一般的に、生きている者のもつ一種の弾性、かつて存在したが外的な障害によって廃棄されたある状況を回復しようとするこころの動きと解されている。本質的に保守的なこの欲動の性質は、反復強迫の諸現象を通じて明らかにされる。エロスと死の欲動の対立ということから、われわれに生命というものの実相が示されることになる（Freud, 1946）。

また、彼は無意識の内容とそれを抑圧する力との葛藤や、心的装置の三つの構成要素であるイド、自我、超自我の三者間の対立による葛藤、対立する願望間の葛藤などに注目した。このような精神分析の力動的観点は、現代精神医学の主軸である力動的精神医学の基礎となっている。しかし、フロイトが自己の理論形成において依拠しようとした科学モデルは、明らかに直線的因果論を前提とするニュートン力学であった。アインシュタインの相対性理論をはじめとして、二十世紀後半に飛躍的な発展を遂げた現代物理学、なかでも、量子力学が描き出す世界観や科学モデルは、当時はまだ精神医学や臨床心理学への影響力を持つ段階には至っていなかった。したがって、十九世紀末に精神分析を生み出したフロイトの力学観は、量子力学以前の固定的で静的なものに留まらざるをえなかったのである。

家族療法のパイオニアの一人であるボーエン（Bowen, M.）は、一九四六年から五四年にかけてメニンガー病院に所属し、精神科医として精神分析を用いた精神分裂病の治療を試みた。しかし、患者が病院内では症状の改善を示すにもかかわらず、退院して家族のもとに戻るとすぐに症状が再発し、再入院となる事例を多数経験した。そこで、ボーエンは分裂病者の母親を含めた家族の入院治療を試みた。その経験をもとに、母子共生仮説を提唱した。これは、母親の欠陥のある自我が、成長しはじめた幼児の自我を包含してしまい、後年になってもその子どもを手放すことが感情的にできなくなってしまうことで、この共生関係が将来の精神分裂病の発病に寄与する基本的過程だとする考え方である。

ボーエンは、一九五四年に「母子共生」の仮説を掲げてＮＩＭＨに移った。ここで、彼は「母子共生」がより広い意味での家族システムの一部に過ぎないことに気づいた。そして、母親だけではなく、父親や兄弟も家族入院に加えたのである。その結果、精神分裂病は家族全員の関与する心理過程から生じる症状であるという見解を発展させることになった。同時に、入院している家族全員を対象とした療法が、従来の個人療法の代りに取り入れられるようになった。この時点で、ボーエンは精神分析と訣別したのである。

ボーエンの家族システム論は、一九五七年に米国矯正精神医学会で発表され、世に知られることとなる。彼はその後、ジョージタウン大学に移り、一九六〇年に「分化の尺度」を提唱したのを皮切りに、その後も「三角関係化」などの新たな概念を付け加えて独自の家族システム論を発展させた。ボーエン流の家族療法は、過去に起源をもちながら現時点で人を苦しめているパターンを探し出し、人々をそれから解き放つことを目標としている。彼は、拡大家族の中の年長者から過去の因縁話を聞き出し、それを変更するために有益な手がかりを探し出そうとした。そのため、ジェノグラム（家族世代図）を活用した。

ボーエンの変化理論はフロイトの格言「イドあるところにエゴあらしめよ」に類似している。つまり、融合の不明瞭な状態を「イド」、そして分化の客観的な状態を「エゴ」と置きかえられるからである。

このような観点は、あまりに知性的に過ぎると批判する者もいる。しかし、自分の原家族や親類縁者を再訪したり、あるいは断絶していた関係を再開し、それらの人々との相互関係を何かしら変化させるように指導された者の中には、自分自身と他の家族員の双方に絶大なインパクトを受けたと報告する者が少なくない。ボーエンが感じているように、もし家族が一つの互いに結び合った巨大なクモの巣であれば、一隅での変化が全体に、あるいは遠く離れた部分でも感じられるかもしれない。今はすでに亡い親や親類との関係の記憶でさえ、探求する者のこころの中では影響を与え、変化を起こし、あるいは好ましい効果をもたらすことができると期待する。ボーエンは、フロイトがなしえなかった自己の深部に宿る家族的無意識（イド）に、自らの原家族や親族と直面することを通じて、分化したエゴの光を鋭く照射し、そこから家族システム論を構築した真の勇者だといえるだろう。

ボーエンの家族療法の特徴は、セラピストがコーチの役を取ることにある。子どもの問題が主訴となっている場合でも、両親のみとの面接が主に行なわれる。両親が双方の原家族からの心理的影響を脱し、分化を促進できるようにセラピストがコーチする。その成果に応じて子どもの問題や症状が軽減する（Kerr, M.&Bowen, M., 1998 ⑯）。

（亀口憲治）

キーワード　分化の尺度／ジェノグラム（家族世代図）

〔文　献〕⑯

コンセンサス・ロールシャッハ法《ほう》

家族内相互作用を研究する方法として、カッター（Cutter, F.）らによって開発された家族アセスメントの一つである。類似の方法として、家族ロールシャッハ法、夫婦ロールシャッハ法、関係ロールシャッハ法、ジョイント・ロールシャッハ法等が知られている。すべてのアプローチに共通しているのは、個別のロールシャッハ・テストの場合にみられる深層解釈的な取り組みを避け、家族員間の相互作用が実際にどのように展開するかの解明に向けられている点である。

研究対象の家族に対して、ロールシャッハ・テストの刺激図版を手渡し、「インクのしみでできた絵をお見せしますが、それが何に見えるかをみんなで話し合ってください。一つに意見が一致したら、知らせてください」といった教示を与える。実験者は、対象家族がロールシャッハ・テスト刺激に対して家族としての反応を生み出していく過程、すなわち家族成員が話し合いによって合意（consensus）に達する過程を観察することによって、コミュニケーションの流れ、意思決定の構造、成員間の連合と分裂などの家族内相互作用の状態を明らかにしようとするのである。

家族ロールシャッハ法の特徴は、以下のようにまとめられている（岡堂 一九九一）。

○実験手続きの標準化が可能である。

○活発な相互作用を誘発することができる。

○言葉やコミュニケーションの特徴が観察できる。
○知覚、思考、感情の内容とその伝え方を把握できる。
○各自の知覚像の間に差異があるときには、葛藤や意見の不一致が生じるので、それへの対応と解決のパターンがわかる。

本法の具体例を示しておくことにしよう。第1図版は、「コウモリ」や「チョウ」に見られるが、まず息子が「コウモリに見える」と反応し、ついで父親が「チョウだな」と反応したとする。この父子のやりとりに対して、母親が、「そうね、どちらにも見えるわね」というか、「そうね、コウモリ（あるいはチョウ）ね、やっぱり」と言うか、あるいは、「これはキツネの顔よ」と反応するか、それによって、この家族の関係のパターンがそれぞれに判別される。父子間に緊張が高まったときに、母親がそれを仲裁しようとするのか、どちらか一方の味方になるのか、それには介入せず、静観しているのか、などさまざまなパターンがあり、それらは現実の家族関係パターンを再現していると解するのである。

（亀口憲治）

キーワード　家族アセスメント／コミュニケーション

〔文　献〕㉞

コミュニティ心理学《しんりがく》と危機《きき》介入《かいにゅう》

コミュニティ心理学の発想と方法

コミュニティ心理学とは、さまざまな異なる身体的―心理的―社会的―文化的条件をもつ人びとが、だれも切り捨てられることなく、共に生きることを模索するなかで、人と環境の適合性を最大にするための基礎知識と方略に関して、実際におこるさまざまな心理社会的問題の解決に具体的に参加しながら研究をすすめる心理学であり（山本　一九八六㊻）、「臨床心理アセスメント」「臨床心理面接」に次いで、心理臨床実践の第三の柱と位置づけられる「臨床心理的地域援助」の基礎を提供するものである。一九六五年に米国で地域精神保健活動を母体に、コミュニティの心理・社会的問題の解決に貢献する心理学者独自の領域として旗揚げされた。わが国では、一九七五年に第一回コミュニティ心理学シンポジウムが開かれ、一九九七年には学術誌『コミュニティ心理学研究』が創刊され、一九九八年には日本コミュニティ心理学会が発足するに至っている。

コミュニティ心理学の発想や視点には、「個人と環境との適合（fit）を図るためには、個人の内的諸要因（パーソナリティなど）の改善だけでなく、その個人をとりまく環境的諸要因（社会環境、社会体系など）への働きかけと変革が重要である」（安藤　一九八九②、山本　一九八六㊻）との共通認識がある。したがって、援助サービスのタイプや提供の仕方についても、これまでの伝統的な臨床モデルとコミュニティモデルとのあいだにはさまざまな違いがみられる。すなわち、伝統的な臨床サービス・モデルが、「治療的（セラピー中心）」「直接的」「単一的」「専門家中心主義（かかえこみ）」であるのに対し、コミュニティ・サービスモデルは、「予防的・成長促進的（ケアと教育を基盤）」「間接的」「多面的・総合的」「コミュニティ中心主義（非専門家との協働を強調）」という特徴をもつ。換言すれば、クリニックや相談室で来談者がサービスを求めてくるのを受動的に待っているのではなく、求められれば、自分の方から相手の生活の場に入れてもらい、そこで一緒に考え、そのなかで援助するという、能動的かつ生態学的なアプローチを展開するところに、コミュニティモデルにもとづく実践の特徴がある。

図1は、コミュニティモデルにもとづく多元的なサービス・プログラムを、サービスの目的と方略（経験的―環境的）およびサービス対象の範囲（集中的―拡大的）の二つの軸の組み合わせで四つの領域に分類・整理したものである。このほかにも、「二十四時間の精神保健サービス」「地域に暮らす障害者の生活・就労支援サービス」「民族的マイノリティ集団のための多言語による相談サービス」など、多様かつ柔軟な内容のコミュニティサービス・プログラムが存在する。

危機介入とその意味

人が新しい状況や環境に挑戦しようとしたり遭遇したとき、重要な他者やかけがえのない人を喪失したとき、恐ろしい脅威にさらされたときに危機状態が発生する。危機介入（crisis intervention）とは、日常生活で危機に直面している個人や集団に迅速で即効的な介入を行い、危機から脱出させると同時に、その後の適応をはかる援助である。これは、独自の理論と目的をもった心理的援助方法の一つであり、前述のコミュニティ心理学的アプローチを進めていくうえで欠かすことのできないものである。危機介入の目的は、

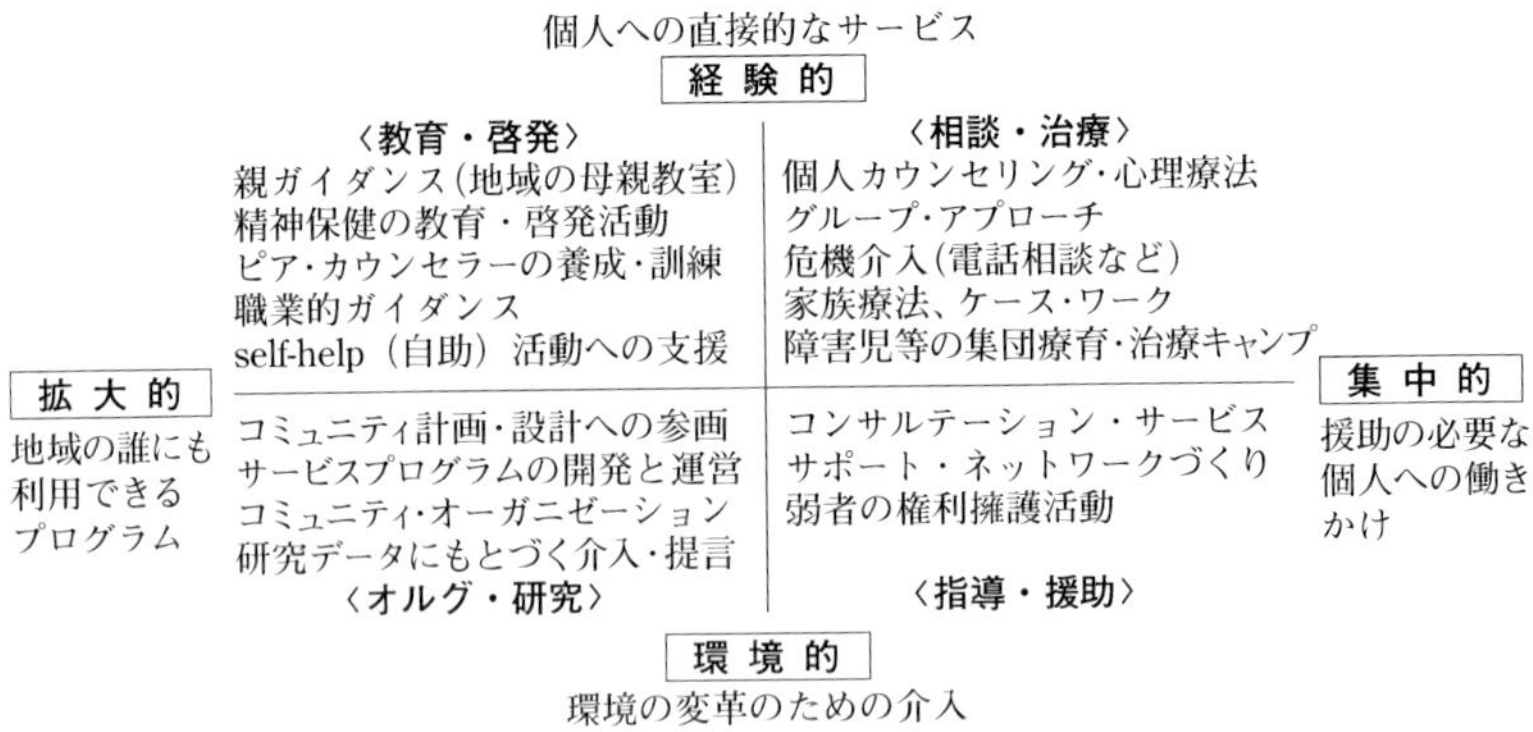

図1　コミュニティ・モデルにもとづくサービス・プログラム
(Lewis & Lewis,1977㉒をもとに作成)

できるだけ早くクライエントが失った心のバランスを元の状態に回復させることにあり、第二次予防（早期発見・治療）につながる側面をもっている。

危機（crisis）は、それまで個人が対応してきた能力では対応し切れぬばかりか、個人の崩壊をも招きかねない脅威が存在する状態である。その結果、自己理解能力の減退、周囲の資源に対する認知と活用能力の低下をもたらす。このような場合には、他者による積極的な介入が不可欠であり、逆にそのような状況に陥った人が混乱の中でも手軽に利用できる援助機関の存在が重要である。一方、人は危機体験を通して、他者から新しい対処方法を学び、身につけることで人格の成長を生じる可能性もある。こういった意味から、危機は必ずしもネガティブなものではなく、成長促進可能性（growth promoting potential）を有している。

危機介入のプロセス

危機にある人への介入プロセスは、以下の六つの段階に分けることができる。

①危機のアセスメント［危機がどの程度のものかを客観的に評価・把握する］
②信頼関係をつくる［徹底した傾聴と受容によって、感情面での支援を与える］
③問題を認識させる［危機の理由と本人の置かれた状況を客観的に明らかにする］
④問題と取り組ませる［本人を励まして実現可能な目標（できること）をもたせる］
⑤決断させ継続的支援を約束する［決断と行動に本人を参加させ、継続的な支援が可能であることを約束する］
⑥地域（コミュニティ）全体が支援する［地域の社会資源を最大限活用し支援する］

このように、危機に対する適切な働きかけは、直接的な援助をもたらすだけでなく、サポート資源の開拓と強化につながるコミュニティ・アプローチの要の一つである。

（箕口雅博）

キーワード 人と環境の適合／臨床心理学的地域援助／予防的アプローチ／成長促進可能性（growth promoting potential）／利用しやすさ（accessibility）と即時性（immediacy）／ネットワークづくり

〔文献〕 ①②④㉒㉕㉖㊴㊵㊻㊼㊽

いのちの電話《でんわ》―自殺《じさつ》予《よ》防《ぼう》運動《うんどう》

自殺防止を目的としたボランティアによる電話相談活動

孤独のなかにあって、さまざまな精神的危機に直面し、生きる力を失いかけている人に対する危機介入と自殺防止を目的としたボランティアによる電話相談活動は、〝サマリタンズ（Samaritans―よき隣人）〟と名づけられ、一九五三年、英国国教会牧師であったチャド・バラー（Varah,C.）によってはじめられた。この試みは、電話の普及とともに、瞬く間に全世界に拡大され、各国・地域でそれぞれ名称や組織は異なるものの（自殺予防センター、ライフ・ラインなど）、自殺防止を主たる目的とする電話相談活動として展開されている。「いのちの電話」とは、わが国におけるこの種の電話相談の固有名詞であり、一九七一年に東京に開設されて以来、北海道から沖縄まで全国四二の地区に開局され、所定の訓練を受けた一般市民ボランティアが、二十四時間無休の体制で、若い世代を中心とする相談者のさまざまな悩みに応えている。相談内容は、自殺問題に限らず、その時々の世相を反映して、実に多岐にわたる悩みが寄せられている。このほか「こころの電話」（金沢、愛知）、「自殺予防センター」（大阪）も同様の活動をおこなっており、在日外国人のための「東京英語いのちの電話」も活動している。

電話相談の構造と特徴

「いのちの電話」をはじめとする電話をコミュニケーション手段とする相談システムの構造の特徴として、①緊急時の即応性―安い料金で（経済性）、どこからでも手軽に（近づきやすさ）、どこへでも（広域性）、いつでも（随時性）相談できる、②音声によるコミュニケーション―親密感、成長促進的関わりが得やすい、③一回性の関わり―相談する側と受ける側双方に真摯な関わりが生じる、④かけ手の匿名性―自己開示を容易にし、本音を伝えることができる、⑤相談者主導―相談者の主体性・自律性が尊重される、があげられる。さらに、ボランティアによる電話相談には、「先入偏見にとらわれず、いつまでもあくことなしに傾聴し、隣人としての対等な関係が保たれる」という専門家にはない利点を積極的に活用できる特徴ももっている。

こうした構造と特徴を備えた電話相談は、人と接したくても接することができず、専門機関に相談に行きたいが恐ろしくて行けない人、孤独で話し相手のいない人、他人には話すことができない秘密に悩まされている人にとって利用しやすい相談システムであり、即応性・即時性を求められる危機状況において最大の効用を発揮する。

（箕口雅博）

キーワード 電話相談／自殺予防／危機理論と危機介入／ボランティア活動

〔文　献〕⑥⑰㉑㉛㊽

フリー・クリニック運動《うんどう》

一九六〇年代の終わり頃の米国では、ベトナム戦争の政策に反対する運動が活性化し、不満や不信に満ちた社会状況の中、薬物乱用にはしる若者たちの精神的不安と緊張によるさまざまな精神保健問題が噴出した。精神的苦悩を抱き、傷ついた若者は、既成のお役所的サービス機関やクリニックに対して不信をもった。米国の地域精神保健対策には莫大な予算が投入されたが、そのほとんどはいわゆる「精神保健産業」で働く専門家に流れてゆくだけで、貧困者や本当に悩んでいる人たちのために使われていないという批判もでてきた。このような時代状況と地域精神保健運動の流れのなかで、ウォーク・イン・クリニック（walk in clinic）が設置され、フリー・クリニック（free clinic）運動が生まれてきたのである。

ウォーク・イン・クリニックは、「駆け込み精神医療センター」とよべるもので、二十四時間サービスでスラム街などの街角のコーナーに気軽に利用できるように作られている。相談をする専門家は、できるだけ相手の使っている日常語で話をし、むずかしい専門語を用いないように訓練され、多言語による相談サービスも可能である。

一方、フリー・クリニックは、通常、店先、アパートの一室、あるいはこわれかけたビルなどに設けられ、麻薬や他の薬物乱用の青年、家出をしてきた孤独な若者たちが自由に出入りでき、たまり場になるような場所が用意されている。ギターの音が響き、ポスターや写真がはられ、連絡用のボードには、アルバイトや仕事の広告、仲間の伝言、家出している子どもを探している親のメッセージが貼られている。こうした雰囲気の中で、ボランティアの学生や若者が相談相手になり、また勤務を終えた専門家が普段着で若者たちと床に座ったり、ソファーに腰掛けて話し相手となる。これまでの相談機関のもつ形式をいっさい取り除いた状況で、不信に満ちた若者と友達となり、相談相手となる。フリー・クリニックのフリーには、無料という意味だけでなく、難しい手続きがないこと、相談を受ける側の価値観をおしつけないという意味がこめられている。

フリー・クリニック、ウォーク・イン・クリニックは、相談をする専門家が自分の土俵である専門機関で、受け身的に待っているのではなく、ユーザーにとって利用しやすいように、積極的に相手の土俵に接近していくという、コミュニティモデルにもとづくサービス提供の一つのあり方を示している。また、精神的危機状況にある人たちに対する即時的・即応的な介入のあり方にも影響を与えた。

フリー・クリニック運動は、その後必ずしも十分な展開を見せていないが、さまざまな形のセルフ・ヘルプ・グループ活動のなかに取り入れられている。

（箕口雅博）

キーワード 地域精神保健活動／セルフ・ヘルプ・グループ／危機介入／ウォーク・イン・クリニック／二十四時間サービス

〔文　献〕③⑤⑲㉙㊻

教《きょう》育《いく》相《そう》談《だん》室《しつ》
——学校《がっこう》カウンセリング

学校カウンセリング・学校教育相談・教育相談
学校カウンセリングは「学校教育場面における子どもの学習面と心理的適応面に焦点を当て、教育心理学、学校心理学、カウンセリングの理論や技法、臨床心理学、コミュニティ心理学などの知見を生かして、学校の教育的活動を心理的・教育的に援助すること」と定義される。広義の「学校教育相談」と同じ意味をもつが、狭義の学校教育相談は、カウンセリングの理論や技法を、主として教員が主体となって学校の教育活動に活用することを指す場合が多い。これに対し、学校カウンセリングでは、臨床心理士などの心理の専門家が、スクールカウンセラーとして外部から学校内に入り、教師・保護者・地域の人びととの連携のもとに相談活動を展開し、学校教育活動全体を支援する。また、類似概念として「教育相談」がある。これは、幼稚園から高校までの幼児・児童・生徒とその家族および学校関係者を対象として、教育相談室、教育センター、児童相談所などの学校外の教育関連機関で相談活動をおこなう場合が含まれ、より広い意味をもっている。

ここでは、学校という場で展開される心理・教育相談活動を学校カウンセリングととらえ、その実際と今後のあり方について述べる。

学校カウンセリングの活動内容とその特徴
学校カウンセリング活動を展開していく際に留意すべき点は、病院や心理クリニック、教育相談室などでおこなわれている狭義のカウンセリング、治療的カウンセリング活動とは異なるアプローチを採用していることである。それよりもはるかに幅広く、多様な活動が求められる。すなわち、現在の学校カウンセリングは、臨床心理学を基盤としながら、教育心理学、学校心理学、コミュニティ心理学等によって補強され、その実践において統合される心理臨床活動である。したがって相談室内のプレイセラピーやカウンセリングよりも、学校というコミュニティでの臨床心理学的地域援助の活動が、学校カウンセリングの中心的活動となる。具体的には、以下にあげる多様な活動を含んでいる。

○心理・教育アセスメント
児童・生徒の学習面と心理適応面における状況の背景となる環境を総合的に理解し、子どもに対する援助的介入の必要性を検討するための資料を作成する。一般的には、児童・生徒の役に立つよう、フィードバックできるものを実施するのが原則である。

○カウンセリング・ガイダンス
直接に児童・生徒をカウンセリングの専門性を生かしながら援助するのであるが、治療的カウンセリング、心理療法的なアプローチは、学外の専門家に任せるのが一般的である。なぜならば、学内で深い個人面接を定期的にもつことは困難だからである。いわゆる開発的カウンセリング、発達促進的カウンセリング、グループカウンセリングが中心になる。また、長期にわたるカウンセリング関係を続けることは希であり、短期間の解決志向型カウンセリングが中心になる。

○危機介入
生活の場としての学校では、さまざまな危機的なできごとが起こる。発達上の危機や状況的な危機などあらゆるものが発生する可能性がある。こうした危機状況に適切かつ即応的に介入することもカウンセラーの重要な役割である。そして、そのことが予防的な介入・対処につながる。
○コンサルテーション
学校カウンセリング活動を展開していく上で最も有効な援助活動はコンサルテーションであろう。コンサルテーションは、心理の専門家であるカウンセラー（コンサルタント）が、学校教育の専門家である教師（コンサルティ）に対して、児童・生徒の精神保健上および心理発達上の問題理解と指導・対処法に関する相談・助言をおこなう活動である。一人の子どもへの適切な対応を支援することによって、その教師の援助力そのものが高まり、それがほかの子どもに対する適切な援助として般化していく効果もある。コンサルテーションは、コンサルティが体験的に学びとっていくプロセスそのものが重要で、学校内の人間関係の調整をおこない、硬直しているコミュニケーションを促進する機能がある。こうしたケースコンサルテーションを基本に、学校全体の精神保健プログラムを視野に入れたシステムコンサルテーションも試みられている。
○援助ネットワーキングとケースマネージメント
カウンセラー、教師の双方が援助ネットワークを活用して、一人で抱え込みすぎないことがむしろ援助力を高く維持することにつながる場合が多い。たとえば、特定の子どもをめぐる学校内での関係者は、クラス担任はもちろん、学年主任、部活動顧問、養護教諭などさまざまに存在する。また、学外ではさまざまな援助機関のスタッフとよい関係を作っておき、単に紹介するというだけでなく、それぞれがどのような援助ネットワークの役割を果たしてくれるかをモニターしながら、活用していくのである（ケースマネジメント）。カウンセリング、危機介入、コンサルテーションがこのネットワークのなかで機能すると、きわめて効果的になる。
○心理教育活動
児童・生徒の「心理的諸能力」を発達させるために、さまざまなプログラムやワークショップを小グループやクラス単位で実施する。例えば、情緒的発達や情動のコントロールの力をつけさせるプログラム、学習能力の開発や自分にあった勉強法の発見プログラム、対人関係能力・コミュニケーション能力の開発プログラムなどがある。このような成長促進的プログラムは、生徒指導と連動しておこなわれても効果がみられるであろう。

学校カウンセリングの今後とその課題

わが国の学校カウンセリングは、米国のそれをモデルにしているわけでもなく、日本の特徴をふまえながら展開してきた。出来合いのカウンセリングや心理臨床の手法をそのまま学校に持ち込んでいるわけでもない。これまでの「学校カウンセリング」といわれてきたものとも異なり、アメリカ的な「スクールカウンセリング」とも異なっている。臨床心理学、教育心理学、学校心理学、コミュニティ心理学などをうまく使いこなしながら、新しい学問と実践としての「学校臨床心理学」を体系化しつつあるのである。

その際に大切なことは、何らかのかたちでこれまで学校カウンセリング、教育相談などに関わってきた人たちとどのような関係を作れるかということである。スクールカウンセラーと教育相談担当教師、養護教諭などの教師カウンセラーが、いかに相互補完的、協力的な関係を作りあげていくかが、今後の課題である。

（箕口雅博）

キーワード 学校教育相談／学校臨床心理学／スクールカウンセラー／教師カウンセラー

〔文　献〕⑨⑪⑱㉔㉚㉟㊳㊷㊹㊺

職《しょく》場《ば》相《そう》談《だん》室《しつ》
——産業《さんぎょう》カウンセリング

産業カウンセリングは、産業領域で行われるカウンセリングであり、多様な活動をもつ産業臨床心理の中の主要な臨床活動の一つである。

産業カウンセリングの歴史

産業カウンセリングは、二十世紀初頭の米国にその発祥がある。一九二〇年代以降、百貨店や電気工場における実践的研究を通して、職場の好ましい人間関係が生産性を高めるという認識を深め、産業場面でのカウンセリングの必要性に着目するようになった。

わが国では、日本電信電話公社（現NTT）が一九五四年にカウンセラー制度を導入し、従業員の心身の健康を企業の立場から考えるシステムがスタートした。その後、カウンセラー制度を導入する企業が増加し、一九六〇年には日本産業カウンセラー協会が発足した。一方、労働省（当時）は、勤労青少年の健全育成のための産業カウンセリング講座を開設し、中高年のメンタルヘルス対策のための「心と体の健康づくり」を進めており、一九九二年には日本産業カウンセラー協会がおこなう「産業カウンセラー試験」を技能審査として公認し、産業カウンセラー養成に力を入れはじめた。

産業カウンセリングの対象と活動内容

産業カウンセリングの活動内容は多様であるが、おおよそ以下の三つのカテゴリーに分けることができる。

①職場のメンタルヘルス対策

これには、精神健康の保持と増進のためのストレス対策と、各種精神疾患への対応がある。職場では、急速な技術革新、国際化、価値観の多様化のため、業務形態や環境に大きな変化が起こっている。これらのストレス要因が、さまざまなストレス関連疾患や精神疾患、アルコール問題などを引き起こすことがある。仕事の能率低下、勤務態度の変化（無断欠勤、遅刻、早退）、対人関係の際だった変化（自閉・抑うつ・妄想など）といった不適応状態を解決するためには、カウンセリング等を介した個別的・直接的な心理援助が必要になる。これらの治療は、企業内、そして多くの場合は企業外の医療機関の精神科医による投薬を中心におこなわれ、カウンセリングは職場適応や職場復帰等の側面から、その治療を援助するために実施されることが多い。また、職場の上司等から持ち込まれたこれらのケースについては、必要な対処をコンサルテーションすることも重要である。さらに、職場環境での組織ストレス・安全教育の把握とその個別的対処も求められる。

②社員の能力開発・心理的成長

組織の要請と自己の欲求の適合をめざすキャリア開発・人生設計、新入社員の職場適応、新任管理職の職場管理といった課題への取り組みとして、産業カウンセラーを中心にさまざまな心理教育プログラムが実施されている。こうしたプログラムは、個々の社員の協調性、創造性、柔軟性、企画力のスキルアップにつながるだけでなく、企業全体の業績の向上と経営の効率化を促進することにもなる。さらに、組織集団の活性化は社員相互によい刺激となり、メンタルヘルス向上の効果をもたらす。

③人事・労務管理

労働法や労働安全衛生法といった社会的なシステムの中で、どのように人事・労務管理をおこない、社員の心身の健康を維持増進するかについて、産業カウンセラーと人事・労務担当者が共同でプログラムを開発・導入することも試みられている。最近では、「ライン・カウンセリング」を取り入れる企業が増えてきている。これは、管理者が部下に受容的に接し、積極的な傾聴と明確化に努め、支持的に対応するカウンセリング技法であり、これによって、職場内の人間関係やコミュニケーションは、円滑化・活性化し、生産性の向上をもたらすことが期待されている。

産業カウンセリング・カウンセラーの役割と課題

産業カウンセリングは、これまではもっぱら職場内の精神障害者対策として認知されてきた。そのため、企業は専門職としての産業カウンセラーに、メンタルヘルス上の問題を抱えた社員への個別対応を最も期待し、それ以上の役割や活動に注目することが少なかった。しかしながら、日本経済が過去最大の苦境を迎え、働く環境がいちだんと厳しさを増している現在、企業は組織として社員のメンタルヘルスに対する包括的なリスクマネージメントに積極的に取り組む必要性に迫られている。すなわち、個人のみならず、その組織全体のメンタルヘルスの維持と増進を目的とする、組織ぐるみのコミュニティ・アプローチの視点が必要とされるのである。したがって、現在そして将来の産業カウンセリングは、前述した「②社員の能力開発・心理的成長」および「③人事・労務管理」の領域を中心とした活動が発展していくと思われる。具体的には、教育研修、総務部とのミーティング、広報紙によるPR活動、管理者等へのコンサルテーション・サービスの実施など、あらゆる機会を使って産業カウンセリングのイメージの変化を図っていくことが必要となる。

つまり、治療モデルから開発・成長モデルへの発想の転換にもとづき、メンタルヘルスの維持と増進という積極的役割を果たしていくことが今後の産業カウンセリングの中心的課題となる。

新しい産業カウンセリングシステムとしてのEAP

EAP（Employee Assistance Programs―従業員援助プログラム）は、社員の精神的・身体的健康に焦点をおき、直接的・間接的に業務に影響を与える諸問題を企業と連携しながら解決することを目的とした専門的援助システムである。一九四〇年代の米国でアルコール問題を抱えた社員に対する早期治療システムとして開発され、その有効性により、一九六〇年以降、企業のメンタルヘルス全般や社員の家族・法律問題にも適用範囲を広げてきている。産業カウンセリングの先進国である米国の大企業ではすでに八〇%以上が導入しているが、わが国では外資系企業をのぞき、導入企業はきわめて少なく、EAPサービスを実施している専門機関もほとんど存在しない。現時点では、〝ジャパンEAPシステムズ（JES）〟が、わが国で唯一の専門機関である（ホームページ http://www.jes.ne.jpを参照）。JESのサービス内容は、「心の健康相談」と「職場における心の問題予防研修」の二本立てであり、契約企業の社員とその家族を対象としている。EAPは、企業と連携を保ちつつも、あくまでも外部の専門的援助機関として独立した機能をもっており、相談者のプライバシーが保証されるため、企業内相談室より利用しやすい利点を有している。産業カウンセリングの新しいシステムとして、今後の展開が期待される。

（箕口雅博）

キーワード 産業臨床心理／職場のメンタルヘルス／企業内カウンセリング／開発・成長モデル／EAP（Employee Assistance Programs）

〔文献〕⑩⑮㉓㉘㉜㊲㊶

精　神　医　学

編集・西村良二

精神症状は1つだけポツンと出ることはなく、必ずいくつかの症状がセットとなってあらわれるので、精神現象としての、あるまとまりをつかむことが重要となる。つまり、患者の病像をトータルに把握する。次に、個々の詳しい症状をとらえる。これは、そのまま精神医学的診断の手順につながる。そして、病像全体を把握できたら、それらの症状の背後にひそむ心理的原因をつきとめ、それを解決してゆく。その際に役に立つのは、人間の性格や行動が正常にはどのように発達し、変化するのか、どのような要因が病的な状態を導くかの知識、理論であろう。精神疾患の治療においては、心理的要因、体質的要因、身体的要因、環境要因などの相対的重要性についての理解は欠かせない。実際の精神科臨床では、単独の治療法で首尾よく成功することは多くない。薬物療法や心理療法、環境調節などを組み合わせて、対応し、成果を得ていることを学んでほしい。

精神力動論《せいしんりきどうろん》（Psychodynamic Theory）

人間のあらゆる心的現象を、それぞれその起源と量（強さ）と対象（方向性）をもった心の中の様々な「力」の間の対立や争い（葛藤）の結果として説明しようとする理論を指す。つまり、人間の思考や行動は偶発的なものではなく、必ずその動機があり、意識の表面に現れた現象をめぐって、その人の内に潜む（無意識）どのような力が、どのように組み合わされた結果生じたものなのかを考えようとするものである。これは、物理学における力学（dynamics）の概念を導入したところから由来しており、心的現象を静的（statics）にとらえる立場と対比されるもので、ゲシュタルト心理学のケーラー（Köhler, W.）や力動的心理学のウッドワース（Woodworth, R.S.）の学説の骨子となっているが、一般的にはフロイト（Freud, S.）の提唱したメタ心理学の重要な見地の一つを指す。また、精神分析学を背景に主に米国で発展した力動精神医学（dynamic psychiatry）と従来の記述精神医学とを峻別する重要な論拠ともなっている。

周知のように、フロイトはヒステリー患者の治療や夢の分析を通じて、「局所論」や「経済論」とともに「力動論」を唱え、人間の心的現象や精神症状は、相対立する心的諸力の葛藤と、その妥協形成によって決定されるとした。それら心的諸力は、ある力が強く作用すれば（充当）、同時に作用する反対の力が引きおこされる（逆充当）というように、必然的にお互いが葛藤をおこす性質を持っているものであり、それは、ある力が意識に上るのを防ぎ、無意識のままに封印しておく必要があるからであるとされた。これは、ジャネ（Janet, P.）のように、精神的統合力の障害によって人格の一部が分離した結果、精神症状が出現する（分離説）と考える立場とは、同じ力動論でも異なっていると言える。

この心的諸力とは、広くは生物・心理・社会的なものが含まれるが、フロイトは本能衝動（リビドーと呼ばれる性的本能を主としたものや、攻撃性を特徴とする死の本能と言われるもの）と、それに対抗し本能衝動の突出を禁止しようと働く、良心や理想をその代表的なものとして挙げている。例えば、「貯留ヒステリー」と呼ばれた状態についてフロイトは次のように力動論によって説明した（図1）。つまり、ある体験にともなって性的衝動がつきあげてくると、それが意識に上ってくるのを禁じ、対抗する力として道徳心が働く。その結果、体験自体も性的衝動とともに「抑圧」され忘却されるが、貯留された内的興奮は、身体へ転換され（妥協形成であり、「防衛」と呼ばれる）、症状として出現する。カタルシスは、その内的興奮を発散させ、「抑圧」をゆるめることによって無意識下に忘却されていた外傷体験を言語化させ症状消失を試みる方法なのである。

さらにフロイトは治療技法を催眠法から自由連想法に変え「転移」とともに「抵抗」と呼ばれる現象を発見したが、この「抵抗」こそが、人間の内に潜む「力」と、それを無意識下に封じようと対抗する「力」との争いをあらわすものであり、「力動論」を臨床的に

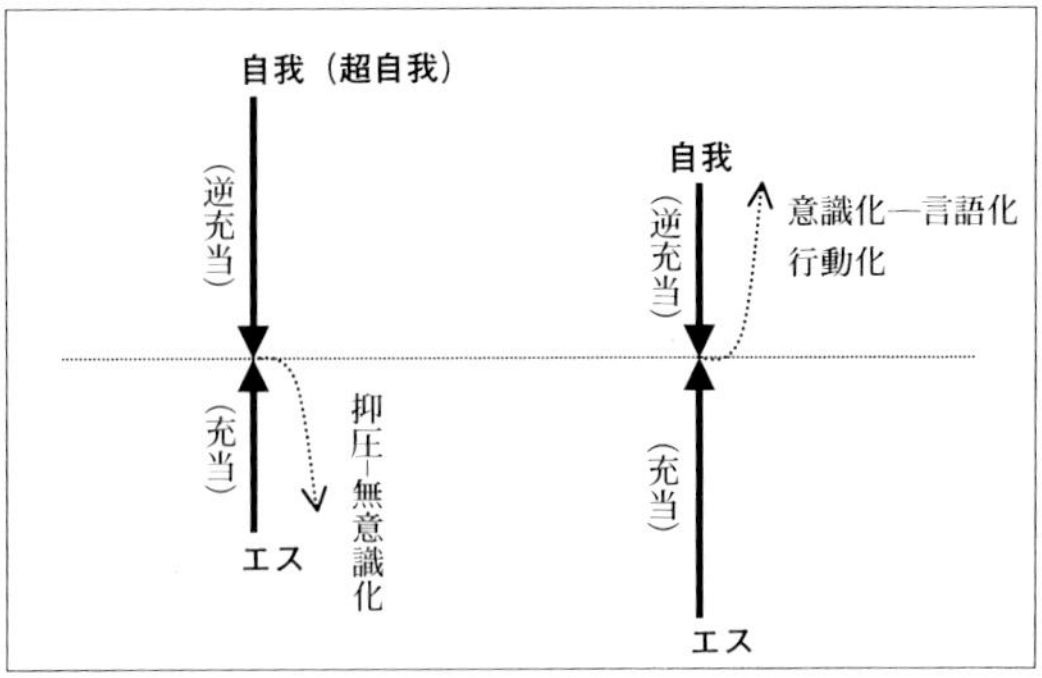

図1　充当と逆充当（前田1985　文献⑬）

証明するものであると言える。

フロイトは、この「力動論」に加えて、「経済論」と「構造論」を柱に、人間の精神的平衡を保とうとする働き（「自我」）と症状のあり方をより臨床に添った形で説明した（図2）。この発展が「自我心理学」と呼ばれるものであり、神経症の治療のみでなく、精神病や人格障害の治療にも結びつくことになった。

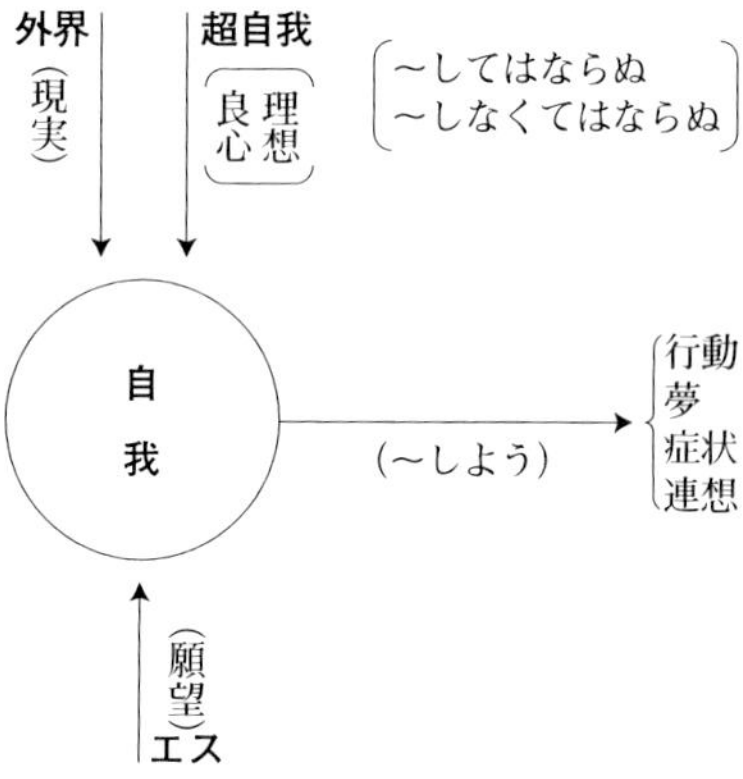

図2　力動論（前田1985　文献⑬）

米国で展開した力動精神医学（dynamic psychiatry）は、この延長線上にあると言える。フロイトのクラーク大学での講演（一九〇九年）を機に、精神分析は米国での芽ばえをみるのであるが、米国精神医学の祖と言われるマイヤー（Meyer, A.）の、精神障害を個体の環境に対する反応であるとする見方と、第二次大戦時に、ヨーロッパから米国に移住した多くの精神分析家との合流が、米国における力動精神医学の発展に大きく寄与したのである。それは、米国のメニンガー兄弟（Menninger, K. & W.）や、サリバン（Sullivan, H.）らによってさらに展開され、フロイトの考えである「力動論」「経済論」「構造論」に「発生論」「適応論」を加えた理論を背景にした臨床精神医学としての力動精神医学がうちたてられ、記述精神医学と並んで精神医学の二大潮流を成すに至っている。

力動精神医学は精神分析的精神医学と言えるが、精神分析と異なる所は、幼児期体験の人格形成に及ぼされる影響を同様に重視しながら、精神分析があくまで性的なもの、なかでもエディプスコンプレックスをめぐる葛藤を強調するのに対し、力動精神医学は非性的なもの、特に対人関係や社会との関係を重視している点にある。それは、精神分析がヒステリーをはじめとした神経症の治療に出発点をもつのに対し、力動精神医学は精神病も含めたあらゆる精神疾患を扱っており、また米国という新しい世界に適応することが最重要視される文化の中で発展していったことに由来すると考えてよいであろう。（福井　敏）

キーワード　葛藤／力動精神医学

〔文　献〕⑬

精神《せいしん》保健《ほけん》及《およ》び精神《せいしん》障《しょう》害者《がいしゃ》福祉《ふくし》に関《かん》する法律《ほうりつ》

人が社会生活を営む上で、心身共に健康であること（保健）、できるだけ満足のいく環境が約束されること（福祉）は重要である。そのためには①日常的に健康に関する知識や、疾病を予防する手立てが提供されること、②疾病の早期発見・早期治療がなされること、③不幸にして疾病による障害を抱えた人々へのリハビリテーション、社会参加への支援がなされることが必要である。このように保健及び福祉には、医学の立場だけでなく教育、福祉、行政等の幅広い視点が要求される。このことは精神疾患とそれに起因して生じる障害についても同様であり、精神保健及び福祉を考える上での基盤となっている。

我が国の精神保健及び福祉に関する法律の歴史

我が国における精神保健及び福祉に関する法律の歴史を概説すると、その起源はおよそ二十世紀初頭にさかのぼる。一九〇〇年「精神病者監護法」として精神保健に関する我が国最初の法律が公布され、施行された。しかしながら病者を保護することに重点が置かれたものであり、その方法は私宅監置でも良いとされていたので、治療の点ではきわめて不充分なものであった。この点が反省され一九一九年には「精神病院法」が制定された。精神病に対する公共の責任として、公的精神病院を設置する考え方が初めて明らかにされたが、実際にはその設置数は法制定から十数年が経過した時点でわずかに五つにすぎなかった。

戦後に至り、欧米の精神衛生に関する知識が導入され、精神障害者（現在も精神障害者という言葉が用いられているが、多くの人達はそう呼ばれることを望んでいない）に対し適切な医療・保護の機会を提供するため、旧二法が廃止され「精神衛生法」が一九五〇年に制定された。これにより都道府県に精神病院の設置が義務づけられ、我が国の病床数は次第に増加していった。加えて一九五〇年代以降の薬物療法の普及や精神療法、作業療法等の治療法の進歩に伴い、予防対策や在宅障害者対策が注目されるようになった。またこの法律は幾度か改正がなされ、精神衛生センターの設置や保健所の精神保健行政の第一線機関としての位置づけ、通院患者の医療費の一部公費負担、社会復帰施設やデイ・ケア施設等の社会復帰対策の充実が図られることとなった。

このような私宅監置から入院医療中心の体制への移行、さらには入院から地域におけるケアを中心とする体制への移行、という流れと共に精神障害者の人権擁護と適正な精神科医療の確保、という観点からの見直しの機運が高まった。

精神衛生法は、国民の精神的健康の保持増進を図る目的で「精神保健法」へと名称が改められ、一九八八年からこの法律が施行された。本人の同意に基づく任意入院制度が設けられ、この入院形態による入院患者数が増加し、本人の意志がより尊重される医療と、地域における精神保健対策の充実とが図られるようになった。さらに従来の保健医療対策に加えて福祉施策の充実が求められ、一九九五年に「精神保健福祉法」へと名称が改められ現在に至っている。

精神保健福祉法

現在の精神保健福祉法についておおよそを述べると、その目的は「精神障害者等の医療及び保護を行い、その社会復帰の促進及びその自立と社会経済活動への参加の促進のために必要な援助を行い、並びにその発生の予防その他国民の精神的健康の保持及び増進に努めることによって、精神障害者等の福祉の増進及び国民の精神保健の向上を図ること」、となっている。従来までの法律に比べ、「精神障害者の自立と社会経済活動への参加の促進のために必要な援助を行う」という福祉対策の理念が加えられている。

具体的内容については、①都道府県及び指定都市に精神保健福祉センターを設置できることと、地方精神保健福祉審議会を置くこと、②患者の人権に十分に配慮した医療を行うために必要な資質を備えた精神保健指定医に関する規定、③都道府県に対する精神病院設置の義務づけ、④適切な医療及び保護を提供するための保護者、入院形態（任意入院、措置入院、緊急措置入院、医療保護入院、応急入院）、通院医療費の公費負担に関する規定、⑤保健及び福祉の促進のための、精神障害者保健福祉手帳制度の創設や、都道府県及び市町村が行う相談指導等や、精神障害者社会復帰施設の設置に関する規定、⑥社会復帰の促進のための啓発、広報、研究開発等の機関としての精神障害者社会復帰促進センターに関する規定、等がもりこまれている。

我が国の精神保健及び精神障害者福祉の今後の課題

我が国の精神保健及び福祉に関する法律は、一九〇〇年の精神病者監護法に始まり、現在の精神保健福祉法に至っている。適切な医療及び保護の充実と患者の人権に対する配慮への法的な取り組みがなされ、入院患者数は一九九一年の約三五万人をピークに減少に転じ通院患者が増加し、入院形態も現在では約七割が本人の同意による任意入院で占められている。しかしながら福祉に関する法的な取り組みの歴史は浅く、一九九五年にようやく福祉施策の理念が加えられたが、その内容や施設数の不足は未だ大きい。また少子高齢化、核家族さらには単身世帯の増加、不登校やいじめ、犯罪の低年齢化、児童虐待、等の我が国の近年の文化・教育・経済を含めた社会情勢の変化に伴う様々な問題に対する取り組みが今後一層重要である。

（伊藤正訓）

キーワード　精神衛生法／精神保健法／精神保健福祉法

〔文　献〕⑪㉗

精神《せいしん》科《か》薬物《やくぶつ》療法《りょうほう》

精神疾患の治療のために薬物が使用され始めたのは、今からおよそ半世紀前の一九五〇年代のことである。一九五二年、フランスのドゥレ（Delay）らはフェノチアジン系薬物であるクロルプロマジンが、意識レベルを大きく落とすことなく効果的に鎮静作用を発揮することに注目し、精神分裂病者に投与し効果をあげたことを発表した。これを契機に欧米諸国を中心に、躁、うつ、不安、幻覚・妄想等の種々の精神症状に効果を有する薬物が開発され、臨床に使用されるようになった。これらの精神科治療薬は向精神薬と総称され、精神科薬物療法は精神療法、生活療法と並んで現在の様々な精神疾患の主要な治療法となっている。

主な向精神薬の種類

現在よく使用されている主な向精神薬と、その特徴についてここで簡単に述べる。

１　抗精神病薬：前述したクロルプロマジンに代表されるフェノチアジン系薬物とハロペリドールに代表されるブチロフェノン系薬物がよく用いられる。前者は不穏・興奮に対する鎮静効果に優れ、後者は幻覚や妄想に対して優れた効果を持つ。

この両者以外にも様々な薬物があるが、中でもＳＤＡ（セロトニン・ドパミン阻害剤）は従来の抗精神病薬と同等の効果を持ち、かつ副作用の生じにくい薬物として注目され、最近よく使用されている薬である。

２　抗うつ薬：うつ病、うつ状態の改善効果に優れる。イミプラミンに代表される三環系抗うつ薬は現在も広く用いられているが、副作用がより生じにくい四環系抗うつ薬やＳＳＲＩ（選択的セロトニン再取り込み阻害薬）さらにはＳＮＲＩ（セロトニン・ノルアドレナリン再取り込み阻害薬）等の抗うつ薬が開発され用いられることとなった。

３　気分安定薬：抗躁効果と抗うつ効果、双方を持つ薬物である。主なものにはリチウム塩、カルバマゼピン、バルプロ酸等がある。

４　抗不安薬：人間ならば誰でも持ちうる不安は別として、過剰な不安を抑制する効果に優れる。よく使用されているものに、ジアゼパムを代表とするベンゾジアゼピン系薬物がある。

最近では副作用がより生じにくい、新しい非ベンゾジアゼピン系抗不安薬の開発と使用がなされてきている。

５　催眠薬（睡眠導入薬）：抗不安薬で前述したベンゾジアゼピン系薬物のうち、より優れた鎮静・催眠作用を持つものが催眠薬として現在使用されている。抗不安薬同様、ベンゾジアゼピン系薬物に比べ副作用が少ない新しい非ベンゾジアゼピン系薬物の開発と使用がなされてきている。

６　抗てんかん薬：フェニトイン、カルバマゼピン等のけいれん発作を伴う部分発作や強直間代発作に効果を有するもの、エトスクシミド等の欠神発作に効果を有するもの、バルプロ酸等のその両者やその他の発作にも効果を有するもの、とに分けられる。

7　その他：その他にも向精神薬として脳代謝改善薬、抗痴呆薬、神経刺激薬、抗酒薬、パーキンソン病薬等がある。

向精神薬の処方、服用上の留意点

精神科薬物療法がより有効に行われるためには処方する医師と、それを服用する患者及びその家族との間で、十分な信頼関係が築かれ、相互に協力することが重要である。ここではそのために必要な、いくつかの留意点をあげる。

まず薬の処方は病名に対して行われるのでなく、患者や家族が苦痛と感じる精神症状や問題点に対して行われるということである。抗精神病薬を例にとると、精神病の代表として知られる精神分裂病という病気に限って用いられるのではなく、強い不安や興奮、幻覚や妄想といった症状に本人や家族が悩まされている場合に用いられる。服用している薬がそうであると知った本人や家族が、「抗精神病薬」という言葉に強い不安を抱くことがあるので、抗精神病薬に限らず処方や服用を開始するにあたり、どのような効果をあげるためにその薬を用いるのかを十分に説明し理解を得ることが必要である。

また、どのような薬であっても服用する人によっては副作用が生じることがあるとの認識も重要である。副作用の多くは、きちんと対処すれば服用を中止しなくとも改善するものであるので、起こり得る主な副作用とその対処法について医師は説明し、本人・家族は理解できるまで再度説明を求めることが事前になされていることが必要である。さらに服用を開始し、副作用が懸念された場合には、ただちに本人・家族と医師との間で連絡がなされるような方法が両者の間で取り決められていることも重要である。

向精神薬の功罪

最後に精神科薬物療法の功績と今後反省し検討すべき点をあげる。それ以前に行われていた多くの特殊身体療法から薬物療法へと精神科治療が変化したことにより、治療環境も大きく変わりつつある。服薬という簡便な方法がとられることで、治療に伴う苦痛や制約がそれまでの特殊身体療法に比べ格段に軽減された。種々の症状に対し有効な薬物が開発されたことにより、入院患者の退院が促進され、従来の入院治療から通院治療へと治療環境の主体が変化し、より本人中心の治療が尊重されることとなった。一方で服薬という治療の容易さは、必要以上に長期に、また過量に薬物が処方される可能性を含んでおり、多剤併用による副作用の出現も問題となっている。また近年、向精神薬の不正な流用により治療以外での誤まった目的や犯罪に使用されるケースが増加しており、処方する立場にある人や服用する立場にある人達への正しい知識の普及が一層望まれている。

（伊藤正訓）

キーワード　向精神薬／処方・服用上の留意点／向精神薬の功罪

〔文　献〕　⑱

精《せい》神《しん》科《か》疾《しっ》病《ぺい》分《ぶん》類《るい》（古典的分類、DSM分類、ICD分類）

1 古典的分類

精神科疾病は、十九世紀中葉までは単に症状や状態像によって分類されるに過ぎなかった。精神医学において初めて疾患単位的な考えを導入したのはカールバウムであり、彼は破瓜病と緊張病を新しい疾患単位として規定した。さらにこの考えはクレペリンに継承され近代的な精神疾病分類が確立された。彼は精神病を、早発性痴呆と躁うつ病の二つに分け、それぞれが原因、症候、経過、転帰、病理解剖所見を同一にもつ疾患単位であるとしたのである。

わが国における明治期以降の精神医学の診断分類はドイツ精神医学の影響のもとに発達した。終戦後はアメリカ、フランスなどの精神医学も紹介されたが、わが国の精神科疾病分類に大きな影響を及ぼすことはなく、ドイツ精神医学の疾病分類はさらに踏襲され、中でも広く翻訳されたヤスパースの分類（表1）などが今なお診断分類として伝統的に用いられている。このヤスパースの分類は他のドイツ精神医学の疾病分類と同様に、身体因、内因（未だ解明されていないが存在が想定される脳内の原因）、心因による原因分類である。

2 DSM分類

アメリカ精神医学会が刊行している精神障害の診断・統計マニュアル（Diagnostic and Statistical Manual of Mental Disorders）による分類である。

精神科領域における診断が診断者によって一致しなかったり国際間で不ぞろいであることは一九六〇年代から指摘されていた。例えばアメリカとイギリスで行われた共同研究ではアメリカでは精神分裂病の概念が広く、イギリスでは躁うつ病の概念が広いことが明らかとなった。そのような背景から、より信頼性の高い診断体系をつくる努力がなされ、一九八〇年、アメリカでDSM―IIIが刊行された。DSM―IIIの特徴は以下のようなものである。

①明確な診断基準が導入された。すなわち、充たすべき症状のうちいくつが必要かを明記したり、発症年齢や症状の持続期間を取り決めるなど操作的診断基準を適用した。

②病因に関しての科学的証明のない特定の理論は排除して、記述的、症候学的に分類し

表1　古典的分類の例（ヤスパース（Jaspers, K.）の分類文献⑧）

第一群　精神障害を伴う既知の身体疾患	第二群　大精神病の三領域
1　脳疾患	1　真性てんかん
2　症状性精神病を伴う身体疾患	2　精神分裂病
3　中毒	3　躁うつ病
第三群　精神病質	
1　第一群第二群の疾患の上に生ずるのではない独自の異常反応	
2　神経症と神経症的症状群	
3　異常人格とその発展	

表2　DSM—Ⅳ分類（文献①②）

1	通常、幼児期、小児期または青年期に初めて診断される障害
2	せん妄、痴呆、健忘および他の認知障害
3	一般身体疾患による精神疾患
4	物質関連障害
5	精神分裂病および他の精神病性障害
6	気分障害
7	不安障害
8	身体表現性障害
9	虚偽性障害
10	解離性障害
11	性障害
12	摂食障害
13	睡眠障害
14	他のどこにも分類されない衝動制御の障害
15	適応障害
16	人格障害

表3　ICD—10分類（文献⑰㉙㉚）

F0	症状性を含む器質性精神障害
F1	精神作用物質使用による精神および行動の障害
F2	精神分裂病、分裂病型障害および妄想性障害
F3	気分（感情）障害
F4	神経症性障害、ストレス関連障害および身体表現性障害
F5	生理的障害および身体的要因に関連した行動症候群
F6	成人の人格および行動の障害
F7	精神遅滞
F8	心理発達の障害
F90—F98	小児期および青年期に通常発症する行動および情緒の障害
F99	特定不能の精神障害

た。例えば、精神分析理論を前提とする「神経症」という用語は排除された。

③多軸診断が採用された。つまり第Ⅰ軸（臨床症候群）、第Ⅱ軸（人格障害および特異的発達障害）、第Ⅲ軸（身体疾患および身体状態）、第Ⅳ軸（心理的社会的ストレスの強さ）、第Ⅴ軸（過去一年間の適応機能の最高レベル）の評価をする。

DSM—Ⅲはアメリカの公式分類として作成されたものであったが、その後わが国も含め各国で翻訳され広く使用されるようになった。DSM—Ⅲは使用後明らかとなった問題などを修正し改訂を加え、一九八七年DSM—Ⅲ—R、一九九四年DSM—Ⅳ（表2）が刊行されている。

3　ICD分類

世界保健機構（WHO）では国際的に共通した疾病分類をつくる作業を進めており、この国際疾病分類（International Classification of Disease略してICD）は改訂が重ねられている。現在用いられているものはその第一〇版（ICD—10）（表3）である。ICD—10は一九九二年に刊行されたがDSM分類の影響を大きく受けており、かなり似通った内容となっている。わが国で出版されているICD—10の主な版は以下のとおりである。ICD—10精神および行動の障害—臨床記述と診断ガイドライン—、ICD—10—DCR研究用診断基準—、ICD—10「精神・行動の障害」マニュアル—用語集・対照表付—。

（石井久敬）

キーワード　精神科疾病分類／DSM／ICD

〔文献〕①②⑧⑰㉖㉙㉚

精神分裂病《せいしんぶんれつびょう》（統合失調症）

概　念

精神分裂病は、現実との接触から切り離され、空想や妄想に支配された内的主観的な世界へ陥るという特徴をもった精神疾患である。初期の間は、しだいにパーソナリティーの変化（無力、奇矯、エキセントリックさが増す）がみられる。実際の発病は突然であったり、もしくは徐々に始まる場合もある。病気が進展すれば、妄想や幻聴がみられたり、精神運動興奮や精神運動混迷が生じる。治療をしないと精神の深い荒廃に至る事がある。

分裂病概念の歴史を振り返ってみると、一八九六年ドイツの精神科医クレペリン（Emil Kraepelin）が青年期に発症し痴呆の転帰をとる一群の疾患に「早発性痴呆」（dementia precox）という名称をつけた。当時は自閉や感情鈍麻、無意欲などの状態を痴呆と捉えていた。

一九一一年スイスの精神科医ブロイラー（Eugen Bleuler）が「精神分裂病」という用語を導入した。そして、後述するような一群の特徴的所見で診断が下されるとした。

一九七〇年代に入り、構造化面接、診断の標準化が行われ、ＤＳＭ分類やＩＣＤ分類で診断がなされるようになった。

分裂病の病因

一九五〇年代後半から分裂病の病因をめぐって研究が盛んとなった。そこでは心因論と身体論が対立し、互いに接点なく進行した。心因論の立場からは、家族研究が中心となり幼児期の家族環境や、両親の養育態度に問題があり、その犠牲者として病者になるという仮説が多く出された。その代表的なものを挙げてみると、ライヒマン（Fromm Reichmann）の精神分裂病を生み出す母親（shizophrenogenic mother）、ベイトソン（Bateson）の二重拘束説（double binde theory）リッツ（Lidz）の夫婦の断裂（marital shism）、ウィニー（Wynne）の偽相互性（pseudomutuality）、などが提唱された。しかし、これらの家族力動は分裂病に特異的でなく、病因ではなく結果である可能性も大きく、今日ではあまり重要視されていない。

遺伝学的研究では過去五十年にわたり一卵性と二卵性双生児での発病の一致率の比率の研究がなされ、遺伝的要因以外の環境因子などの関与が発病に不可欠であるとか、遺伝のまったく関与しない分裂病も半分はあるなどと考えられている。生化学的研究では薬物療法が急速に進歩するに従い、その作用機序の研究から脳のドーパミン受容体に関する研究が数多く行われている。

また、ＣＴやＭＲＩを用いた研究から形態学的異常が再検討され、脳の発育期の何らかの異常が、分裂病者に存在すると考えられている。これらの研究を踏まえ現在では、分裂病の発症には多次元的な病因が関与すると考えられ、生物学的側面、心理社会的側面から捉えようとする考えが一般的になりつつある。

徴　候

言葉の概念や象徴性が失われ（連合弛緩）、話のまとまりが失われたり（支離滅裂）、人間同士としての自然な感情の交流が出来ず、心と心が触れ合わなくなる（感情疎通性の障害）。進取の気性をしだいに失い、引きこもりの生活となる（自閉）。時折、興奮や混迷状態に陥る事もある。

症　状

さまざまの妄想や幻覚が生じることがある。また、何か不思議な力が外から働きかけてきて、患者の思考や感情や行動に強い影響を与えているという体験（させられ体験）をする事がある。心が読み取られる（思考伝播）、考えている事が声となって聞こえてくる（思考化声）、考えが抜き取られてしまう（思考奪取）、もしくは、反対に、考えが吹き込まれる（思考吹入）というような自他の境界がなくなった状態（自我障害）も生じる。

診　断

シュナイダー（Schneider, t.）は分裂病診断の一級症状として思考化声、話しかけと応答の形の幻聴、自分の行為を絶えず批判する声の幻聴、身体被影響体験、思考奪取、思考伝播、妄想知覚、感情や欲動や意志の領域におけるさせられ体験（作為体験）を診断に役立つ症状として提案した。また、ブロイラー（Bleuler, E.）は分裂病の基本症状として連合弛緩、感情障害、自閉、両価性の四つをあげている。分裂病の診断は精神症状、持続時間、発病年齢、生活史、家族歴、等を総合的に検討し、鑑別を行わなければならない。従来の伝統的診断に加え、ＩＣＤ－10（国際診断統計第一〇版）とＤＳＭ－IV（精神疾患の診断統計マニュアル）といった操作的診断も用いて診断がなされる事が重要になってきている。

治　療

分裂病の治療では入院、抗精神病薬投与、ならびに行動療法、家族療法、集団療法、個人療法、生活技能訓練、リハビリテーション、患者あるいは家族への心理教育などが組み合わされて行われる。いずれの治療も治療者がまず、患者にとって安心して受け止められる存在になるような治療関係を築くことが重要である。

（入澤　誠）

キーワード 精神分裂病（統合失調症）／シュナイダー／ブロイラー

〔文　献〕 ⑨㉕

感情病《かんじょうびょう》（躁《そう》うつ病《びょう》、うつ病《びょう》）

感情病は感情障害、気分障害とも呼ばれる、感情、欲動の障害を主症状とする病態である。疾患単位としてはクレペリン（krae-pelin, E.）が躁うつ病として精神分裂病とともに確立したが、医学的記載は古くからあり、紀元前四世紀のヒポクラテス全集に既に認められる。躁うつ病と呼ばれることが一般に多いが、厳密に言えば、躁うつ病は躁病相とうつ病相の両方の病相が交代してみられるもので別の呼び方では双極性気分障害とされるものを指す。そして躁病相のみを示すものは躁病、うつ病相のみを示すものはうつ病として区別するが、これら躁うつ病、躁病、うつ病のうちではうつ病がもっとも多く約八〇％を占める。

症　状

うつ状態では以下のような症状を認める。

①抑うつ気分。意気消沈した暗い気分で、悲哀感、絶望感を伴うものである。②思考制止。患者は、考えが頭に浮かばない、頭の回転が鈍くなったなどと訴え、実際に口数が少なくなる。③意欲低下。活動性、自発性が低下し、仕事が手につかない、他人に会いたくない、何をするのも億劫といった状態となる。④身体症状。睡眠障害（頻度が高く、早朝覚醒が多い。時に過眠）、食欲減退（時に食欲亢進）、体重減少、性欲減退、症状の日内変動（多くは、症状が午前中に強く夕方に良くなる）。

躁状態では以下のような症状を認める。

①爽快気分。快活、楽天的で疲れを覚えない爽快感が持続する。②観念奔逸。多弁で話題が豊富であるが話がすぐに脱線する。③意欲亢進。活動性が亢進し抑制が効かなくなり、多弁、多動、浪費、性的逸脱行為などがみられる。④身体症状。うつ状態に比べると少なく、睡眠時間の短縮（早朝覚醒が必発であるが熟睡感があり患者は不眠を訴えない）などがみられる程度である。

経　過

うつ病相は通常数週から数カ月である。躁病相はうつ病相よりも普通短い。病相が二年以上続くものを慢性あるいは遷延性うつ病と呼ぶことがあるが、これはうつ病の二〇％から三〇％を占めるとされる。一年間に四回以上の病相がみられるものを急速交代型（ラピッド・サイクラー）と呼ぶ。

原　因

遺伝素因が発病に関係していることは、これまでの遺伝予後調査、双生児研究によって認められている。また双極性気分障害は単極性うつ病よりも遺伝負因が高いことがわかっている。

器質因として脳内神経伝達物質であるノルアドレナリン、セロトニン、ドーパミンなどのモノアミンと感情病との関係が注目され、モノアミン欠乏仮説、受容体過感受性仮説、二次メッセンジャー不均衡仮説などが唱えられ現在研究が進んでいる。

心理・社会的因子として病前性格と誘因があげられる。

感情病と以下の三つの病前性格との親和性があるとされている。

①循環病質。クレッチマー（kretschmer, E.）によると、この循環病質は循環気質が顕著となったもので、社交的、善良、親切、情味深いことなどを基本的特徴とし、これに陽気、つまり明朗、活発、熱しやすいといった特徴と陰気、つまり寡黙、静穏、物柔らかなといった特徴を両極とする気分の比が色彩を加えるとした。そしてこれらの傾向が増幅されたものが躁うつ病であるとした。現在この循環病質は双極性気分障害の病前性格としてよく受け入れられている。

②執着性格。下田は、几帳面、仕事熱心、凝り性、強い正義感や責任感などの特徴を躁うつ病患者の病前性格として見出した。彼はこの病前性格の者は、この性格のために適応困難な状況でも休息をとらずに活動を続け疲弊して発症するとした。

③メランコリー親和型性格。テレンバッハ（Hellenbach, H.）によると、この性格の中心には仕事と対人関係における秩序性があり、仕事における几帳面、綿密さと対人関係における他者のために尽くす態度がみられるという。そしてこのような秩序性が変化や喪失によって脅かされるときに発症するとした。執着性格とメランコリー親和型性格は類似しており、このような性格は中年期に初発するうつ病者の病前性格としてよく認められる。

誘因としてあげられるものは、近親者の死、転勤、昇進、退職、引越し、身体疾患の罹患など様々なストレスや出来事がある。

治　療

うつ病の治療には休養を十分にとらせることと薬物療法、精神療法が必要となる。薬物は最近まで三環系抗うつ薬と四環系抗うつ薬が中心であったが、近年抗コリン作用などの副作用が少なく使用しやすいＳＳＲＩ（選択的セロトニン再取り込み阻害剤）がよく使われるようになった。精神療法は支持的精神療法を行うが、治療初期において、うつ病は必ず治ることを説明し、療養中は人生上の重大な決定はしないこと、自殺はしないことを約束させることが必要である。躁病の治療は薬物療法が中心となり、気分安定薬である炭酸リチウムやカルバマゼピンと抗精神病薬が用いられる。

（石井久敬）

キーワード　気分障害／循環病質／執着性格／メランコリー親和型性格

〔文　献〕⑤⑦

神《しん》経《けい》症《しょう》

概　念

非器質性であって心因性に起こる心身機能の精神的な障害である。精神病と異なり、病識があり、現実検討能力は保たれ、現実との接触も著しく損なわれてはいない。また、人格の基本的障害はない。

神経症の発病には、人格と心的外傷（トラウマ）とが関係している。フロイトが確立した心因論で述べると、神経症は心因性、すなわち不安を防衛するために起こっているものであり、引き起こされた内的葛藤、あるいは不安が様々な症状の発現に大きく作用している。

近年、神経症という用語は一般にあまりにも普及し、いろいろな意味に使われすぎて、医学用語の域を出てしまったという理由から、アメリカ精神医学会が採用した診断分類であるDSM—Ⅲ以降、神経症という分類はない。こうした影響をうけて世界保健機構（WHO）の国際疾病分類第一〇改訂版（ICD—10）では「神経症性、ストレス関連性および身体表現性障害」という大項目のもとに以下に掲げる分類がなされた。

類　型

(1) 恐怖症性不安障害

普通ではそのような情動をおこすはずのない対象や状況に、強い恐れを起こす精神的な障害をいう。患者は自分の恐怖が不合理であることを知っていても、それに圧倒され、しかも原因となっている無意識的起源について知らない。

空間恐怖（家を離れること、特定の店や雑踏および公衆の中にいること、あるいは列車やバス、飛行機などで移動することに対する恐れ）、社会恐怖（人から注視されることや自分の視線が他人にどのように映っているかなどの恐れ、対人恐怖）、特異的恐怖（特定の動物、高所、閉鎖空間、自宅以外での排便・排尿、食物の摂取、癌などの特殊な病気になる恐れなどに限定された恐怖）等が挙げられる。

(2) 不安障害（不安神経症）

不安、すなわち適応困難な破局の切迫感を主な症状とする精神的な障害をいう。不安症状そのものは普遍的な情動反応であるので、神経症に限らず、他のいろいろな精神障害でも起きるため、鑑別が重要になる。

(a)　急性不安状態（パニック障害）

不安発作の形であらわれる。理由もなく、自律神経の興奮を伴うはげしい不安におそわれ、死の恐怖や苦悶が起こる。

(b)　慢性不安状態（全般性不安障害）

たえず、漠然としたいろいろなことが不安の対象となり、浮動性不安とよばれる。不安傾向が慢性に持続して、人格化してしまうこともある。

(3) 強迫性障害（強迫神経症）

自分では不必要で、やめたいとわかっていながらもやめると不安になるために、心の中では抵抗しながら、ある思考（強迫思考）や行動（強迫行為）をやめることのできない症状にとらわれた精神的な障害をいう。

強迫思考は、不必要とわかっているある考えがくり返し浮かんでくることで、最も多いのが自分の行為についての疑惑である。たとえば、鍵を掛けたか、あるいは人を傷つける言葉を言ったのではないか、といった内容の疑惑が反復して起こり、そのようなはずはないと一応はわかっていても、不安でくり返し思考してしまう。強迫行為は、強迫思考に基づいて起こることもあるが、靴を履くときに右足からでなかったからとまたやりなおすといったように、強迫行為のみが出現することもある。

強迫症状が多岐にわたり、自由を失った状態を制縛状態という。

(4) 心的外傷後ストレス障害（ＰＴＳＤ）

通常の体験を越えた、災害や事故、事件の目撃、いじめや暴力を受けるといった過度なストレスに対する反応として、強度の不安、恐怖、抑うつ症状などを呈する精神的な障害をいう。

侵入的回想（フラッシュバック）あるいは夢の中で、反復して外傷を再体験することが少なくない。

(5) 解離性および転換性障害（ヒステリー神経症）

麻痺、振戦、失声、失立、失歩などの身体の心因性障害という転換反応、また、健忘、フーグ、多重人格といった意識野の狭窄に基づいて起こる解離反応がある。その症状出現にはなにがしかの心理的意味あるいは象徴的価値がある。

ヒステリーという用語は、精神医学において歴史があるが、多義的かつ侮蔑的といった理由から、しだいに使われなくなっている。

(6) 身体表現性障害（心気神経症）

全身の健康、あるいは身体のある部分の機能について過度に配慮し、故障感にとらわれている精神的な障害をいう。主として身体症状をあれこれ、くどくどと訴え、医師の合理的な説明や説得も受け入れようとしないほどに確信的で、転々と医師を替えることが多い。

身体的過敏と、自覚症に執着する態度の二特長がみられる。

(7) 離人・現実感喪失症候群（離人神経症）

自分の体験の主観的性質が変わって、「これまでの自分と違った」という、人格喪失感症状を呈する精神的な障害をいう。

自分自身や身体に対して、また外界に対しての知覚体験に実感がなくなり、対象の性質や状況が知覚的には理解できているのに、それに伴う感情がわかず、しばしば「ピンとこない」「実感がわかない」と表現されることが多い。

治　療

心因性の障害であるという基本的特性を考えても、治療の主体は心理療法である。社会生活を保ちつつ、その中で自己のあり方、対人関係の持ち方を洞察していくことを目的とするため、外来での治療が原則ともなる。

心因性とはいえ、それは不安の防衛であり、その反応様式は心理身体的なものが第一段階にある。その中には、生物的基盤をもつ不安が強く考えられるものもあれば、心理的機制が優位なものもある。さらには、人格に応じた発展や固着がおこっているものである。したがって、これらに基づく発病ならびに発展の様式を十分に把握した上で、実際の治療がなされる。

生物学的機制が考えられるものには向精神薬による症状の緩和が期待されるが、全ての神経症が向精神薬で治るものではないし、向精神薬を使用する際も心理療法的な配慮は不可欠である。

（高尾岳久）

キーワード 不安障害／強迫性障害／ＰＴＳＤ

〔文　献〕 ㉒㉓㉔㉙

解《かい》離《り》性《せい》障《しょう》害《がい》

解離とは、意識、記憶、同一性、周囲の環境についての知覚など、通常はまとまりをもっている精神機能が、部分的あるいは全面的に破綻したり、交代する状態である。さらに身体運動の統制が失われる。解決困難な葛藤状況、なんらかの外傷にさらされた時に、その葛藤的、外傷的な観念や感情を精神の部分から切り離すことによって生ずる。すなわち、心的外傷を主たる原因として意識変容を来した状態を解離という。このような意識の変容を来した状態として、もうろう状態、夢遊病、心因性健忘、心因性遁走、憑依状態、多重人格などがあり、これによって、社会的、職業的、その他の領域での生活に支障を来した状態を解離性障害という。

歴史的には、「解離」は一八八九年ジャネ(Jeanet, P)の『心理的自動症』に、感情、感覚、運動、思考の統合が障害された状態と記載されており、彼は、こうした解離現象に対する見方を、心理的力、心的緊張の二つのパラメーターによって体系化し、催眠を用いた実験によって確信を得た。またフロイト(Freud, S.)は、一八九四年『防衛神経精神病』、一八九五年『ヒステリー研究』において、意識内容の解離は、患者の動機のわかる意思作用（防衛、後に抑圧と呼んだ）の結果であるとし、解離を抑圧機制で説明した。

しかし、「解離性障害」という用語が、国際的な傷病名として記載されるようになったのは、一九九二年のWHOの国際疾病分類ICD—10においてであり、ここでの「解離」の語は、記述上の用語としてのみ用いられていて、種々の理論背景や概念を含むものではない。そして、この項目に分類されるものとして、①解離性健忘。②解離性遁走。③解離性昏迷。④トランスおよび憑依障害。⑤解離性運動障害。⑥解離性感覚麻痺および感覚脱失。⑦混合性解離性（転換性）障害。⑧他の解離性障害（ガンザー症候群、多重人格、小児期あるいは青年期にみられる一過性解離（転換性）障害）。⑨解離性（転換性）障害、特定不能。があげられている。

また、アメリカ精神医学会の分類DSM—IVでは、①解離性健忘、②解離性とん走、③解離性同一性障害、④離人症性障害、⑤特定不能の解離性障害に分けられている。

なお、解離性障害に離人症を含めることは賛否両論であるゆえ、ICD—10とDSM—IVでの相違が生じている。ちなみにICD—10においては離人症はその他の神経症性障害に分類されている。

これらの治療としては、抗不安薬や抗うつ薬を使用して情動の安定を図り、外傷が契機となっている例では外傷に対して慎重な対応をしながら、安定した治療者患者関係を築いて、力動的精神療法を行うのが一般的である。また、ＥＭＤＲ（眼球運動による脱感作と再処理法）も持ちいられ効果があるとされている。

（鈴木智美）

キーワード　ヒステリー／遁走／多重人格／離人症

〔文　献〕①⑲㉙

パーソナリティ障害《しょうがい》（人格障害《じんかくしょうがい》）

パーソナリティ障害（人格障害）とは、精神内界に起伏する感情や思考を行動によって表出し、病的行動を繰り返してしまう心の病である。

パーソナリティとは、その個体に特徴的で一貫性のある認知、感情、対人関係機能、衝動の制御といった行動のあり方で決定されるが、パーソナリティ障害では、それが大きく偏り固定化して非適応的になる。パーソナリティの表現型は連続的なものであり、正常と異常を明確に区別することは困難で、パーソナリティを規定することには従来よりさまざまな議論がある。精神医学的視点、精神病理学的視点、常識的視点、精神分析的視点など視点によってその概念も異なるものとなる。よって、概念、形成メカニズム、治療法においても研究者の一致した見解を得るには至っていない。かつては、モレル（Morel, B. A.）の変質者、プリチャード（Prichard, J. C.）の背徳者として記載があるが、カテゴリー分類としては体系的にはクレッチマー（Kretschmer, E.）、非体系的にはシュナイダー（Schneider, K.）に代表される概念として記載されている。

近年では、WHOの国際疾病分類ICD—10やアメリカ精神医学会の分類DSM—IVでカテゴリー分類がなされている。ICD—10では、人格および行動の障害の項目に、特定の人格障害として、一〇のカテゴリーに分類している。

①妄想性人格障害。②分裂病質（性）人格障害。③非社会性人格障害。④情緒不安定性人格障害：衝動型／境界型。⑤演技性人格障害。⑥強迫性人格障害。⑦不安性（回避性）人格障害。⑧依存性人格障害。⑨他の特定の人格障害。⑩人格障害、特定不能のもの。以上がそれである。

DSM—IVでは、II軸の「人格障害」を一一のタイプに分類している。

①妄想型人格障害：他人の動機を悪意あるものと解釈するといった広範な不信と疑い深さの様式。②分裂病質人格障害：社会的関係からの遊離および対人関係状況での感情表現の範囲の限定の様式。③分裂病型人格障害：親密な関係で急に不快になること、認知的または知覚の歪曲と行動の奇妙さの様式。④反社会性人格障害：他人の権利を無視しそれを侵害する様式。⑤境界性人格障害：対人関係、自己像、感情の不安定および著しい衝動性の様式。⑥演技性人格障害：過度な情動性と人の注意を引こうとする様式。⑦自己愛性人格障害：誇大性、賞賛されたいという欲求、および共感の欠如の様式。⑧回避性人格障害：社会的制止、不適切感、および否定的評価に対する過敏性の様式。⑨依存性人格障害：世話をされたいという全般的で過剰な欲求のために従属的でしがみつく行動をとる様式。⑩強迫性人格障害：秩序、完全主義、および統制にとらわれている様式。⑪特定不能の人格障害。

ICD—10にしてもDSM—IVにしても、症状記述的、操作的な方法で診断するため、人格構造や障害の発生因を問題にするのではなく、現実の症状ないし行動特徴が社会的または職業的機能の著しい障害や主観的苦悩の原因となっている場合に人格障害と診断される。

パーソナリティをカテゴリー分類する方法として、構造化された面接（パーソナリティ障害診断面接など）もしくは半構造化された面接（境界例診断面接など）を用いる場合と、自記式の質問紙を用いる場合（Millon Clinical Multiaxial Inventory（MCMI），Personality Diagnostic Questionnaire（PDQ），Minnesota Multiphasic Personality Inventory（MMPI））、投影法検査を用いる場合がある。しかしこのカテゴリー分類の妥当性は現在なお疑問視されており、最近では、性格傾向の軸を用いた「ディメンジョン分類」が提唱されている。

コスタ（Costa, P. T.）とマクレー（McCrae, R. R.）は五因子（神経質、外向性、開拓性、愛想の良さ、誠実さ）に性格を分類し、クロニンジャー（Cloninger, C. R.）は、素質の四次元（損害回避、新奇性追求、報酬依存、固執）と性格の三次元（自己志向、協調、自己超越）がパーソナリティを形成するとした。こうした各尺度の特徴によってパーソナリティを記述する。この見方は、生物学的妥当性も実証されている。

パーソナリティ障害の成因は多重なものであろうが、現在では生物学的要因が大きいことが判明している。ある遺伝子座位が人格傾向に関与しているとの報告もある。また、精神分析的には、母子関係との関連、養育環境の問題が指摘されている。心的外傷も一つの要因として重視されているが、それを被る側の素質や外傷以外の環境の影響も大きく、単純明快にこの外傷があったからこの人格障害が生じたとは言いがたい。しかし、外傷の不可視性、忘却性、対人関係性、反復強迫性によってパーソナリティの歪みを強めていくと考えられている。

治療では、薬物療法は本質的な治療効果をもたらさないと主張する臨床家は多い。しかし、生物学的視点に基づいて積極的に活用していくことが勧められてもいる。認知や思考の障害に対して抗精神病薬、抑うつに対して抗うつ薬、とくにセロトニン再取り込み阻害薬、衝動性に対しては気分安定薬、不安に対しては抗不安薬を用いる。精神療法は有効な治療法とされるが、治療者が患者の行動化に振り回される危険性が高い。患者は見捨てられ感情に直面するのを避けて行動化するからである。この場合には、どのような病理から生じているかの理解に基づいた介入が不可欠であり、直面化や治療者の逆転移の理解が患者の精神内界の意識化を促進するとされる。家族への援助や環境調整も必要となる。パーソナリティ障害の治療法は、一つの治療法がすべてではなく、生物、心理、社会的視点からの治療の重要性が求められる。

（鈴木智美）

キーワード 異常性格／精神病質／構造化面接

〔文献〕①㉑㉙

アルコール依存《いぞん》

DSM—Ⅳ（アメリカ精神医学協会分類第四版）では「物質関連障害」、ICD—10（国際疾病分類第一〇版）では「精神作用物質による精神および行動の障害」といった診断項目に含まれるアルコール関連障害の一つである。

アルコール関連障害で臨床的に重要なことは、①依存、②中毒、③離脱、などがある。

①アルコール依存は、精神的依存と身体的依存に分けられる。精神的依存とはアルコールの長期にわたる摂取により、飲酒の欲求が強くなり、自分で控えることができない状態である。また、身体的依存はアルコールを摂取しなければ身体の機能が十分に働かなくなる状態であり、耐性によって摂取量が増大する。

②急性アルコール中毒は、最近のアルコール摂取、著しい不適応性の行動的または心理学的変化（攻撃性、気分不安定、判断低下など）、神経学的所見（ろれつが回らない、不安定歩行、注意・記憶力低下）等が認められる状態である。日常臨床では、単純酩酊、異常酩酊などに分類することもある。前者は通常の酩酊であり、後者は単純酩酊が強度になる複雑酩酊（酒乱など）や質的に単純酩酊とは異なる病的酩酊（飲酒量によらず、せん妄状態になり衝動行為をおこしたりする）である。

③アルコール離脱は、大量、長期間にわたるアルコール摂取の中止や減量の後、数時間から数日後に発汗、脈拍増加、手指振戦、不眠、嘔吐、幻視、幻聴、興奮、不安、けいれん等が認められる状態である。日常臨床的には六〜八時間で振戦が出現し、八〜十二時間で精神病症状や知覚症状、十二〜二十四時間でけいれん発作、七十二〜九十六時間以内に振戦せん妄が認められることが多い。

（振戦せん妄：粗大で持続的な振戦と、せん妄が特徴である。強い振戦が全身に認められ、幻覚と意識障害が起こる。言葉や行動にまとまりがなく、落ち着きなく動き回り、床や壁、天井などに多数の虫や動物が動き回るのが見えるといった小動物幻視、また、皮膚に虫がはい回っていると感じる体感幻覚等が起こる）

アルコール関連障害の治療は、身体的、心理的、社会的治療が総合的に必要となる。

身体的治療としては数々の薬物療法、心理的治療としては精神療法、社会的治療として環境調整、病院・保健所などが連携した支援・断酒会等がある。

薬物療法としては、①アルコール依存の場合、ジスルフィラムやシアナマイドといった抗酒剤、また不安や抑うつ症状に対して抗不安薬や抗うつ薬、食生活の偏りを補正するためにビタミン類や栄養補給等を行う。②急性アルコール中毒の場合、胃洗浄、輸液、ビタミン類、肝庇護剤、呼吸促進剤等を投与する。また異常酩酊や興奮の強いときには抗精神病薬（クロルプロマジン、ハロペリドール）等を使用する。③アルコール離脱の場合、不安・焦燥に対して抗不安薬（アルコー

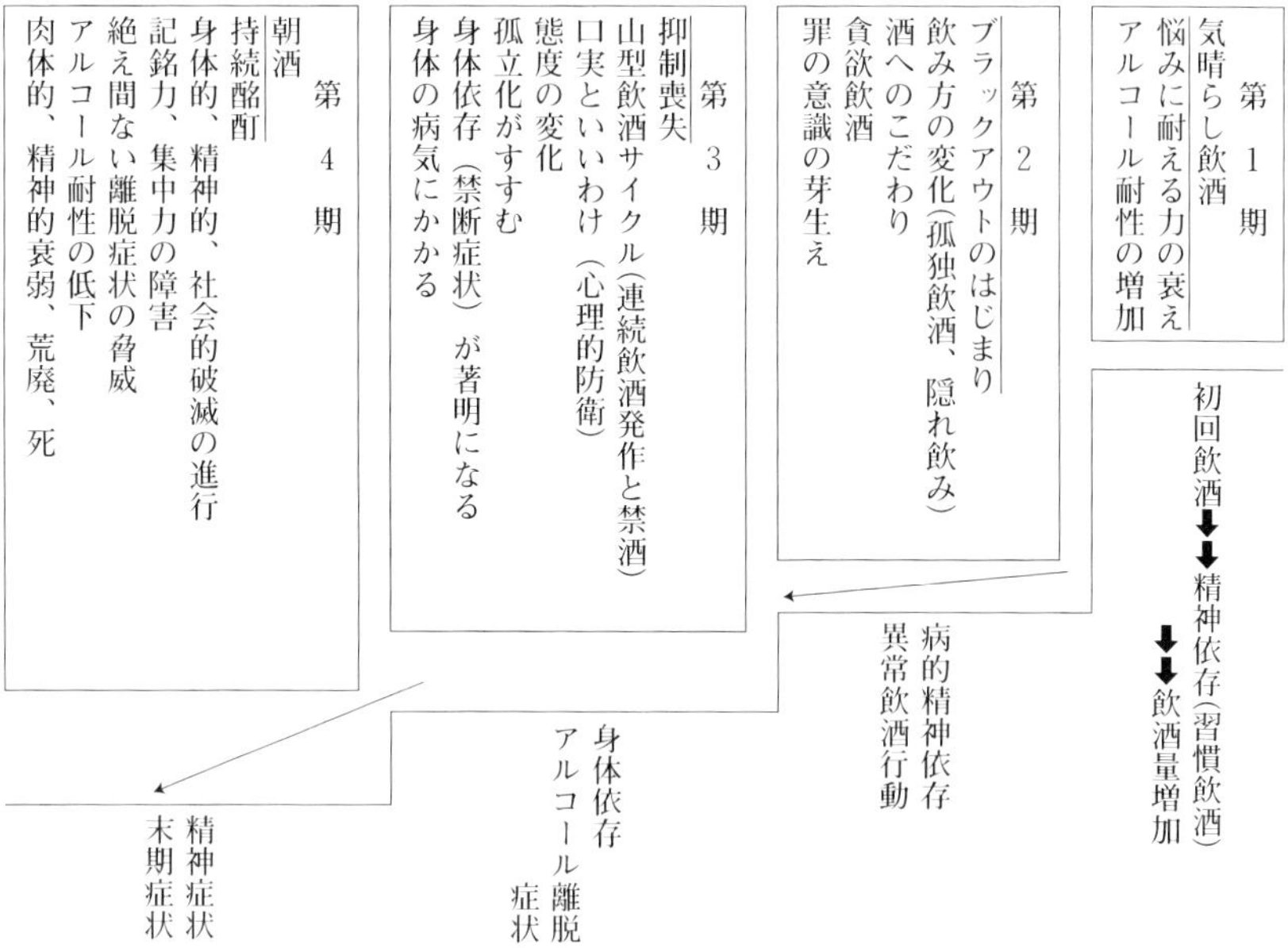

図1　アルコール依存症の経過（文献⑫）

ルと交差耐性があるベンゾジアゼピン系薬物)、けいれんに対してジアゼパム、フェノバルビタール等、振戦せん妄で興奮著しい場合は抗精神病薬を投与する。

精神療法においては、治療者—患者関係が揺らぎやすくなりがちな患者の心理的背景を治療者は常に考慮しておく必要がある。精神分析では古典的には口愛期固着の問題が指摘されている。また、依存やそれをめぐる問題、見捨てられ不安、反復強迫、自己評価の低下、うつ的な痛みに対する耐性の低さなどが問題になることが多く、このようなことを理解しておく必要がある。また、行動療法的アプローチとしてオペラント条件付けに基づいた治療プログラムが、問題解決指向型として飲酒行動の修正に役立つ。

長期にわたる飲酒行動のために、失職、離婚、人格変化などの問題が起きることも多く、病院、保健所、断酒会などが連携していくことが必要であり、社会的治療としては、継続した支援活動が不可欠であると考えられる。

その他のアルコール関連障害としては、アルコール誘発性持続性痴呆、妄想を伴うアルコール誘発性精神病性障害、幻覚を伴うアルコール誘発性精神病性障害、コルサコフ症候群、ウェルニッケ脳症などが代表的である。

（内田信哉）

キーワード　アルコール離脱／振戦せん妄

〔文　献〕②⑫㉙

薬《やく》物《ぶつ》依《い》存《ぞん》

DSM―Ⅳでは「物質関連障害」、ICD―10では「精神作用物質による精神および行動の障害」といった診断項目に含まれる。

臨床的に重要になるのは、①物質依存、②物質乱用、③物質中毒、④物質離脱である。

①物質依存とは、耐性や離脱症状がみられること、長期間大量使用すること、止めたくても止められないこと、社会的な活動が制約されること、体に悪いことを判っていながら続けることなどで定義される状態である。

②物質乱用とは、繰り返し物質を使用する結果、社会的な役割や義務を果たすことができなくなること、危険な状況で物質を繰り返し使用すること、何度も物質関連の不法行為を引き起こすこと、物質を使用することで問題が起こっているにもかかわらず、物質使用を続けることなどで定義される状態である。

③物質中毒とは、物質を使用して、その物質に特異的な症候群がみられること、物質を使用することで著しい心理的変化や、不適応行動がみられることなどで定義される状態である。

④物質離脱とは、長期大量使用していた物質を中止したことで、その物質に特異的な症候群がみられること、その症候群は、著しい苦痛または社会的な機能の障害を引き起こすなどで定義される状態である。

物質は、DSM―Ⅳでは以下のように分類されている。

1　アルコール関連障害
2　アンフェタミン関連障害
3　カフェイン関連障害
4　大麻関連障害
5　コカイン関連障害
6　幻覚剤関連障害
7　吸入剤関連障害
8　ニコチン関連障害
9　アヘン類関連障害
10　フェンシクリジン関連障害
11　鎮静剤、催眠剤、または抗不安薬関連障害
12　多物質関連障害
13　その他

これらの物質関連障害で、主なものについて各々簡単に述べる。

1　アルコール関連障害は、アルコール依存の項目を参照のこと。

2　アンフェタミン関連障害は、日本では覚醒剤、ヒロポンなどに代表される薬物である。アンフェタミンの使用により中枢神経興奮が起こり、疲労感の減少、幻覚妄想、攻撃性亢進、性行為時の快感強化等が認められる。慢性中毒時には精神分裂病様症状が認められる。

3　カフェイン関連障害は二五〇㎎を越える消費が続いている場合にカフェイン中毒の診断がなされる。コーヒー一杯に約一〇〇～一五〇㎎のカフェインが含まれており、茶はその約三分の一である。カフェインは精神活性物質で、その中毒により不安、いらいら、落ち着きのなさ、顔面紅潮、吐き気、等が認められる。

4　大麻関連障害について、大麻はマリファナ、グラス等と呼ばれ、通常は乾燥・細断されて巻きたばことして吸われる（ジョイントと呼ばれる）。大麻を吸うと数分で陽気になり感覚や認知の不正確さがみられる。初めての使用者には、急性の不安恐慌状態が起こることがある。

5　コカイン関連障害について、コカインは南米に育つコカの葉からとれる。一般的な使用方法は、細かく砕かれた粉末を鼻から吸入する。非常に強い習慣性を有し、使用者はコカインを買うための金銭を得るために極端な行動に走ることが知られている。急性中毒症状として、感覚過敏、多弁多動、皮膚を虫がはう感じ、等が起こる。

6　幻覚剤関連障害の代表的なものとして、サイロシビン（キノコの一種に含まれる）、メスカリン（サボテンの一種に含まれる）、LSD（リゼルギン散ジエチルアミド）が挙げられる。使用時に幻覚や意識の拡大、高まりを引き起こすのでサイケデリックスや精神異常発現剤などと呼ばれる。離脱症状は認められないが、フラッシュバックが認められる。

7　吸入剤関連障害は、アセトン、トルエン、ベンゼン等があり、シンナー、接着剤などに含まれている。安価で容易、合法的に入手できるので、貧困層、若年層に多い。吸入剤はプラスティックバッグなどを使用して吸入される。また、重大な副作用を有し、痴呆、てんかん等を引き起こして、脳の萎縮が認められる。

8　ニコチン関連障害として、喫煙は、肺ガン、慢性呼吸器疾患、心筋梗塞、脳血管障害を引き起こす。しかし、行動学的には注意力、学習、反応速度、問題解決能力の一時的改善をもたらすことが報告されている。

9　アヘン類関連障害について、アヘンはケシからとれ、医療麻薬のモルヒネ、不正麻薬のヘロイン、コデインなどがある。静脈注射で使用されることが多く、鎮痛作用、多幸感がある。縮瞳が特徴的であり、禁断症状は自律神経の症状が強く認められる。

10　フェンシクリジン関連障害は、PCPとして一般には知られている。作用はLSDに類似している。

11　鎮静剤、催眠剤、または抗不安薬関連障害として、代表的にはベンゾジアゼピン、バルビツレートがある。ベンゾジアゼピン系薬物は抗不安薬、催眠剤、抗けいれん剤として医療用に使用される。バルビツレートの依存はアルコール依存に類似している。

（内田信哉）

キーワード　乱用／中毒

〔文　献〕　②㉙

器《き》質《しつ》性《せい》精《せい》神《しん》疾《しっ》患《かん》（症《しょう》状《じょう》精《せい》神《しん》病《びょう》）

器質性精神疾患は器質精神病（organic psychosis）と症状精神病（symptomatic psychosis, symptomatiche psychose）に分けられる。

器質精神病は脳の感染、炎症、中毒、変性、外傷などの外因によっておこり精神症状を示すもので、脳に病理組織学的病変が認められるものである。急性の精神症状としてあらわれるものは意識障害を中心とし、慢性的には痴呆を中心としたもので幻覚や妄想などの異常体験があらわれることもある。障害部位にしたがって各種の神経症状、巣症状も示す。経過や予後は原因によって異なり、治療は感染症以外は対症療法である。

これに対し症状精神病は、原因がなんであれ脳器質疾患以外の身体疾患が二次的に脳の障害をおこし、著明な精神症状をあらわすにいたったものをいう。その精神症状には、基礎にある身体疾患の種類や症状にあまり関係なくかなり共通したものがあり、多様な病因に対する精神反応の一様性がみられる。精神症状をきたしやすい身体疾患には、高熱疾患、血管障害、各種臓器由来の代謝障害、栄養障害、内分泌疾患などがある。症状は意識障害を中心としたもの、知的機能障害を中心としたもの、気分や欲動の変調がみられるものなどに区別することができる。経過は、原則として基礎疾患の経過と並行する。治療は基礎身体疾患の治療を第一とし、精神症状に対しては基礎疾患、全身状態を考慮した精神科的な対症療法を行う。

1 器質精神病

(1) 脳の感染症、炎症性疾患

神経梅毒と脳炎が主たるもので特に脳炎では、日本脳炎、単純ヘルペス脳炎、麻疹ウィルスの持続感染症である悪急性硬化性全脳炎、papovaウィルスによる進行性多巣性白質脳症、遅発ウィルス感染による海綿状脳症で近年、プリオン病として話題になった。

(2) 脱髄疾患

神経線維の髄鞘の一次性崩壊（脱髄）を主徴とする疾患の総称である。軸索の障害は比較的軽度で、脱髄領域にはグリア繊維による器質化がおこり、硬化（sclerosis）の状態が生じる。

(3) 錐体外路疾患

パーキンソン病、ハンチントン舞踏病で神経病理学的には黒質、線状体、大脳皮質の退行変性がみられる。症状の進行に伴い知能低下が目立つようになり、末期には痴呆状態を呈することも少なくない。

(4) 脳腫瘍

頭蓋内腫瘍の大部分を占め発生部位により区別される。頭内圧亢進症状（頭痛、嘔吐、うっ血乳頭）と局所症状（てんかん発作、失認、幻視など）がみられる。X線CTによる診断能力が高く、外科的治療の対象となる。

(5) 頭部外傷

脳振盪、脳挫傷、頭蓋内出血が原因となり意識障害を中心とする急性症状をはじめとし、慢性化すると多彩な神経、精神症状が出現する。

(6) 正常圧水頭症

脳動脈瘤破裂、頭部外傷、高血圧性脳出血などが原因で、老年痴呆様の症状に加えうつ病像がしばしばみられる。

(7) 一酸化炭素中毒

炭塵爆発、排気ガス漏れ、都市ガスによる自殺企図など、ガス中毒が原因で生じる。重症例では失外套症候群、痴呆症状がみられる。急性期の高圧酸素療法が有効とされる。

(8) 肝脳疾患

ウィルソン病を代表とする、肝臓と脳に相互に関連があると考えられる病変により特徴づけられる疾患群である。

(9) 重金属中毒

有機水銀、鉛、カドミウム、ヒ素、タリウムなどが原因となる。

2 症状精神病

症状精神病は症状と経過から、急性外因反応型 (akute exogene Reaktionstypen) (Bonhoeffer,K.)。脳器質性精神症候群 (organic brain syndrome)。内分泌精神症候群 (endokrines psychosyndrom) (Bleuler,M.) などに区分される。

急性外因反応型は身体疾患が持続しているうちに急激に何らかの代謝障害を生じ、脳の機能不全をおこして急性の精神症状をみるにいたったもの。脳器質性精神症候群は身体疾患による二次的な脳器質障害の結果、あるいは重症の内分泌障害が長時間持続している場合、脳に非可逆的なびまん性障害がおこり、そのために生じる状態である。内分泌精神症候群はとくに慢性の内分泌疾患の場合、その内分泌腺が何であるかに比較的関係なく、ある程度普遍的にみられる精神障害の類型である。これらの疾患でみられる精神症状はある程度共通しており、その主なものはせん妄、もうろう状態、抑うつ状態、気分変調、幻覚、妄想そしてけいれん発作などである。症状精神病をおこしやすい原因を以下に挙げる。

(1) 全身感染症、(2) 心臓病、循環器障害、肺性脳症、(3) 貧血、とくに悪性貧血、(4) ペラグラ精神病、(5) 尿毒症性精神病、(6) 糖尿病、あるいは低血糖症、(7) 肝細胞性肝不全、肝性脳症、(8) 全身性エリテマトーデス、(9) 神経ベーチェット病、(10) ポルフィリン精神病、(11) 内分泌疾患：甲状腺機能障害、副甲状腺機能障害、副腎機能障害、性腺機能障害、下垂体疾患、(12) 外科処置に伴う精神病、(13) 医療薬剤による精神障害：強心薬、降圧薬、抗ヒスタミン薬、喘息薬、抗結核薬、女性ホルモン剤、甲状腺ホルモン剤、X線造影剤、抗酒薬、抗コリン薬、副腎皮質ホルモン剤。

（諸江健二）

キーワード 器質性精神病／身体疾患／症状精神病

〔文献〕④⑥

アルツハイマー病《びょう》

アルツハイマー病は一九〇七年にアルツハイマー（Alzheimer,A.）が初めて症例を記載した。初老期に発病し進行性痴呆をきたすもので、老年期に発症する老年痴呆とは区別されてきたが、近年両者は臨床的、病理的に同じ病態であるとする意見が多く、両者をまとめてアルツハイマー型痴呆もしくはアルツハイマー病と呼ぶ。普通は五十歳以降に発症するが若年に発症することもある。男性より女性に多い。少ないが家族内発症例もあり家族性アルツハイマー型痴呆として区別する。

臨床経過　臨床経過はふつう三期に分ける。

第一期（初期）は、急速に悪化する物忘れ、見当識障害がみられ日常生活に支障がでる。「同じことを繰り返し尋ねる」、「お金や貯金通帳を置いた場所を忘れて探し、盗まれたと被害的になる」、「故人を生きているように言う」などの記憶障害や、「今日の日付がわからなくなり何度も尋ねる」、「行き付けの場所からの帰り道がわからなくなる」などの見当識障害のエピソードがみられる。意欲低下、自発性低下がみられ、支障なくできていた複雑な仕事ができなくなる。抑うつ気分を認めるものも少なくない。この時期は人格変化はまだ著しくなく、記銘力低下など能力が低下したことを気にしたり困惑した態度をとったりする。

第二期（中期）は、記憶障害、見当識障害が著しくなる。自分や社会に関する古い記憶も障害され、自分の名前、生年月日がわからなくなったり、自宅にいるのに他人の家にいると言い張り出て行こうとするといった症状も呈するようになる。語間代というアルツハイマー病に特有とされる発語障害もこの時期にみられる。語間代とは言葉の最後の音節をリズミカルに繰り返す現象で、例えば「わたし」が「わたしししし……」となったりする。人格変化も目立つようになり、身につけた教養が失われ中身が乏しくなったり、抑制がとれて頑固、衝動的、自己中心的になったりする。

第三期（末期）は、あらゆる精神機能が障害され荒廃状態となる。発語も少なくなり、周囲への認知も困難となり、ついには無言、無動状態となり死に至る。

検査　知能検査でよく用いられるものとして、長谷川式簡易知能スケール（ＨＤＳ－Ｒ）、Mini-Mental State Examination（ＭＭＳＥ）などがある。ＣＴ、ＭＲＩではびまん性大脳萎縮がみられ診断に有用である。

治療　薬物療法はこれまで精神病症状、抑うつ症状に抗精神病薬や抗うつ薬などが用いられ、中核症状である認知機能障害にはアセチルコリンエステラーゼ阻害薬であるdonepezilがわが国でも一九九九年十一月に認可された。しかし本疾患に対しては薬物療法だけでは十分でなく、心理・社会的治療が不可欠となる。

脳病理所見　肉眼的には大脳のびまん性の萎縮があり、大脳脳回の著しい萎縮、脳室の著明な拡大がみられる。組織学的には神経細胞脱落、老人斑、神経原線維変化などがみられる。

病因　現在はまだ不明である。神経細胞脱落、老人斑内のアミロイドβ蛋白などが痴呆症状発現に関与していると考えられる。家族性アルツハイマー病では、第１、14、19、21染色体における異常が関連すると報告されている。

危険因子　加齢は例外なく指摘される強力な危険因子であり六十五歳から八十五歳の範囲では年齢が五歳上がるごとに有病率は二倍に上昇するといわれる。痴呆の家族歴は加齢に次いで確実視される危険因子で、早発性のアルツハイマー病のみならず遅発性でも危険率が高いという報告がある。その他、頭部外傷の既往、甲状腺機能低下症の既往、うつ病の既往、女性であること、教育歴などとの関連を指摘する報告がある。

（石井久敬）

キーワード　アルツハイマー型痴呆／痴呆

〔文　献〕⑭⑮㉘

精神科《せいしんか》リハビリテーション
（精神科デイ・ケア、心理教育、ＳＳＴ等）

　精神科薬物療法等の進歩により、精神疾患のために入院している人達の多くが退院可能となり、生活の場は病院から地域へと移行してきた。精神科リハビリテーションは、精神疾患に悩む人が、一人の人間としてその地域の中で生活していくための様々な手段であると言える。疾患を生物学的次元でのみ捉えるのではなく心理学的、社会的次元を加えた多次元的視点で捉え、症状改善のみならず心理的満足や社会的安定を得ることが目標であり、「社会復帰」や「社会参加」という言葉がよく用いられる。

　精神疾患の中でもことに慢性疾患に関しては、重篤な症状が改善した後にも、日常生活や対人関係を円滑に果たすことに支障をきたす能力障害が生じたり、疾病が長期化し世間とのへだたりが生じて社会的不利益をこうむる可能性が高いため、精神科リハビリテーションは一層重要な役割を担っている。対象となる疾患の中では精神分裂病が最も多く、その支援の充実が図られているが、アルコールや覚醒剤依存の問題を抱える人達や老人性精神病、さらには引きこもりや性的虐待、児童虐待に悩む人達への早急な支援の整備が望まれている。

　様々な精神科リハビリテーションの中で、近年我が国で普及してきている精神科デイ・ケア、心理教育、ＳＳＴについて簡単に述べる。

1　精神科デイ・ケア

　家庭から昼間の一定時間、特定の施設に通うことで症状の改善や日常生活、対人関係を円滑に果たす能力の回復・獲得を図るものである。病院をはじめとする医療機関で行う医療型デイ・ケアと、保健所等の福祉機関で行う福祉型デイ・ケアとがある。我が国では医療型デイ・ケアは精神科医、看護婦（士）、作業療法士、臨床心理士、精神保健福祉士等の職種が関与・連携し通所者の社会復帰・社会参加のための支援を一日あたり約六時間行っている。カナダとイギリスで発祥したデイ・ケアは我が国でも一九八〇年代以降急速に普及し、施設数の普及に伴い運動療法、作業療法、レクリエーション療法、音楽療法や後述の心理教育、ＳＳＴ等の種々の方法の効果が検討され、通所する人のニーズに合せて用いることが試みられる等の、内容の充実が図られてきている。さらには、夜間に一定時間通所するナイト・ケア、日中・夜間を通して行われるデイ・ナイト・ケアも次第に普及してきている。

2　心理教育

　病気の性質や治療法・対処方法等の正しい知識や情報を提供することが、治療やリハビリテーションを効果的に進める上で必要である、との認識で行われる心理療法的配慮を加えた教育的援助アプローチの総称である。患者本人に対して行われるばかりでなく、その家族も対象となる。一九七二年ブラウン（Brown）らは、精神分裂病等の慢性疾患患者に対する家族の感情表出（EE：expressed emotion）について研究し、患者の病気の再発に、批判的コメント、敵意、感情的巻き込まれ過ぎ、の三項目が関係していることを実証し、これらの言動が高度に認められる場合をEEが高い（高EE）と評価した。

さらに一九八〇年アンダーソン（Anderson）らは精神分裂病者の家族に対して心理教育を行い、以後家族に対する心理教育は家族の高EEを低下させ、患者の病気の再発率を低下させるという報告が数多くなされることとなった。我が国でも現在多くの施設にこの方法が普及しつつある。主として精神分裂病に対して行われるが、うつ病、摂食障害、アルコール依存症、老人性痴呆等の種々の精神疾患や癌等の身体疾患に対しても行われている。

3　SST（social skills training：生活技能訓練）

精神疾患が慢性化することにより生じる日常生活面での障害や、家族・友人・職場での対人関係の障害等の社会生活障害に対し、認知行動療法の技法を用いて改善を図る方法である。単に生活指導を行うものとは違い、患者の対人コミュニケーション障害のパターンに応じた訓練がなされる。主としてグループ単位で行い、本人が現在持っているコミュニケーション上の課題をできるだけ言語化させ、引き続いてロールプレイを行う。本人が困難を感じた場面ではスタッフによるモデリングを行い、宿題を設定して実生活場面で再度施行することを促す。前述の心理教育と同様に、再発率を低下させる効果が認められ、また患者本人ばかりでなく家族に対しても行われる。我が国では一九八八年リバーマン（Liberman）の来日以降急速な普及を遂げている。

以上に述べたように、精神科リハビリテーションは、障害や疾病を持つ人を生物学的、心理学的、社会的次元から理解し、主として症状や障害の改善をはかる医療的な視点ばかりでなく、地域・社会生活を円満に送るための福祉的視点をも包括した支援である。入院治療やデイ・ケアをはじめとした外来通院治療を行う医療の場や、精神保健福祉センター、保健所、生活訓練施設（援護寮）、授産施設、作業所、地域生活支援センター、障害者職業センター等の施設で、医師、看護婦（士）のみならず作業療法士、臨床心理士、精神保健福祉士、その他福祉に携わる様々な職種が関与し、各専門の立場から生活指導、作業療法、運動療法、音楽療法、レクリエーション療法、心理教育、SST等の方法を用い、本人のみならず家族に対しても働きかけがなされる。我が国では未だ十分とは言えず今後一層の整備や内容の充実が必要とされている。

（伊藤正訓）

キーワード　社会参加／デイ・ケア／心理教育／SST

〔文献〕③⑩

画《が》像《ぞう》診《しん》断《だん》法《ほう》

画像診断は器質性精神疾患（器質精神病、症状精神病）、老年痴呆や長期のアルコール依存、薬物依存など脳に形態学的変化をもたらす疾患の診断のみならず、精神分裂病や躁うつ病など内因性精神病の病態の解明や診断にも用いられている。精神活動が脳の活動である以上、精神障害を中枢神経系の障害として「視る」ことができないかという発想は以前からあった。X線の発見以前は、組織の病理診断が中心であったが、神経放射線学の発展により生きているヒトの脳の画像診断が可能となった。神経放射線学検査には、X線検査、X線CT検査、磁気共鳴画像検査、核医学検査がある。得られる情報が主に形態に関するものを形態画像検査と呼び、CT、MRIがこれに含まれる。また形態情報のみならず血流、代謝、レセプターなどの生体機能情報を提供するものを機能画像検査と呼び、PET、SPECTが含まれる。

初期、一般X線を用いた単純撮影や血管造影が中心であったが、近年になってX線を用いるコンピュータ断層撮影や磁気共鳴などを用いる検査法が開発され、脳や身体内部の形態的な変化のみでなく、前述のように脳内の血流、代謝を画像としてとらえることが可能になって、病態や疾患の診断が正確、簡便に行われるようになった。ただ、内因性精神病についてはそれぞれの疾患に特異的な脳の形態学的変化の所見は、いまだ少ないのが現状である。例えば一九七〇年代には、慢性期の精神分裂病において前頭葉の血流低下（hypofrontality）が指摘された。しかし、その後の多くの研究によってhypofrontalityはかなりの割合の慢性精神分裂病者に認められるが、うつ病でも認められることが分かっている。そのなかで、再発性うつ病患者（Sheline,Y.I.etal.,1996）とベトナム帰還兵で心的外傷後ストレス障害を呈する患者（Gurvits,T.V.etal.,1996）において、MRI所見で海馬の萎縮が相次いで報告された。グルココルチコイドの過剰な分泌によって海馬の萎縮を呈したとすれば注目に値する所見といえる。

1　一般X線診断法

単純撮影法や造影剤を用いた血管撮影（angiography）、気脳撮影（pneumography）がある。気脳撮影には腰椎穿刺で髄液を排除して空気や酸素を注入する気脳写（pneumoencephalography）と、側脳室穿刺で脳室内に注入する脳室写（pneumoventriculography）があり、脳室や脳表の萎縮の有無を調べるために行われたが、X線CTやMRIが開発されてからはほとんど行われない。

2　CTスキャン

X線を用いたコンピュータ断層撮影であり、患者に苦痛を与えることなく短時間に検査ができ、脳室や脳表の萎縮、微細な脳血管障害などを診断できる。造影剤を使用すればさらに診断価値は高くなる。

3　磁気共鳴画像法

MRI（magnetic resonance imaging）

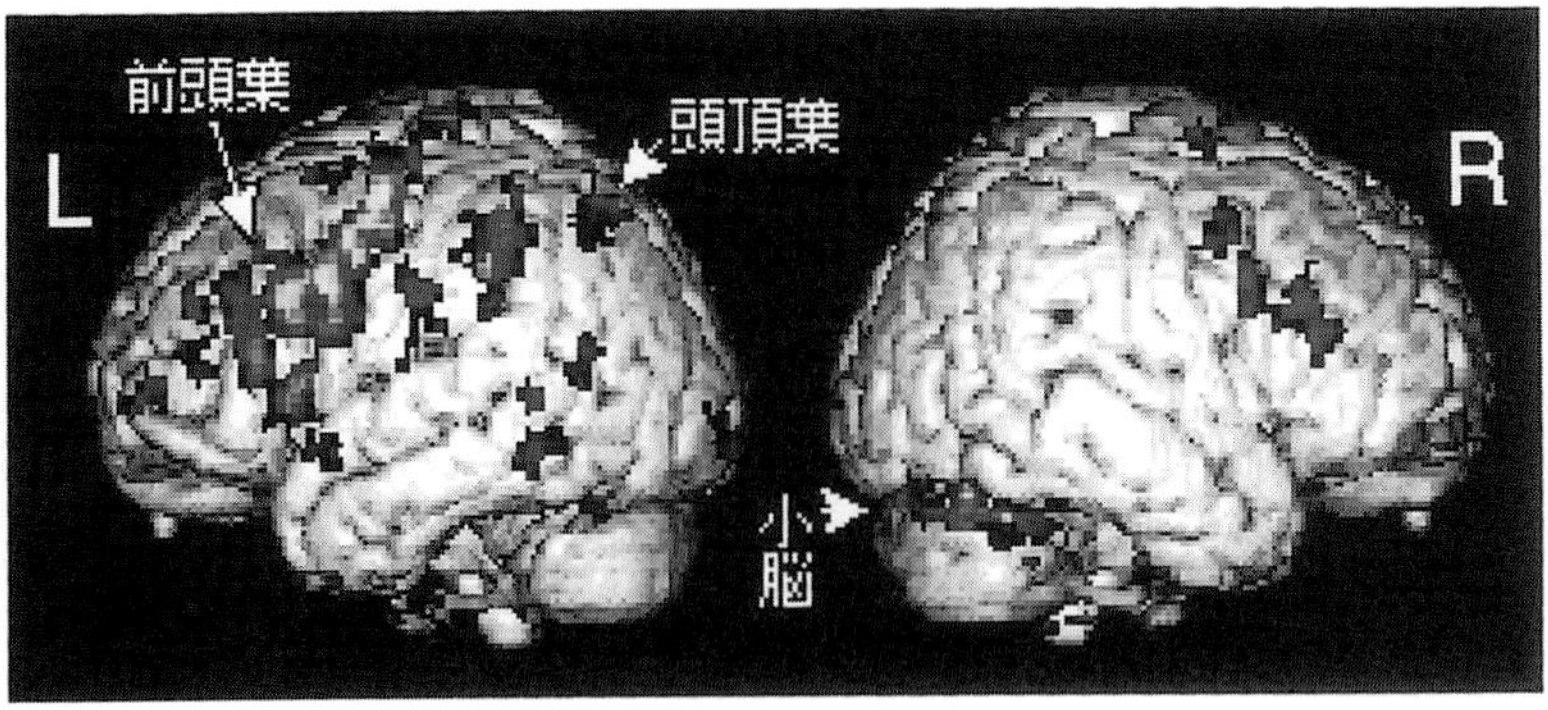

図１　MRIによる脳機能画像

しりとり課題の脳の活動（右利きの男性被験者N.S.：１回目）

Ｌは左半球、Ｒは右半球を示す。左半球の前頭葉に強い活動が認められる。また、少しではあるが左半球の頭頂葉と右半球の前頭葉にも活動が認められる。右の小脳にも活動が認められる。

（東京大学医学部音声言語医学研究施設提供）

という。強力な磁場に置かれた生体組織の水素原子から発生する電磁波を画像化する方法である。Ｘ線の被爆がないこと、縦、横、斜めの自由な方向の断面が画像化される点でＭＲＩはＣＴスキャンより勝っているが、検査に要する時間はＣＴスキャンより長いという欠点もある。しかし、最近はＣＴスキャンでとらえられなかった脳の損傷もＭＲＩでは検出できることがわかってきたし、また脊髄の病変の検出には、ＣＴスキャンよりもＭＲＩの方がはるかに勝っている。

4　ポジトロンCT

ＰＥＴ（positron emission tomography）ペットという。陽子（ポジトロン）を放出する放射性同位元素（ＲＩ）の中で、物理的半減期が短い^{11}C、^{15}O、^{13}N、^{18}Fなどで標識された化合物を与えて、陽電子が消失する時に発生する放射線を検出して、その組織内分布を画像化する。実際には標識されたブドウ糖などが用いられる。局所脳血流量、脳酸素代謝率、脳ブドウ糖代謝率などが測定される。

5　SPECT

ＳＰＥＣＴ（single photon emission tomography）スペクトという。放射線医薬品を頸静脈的に投与して、放射線同位元素の脳内分布をみることによって脳血流量の変化が測定できる。ＰＥＴは機器が高額で標識物質の作成が煩雑であるのに対して、ＳＰＥＣＴは機器がＰＥＴよりもはるかに安く、操作も簡単なために汎用される。

（諸江健二）

キーワード　器質性精神疾患／神経放射線医学

〔文　献〕⑯⑳

心　身　医　学

編集・坪井康次

心身相関に関する考えの歴史は遠い古代より脈々と受け継がれている。古代メソポタミアの時代に、すでに心理的なものが身体に影響するとされていた。ギリシャ時代に入って、治療の中にも心身相関の概念が導入され、身体的な病気であっても心理面への介入の必要なことがヒポクラテス、ソフラテスなどによって説かれていたという。

近代的な心身相関の理論は、精神分析ではフロイトによって、学習理論の立場からはウォルペによって、また生理学的にはキャノン、セリエなどによって明らかにされてきた。

一方、現代の医学や心理学の進歩は、心身相関が心理→身体という単純な直線的関係ではなく、多次元的かつ相互関連的な複雑系によって成り立っていることを明らかにし、その解明が進んでいる。

種々の心理的な取り組みを行う際にも、複雑系としての存在、つまり少なくともエンゲルのいうbio-psycho-socialな要因から成り立っている存在であることを意識した上でのかかわりが望ましい。そうでなくては科学的な治療とはいえない。

心理とともに育ってきた心身医学の歴史をふまえ、現状を理解し、かつ将来を展望する素材として、この章が参考になることを願うものである。

心身医学《しんしんいがく》とは（概念《がいねん》と歴史《れきし》）

1 はじめに

日本心身医学会教育研修委員会が一九九一年にまとめた「心身医学の新しい診療指針」によると、「心身医学とは患者を身体面だけでなく、心理面、社会面をも含めて総合的、統合的にみていこうとする医学」とされている。このような考え方は二千年以上前の哲学や医学にも存在していた。しかし、西洋の近代医学が発展するにつれ、病気中心の身体医学が中核となっていき、器質的病変がすべての疾患の原因であるような考え方が優性となっていった。このような心と身体を併せ持った人間の全体を無視して医療が行われるような傾向が優性を占める中で、疾病中心医療から患者中心医療への転換が目指され、心身医学が誕生した。

2 心身医学の変遷

心身医学の対象は神経症に始まり、心身症を経て、特定の疾患を診るのではなくすべての患者について全人的医療を行おうという方向に推移していった。心身医学的（psychosomatik）という言葉が最初に用いられたのは一九一八年発表のヘインロス（Heinroth,J.C）の睡眠障害の論文とされる。その後、オーストリアのフロイト（Freud,S）によって確立された精神分析の後継者達が、アメリカにおいて一九三〇～一九四〇年代頃に心身医学の理論的背景を体系化し、神経症における心身相関の研究がなされた。この流れにおいて人間の心や行動を理解する手がかりが模索されていった。一方生理学者達は、科学的に心身相関のメカニズムを研究していった。アメリカの精神生理学者キャノン（Cannon,W.B）は緊急反応学説（一九二九）で動物が敵に襲われるような緊急事態で、交感神経系の興奮やアドレナリン分泌といった全身反応が共通して起こることを明らかにした。心身医学の対象としては心身症がおもに扱われた。以来アメリカは心身医学の中心的役割を務めてきたが一九七〇年代に入り精神内界よりも、外界から観察可能な行動を重視しようという風潮が盛んになり、現代では行動医学が主流である。一方、ドイツなどのヨーロッパでは精神分析的、精神力動的流れの中で心身医学が発展している。またアメリカのエンゲル（Engel,G.L）はすべての病気に関連のある「Biopsychosocial Medical Model（1977）」を提唱し、身体面のみならず、心理面、社会面をも考慮した全人的医療の必要性を主張した。これを引き継いで現代心身医学では生命倫理や生態系といった観点をも考慮に入れたBio‐psycho‐socio‐ethical（ecological）Medical Modelが定着した。

3 日本における心身医学の歴史

我が国において、心身医学が盛んになったのはアメリカ医学が導入されるようになった戦後のことである。一九六〇年に九州大学内科の池見酉次郎らが中心となって日本精神身体医学会を発足させた。これが、現在の日本心身医学会の名称に改名したのは一九七五年のことである。一九八五年には日本心身医学会による認定医制度が発足し、二〇〇一年二月現在では認定医六一〇名、研修診療施設数一三二ヵ所に発展を遂げている。一九六三年には初めて九州大学に精神身体医学講座が開設され、一九七二年には東京大学、一九七四年には東北大学、一九七九年に日本大学、一九八〇年に東邦大学に心療内科が開設された。一九九三年、一九九四年にそれぞれ関西医科大学と鹿児島大学に心療内科が開設されている。また、特記すべきは一九九六年に厚生省（当時）から標榜科としての心療内科の認可がおりたことである。

我が国の心身医学の特徴としては、先述したアメリカを主流とした行動医学と、ドイツを主流とした精神分析学・力動精神医学の観点の両方を取り入れている点である。さらに西洋医学のみならず東洋医学の考えをも吸収しようという方向もある。心療内科の対象疾患は多岐に渡り全人的医療の観点から、心身症のみならず本来は精神神経科の領域疾患とされてきた神経症や軽症うつ病、さらに生活習慣病やターミナルケアなどのコンサルテーション・リエゾン活動へのニーズが高まってきている。表1に一九九一年日本心身医学会が示した心身症と同様に心身医学的アプローチが必要なケースについて示す。

表1　心身症と同時に、心身医学的アプローチが必要な場合
（文献⑮）

1. ICU、CCU、RCUなどの場でみられる精神症状ないし心理反応
2. 慢性呼吸器疾患、慢性肝炎、慢性膵炎、慢性腎炎（人工透析）など、慢性疾患の経過中にみられる心身症的反応
3. 外科、整形外科、内科、小児科、産婦人科など、各科におけるリハビリテーションの心身医学的側面
4. 手術前後（麻酔を含む）の心身医学的側面
5. 分娩および分娩前後の心身医学的側面（無痛分娩を含む）
6. 災害（外傷性）神経症、災害癖（事故多発者）、職業性頸肩腕症候群、振動病、過労死など
7. 各種難病（膠原病、神経疾患その他を含む厚生省特定疾患など）、心身障害者（児）、AIDSなどの特定感染症
8. 癌、悪性腫瘍患者に対する医療、ケア
9. 慢性疼痛の管理や処置
10. 老年期の医療、ターミナル・ケア
11. 臓器移植
12. 人工臓器、代用臓器使用者
13. 科学技術の進歩によるストレス性障害
14. 心身症の周辺領域
    軽症うつ病、仮面うつ病
    身体症状を訴える神経症、境界例
    身体病をもつ人格障害
    詐病、虚偽性障害
    医原性疾患：医師の検査、言動に基づき、患者の自己暗示による
    問題行動や習癖
      登校拒否、家庭内暴力、学校内暴力、抜毛癖、拒食（ミルク嫌いも含む）など

最後に心身医学という分野に残された、課題について述べる。まず、現行の保険制度の中では、どんなに時間をかけて心身医学的治療を行っても、一回九〇点の保険点数にしかならない（精神療法はその四倍位の点数である）というコストパフォーマンスやマンパワーの問題は見過ごせない。さらに、専門化・細分化される現代医療の流れの中で全人的医療を実施することは、心療内科医だけでなくすべての医療に携わる者が心身医学的考えを受け入れていく必要があるということ。その一方で、すべての医療従事者がそのような考えを身につける時代がくれば、一般医療としての心身医学は必要なくなるかもしれないということ。心療内科医とは何であろうかというアイデンティティの問題もおおいに検討されるべきである。今後の医療全体の発展の方向に応じて、これまで同様の柔軟な態度での変化が求められる分野であろう。

（坪井康次）

キーワード　心身医学／心療内科／日本心身医学会／全人的医療

〔文献〕⑮㉓㉝

心身症《しんしんしょう》とは（概念《がいねん》の変遷《へんせん》）

1 日本における心身症の定義の変遷

日本心身医学会では一九七〇年に心身症の定義を「身体症状を主とするが、その診断や治療に心理的因子についての配慮がとくに重要な意味を持つ病態」とした。その後、この定義では、身体症状を主症状にもつ疾患であれば、神経症やうつ病といった精神疾患をも包括されてしまう可能性があるという反省のもとに、後述する米国精神医学会の診断基準を参考にして、一九九一年「心身症とは身体疾患の中で、その発症や経過に心理社会的因子が密接に関与し、器質的ないし機能的障害が認められる病態をいう。ただし、神経症やうつ病など、他の精神障害に伴う身体症状は除外する。」と規定した。

2 アメリカ精神医学会での考え方

一九八〇年、アメリカ精神医学会は精神疾患の分類と診断基準を大がかりに改訂した。DSM-Ⅲ（Diagnostic and Statistical Manual of Mental Disorders）である。その後も一九八七年に若干の改訂が行われ、DSM-ⅢRが出版され、さらに一九九七年第四回目の改訂版としてDSM-Ⅳが発表され、現在に至る。DSMでは、患者を精神疾患（Ⅰ軸）、人格面（Ⅱ軸）、身体疾患（Ⅲ軸）、心理社会的ストレスの強さ（Ⅳ軸）、適応機能水準の面（Ⅴ軸）から考慮して多軸的に診断し、心身医学の考え方と共通する点も多い。日本の心身医学家達もDSMを患者の評価に使うことが多い。

DSM-Ⅲへの改訂で、心身症や神経症、うつ病といった病名が消え、それぞれ新しい名称に置き換えられている。従来の心身症はⅠ軸に「身体的病態に影響する心理的諸因子」として記載され、Ⅲ軸に身体疾患名が記載される。さらにDSM-Ⅳでは、「身体疾患に影響を与えている心理的要因」と呼ばれるようになり、心理的要因の内容が細分化され、精神疾患、心理的症状、人格傾向または対処様式、不適切な保健行動、ストレス関連生理学的反応、その他の中から選択するようになった（340頁の表1）。

3 国際疾病分類

現在、WHOの国際疾病分類は第10改訂版が一九九二年に最新版として出版されている。その中には「心身症」という用語はなく、「神経症性障害、ストレス関連障害および身体表現性障害」という大分類の中の「身体表現性障害」の下位分類である「F45・3身体表現性自律神経機能不全」および、「生理的障害および身体的要因に関連した行動症候群」という大分類の中の「F54他に分類される障害あるいは疾患に関連した心理的および行動的要因」がそれにあたる。

4 おわりに

以上のように、現在、米国精神医学会や国際疾患分類には「心身症」という用語は存在しない。その一方で心身症という概念の元に一連の疾患を分類する方が実際的な場合も多く、日本ではそういった立場で、心身症の定義や診断基準を設けている。表2（343頁）に心身医学的配慮がとくに必要な疾患として一九九一年日本心身医学会が示したものを挙げる。

（坪井康次）

キーワード　心身症／DSM-Ⅳ／ICD-10

〔文献〕①②⑮㉓㉝㊱

表1（文献②）

■316…［一般身体疾患を示すこと］に影響を与えている…［特定の心理的要因］の診断基準

A. 一般身体疾患（第3軸にコード番号をつけて記録される）が存在している。

B. 心理的要因が、以下のうち1つの形で一般身体疾患に好ましくない影響を与えている。

(1) その要因が一般身体疾患の経過に影響を与えており、その心理的要因と一般身体疾患の発現、悪化、または回復の遅れとの間に密接な時間的関連があることで示されている。

(2) その要因が一般身体疾患の治療を妨げている。

(3) その要因が、その人の健康にさらに危険を生じている。

(4) ストレス関連性の生理学的反応が、一般身体疾患の症状を誘発したり悪化させたりしている。

▶心理的要因の内容に基づいて名称を選ぶこと：（2つ以上の要因が存在している場合には、最も顕著なものを示すこと）

…［一般身体疾患を示すこと］に影響を与えている精神疾患（例：心筋梗塞からの回復を遅らせている大うつ病性障害のような第1軸障害）

…［一般身体疾患を示すこと］に影響を与えている心理的症状（例：手術からの回復を遅らせている抑うつ症状；喘息を悪化させている不安）

…［一般身体疾患を示すこと］に影響を与えている人格傾向または対処様式（例：手術の必要性に対するがん患者の病的否認；心循環器系疾患に関与している敵対的、心迫的行動）

…［一般身体疾患を示すこと］に影響を与えている不適切な保健行動

（例：食べ過ぎ、運動不足、危険な性行為）

…［一般身体疾患を示すこと］に影響を与えているストレス関連生理学的反応

（例：潰瘍、高血圧、不整脈、または緊張性頭痛のストレスによる悪化）

…［一般身体疾患を示すこと］に影響を与えている、他のまたは特定不能の心理的要因

（例：対人関係的、文化的、または宗教的要因）

表2　心身医学的な配慮がとくに必要な疾患（いわゆる心身症とその周辺疾患）（文献⑮）

1．　呼吸器系

気管支喘息（cough variant asthmaを含む）、過換気症候群、*神経性咳嗽、喉頭痙攣、慢性閉塞性肺疾患など

2．　循環器系

本態性高血圧症、本態性低血圧症、起立性低血圧症、冠動脈疾患（狭心症、心筋梗塞）、一部の不整脈、*神経循環無力症、レイノー病など

3．　消化器系

胃・十二指腸潰瘍、急性胃粘膜病変（AGML）、慢性胃炎、*non-ulcer dyspepsia、過敏性腸症候群、潰瘍性大腸炎、胆道ジスキネジー、慢性肝炎、慢性膵炎、*心因性嘔吐、*反すう、びまん性食道痙攣、食道アカラシア、*呑気症（空気嚥下症）およびガス貯留症候群、*発作性非ガス性腹部膨満症、*神経性腹部緊満症など

4．　内分泌・代謝系

神経性食欲不振症、（神経性）過食症、Pseudo-Bartter症候群、愛情遮断性小人症、甲状腺機能亢進症、心因性多飲症、単純性肥満症、糖尿病、腎性糖尿、反応性低血糖など

5．　神経・筋肉系

筋収縮性頭痛、片頭痛、*その他の慢性疼痛、痙性斜頸、書痙、眼瞼痙攣、*自立神経失調症、*めまい、*冷え性、*しびれ感、*異常知覚、*運動麻痺、*失立失歩、*失声、*味覚脱失、舌の異常運動、*振戦、チック、舞踏病様運動、ジストニア、*失神、*痙攣など

6．　小児科領域

気管支喘息、過換気症候群、*憤怒痙攣、消化性潰瘍、過敏性腸症候群、反復性腹痛、神経性食欲不振症、（神経性）過食症、周期性嘔吐症、*呑気症、*遺糞症、*嘔吐、*下痢、*便秘、*異食症、起立性調節障害、*心悸亢進、情動性不整脈、*神経性頻尿、*夜尿症、*遺尿症、*頭痛、片頭痛、*めまい、*乗物酔い、*チック、*心因性痙攣、*意識障害、*視力障害、*聴力障害、*運動麻痺、バセドウ病、糖尿病、愛情遮断性小人症、肥満症、アトピー性皮膚炎、慢性蕁麻疹、円形脱毛症、*抜毛、*夜驚症、*吃音、*心因性発熱など

7．　皮膚科領域

慢性蕁麻疹、アトピー性皮膚炎、円形脱毛症、汎発性脱毛症、多汗症、接触皮膚炎、日光皮膚炎、湿疹、皮膚掻痒症（陰部、肛囲、外耳道など）、血管神経性浮腫、尋常性白斑、偏平および尋常性疣贅など

8．　外科領域

腹部手術後愁訴（いわゆる腸管癒着症、ダンピング症候群その他）、頻回手術症、形成術後神経症など

9．　整形外科領域

慢性関節リウマチ、*全身性筋痛症、結合織炎（筋硬結）、腰痛症、*背痛、多発関節痛、*肩こり、頸腕症候群、外傷性頸部症候群（いわゆるむち打ち症を含む）、痛風、他の*慢性疼痛性疾患など

10．　泌尿・生殖器系

*夜尿症、*遺尿症、*神経性頻尿（過敏性膀胱）、*心因性尿閉、遊走腎、*心因性インポテンス、前立腺症、尿道症候群など

11．　産婦人科領域

更年期障害、機能性子宮出血、*婦人自律神経失調症、*術後不定愁訴、月経痛、月経前症候群、月経異常、続発性無月経、卵巣欠落症候群、卵巣機能低下、老人性膣炎、慢性附属器炎、攣縮性パラメトロパティー、骨盤うっ血、不妊症（卵管攣縮、無排卵周期症を含む）、外陰潰瘍、外陰掻痒症、性交痛、性交不能、膣痛、外陰部痛、外陰部異常感、帯下、不感症、膣痙攣、流産、早産、妊娠悪阻、微弱陣痛、過強陣痛、産痛、軟産道強靱、乳汁分泌不全、*マタニティーブルーなど

12．　眼科領域

中心性漿液性脈絡網膜症、原発性緑内障、*眼精疲労、*本態性眼瞼痙攣、*視力低下、*視野狭窄、飛蚊症、*眼痛など

13．　耳鼻咽喉科領域

*耳鳴、眩暈症（メニエール病、動揺病）、*心因性難聴、アレルギー性鼻炎、慢性副鼻腔炎、*嗅覚障害、*頭重、*頭痛、口内炎、*咽喉頭異常感症、*嗄声、*心因性失声症、*吃音など

14．　歯科・口腔外科領域

顎関節症、牙関緊急症、口腔乾燥症、三叉神経痛、舌咽神経痛、ある種の口内炎（アフタ性および更年期性）、*特発性舌痛症、*義歯不適応症、*補綴後神経症、*口腔・咽頭過敏症、頻回手術症など

*一過性の心身反応、発達の未分化による心身症状（反応）、および神経症の場合も含まれる。

医療《いりょう》心理学《しんりがく》としての心身《しんしん》医学《いがく》

医療心理学とは、医療の分野において医師およびコ・メディカルスタッフが実践する医療のための心理学をさす。古くはオスラー（Osler,W）が"Medicine is an art based on science"と述べたように、医療とは、医学の応用分野である。従って、数々の基礎的な学問や方法論をどのように実際の診療の中に組み込みながら生かしていくかが課題となる。

心身医学とは、「患者を身体面ばかりでなく、心理面、社会面を含めて統合的に見ていこうとする医学」（日本心身医学会）と定義されている。現在の医学は基礎的な分野が急速に発展し、臨床医学の専門分化も進んだ。この結果、各専門分野では、診断・治療の標的が臓器レベル、細胞レベル、遺伝子レベルと徐々にミクロ化している。反面、病む人々そのものや、病人を取り巻く過程や社会などを対象にして、包括的に評価する視点が後退するという弊害も生まれている。

本来、心身医学は、内科や外科など各領域の専門家が病人を身体―心理―社会的な側面から評価し、アプローチするのが理想である。たとえば、消化器内科において固有の臨床経験のなかに、この分野に特有な心理的問題（消化性潰瘍を繰り返す患者の生活習慣など）に対する独自の理解と方法を作り上げられればよい。

コンサルテーション・リエゾン精神医学

臨床各科が、自らの領域の病態の心理的な問題を自らの手で理解し解決できれば理想的であるが、現実の臨床はそこまで進んでいない。むしろ、臓器や細胞レベルに注目が行き過ぎると、各専門家は心理的な問題に対して苦手意識をもつことすらある。このような場合、精神科や心療内科の医師が治療チームに入り、患者の持つ心理社会的な問題を理解し解決に協力する体制が現実的である。

一般にコンサルテーションとは、ある領域の専門家がそれ以外の領域の者からの相談に応じることをさす。すなわち、コンサルテーションとは、二人の専門家の交流のプロセスである。この際、相談される人（コンサルタント：精神科・心療内科医）は、自らの専門的な意見を述べるが、患者の治療方針を決めるのはあくまでも相談する人（コンサルティー：身体科の医師）というルールがある。

一方、リエゾンという言葉は元来「連携」「連絡」などの意味がある。臨床的には、精神科・心療内科の医師が、患者のあるなしにかかわらず定期的にある病棟（ＩＣＵや透析室など）を回診したり（治療構造の設定）、医療者―患者関係を取り扱うことをさす。しかし、実際にはコンサルテーションとリエゾンは区別しにくいことが多く、コンサルテーション・リエゾン精神医学と一括して呼ばれることが多い。

総合病院では、身体的な理由で入院しても心理社会的な問題をもつケースが数多く存在する。このようなケースに対しては心身医学とコンサルテーション・リエゾン精神医学は決して異なった立場からアプローチするわけではなく、互いに相補的な関係にある。この際、両専門分野の間で共有される臨床的な心理学の体系が医療心理学ともいえる。

一般身体疾患に影響を及ぼす心理的要因

日本では、「身体疾患の中で、その発症や経過に心理社会的な因子が密接に関与し、器質的ないし機能的障害の認められる病態」を心身症と呼んでいる（日本心身医学会）。神経症やうつ病でも身体症状が出現する場合が多いが、この場合は心身症と呼ばない。

以前は、心身症というと「心理的な要因で個人の身体面に変化が起こり身体疾患が発症する。」という考え方が強調された。この考え方は、精神神経免疫学として科学的にも徐々に具体的になりつつある。

一方、アメリカの精神医学会では一九八〇年ごろから患者の病態を客観的に評価するため、どんなに着想が優れていても、科学的な根拠がない概念は用いないという立場をとるようになった。このため、一九八〇年に発表された疾患分類DSM－Ⅲでは、心身症やヒステリーという疾病概念は用いられなくなった。DSM－Ⅲでは、心身症という言葉の代わりに、「身体的病態に影響する心理的諸因子」というきわめて具体的な病態が明示された。この概念は、一九九四年に発表されたDSM－Ⅳでは、「一般身体疾患に影響を与えている心理的要因」という病態へと整理された。

DSM－Ⅳで「一般身体疾患に影響を与えている心理的要因」と診断するには、以下の二つの条件を満たす必要がある。

Ａ　一般身体疾患が存在している。

Ｂ　心理的要因が、以下のうち一つの形で一般身体疾患に好ましくない影響を与えている。

(1) その要因が一般身体疾患の経過に影響を与えており、その心理的要因と一般身体疾患の発現、悪化、または回復の遅れとの間に密接な時間的関連があることで示されている。

(2) その要因が一般身体疾患の治療を妨げている。

(3) その要因が、患者の健康にさらに危険を生じている。

(4) ストレス関連性の生理学的反応が、一般身体疾患の症状を発現させ、またはそれを悪化させている。

（村林信行）

キーワード 医療心理学／心身医学／心身症

〔文献〕 ⑩⑯㉓

心《しん》身《しん》医《い》学《がく》理《り》論《ろん》

人間の心と体は密接なつながりを持っている。近年は、「心は脳を介して身体を調節し、身体は脳を介して心に影響を及ぼす」ことが徐々に明らかになりつつある。

心身医学は、心と体のつながりを解明する学問である。このため、古くから心と体の関係に言及した理論を取り入れた。これらの理論の中には、心と体の関係を体の側から究明した理論と心の側からアプローチした理論がある。

心身相関理論

心身相関のメカニズムには神経系、内分泌系、免疫系など多数のシステムが密接に関与することが明らかになっている。

(1) 神経系

前頭葉は知性・感情・意志などの中枢といわれ、いわゆる「こころ」の機能を持っている。前頭葉で生じる精神活動は、側頭葉・頭頂葉など他の部位の活動に影響を与える。大脳辺縁系は摂食・生殖・睡眠などの本能欲求に関与し、原始的な情動と深い関連をもつ。不安や恐怖などの情動を伴った体験は辺縁系の海馬で記憶され、深層心理を形成し、心身相関の強い症状を起こす原因となる。

間脳の一部である視床下部は、辺縁系で体験された情動を身体反応に置き換える部位である。下垂体を支配して内分泌系を制御したり、自律神経系を支配するため、心と体の中継点とも言える。

自律神経系は、視床下部、大脳辺縁系、新皮質と密接な関連があるため、情動ストレスの影響を受け、さまざまな心身反応を引き起こす。生体が恒常性を維持するために、交感神経と副交感神経の間に微妙な調節が行われる。

(2) 内分泌系

生態がストレスにさらされた時は、コルチコトロピン放出ホルモン（ＣＲＨ）が下垂体前葉からのＡＣＴＨを介して副腎皮質ホルモンの分泌を増強させる。ＣＲＨは同時に、交感神経と副腎髄質系も賦活する。

(3) 免疫系

免疫細胞の表面には脳からの情報を受け取るリセプターが存在する。逆に、免疫細胞もサイトカインという物質を通して脳の活動を調節する。

ストレス理論

ストレスとは、元来は物理学の用語で、「外から力を加えられたときに生じる歪み」を意味する。医学で用いるストレスという用語は、「さまざまな外的刺激が加わった場合に生ずる生体内の歪んだ状態」を意味する。

ストレスを扱った研究として古くはキャノン（Cannon.W,B）が、吠え立てる犬におびえ興奮している猫の副腎髄質からアドレナリンが分泌して、交感神経─副腎髄質系が興奮していることを発見した（闘争─逃走反応）。

一方セリエ（Selye,H.）は、生体がストレスを受けると、ストレッサーの内容に関係なく、胃・十二指腸潰瘍、胸腺の萎縮、副腎皮質の肥大を特徴とする身体変化が起こることを発見した。

精神分析理論

心身医学の発展には、精神分析学に基礎づけられた力動精神医学が大きく貢献した。フロイト（Freud,S）は、抑圧された葛藤や願望が象徴的な形で知覚系・随意運動系の身体症状に置き換えられる機制を発見し、転換と呼んだ。現代でも転換機制によると思われる身体症状は、神経内科や整形外科をはじめとして臨床各科で遭遇する。

フロイト（Freud,S）以後も、一九三〇～四〇年代のアメリカにおいて心身医学をリードしたのは、ダンバー（Dunbar,F）、アレキサンダー（Alexander,F）などの精神分析家である。また、アレキシサイミアで有名なシフニオス（Sifneos,P,E）やイギリスのバリント（Balint,M）も精神分析家である。

行動理論（学習理論）

行動理論は、人間の目に見える行動を随意運動ばかりでなく、生理反応や言語行動までを含めて広く捉える。治療では、その標的を症状としてより誤って学習された不適応行動として捉え、望ましい行動の習得を目指す。

人間がある行動を学習する要因として、以下のメカニズムが想定されている。

(1) レスポンデント（古典的）条件づけ

パブロフ（Pavlov,I,V）は、犬に食事を与えるときにメトロノームの音を聞かせると、次第に犬はメトロノームの音を聞くだけで唾液を分泌するようになることを発見した。このように、本来の反応（ここでは唾液分泌）と関係ない刺激も、本来は反応を起こす刺激（食事）といっしょに呈示することで新しい反応が学習される。このような新たな行動の形成法をレスポンデント（古典的）条件づけという。

(2) オペラント条件づけ

オペラントとは、自発的・働きかけなどの意味があり、オペラント行動とは賞賛される、報酬を得るなどの目的で行われる自発的な行動をさす。古典的な条件づけに比べてオペラント学習では、人はより能動的で、得られた結果によりその後の行動が変化する。

(3) モデリング理論

人は他人の行動を観察した結果、他人と同じ行動を習得する。このように、観察者がモデルの行動を観察することによって新しい行動を習得することをモデリングという。

（村林信行）

キーワード 心身相関理論／ストレス理論／精神分析理論／行動理論

〔文　献〕 ⑧⑨㉒㉔

タイプA行動《こうどう》

疾病と性格の関連性を見出す心身医学研究の系譜の中で、タイプA行動はフリードマン(Friedman, M.) とローゼンマン (Rosenman, R.H.) らによって提唱された概念である。

フリードマンらは虚血性心疾患患者の行動を詳細に検討していった結果、彼らに特徴的な性格行動特性が存在することを見出し、それをタイプA行動パターンと呼んだ。タイプA行動の特徴としては、常に時間に切迫感を持ち、競争心が激しく、攻撃的で怒りの感情を有している。また、野心的で絶えず何か行動をしていないといらいらしてしまうワーカーホリックな面がみられる。特にタイプA行動の人は大量喫煙や高血圧の傾向が高く、これらの二次的な生活習慣が発症に寄与していると考えられる。

その後、ローゼンマンらは三、一五四名を対象にした八年半のプロスペクティブスタディーでもタイプA行動パターンの人はその反対の行動パターン（タイプB行動パターン）の人よりも二倍以上虚血性心疾患を発症していることを報告した。また、ウイリアムス(Williams, R.B.) らは冠動脈造影により冠動脈病変を明らかにした四二四例についてそのタイプA行動を中心に行動様式の特性を検討したところ、タイプA行動パターンの構成要素である敵意性が最も密接に冠動脈病変と関連していることを示した。

その後、タイプA行動パターンは抑圧された敵意や怒りといった特定の心理的要因が重視されるようになった。タイプA行動パターンをとることにより社会的地位の向上や経済的報酬を受けることが多いことから、心筋梗塞などの虚血性心疾患を発症する前に行動修正することは極めて難しいといわれている。

そこで、心筋梗塞をすでに発症した症例を対象に再発防止を目的とした一般的な心臓病カウンセリング群とそれにタイプA行動修正カウンセリングを加えた群の比較追跡調査が行われた。その結果心臓病カウンセリングとタイプA行動修正カウンセリングの両方受けた群のほうが有意に心筋梗塞の発症が少ないことが示され、心筋梗塞の発症や再発予防にタイプA行動修正が有益であることが明らかとなった。

タイプA行動修正のためのカウンセリングとは心理的、身体的弛緩法の学習と過剰な刺激反応の修正や自己観察の教育、環境の再構成、認知感情学習などの行動学習に大別されプログラムを組んで根気よく続けていくものである。

タイプA行動の最近のトピックスとしては虚血性心疾患以外の疾患としてうつ病との関連が知られており、人間ドック受診者を対象とした研究からタイプA尺度と抑うつ尺度が相関した報告がある。また、日本人のタイプA行動は欧米と比べて競争性や敵意性が低いものや程度が軽いものが多いと理解されており、日本的タイプA行動も提唱されている。日本人向けのタイプA自己チェック表も近年開発されてきている。

（芝山幸久）

キーワード　タイプA行動／虚血性心疾患

〔文献〕⑥⑬㉞

アレキシサイミア
(Alexithymia)

ラテン語のa＝lack, lexis＝word, thymos＝emotionからなる造語で、日本語で失感情症と訳される。主観的な感情の認知とその表現に欠けている患者の状態。心身症患者の臨床的観察から形成されてきた概念で、精神分析医であるシフニオス（Sifneos, 1967）により体系的に研究され始めた。

シフニオスとネミア（Nemiah）は消化性潰瘍、気管支喘息などのいわゆる古典的心身症患者の力動的精神療法において、神経症者の場合と違い、患者は感情や内的経験を述べずに、外的な事象を詳細に長々と述べるという特徴があることをみいだし、このような患者をアレキシサイミアと呼んだ。彼らは、治療を進めていくために必要となる人間関係を築くのが困難であり、シフニオスはこれらの患者の治療には惹起型力動的精神療法よりも支持的精神療法を勧めている。

アレキシサイミアの構成概念は、

①自分の感情を認識し、感情と情動喚起に伴う身体感覚を区別することの困難
②他者の感情について語ることの困難
③空想の乏しさを示唆する想像過程
④刺激によって規定された外面性志向の認知様式、

という特徴から成り立っている。

また、アレキシサイミアとは、境界のはっきりした現象ではなく一般人口にも数%存在すると考えられる性格特徴として定義されている。成因としては、神経生理学の観点からは大脳辺縁系の生理的機構の障害のために情動刺激が感情として認知されないとされている。精神分析的には、人生最早期の対象関係の障害に根差した外傷体験から感情を分化させることがうまく行かないと考えられ、発達的観点からは乳幼児期の情緒的応答性の発達が阻害されてきていると考えられている。

アレキシサイミアの評価方法は、観察者の評定による質問紙のＢＩＱ、ＡＰＲＱ、自己記入式尺度のＭＭＰＩ-Ａ、ＳＳＰＳ、ＴＡＳ、投影法のＴＡＴ、Rorschach Testなどが使われて研究されてきた。現在ではテイラー（Tailor, G.J.）が開発した自己記入式質問表ＴＡＳ（Tront Alexithymia Scale）が用いられることが多い。これは二六項目からなる五件法の質問紙で、合計点で評定するものである。

しかし、アレキシサイミア傾向を持つ人は、感情言語化が困難なため、自覚されていないアレキシサイミア傾向を抽出するにはSelf-ratingの質問紙だけでは不十分で、Rorschach Testなどの投影法に臨床的観察を組み合わせて包括的に判定していくことが必要であろう。

（市川絵梨子／芝山幸久）

キーワード　アレキシサイミア／失感情症／ＴＡＳ

〔文　献〕⑫⑲㉙

心身《しんしん》医《い》学的《がくてき》診断《しんだん》

1　心身医学的診断とは

心身医学領域での診断とは多義的であり、身体的観点からみた診断は、悪性腫瘍や内分泌系疾患など、症状の原因となりうる器質的疾患を除外すること（除外診断）、身体生理反応のひずみを評価することである。一方、心理的観点からみた診断は、ストレスと密接に関連した疾患、つまり心身症であることを評価すること、症状を形成するに至った生理機能上の問題と心理社会的要因とを質的および量的に評価することを意味をする。

心身医学的診断を行う上で最も重要な点は、複雑にからみ合った身体的、心理的、社会的要因を解きほぐすことであり、それを診断するための材料として問診により得られた情報、患者の態度やしぐさ、生理機能検査、心理テストなどが挙げられ、それぞれの情報を総合的に検討したうえで、診断が行われるべきである。

2　身体・心理・社会的アプローチ

身体・心理・社会的アプローチはエンゲル(Engel) により提唱された患者を理解するためのモデルであり、今日では心身医学的な介入を行う上で最も基本的な技法として位置づけられている。

表1に代表的な患者評価グリッドを示す。身体的側面として、理学的所見や検査所見といった現在の問題の他に、過去の既往歴や乗り物酔いや胃腸の脆弱性などが評価されることが望ましい。

心理的側面として、抑うつ、不安、焦燥感といった心理的状態のほか、認知や行動面における特徴的なパターン、性格傾向、防衛機制などの評価が行われる。さらに、医療者に対する信頼感や期待感または不信感といった医師患者関係に関する評価がなされてよい。

さらに、評価すべき社会的要因として、現在おかれている家庭生活上および職業上のストレス要因とその程度、周囲の支援体制、対人関係、生活様式の変化、学業や仕事上における能率の変化および欠席、欠勤の有無などがあげられる。

ターミナルケアや臓器移植の患者を評価する際には身体的、心理的、社会的各要因に加えて、倫理的側面に関する評価をおこなうことが重要である。

3　医療面接（メディカルインタビュー）

診断や治療に必要な情報を患者や関係者などから集める際に行う、医療上の面接をメディカルインタビューという。これは心身医学に限られたものではないが、この面接により心理社会的な背景を効率よくまた的確に把握することが可能となる。

メディカルインタビューでは、まず患者が話しやすい雰囲気をつくることに留意されねばならない。挨拶、身だしなみ、目の高さ、患者との角度（九〇度が望ましいとされている）、言葉遣いなどに注意を払う。また、患者の私生活に関する情報にもふれるため、プライバシーを守ることができる空間の確保が重要であり、良好な治療関係が確立されていない初期の段階から無理に情報を聞き出すことは避けねばならない。

患者に問いかける際には、「はい」「いいえ」で答えるような質問（閉ざされた質問）は可能な限り避け、「〇〇のことについて詳しく教えてください」「仕事はどうですか」

表1　患者評価グリッド

	現　在	発症前後	幼　児　期
身体的	身体症状・所見 理学的所見 使用薬剤 検査成績の異常	初発症状 身体状態の変化 使用薬物の変更	身体的疾患の既往歴 身体的・精神的疾患の家族歴
心理的	身体的・心理的主訴 心理状態 治療への期待	心理状態の変化 気分・行動の変化 心理学的テスト 心理的援助依頼	パーソナリティーの発達 防衛機制・対応反応 精神疾患の既往
社会的	同居者 職業 社会的ストレス 物理的環境	経済状態の変化 職業の変更 生活事件の変化 物理的環境の変化	両親の職業歴 人生早期の人間関係 学校生活 結婚・職業

などといった、返答に広がりをもった質問(開かれた質問)を行うことが望ましい。さらに患者の話をさえぎらず、適度にうなづきながら、支持的に対応することも促進的な会話をおこなうにあたって重要な要素である。

4　自律神経機能検査

心身医学的診断においては、心身両面からの総合的な評価をおこなうため、身体的側面からのアプローチが不可欠である。CTや超音波といった一般診療科でもおこなわれる検査に加え、交感神経と副交感神経におけるバランスの微細な乱れを検査するための自律神経機能検査が用いられることが多い。

表2　自律神経機能検査

1．ノルアドレナリン試験
2．シェロング起立試験
3．立位心電図
4．マイクロバイブレーション
5．心電図R-R間隔変動係数

表2に代表的な自律神経機能検査を示した。自律神経機能検査は、薬物やストレスを負荷した際の生体的反応を調べる場合と安静時での生理的反応を調べる場合がある。

5　心理テスト

心理テストは患者の心理状態、適応レベル、性格傾向などを評価するために用いられ、目的に合わせて単独あるいは組み合わせておこなわれる。

質問紙法と投影法に大別することができ、コーネル医学指数、エゴグラムチェックリスト、ミネソタ式多面人格目録などに代表される質問紙法は簡便であるが被験者の操作が入る可能性があり、ロールシャッハテスト、文章完成法などに代表される投影法は時間を要するが、より多くの情報を得ることが可能とされている。

(端詰勝敬)

キーワード　身体・心理・社会的アプローチ／医療面接

〔文　献〕⑪ ㉟

心身《しんしん》医《い》学的《がくてき》治療《ちりょう》

心身医学的治療は、決して心療内科だけで行われるものではなく、心身医学的治療の理解は、すべての診療科における臨床場面で大変重要である。それは、まず患者が呈している症状について、BIO-PSYCHO-SOCIALモデルなどにてらしあわせ心身相関を理解することである。それを患者にフィードバックすることで、患者も症状の増悪因子を理解し、患者が症状をできるだけ自己コントロールできるようになることを目標とするとよい。そのためには、精神療法として、患者が医師に受け止めてもらえている感じと医師に対し信頼感をもてることが必要とされる。さらに必要に応じて、抗不安薬、抗うつ剤、睡眠薬などの薬物療法を用いて精神状態を安定させ、患者がリラックスできることを手助けする。また、リラクゼーションを図るために、自律訓練法や音楽療法なども有用である。

そのながれを図1に表した。

また、表1に心身医学的治療法を挙げた。

1 薬物療法

まず、患者のうつ状態、不安、不眠について理解し、薬物を上手に併用していくことが重要である。しかし、時にうつ状態の診断は難しいこともあり、とくに身体症状ばかりを訴えるような仮面うつ病などがあげられる。抗うつ剤については、重篤な副作用が少ない新しいタイプの薬剤が次々と出されている。平成十一年に発売されたSSRI（セロトニン選択的再取り込み阻害剤）や平成十二年十月に発売されたSNRI（セロトニン・ノルアドレナリン再取り込み阻害剤）がある。

2 精神療法・心理療法

精神療法・心理療法は、患者自身に自信を持たせるように働きかけ、困難な状況から自然に回復していくことを助けることである。基本には、良好な医師─患者関係が形成されることが不可欠である。そのためには、患者を受容・支持し、保証することと、わかりやすい説明や再教育が行われることが必要である。

3 自律訓練法

自律訓練法は、心身を緊張から弛緩へと変換させることを主な目的とした、一種の自己催眠法である。ゆっくりくつろげる姿勢をとり四肢の緊張を減少させ、血管を弛緩させる方向に向ける。それは、眠くなった時に、体が重く手足が温かくなる状態と同様の感じである。

自律訓練法を、マスターするのにはやや時間がかかるが、一度マスターすると副作用も少なく、緊張の緩和や、不眠などにも効果があり利点も大きい。

4 行動療法

問題行動、不適応行動、病的行動に対して、学習理論を適応して行動変容をはかろうとする方法である。

摂食障害の食行動や、不安障害の患者の不安に伴う行動の障害を改善することなどに用いられる。

5 バイオフィードバック

条件反射を原理とした行動療法の一つの技法である。普段は意識していない身体内の情報を生理的に取り出し、工学的技法で本人に知覚できるようにさせ、訓練を通じてコントロールできるようにする方法である。例えば、筋緊張性頭痛、書痙、斜頸等の筋緊張が高い患者に、筋電図を用いて筋緊張の高い状態、低い状態をフィードバックし筋緊張を低くコントロールできるように訓練する。

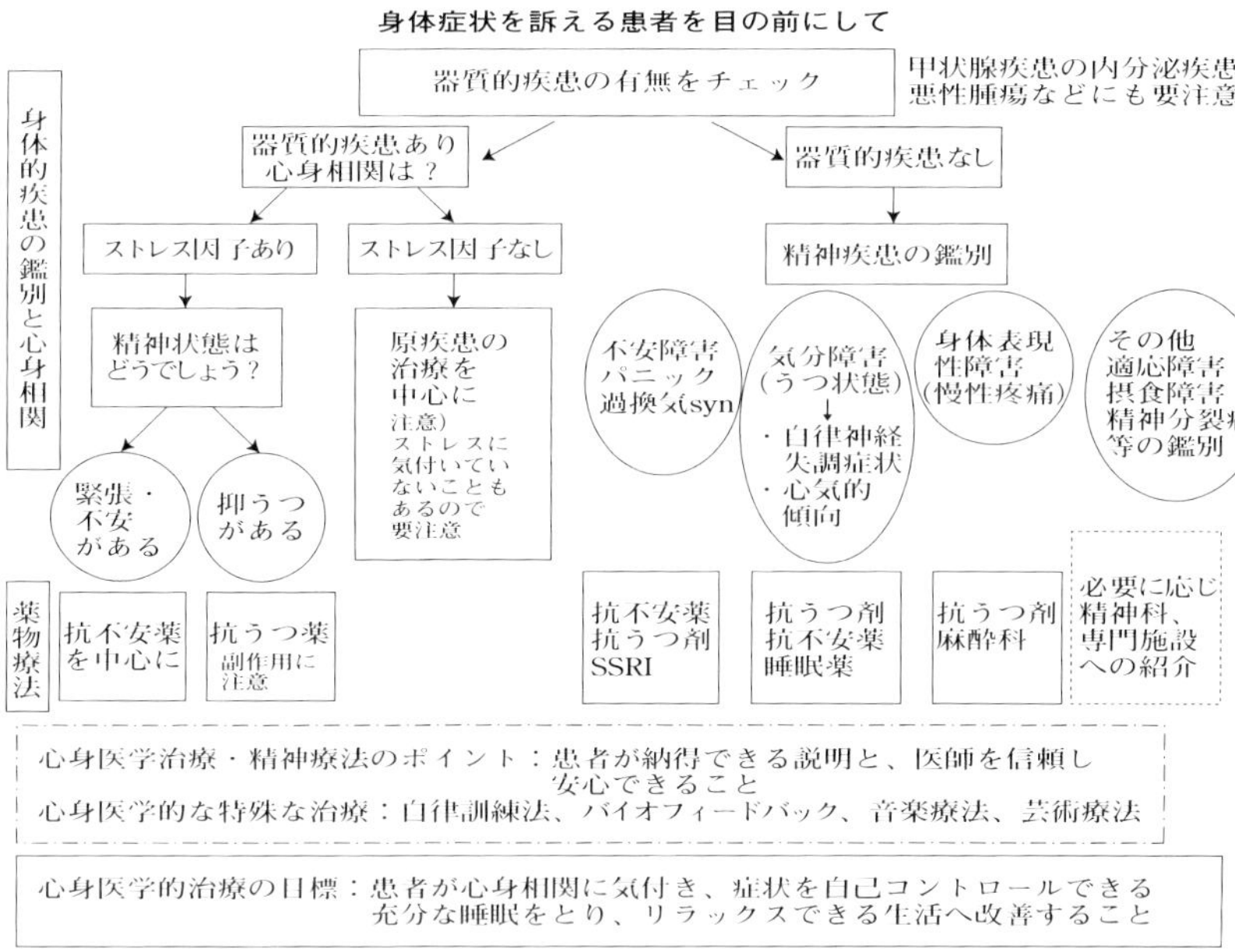

図1

表1　心身医学的治療法

1．薬物療法
　一般身体的治療
　　向精神薬
　　（抗不安薬、抗うつ薬など）
　　漢方薬
2．心理療法
　一般心理療法
　　（支持、説得、保証、再教育など）
　簡易精神療法
　自律訓練法
　行動療法
　バイオフィードバック
　交流分析
　森田療法
　カウンセリング
　絶食療法
　催眠療法
　ゲシュタルト療法
　箱庭療法
　家族療法
　音楽療法
　内　観
　その他

6　音楽療法

好きな音楽を聴くだけでも、リラクゼーションをはかることができる。近年、音楽療法というかたちでも注目され、音楽の持つ生理的、心理的、社会的働きが、多面的な効果を有していることが、様々な報告により明らかになりつつある。また音楽療法の対象は、個人やグループ、年齢においても広範囲に適応することが可能で、その有用性が期待される。

本格的な音楽療法の実施にあたっては、闇雲に音楽を使えばよいと言うものではなく、患者に、音楽療法の適応があるか、またなにを目標に行うか検討する必要がある。また、その目標を達成するにはどのようなプログラムが適切か計画し、実施後も常に治療がうまく進んでいるか検討する必要がある。

（波多野美佳）

キーワード　薬物療法／精神療法／自立訓練法

〔文　献〕⑱㉝㉟

摂《せつ》食《しょく》障《しょう》害《がい》（心《しん》身《しん》症《しょう》）

1　摂食障害とは

いわゆる拒食症（Anorexia Nervosa,以下AN）と過食症（Bulimia Nervosa,以下BN）を総称して摂食障害（Eating Disorder,以下ED）という。思春期の女性に多いが、最近は幼少発症例や男性例が増えている。

(a)定義・分類

EDの診断基準には、アメリカ精神医学会によるDSM—IV②が頻用される。DSM—IV分類では、摂食障害EDを神経性食欲不振症AN、神経性過食症BN、特定不能の摂食障害ED—NOSの三つに大別し、それぞれ嘔吐や下剤・利尿剤乱用のあるものを排出型P（Purging）、ないものを非排出型NP（Non-Purging）と分類している（表1）。

ANは著しい痩せが特徴である。

BNでは、無茶食い（短時間で大量の食物を食べる）行動があることが特徴である。

ED—NOSは、EDの心理特性があるもののANでもBNでもない症例を指す。

(b)心理特性、精神症状

ED患者の心理特性として、痩せ願望、ボディーイメージの障害（痩せていても太いと感じる）、肥満恐怖（体重増加に対する極端な恐怖心）が挙げられる。

根底には、成熟への拒絶・自立への抵抗などが存在していて、幼い体型に逆戻りすることで幼児のように周囲へ甘えたい気持ちがある、と言われている。

また、ANの時期には過活動（痩せるために激しく運動する）がみられるが、BNに転じて体重が増えると、自信を失って家に閉じこもることも多い。過食衝動がひどいと、コンビニエンスストアを徘徊したり万引きをすることもある。冷凍食品を凍ったまま食べたり、食物の一部だけむしって食べるなどの異常行動も特徴的である。

(c)経過

図1㉕にEDの経過の典型例を示す。

頑張りやの女子学生が、いじめ・受験・就職などのストレッサーの後にダイエットを始め、それを契機に発症することが多い。ダイエットが成功すると、周囲から賞賛され達成感がわく。こうして、ストレッサーからダイエットへ逃げ込んだ状態がANである。しかし、ある時期から食欲を抑えきれなくなり過食に転じると、痩せは改善され普通～太めの体型になる。これがBNの状態である。「食べたい、でも痩せたい」あまり、自ら嘔吐したり下剤を乱用する患者（BN-P）もいる。

その他、ANを経ずにBNから発症する患者、過食しても嘔吐や下剤で痩せを維持する患者（AN—P）、長い間拒食だけが続く患者（AN—R）など様々なタイプがある。

2　摂食障害の身体症状

ANの身体症状は、著しいるいそう（痩せ）に伴う症状である。痩せが進むと、皮膚は乾燥し毛髪は薄くなる。生理が止まり、産毛が伸びる。貧血・白血球減少・低血糖・肝障害・低蛋白血症などの検査異常が認められ、浮腫（むくみ）が出現する。心臓は縮小し、脳は萎縮し、骨粗鬆症になり、胃腸の消化吸収能力も衰える。その結果、食べる気力が出ても胃もたれ・腹痛・便秘・下痢などの症状のために体重を戻せなくなることがある。

さらに嘔吐がひどい症例や下剤・利尿剤を乱用する症例では、胃液・腸液のカリウムという電解質が失われるために低カリウム血症を呈じる。カリウムは筋肉を動かすのに重要

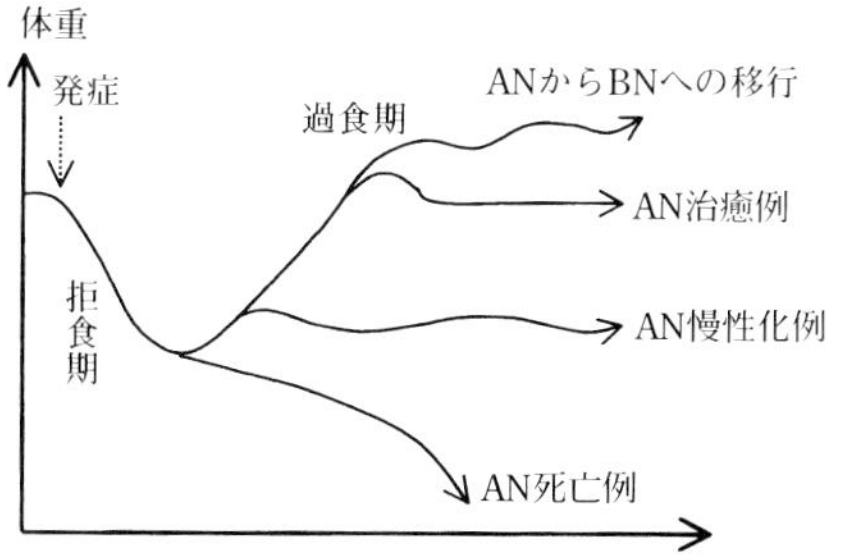

図１　摂食障害の経過（文献㉕）

表１　摂食障害の分類（ＤＳＭ―Ⅳ（文献②））

・神経性食欲不振症（ＡＮ）
　①ＡＮ-Ｒ（制限型）
　②ＡＮ-ＢＰ（無茶食い／排出型）

・神経性過食症（ＢＮ）
　①ＢＮ-Ｐ（排出型）
　②ＢＮ-ＮＰ（非排出型）

・特定不能の摂食障害（ＥＤ-ＮＯＳ）

な電解質であるため、全身倦怠感・脱力感を自覚する。心臓にも影響を及ぼして致死的状況となる可能性がある。

ＢＮは、ＡＮに比べ身体症状が顕著ではない㉗。ただし頻回に嘔吐する症例では、吐きダコ（吐くとき指が前歯に当たって出来るタコ）・虫歯の多発（胃酸で歯が溶ける）・唾液腺の腫れが認められることがある。

3　神経生理学的知見

近年、脳内伝達物質の研究が進んでいる。食欲調節物質には、視床下部から分泌されるセロトニン・コレシストキニン・レプチン等があるが、ＡＮ患者ではこれらの伝達物質が異常値を示し、回復すると正常化することが分かっている。

4　治療③㉑

治療は身体的治療と精神的治療に大別される。身体的治療には、行動制限療法・経静脈栄養・経管栄養・薬物療法などが活用され、精神的治療では心理療法・家族療法・集団療法・交流分析・薬物療法などが活用される。

(a)ＥＤ治療の特殊性

ＥＤの特徴として、治療に抵抗する患者も多いこと、精神療法の成果が必ずしも身体症状の改善に直結しないこと、治療者との信頼関係が重要であることが挙げられる。

(b)初期治療介入

治療方針を決める際、栄養状態が重要なポイントになる。

肝障害・低カリウム血症・意識障害、急速に体重が減っている症例では、生命管理が優先され、治療を拒否する場合、強制入院が必要になることがある。

それに対し、栄養状態が比較的良い場合は、信頼関係の構築が初期課題である。

(c)長期的治療

治療目標は、経過につれて「過食を止めたい」から「イライラしても過食しない」「過食しても自分を責めない」と変化してゆく。患者が情緒的に安心し、安定した対人関係や社会適応を維持できるようになることが長期目標である。身体の回復だけでなく「痩せていなくても大丈夫」という安心感を得ることが最終目標で、それには年単位の時間がかかる。それぞれの治療法と予後の関係は未だ明確な見解は少なく、研究が待たれている。

（加藤明子）

キーワード　摂食障害／神経性食欲不振症／神経性過食症

〔文　献〕②③⑳㉑㉕㉗

慢性頭痛《まんせいずつう》（心身症《しんしんしょう》）

1　心身医学における頭痛

頭痛はさまざまな原因でおこる頻度の高い症状であり、器質的疾患に由来する症候性頭痛と検査で異常を認めない機能性頭痛に大別される。

慢性頭痛という診断名は、一九八八年に発表された頭痛の新しい国際分類⑱には存在せず、一般的には片頭痛、緊張型頭痛（以前は筋緊張性頭痛とよばれていた）、群発頭痛といった機能性頭痛が慢性化した病態と考えられる。このような頭痛と心理社会的要因との関連は以前から指摘されており、通常の内科的な頭痛治療に抵抗するものに対しては心身医学的アプローチが必要不可欠といえる。

2　慢性頭痛の診断

頭痛の診断は臨床症状、診察所見、医学的検査によっておこなわれる。

片頭痛は、発作的に生じる前頭部から側頭部にかけての拍動性・片側性の頭痛であることが多く、典型例では尖輝暗点とよばれる前兆をもち、吐き気、嘔吐、羞明といった随伴症状が特徴である。女性に多く、家族歴を有する場合が多い。発症機序はまだ不明点が多いが血管説、神経説、三叉神経血管説などが考えられている。

緊張型頭痛は、最も頻度の高い頭痛で両側性の締め付けられるような頭痛であることが特徴として挙げられる。肩こりを訴えることが多く、後頭部の筋肉における異常収縮などが原因と考えられている。

群発頭痛は眼球周囲を中心とする拍動性の激しい頭痛で、男性に多く、流涙、結膜充血、鼻汁などの随伴症状をもつことが特徴である。

3　慢性頭痛の治療

薬物療法を中心として心理療法、運動療法、理学療法、自立訓練法、バイオフィードバック法などが組み合わされて治療が進められることが多い。最終的な治療目標は頭痛の軽減と頭痛を持ちながらの社会適応に置かれるべきである。

薬物療法として片頭痛や群発頭痛ではカルシウム拮抗薬、βブロッカー、エルゴタミン製剤を予防薬として用い、急性期にはエルゴタミン製剤が主に用いられてきたが、近年、トリプタン製剤が開発され、血管性頭痛の新しい特効薬として注目を浴びている。

緊張型頭痛に対しては、筋肉の緊張や痛みを抑制する目的で、筋弛緩薬が用いられることが多い。

慢性頭痛では、二次的に抑うつ、不安、焦燥感といった心理状態に陥りやすく、さらに頭痛が増悪するといった悪循環が生じていることが多い。そのため、患者の心理的状態に応じた抗うつ薬、抗不安薬の投与をおこない、悪循環を断つことが重要である。

（端詰勝敬）

キーワード　片頭痛／緊張型頭痛／群発頭痛

〔文　献〕⑰

過《か》換《かん》気《き》症《しょう》候《こう》群《ぐん》（心《しん》身《しん》症《しょう》）

過換気症候群（Hyperventilation syndrome：以下HVS）とは、器質的病変がないにもかかわらず、心理的・身体的ストレスが誘因となって発作的に不随意な過換気運動が起こり、それに伴い心身両面にわたる多彩な症状を呈する機能的病態であり、代表的な呼吸器心身症の一つであるが、背景にパニック障害やヒステリーによる転換機制が認められることが多い。

〔疫学〕 わが国では、内科受診者の一～三％を占める。男女比はおよそ一対二、男女を通じて十～二十歳代に多いが、最近では男性患者や中年以上の患者が増加している。

〔症状〕 最も多い訴えは呼吸困難・空気飢餓感で、このため患者はさらに過呼吸を繰り返す。その他、心悸亢進・胸部絞扼感・四肢のしびれや痙攣・意識が遠のく感じ・腹痛・悪心などが多くみられる。精神症状はほぼ全例に認められ、不安感・恐怖感でパニック状態となる。

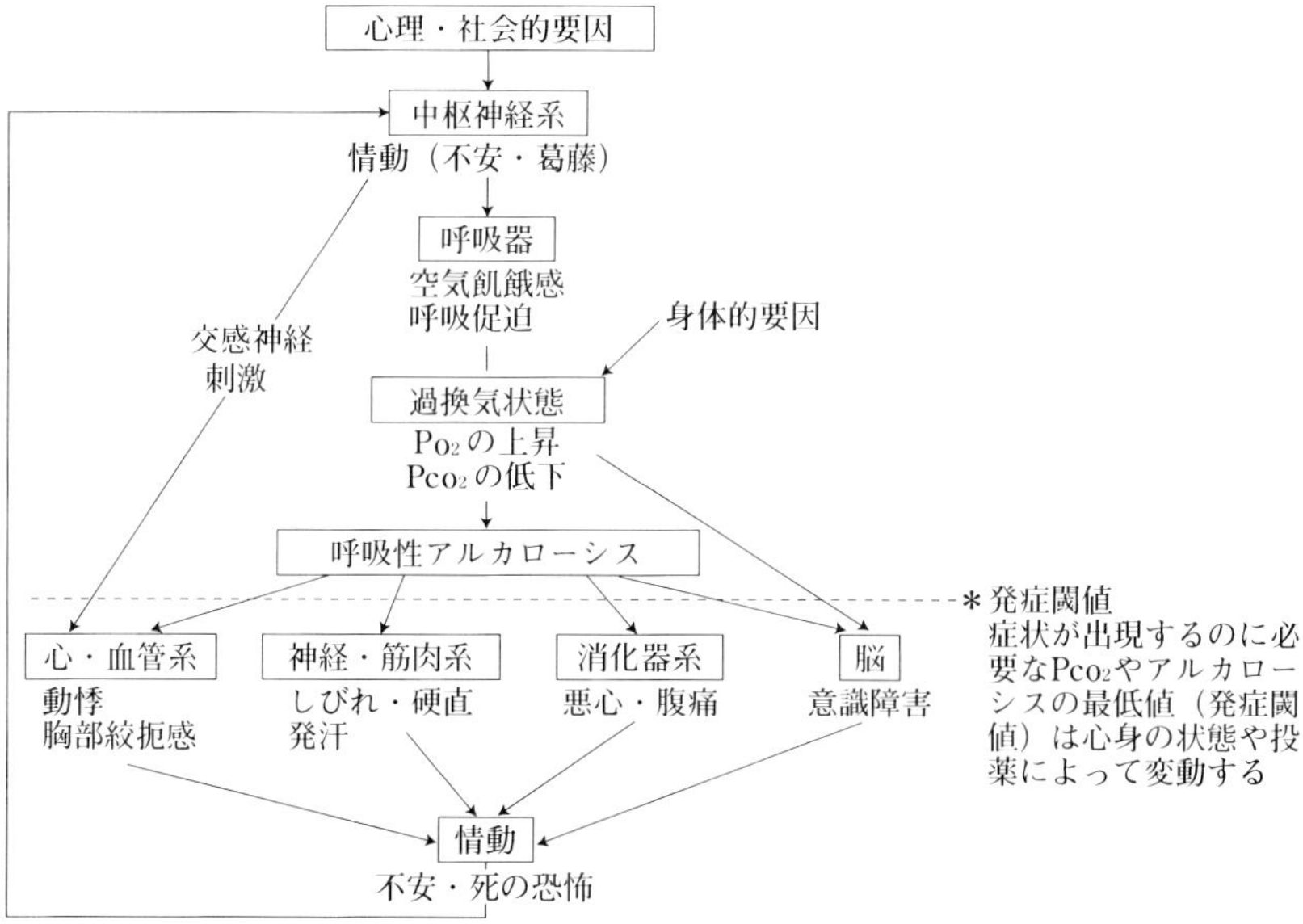

図1　過換気症候群の病態

〔病態〕 感情刺激やその他の誘因により過換気が引き起こされ、これによって生じた呼吸性アルカローシスが脳・末梢血管および冠動脈のれん縮をきたし、さらに不安・恐怖などによる交感神経興奮などが加わって悪循環を形成し、多彩な症状を呈すると考えられている。

心理的要因や、パニック障害・全般性不安障害・転換性障害・うつ病などの精神的原因疾患を有することが多いとされる。しかし、心理的要因の関与が不明瞭で、交感神経β受容体の機能亢進や呼吸中枢調節因子であるβエンドルフィンの低値など体質的な弱点が主体と考えられる、心身症とは言い難い例もある。

〔診断〕 自然発作をみれば一目瞭然であるが、非発作時の問診では疑診にとどまる。HVSの診断基準として確立されたものはないが、これまでにいくつかの基準が提唱されている。

〔治療〕 発作時は、重篤な病気ではなく、すぐに治まるので心配しなくてもよいことを告げ、不安の軽減を図る。必要に応じ抗不安薬を投与する。紙袋呼吸法は、かつては中心的な治療法の一つであったが、HVS発作中に低酸素血症を示す例や、紙袋再呼吸により死亡した例の報告もあり、おこなう際には十分な注意を要する。

発作間歇期の薬物療法としては、病態に応じて抗不安薬、抗うつ薬、βブロッカーなどを用いる。

また、周囲の適切な対応を指導することや環境調整も重要である。

（佐藤朝子）

キーワード 過換気症候群／パニック障害

〔文　献〕 ④⑤⑭㉘㊲

表1　過換気症候群の診断の手引き（田村・千葉、1986）

〈概念〉

生理的にCO_2排出を増す必要がないにもかかわらず、不随意的に発作性過換気状態となり、それに伴って呼吸、筋、心血管、消化器、神経系症状および精神症状をおこす症候群である。

〈診断基準〉

Ⅰ主要症状

1）不随意的過換気発作

2）呼吸性アルカローシスに関連する症状*

3）努力性過換気（3分以内）による発作の再現

4）呼吸性アルカローシスの改善による症状の急速な改善

Ⅱ検査所見

1）発作時の$PaCO_2$の低下、pHの上昇

2）CO_2換気応答（$\triangle V_E/\triangle P_{ET}CO_2$）の亢進

3）呼吸中枢の駆動力の指標（P_{01}）の上昇

4）心理テスト（情緒不安定、外向的、不安状態、過剰適応など）

*1）呼吸器症状：あくび、ため息、息切れ、空気飢餓感

2）筋肉系症状：振戦、筋肉攣縮、テタニー

3）心血管系症状：動悸、頻脈、胸部絞扼感

4）消化器症状：嚥下困難、腹部膨満、腹痛、嘔吐

5）神経系症状：しびれ感、めまい、記憶力障害、意識障害

6）精神症状：不安感、恐怖感、集中力障害

表2　過換気症候群の治療の流れ

発作時

1．安心感を与え、呼吸をゆっくりさせる
　(呼気を延長するように指導)

2．紙袋呼吸法、または3～5％CO_2＋35～45％O_2＋N_2の混合ガス吸入

3．抗不安剤の経口または注射による投与

発作間歇期

1．病態の説明と不安の除去

2．過換気状態をつくり紙袋呼吸法で症状がコントロールできることを体験

3．薬物による症状のコントロール

4．心身の寛ぎと呼吸パターンの矯正
　自律訓練法、ヨーガ、呼吸訓練（複式呼吸）

5．心理療法
　面接による心理的負担の軽減、精神的成長、心理面を含めた環境調整など

過《か》敏《びん》性《せい》腸《ちょう》症《しょう》候《こう》群《ぐん》（心身症《しんしんしょう》）

1　過敏性腸症候群とは

過敏性腸症候群（irritable bowel syndrome：以下IBSと略す）とは、下痢、便秘、下痢便秘の交替、腹痛などの症状が持続する腸管の機能異常を呈する症候群のことである。女性に多く、年齢は二十〜四十歳代に多い。

IBSのもっとも新しい国際的な診断基準として米国消化器病学会の提唱する、ローマII診断基準を表1、に示す㉖。

2　成　因

IBSは、様々な刺激に対して腸管運動の亢進が起こり便通異常などを惹起しやすいという生物学的な素因や、不適切な食習慣、排便習慣、神経症的性格に、機械的、化学的な刺激、腸管の感染症、過労、心理的ストレスなどが刺激となり症状を呈すると考えられている。さらに症状の増悪、不安・抑うつ等の精神症状、身体化疾病行動の学習などが受療行動に関与するとされる。

3　症　状

症状は便通異常、腹痛、ガス症状などの消化器症状、全身の自律神経機能障害および不安感・抑うつ感などの精神症状に大別される。便秘では痙攣性で兎糞状の便を排出し、下痢はときに粘液を混じる。腹痛は排便後またはガス排出後に軽減する。

表1　過敏性腸症候群（IBS）のRomeII診断基準（文献㉖）

腹部の痛みや不快感が、12ヶ月間に、連続するとは限らないが少なくとも12週間みられ、以下3つのうち2つ以上の特徴を示す。
①　排便により症状の改善がみられる
②　排便頻度の変化によって症状が出現する
③　便性状の変化によって症状が出現する

4　診断、鑑別診断

IBSの診断は器質的疾患を除外することが必要となる。器質的疾患を疑う兆候は、高齢、体重減少、血便・便潜血検査陽性、尿・血液一般検査の異常などである。鑑別疾患として、大腸癌、大腸憩室疾患、乳糖不耐症、薬剤による便通異常などがあげられる。また、精神症状の強いケースや自己臭症的な訴えをもつケースでは精神科コンサルトも考慮するべきである。

5　治　療

一般にはIBSは長期にわたり症状の緩解増悪を繰り返す。したがって、治療の目標は症状の消失ではなく、患者が症状を自己コントロールし、社会適応性を身につけることにおく。治療は患者の病態に即して、生活指導、食事療法、薬物療法および心理療法を総合的に行う。

（長谷川久見子）

キーワード　過敏性腸症候群／機能性胃腸疾患

〔文　献〕㉖

不《ふ》定《てい》愁訴《しゅうそ》（心身症《しんしんしょう》）

日常診療において、不定愁訴を有する症例は多い。不定愁訴の由来には、内科領域と婦人科領域の二つがある。内科領域では、漠然とした愁訴で、しかもそれに見合うだけの器質的疾患の裏付けがない場合、これを不定愁訴と呼ぶこととされ、また婦人科領域では更年期障害の研究に端を発し、これに似た愁訴を有する症例において、他覚的所見がないもの、またはあっても因果関係が明らかでないものと定義された。いずれも、その後の変遷においては、心身医学的見地をふまえて研究が成されてきたといえる。

不定愁訴の特徴としては、

1 主観的訴えである

2 愁訴が単一でなく、多数である

3 他覚的所見に比し、不相応に自覚症状が強い

4 愁訴の質的変化や量的変化がみられやすい

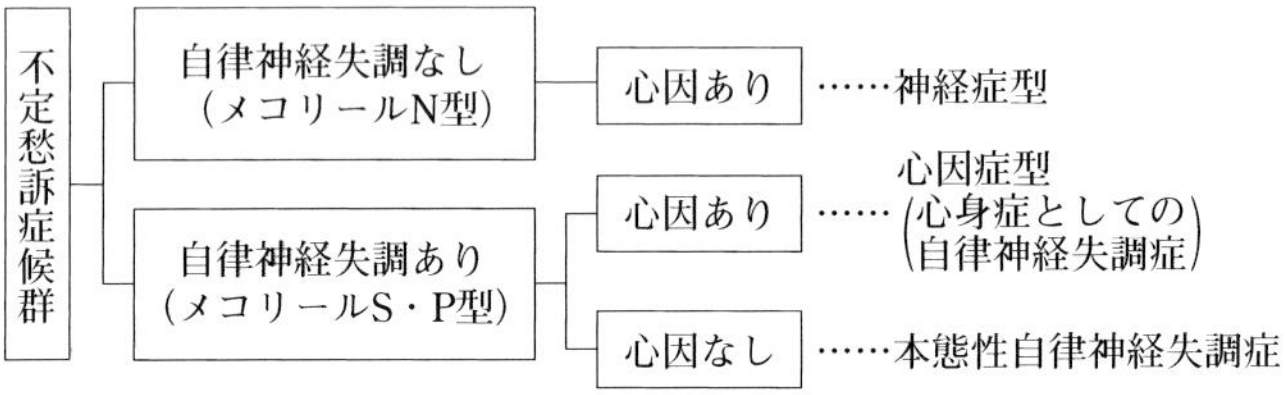

図１　不定愁訴症候群の３型分類（阿部）

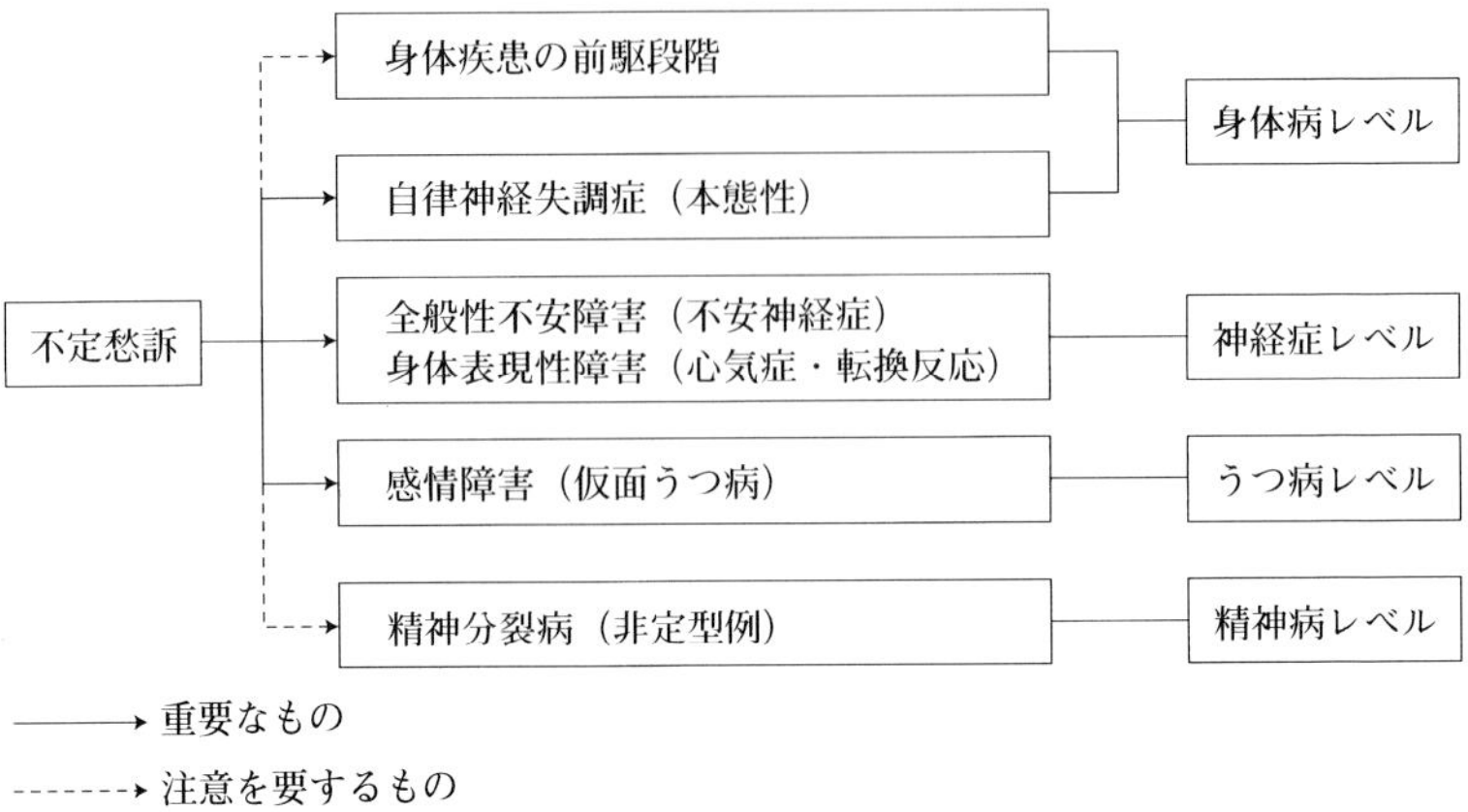

図２　不定愁訴の分類（筒井）

表1　不定愁訴症例の治療法（筒井）

①生活指導（運動★、休息★★★、栄養★、皮膚の鍛錬★ など）
②薬物療法
漢方薬★（加味逍遙散、桂枝加竜骨牡蛎湯、柴胡桂枝乾姜湯など）
抗不安薬★★（diazepam、clotiazepam、lorazepamなど）
抗うつ薬★★★(maprotiline, mianserine)
自律神経調整薬★（tofisopamなど）
③心理療法
一般心理療法★
自律訓練法★★
交流分析法★★
森田療法★★　など

主として行われる療法　★　本態性自律神経失調症　★★　神経症レベル
★★★　うつ病レベル

などがあげられる。

その病態には、身体面の要因として生理的機能異常としての自律神経失調状態が存在するもの、また、身体レベルでの異常をほとんど認めず、純粋に精神的・心理的要因で生じるものがあるが、多くはこれらが混在するものであることを認識しておく必要がある。これらについては、心身両面の関与からおおよそ分類し把握するとよい。(図1・2)

この中で心身症としてのタイプは、身体要因と心理的要因が相互に干渉しあって発現するもので、自律神経機能検査で失調を認め、かつ身体症状の発現に精神的要因の関与が考えられるものである。

比較的好発する身体症状は、「全身倦怠感」「めまい」「頭痛・頭重感」「動悸」などであるが、前述のような特徴を有する多彩な愁訴の中で、どの症状に注目するか、また心身面のどこを扱うかなどにより、予後にも影響することになる。このため、診断に際しては、偏った見方をしないように留意する。心身両面からのアプローチが必須であり、まず身体面において器質的疾患を除外するとともに、身体生理機能の面から自律神経失調の有無を確認すること、また、面接・心理テストなどで心理社会面の検査・評価を並行することである。潜在する精神疾患の鑑別も重要である。

治療法としては、薬物療法、心理療法、生活指導など、各症例の病態に応じて選択する(表1)。これらが単独で行なわれることは少なく、診断と同様、心身両面からのアプローチが必要となることが多い。

いずれにしても、患者自身も未組織な段階で症状を自覚していることから、自己の状態につき不安を抱えており、このことも含めて患者を受容し、良好な医師・患者関係を築くことが診療の原則であり、これにより治療が難治化することも少なくなるであろう。

(益子雅笛)

キーワード　自律神経失調／心身医学的アプローチ

〔文　献〕㉚㉛

ターミナルケアと臓器《ぞうき》移植《いしょく》

臨死癌患者や臓器移植患者を取り巻く様々な問題の重要性が認識されるようになり、心療内科医や精神科医に対しコンサルテーション・リエゾンの役割が、広く期待されるようになった。特に、患者の心身相関を理解することが重要で、それは医師ばかりでなく、患者を中心とした患者にかかわる全ての人が、その時起こっている問題を理解し、対応していくことが望まれる。今回、コンサルテーション・リエゾンのニーズが高いターミナルケアの対応や、臓器移植の際に起こる問題について下記に述べる。

1　ターミナルケアとは

癌患者が死の時まで人間らしく、生きがいをもって生きることが出来るように、医療的・全人的に援助することである（図1）。

癌患者への具体的な対応

○患者の個性をふまえたきめ細かな配慮：生活歴や現在の環境、性格や困難に立ち向かう際の態度や振る舞い（対処行動）などは患者ごとに異なっていることを理解する

○頻回に訪室し、患者の目線の高さと同じになるように、ベッドサイドに座り、話を聞く。

○スキンシップ、ノンバーバル・コミュニケーション（目と目、身振り、表情など）

○患者の訴えをよく聞き、共感的・理解的態度で接し、共に戦うことを知らせる。

○安易な励ましはしない。現実の範囲で出来るだけわかりやすく説明し、保証を与える。

患者のQOL（QUALITY OF LIFE）を向上させることを目標とする

↓

末期癌患者のニーズを可能な限りみたすこと

患者・家族の幸福、満足、調和の３つを満たす必要がある。

①身体的ニーズ：身体症状の緩和―特に疼痛のコントロール、呼吸困難、悪心・嘔吐、

②精神的ニーズ：心のケア―不安、恐怖、抑うつ、せん妄等への対応

③社会・経済的ニーズ：仕事、家庭、経済的問題の整理、家族へのサポート

④宗教的ニーズ

⑤人生完成の支援

図1　ターミナルケアの目的

○多様な苦痛への対応：患者の苦痛は多様で、心身両面にわたるため、これに対応するために適切なチーム医療も必要になる。

○不安、抑うつ、不眠などの症状には、必要に応じて薬物療法も用いる。

○リラックスできるように工夫する。（音楽療法など）

○家族との協力と家族への援助：家族との協力は非常に重要である。また、家族への援助、とくに「喪の仕事」への援助もターミナルケアの重要な課題の一つである。

臨死患者の抑うつ状態について

癌患者がうつ状態を呈することは多く、その対応が重要であることが多い。臨死患者の抑うつ状態は、「反応性うつ」：健康や仕事などの喪失への反応としての状態と、「準備性うつ」：いわば死を準備するためのうつ状態で、『末期癌患者がこの世との訣別を覚悟するために経験しなければならない準備性悲哀』（悲哀の仕事）の両方を含む。したがってうつ状態が即問題と言うわけではないが、食欲不振や不眠が強く身体の衰弱を増悪させるようなうつ状態については、抗うつ剤などの薬物療法も重要である。当科では、三還系

の抗うつ剤に比べ、副作用の少ないSSRI（セロトニン選択的再取り込み阻害剤）や、食欲増進作用のあるスルピライド（ドグマチール）などはよく使用している。

2　臓器移植について

臓器移植については表1のような問題が重要であり、時にレシピエント（臓器を受ける患者）とドナー（臓器提供者）の両者に、心理的援助が必要となることがある。近年、日本でも脳死患者からの多臓器移植が行われるようになり、脳死患者の臓器提供を許可する役割を担った家族のサポートの問題（突然家族を失った悲しみ、レスピレータを止めてしまったことに対する罪悪感、プライバシーの問題等）も新たに生じている。

表1　移植をめぐる問題

1、いつ移植が受けられるか？
2、レシピエント(臓器を受ける患者)とドナー(臓器提供者)の関係をめぐる問題 →誰が、臓器を提供するか 患者へ臓器を提供できないときの罪悪感、 家族が臓器を提供してくれないことへの陰性感情
3、移植手術後の精神症状→隔離室、免疫抑制剤の使用による反応、せん妄
4、拒絶反応に対する不安、死に対する不安
5、移植臓器の機能が廃絶したときの問題
6、脳死患者からの臓器移植の問題―レシピエントの家族の問題、社会的倫理の問題

参考症例「腎臓移植患者」：男性　四十歳会社員

主訴：不眠、不安、落ち着かない

経過：二十七歳のときに、IgA腎症と診断され加療を続けてきたが、三十五歳のときから、慢性腎不全のため透析治療を受けるようになっていた。今回、患者の母親が、透析治療を受けながら仕事を続けている息子を、みているのがつらくなり、自分の腎臓を息子に提供することを決意したため、移植手術が行われた。手術は、無事終了したが、術後より、ベット上安静がたえられない、拒絶反応も心配で、夜も眠れず落ち着かないと訴えるため、心療内科への依頼となった。

生活歴：家族構成は、患者の両親、妻、十五歳と十三歳の二人の子供と同居している。今回腎臓を提供してくれた母親は、とてもやさしいが反面心配性である。そのため患者は、今回の移植がうまくいかないと、母親ががっかりするのではないかと心配している。職場でも週三回透析を受けていることで、勤務時間などにも支障が有り、今回の入院が長期化すれば退職させられる可能性があることを、会社から伝えられた。

対応と治療：患者の話を聞き、つらい状況を受け止めるように対応した。その結果以下のような情報が得られた。今回の移植手術にたいしては、家族や本人には、過大な期待と失敗できないというプレッシャーが有ることが明らかとなった。さらに、術後五日間隔離された個室で安静を保っていなくてはいけないという、特殊な状況下であるために、一段と不眠と不安が強くなったことが推測された。さらに、症状についても細かいことがいろいろ不安になるが、主治医にいちいち聞くのは、申し訳ない気持ちで聞くことができないでいることが判明したため、主科主治医にそのことを伝え、細かく説明してもらえるように調整を図った。さらに、症状に対して、睡眠薬や抗不安薬も投与し、精神的にも安定がみられるようになった。

（波多野美佳）

キーワード　ターミナルケア／サイコオンコロジー／コンサルテーション・リエゾン

〔文献〕⑦㉜

心身医学《しんしんいがく》でみられる不安《ふあん》と抑《よく》うつ

1　はじめに

心療内科は、心身症を専門に扱う領域として誕生したが、最近では心身症よりも軽症うつ病や不安障害の範疇に入る患者層が増加している。一九九六年に心療内科の標榜が許可され、今まで、精神科受診を躊躇していたような人たちが気軽に受診しやすくなったという経緯もある。現代日本がストレス社会だといわれる反面、心理的な相談を行う機関は未発達で、その機能を病院に求めざるを得ない現状もあり、不安や抑うつを訴えて心療内科を受診する者は正常範囲の心理的反応とみなせる者から、病的な精神状態の患者まで幅広い層にわたる。本項目では、不安・抑うつに分けて心身医学領域に多くみられる病態を説明する。

2　不　安

a　正常な不安

何となく落ち着かなかったり、手に汗をかいたり、胸がドキドキしたりといった感覚は誰もが経験したことがあると思われる。不安の定義は「漠然とした未分化な恐れの感情で、内的矛盾から発する対象のない情緒的混乱、心的矛盾のきわみ」とされている。不安感は不快な感情であることは確かであるが、本来は生命を守ったり、個人の行動が不利な結果にならないよう注意を向けるために必要な反応である。たとえば、不安を感じやすい人は失敗が少ないといった利点がある。

b　不安の身体症状

不安を感じると、自律神経のうちの、主に交感神経が興奮し、動悸、頻脈、息苦しさ、口渇、頻尿、手掌発汗などの身体症状を呈することがある。これは、逃げるか闘争するかしかないような緊急事態に動物がおかれた時に生じる身体的反応として、実験的にも確認されている。

c　パニック障害

表1に米国精神医学会（DSM—Ⅳ②）のパニック発作の診断基準を示す。パニック障害では本来、不安になる場面ではないところで、突然パニック発作が出現することを繰り返す疾患である。生涯有病率は一・五〜三％以上と比較的多い疾患であるにも関わらず、身体的検査で訴えに見合うだけの異常所見がみられないことにより、なかなか正しい診断が受けられず医療機関を転々とする患者が多く、慢性化し外出困難となったり、うつ病が続発したりすることが問題となっている。ノルエピネフリン系やセロトニン系の脳内神経伝達物質の異常と関連がある疾患であることがわかってきており、抗うつ薬や抗不安薬が著効する患者が多いため、早期に適切に診断され、慢性化を予防することが求められる。

d　全般性不安障害

不安、運動性緊張（振戦、頭痛、筋緊張など）、自律神経系の過活動（息苦しさ、多汗、動悸、様々な胃腸症状など）、過覚醒（易刺激性、驚きやすさ）が主要症状である。多数の出来事または活動についての過剰な不安と心配（予期憂慮）が半年以上続き、患者はその心配を制御できないため、患者は著しい苦痛を感じたり、社会的機能の障害を引き起こしてしまう。精神的な治療を求める患者は約三分の一にすぎず、身体症状の治療を求めて一般身体科を受診する者が多く、慢性の経過をたどる患者が多い。

3　抑うつ

a　正常範囲の抑うつ—対象喪失反応

家族を亡くしたり、親しい者との別れを経験すれば気持ちが晴れずゆううつになったり、悲哀感を感じることは正常の心理反応である。対象喪失反応は人との別れだけに限らず、退職や子供の独立など環境の変化によって起こることも多い。こういった人には、大切なものを失ってしまったという現実を受け入れるための「喪の仕事」がスムーズに進むように接する。

b　大うつ病

うつとは一言でいえば心身のエネルギー枯渇状態である。大うつ病はパニック障害同様脳内神経伝達物質の異常が病因とされ、合併や移行も多い。わが国のここ二十〜三十年間の傾向としては、軽症うつ病の増加にともなう、うつ病患者全体数の増加である。軽症うつ病の患者は食欲低下、全身倦怠感、頭痛、便秘などの身体症状を訴えて、一般身体診療科をまず受診する者が多い。こういった患者は精神症状が目立たないことから「仮面うつ病」と呼ばれることもある。良く話を聞くと不眠（特に早朝覚醒）、意欲低下、症状の日内変動（午前中に不調を訴える者が多い）などのうつ病に特徴的な症状が存在することが明らかになることが多く、身体疾患が検査で除外されたのであれば「うつ病の可能性を疑う」姿勢が医療者に求められる。大うつ病であれば休養と抗うつ薬が著効する例も多く、回復とともに身体の不定愁訴も軽減する。

（久松由華）

表1　パニック発作の基準（文献②）

注：パニック発作は、コード番号のつく障害ではない。パニック発作が起こる特定の診断に（例：300.21広場恐怖を伴うパニック障害）コード番号をつけること。

強い恐怖または不快を感じるはっきり他と区別できる期間で、その時、以下の症状のうち4つ（またはそれ以上）が突然に発現し、10分以内にその頂点に達する。

（1）動悸、心悸亢進、または心拍数の増加
（2）発汗
（3）身震いまたは震え
（4）息切れ感または息苦しさ
（5）窒息感
（6）胸痛または胸部不快感
（7）嘔気または腹部の不快感
（8）めまい感、ふらつく感じ、頭が軽くなる感じ、または気が遠くなる感じ
（9）現実感消失（現実でない感じ）、または離人症状（自分自身から離れている）
（10）コントロールを失うことに対する、または気が狂うことに対する恐怖
（11）死ぬことに対する恐怖
（12）異常感覚（感覚麻痺またはうずき感）
（13）冷感または熱感

キーワード　パニック障害／全般性不安障害／大うつ病

〔文　献〕②

あとがき

本書は、「心理学の基礎」として学習することが望ましい理論や法則、原理などから主なものを取り上げてコンパクトに解説したものである。項目の拡がりと深みを考慮して、紙幅は加減してある。

これを通読することで、広範な領域にわたる心理学の基礎を学習することが可能である。なお、心理学通論とせずに事典としたのは、項目に重点をおき各分野の中核となる事項を丁寧にできるだけ客観的に記述するためである。

記述は平易なものとなるように努めたので、通読することで十分理解できるものとなっている。また、学習を更に深めるためには用意されている参考文献が有効であろう。

わが国では、大学の教養課程が改組され心理学の基礎教育が脆弱化しており、さらに学部での教育は専門的な教育が中心となっているために、心理学の全貌を学習する機会が少なくなっている。本書はこの点を十分に補うもので、心理学や臨床心理学を学ぶものの必携の書といえる。また、大学院の入試や就職試験の際にも、学習者にとってこの上ない友となることであろう。

このたび本書が書籍として改装され刊行されることになり大変よろこんでいる。読者の支援を得て、洛陽の紙価を高めるものとなることを願っている。

二〇〇二年九月

上里一郎

ま行

な行

は行

た行

さ行

か行

キーワード索引

は行

ま行

や行

ら行

た行

な行

さ行

索　引

あ行

か行

㉘ 田村昌士・千葉太郎・板倉康太郎他　1987　過換気症候群のプライマリケア　日胸疾会誌 25

㉙ Taylor ,G.J. (1997)Alexithymia in medical and psychiatric illness Cambridge University Press

㉚ 筒井末春　1973　不定愁訴―初診から管理まで　医学図書出版

㉛ ―――― 1992　不定愁訴症候群　宇尾野公義・入来正躬（編著）自律神経疾患―基礎と臨床―　金原出版

㉜ ――――・小池眞規子・波多野美佳　1999　がん患者の心身医療　新興医学出版

㉝ ――――・中野弘一　1996　新心身医学入門　南山堂

㉞ ――――・中野弘一　1996　タイプA行動　新心身医学入門　南山堂

㉟ ――――（編）1989　心身医学的ケアとその実践　南山堂

㊱ World Health Organization 1992 The ICD-10 Classification of Mental and Behavioural Disorders:Clinical descriptions and diagnostic guidelines.World Health Organization, Geneva
(融　道男・中根允文・小見山実監訳　1993　ICD-10精神および行動の障害―臨床記述と診断ガイドライン―　医学書院)

㊲ 山岡昌之　1997　心理因子に起因する過換気症候群　心身医療　43

文献／心身医学

① American Psychiatric Association 1987 Diagnostic and Statistical Manual of Mental Disorders (Third Edition-Revised)
(高橋三郎訳　1988　DSM-III-R　精神障害の診断・統計マニュアル　医学書院)
② American Psychiatric Association. 1994 Diagnostic and Statistical Manual of Mental Disorders, 4th Edition. American Psychiatric Association,Washington,DC.
(高橋三郎・大野　裕・染矢俊幸訳　1996　DSM-IV　精神疾患の診断・統計マニュアル　医学書院)
③ American Psychiatric Association. 2000 Practice Guideline for the Treatment of Patients with Eating Disorders(Revision). *American Journal of Psychiatry* 157:1,January Supplement
④ 千葉太郎　1997　過換気症候群　心療内科　1
⑤ 江花昭一　1997　過換気症候群の救急治療　心身医療　43
⑥ Friedman,M and Rosenman,R.H 1959 Association of special over behavior pattern with blood and cardiovascular findings. JAMA,96,1286-1296
⑦ 福西勇夫　1997　透析・腎移植におけるリエゾン精神医学　心療内科　1
⑧ 桂　戴作・山岡昌之（編）　1997　よくわかる心療内科　金原出版
⑨ 久保千春（編）　1996　心身医学標準テキスト　医学書院
⑩ 黒澤　尚・市橋秀夫・皆川邦直（編）　1996　コンサルテーション・リエゾン精神医学　星和書店
⑪ Leigh H.,Feinstein A.R.,Reiser M.F. 1980: The patient evaluation grid:a systematic approach to comprehensive care. *Gen Hosp Psychiatry* 2(1), 3-9
⑫ 前田重治　1980　「心身症の精神分析的研究の最近の動向」　精神分析研究　24（２）
⑬ 桃生寛和　1993　タイプA行動パターンはストレス関連疾患全般の危険因子か？　タイプA　4
⑭ 永田頌史　1996　過換気症候群　臨床と研究　73
⑮ 日本心身医学会教育研修委員会編　1991　心身医学の新しい診療指針　心身医学　31
⑯ 小此木啓吾（編）　1989　新・医療心理学読本　日本評論社
⑰ Olesen J.et al.: 1988 Classification and Diagnostic criteria for headache disorders, cranial neuralgias and facial pain. *cephalalgia*,8(supplement 7):1-96
⑱ 篠田知璋・加藤美智子（編）　1998　（監）日野原重明　標準音楽療法入門　上：理論編　春秋社
⑲ Sifneos,P.E. 1973 The Prevalence of 'alexithymic' characteristics in psychosomatic patients. *Psychotherapy and Psychosomatics,*24,151-155
⑳ Stoving RK, Hangaard J, Hansen-Nord M, et al 1999 A review of endocrine change in anorexia nervosa. *J of Psychiatr Res,*33(2),39-52.
㉑ 末松弘行・河野友信・玉井　一他　1985　神経性食思不振症―その病態と治療―　医学書院
㉒ ―――（編）　1994　心身医学　朝倉書店
㉓ ―――（編）　1994　新版心身医学　朝倉書店
㉔ ―――・河野友信・吾郷晋浩（編）　1996　心身医学を学ぶ人のために　医学書院
㉕ 鈴木裕也　1986　彼女たちはなぜ拒食や多食に走る　女子栄養大学出版部
㉖ Talley NJ, Stanghellini V., Heading RC, et al 1999 Functional gastroduodenal disorders. Gut 45(suppl II): 37-42,
㉗ 玉川恵一・小牧　元　2000　摂食障害の身体管理と合併症　心療内科

神医学　南山堂
㉗　精神保健福祉研究会（監修）　1999　我が国の精神保健福祉　平成11年度版　厚健出版
㉘　繁田雅弘・本間　昭　2000　疫学と危険因子　三好功峰・小阪憲司（編）　アルツハイマー病　臨床精神医学講座　9巻　中山書店
㉙　World Health Organization 1992 The ICD-10 Classification of Mental and Behavioural Disorders ; Clinical Descriptions and Diagnostic Guidelines. World Health Organization.
（融　道男・中根允文・小見山実訳　1993　ICD—10精神および行動の障害—臨床記述と診断ガイドライン—　医学書院）
㉚　World Health Organization 1993 The ICD-10 Classification of Mental and Behavioural Disorders ; Diagnostic Criteria for Research. World Health Organization.
（中根允文・岡崎祐士・藤原妙子訳　1994　ICD—10精神および行動の障害—DCR研究用診断基準—　医学書院）

文献／精神医学

① American Psychiatric Association 1994 Diagnostic and Statistical Manual of Mental Disorders (DSM—Ⅳ). American Psychiatric Association.
(高橋三郎・大野　裕・染矢俊幸訳　1996　ＤＳＭ—Ⅳ　精神疾患の診断・統計マニュアル　医学書院)

② American Psychiatric Association 1994 Quick Reference to the Diagnostic Criteria from DSM-Ⅳ. American Psychiatric Association.
(高橋三郎・大野　裕・染矢俊幸訳　1995　ＤＳＭ—Ⅳ　精神疾患の分類と診断の手引　医学書院)

③ 蜂矢英彦・岡上和雄（監修）　2000　精神障害リハビリテーション学　金剛出版

④ 濱中淑彦・三山吉夫・鈴木二郎他　1998　専門医のための精神医学　西園昌久・山口成良・岩崎徹也（編）　医学書院

⑤ 狭間秀文　1994　躁うつ病　中尾弘之・西園昌久・狭間秀文他（共著）　現代精神医学

⑥ 狭間秀文　武市昌士　1976　現代精神医学　中尾弘之・西園昌久・狭間秀文他（共著）　朝倉書店

⑦ 広瀬徹也　1998　気分障害（感情障害）　松下正明・広瀬徹也（編）　TEXT精神医学

⑧ Jaspers,K. 1913 Allgemeine Psychopathogie. Springer.
(内村祐之・西村四方・島崎敏樹他訳　1956　精神病理学総論　下巻　岩波書店)

⑨ カプラン，I.H, サドック，J.B.（編）　1997　カプラン臨床精神医学ハンドブック　医学書院MYW

⑩ 加藤正明・保崎秀夫・笠原　嘉他（編）　1993　新版精神医学辞典　弘文堂

⑪ 厚生省精神保健福祉法規研究会（監修）　1998　精神保健福祉法詳解　中央法規出版

⑫ 小杉好弘　1992　アルコール依存症とは　榎本　稔（編）　アルコール依存症　現代のエスプリ　303　至文堂

⑬ 前田重治　1985　図説臨床精神分析学　誠信書房

⑭ 三山吉夫　1994　初老期・老年期の精神障害　中尾弘之・西園昌久・狭間秀文他（共著）現代精神医学　朝倉書店

⑮ 三好功峰　2000　病期　三好功峰・小阪憲司（編）　アルツハイマー病　臨床精神医学講座　9巻　中山書店

⑯ 中嶋義文　1998　精神疾患の分類および診断基準　松下正明・広瀬徹也（編）　TEXT精神医学　南山堂

⑰ 中根允文・岡崎祐士　1994　ICD—10「精神・行動の障害」マニュアル—用語集・対照表付—　医学書院

⑱ 中尾弘之・西園昌久・挟間秀文他　1994　現代精神医学　第３版　朝倉書店

⑲ 中谷陽二（編）　1997　解離性障害　精神科レビュー　22　ライフサイエンス

⑳ 中沢洋一　1994　初老期・老年期の精神障害　中尾弘之・西園昌久・狭間秀文他（共著）現代精神医学　朝倉書店

㉑ 成田善弘（編）　1997　人格障害　現代のエスプリ別冊　至文堂

㉒ 西園昌久　1971　神経症の分類をめぐって　治療（J.Therap.）　Vol.53　No.12　南山堂

㉓ ———　1977　神経症　治療（J.Therap.）　Vo.l59　No.2　南山堂

㉔ ———・中尾弘之・狭間秀文ら　1996　現代精神医学（第３版）　8．5　神経症　朝倉書店

㉕ ———・山口成良ほか（編）　1998　専門医のための精神医学　医学書院

㉖ 岡崎祐士　1998　精神疾患の分類および診断基準　松下正明・広瀬徹也（編）　ＴＥＸＴ精

Co.
(中澤銀次郎編訳　1997　ＥＡＰ―アメリカの産業カウンセリング：従業員援助活動―　日本文化科学社)
㉔ 真仁田　昭（編）　1990　学校カウンセリング―その方法と実践―　金子書房
㉕ 箕口雅博　1997　臨床・コミュニティ心理学の実践的展開　心理臨床　10巻３号　星和書店
㉖ ――――　1999　メンタルヘルスとコミュニティ心理学　上里一郎・末松弘行・田畑　治他（編）　メンタルヘルス事典　同朋舎
㉗ Minuchin, S, Lee, W., and Simon. G. 1996 Mastering family therapy: Journeys of growth and transformation. John Wiley & Sons.
(亀口憲治監訳　2000　ミニューチンの家族療法セミナー―心理療法家の成長とそのスーパーヴィジョン―金剛出版)
㉘ 森崎美奈子　2000　企業内カウンセリング　氏原　寛・成田善弘（編）コミュニティ心理学とコンサルテーション・リエゾン　培風館
㉙ 村山正治・上里一郎（編）　1979　セルフ・ヘルプ・カウンセリング　講座心理療法　第８巻　福村出版
㉚ ――――・山本和郎（編）　1995　スクールカウンセラー―その理論と展望―　ミネルヴァ書房
㉛ 日本いのちの電話連盟（編）　1986　電話による援助活動―いのちの電話の理論と実際―学事出版
㉜ ＮＩＰ研究会（編）　1997　21世紀の産業心理学―人にやさしい社会をめざして―　福村出版
㉝ 岡堂哲雄（編）　1989　家族関係の発達と危機　同朋社
㉞ ――――　1991　家族心理学講義　金子書房
㉟ ――――　1998　スクールカウンセリング―学校心理臨床の実際―　新曜社
㊱ ――――　2000　家族カウンセリング　金子書房
㊲ 大西　守・島　悟（編）　1996　職場のメンタルヘルス　（監）加藤正明　実践教室におけるメンタルヘルス　星和書店
㊳ 大塚義孝（編）　1996　スクールカウンセラーの実際　日本評論社
㊴ Orford,J. 1992 Community Psychology:Theory and Practice. John Willey &Sons
(山本和郎監訳　1997　コミュニティ心理学―理論と実践―　ミネルヴァ書房)
㊵ 斎藤友紀雄（編）　1996　危機カウンセリング　現代のエスプリ　351　至文堂
㊶ 杉渓一言・日本産業カウンセリング学会（編）　2000　産業カウンセリングハンドブック　金子書房
㊷ 高野清純・國分康孝・西　君子（編）　1994　学校教育相談カウンセリング事典　教育出版
㊸ 十島雍蔵　2001　家族システム援助論　ナカニシヤ
㊹ 氏原　寛・谷口正巳・東山弘子（編）　1991　学校カウンセリング　ミネルヴァ書房
㊺ 鵜養美昭・鵜養啓子　1997　学校と臨床心理士　ミネルヴァ書房
㊻ 山本和郎　1986　コミュニティ心理学―地域臨床の理論と実践―　東京大学出版会
㊼ ――――　2000　危機介入とコンサルテーション　ミネルヴァ書房
㊽ ――――・原　裕視・箕口雅博他（編）　1995　臨床・コミュニティ心理学―臨床心理学的地域援助の基礎知識―　ミネルヴァ書房

文献／家族心理学　コミュニティ心理学

① Aguilera,D.C. and Messick,J.M. 1994 Crisis Intervention:The theory and methodology. The C.V.Mosby Company
（小松源助・荒川義子訳　1997　危機療法の理論と実際　川島書店）

② 安藤延男（編）1989　コミュニティの再生　現代のエスプリ　269　至文堂

③ Butcher,J.N. & Mandel,G.R. 1976 Crisis intervention. In Weiner,I.B. (ed.) Clinical Methods in Psychology. New York, John Willey & Sons.

④ Duffy.G.K. & Wong F.Y. 1996 Community Psychology. Allyn & Bacon Company
（植村勝彦監訳　1999　コミュニティ心理学―社会問題への理解と援助―　ナカニシヤ出版）

⑤ Freudenberger, H. J. 1972 The free clinic concept. *International Journal of Offender Ther-apy,*15,121-125.

⑥ 藤掛永良　1999　実践電話カウンセリング―いのちの電話の現場から―　朱鷺書房

⑦ Gelcer, E., McCabe, A., and Smith-Resnick, C. 1990 Milan family therapy: Variant and in variant methods. Jason Aronson.
（亀口憲治監訳　1995　初歩からの家族療法―ミラノ派家族療法の実践ガイド―誠信書房）

⑧ 平木典子　1998　家族との心理臨床　垣内出版

⑨ 平松清志・藤井和郎　1996　学校教育相談の新しい試み―臨床心理士と教師カウンセラーの連携―　明治図書出版

⑩ 乾　吉佑・飯長喜一郎（編）1993　産業心理臨床（心理臨床プラクティス第　4巻）星和書店

⑪ 石隈利紀　1999　学校心理学―教師・スクールカウンセラー・保護者のチームによる心理教育的援助サービス―　誠信書房

⑫ 亀口憲治　1992　家族システムの心理学　北大路書房

⑬ ―――　1997　現代家族への臨床的接近　ミネルヴァ書房

⑭ ―――　2000　家族臨床心理学　東京大学出版会

⑮ 亀山直幸・内山喜久雄（編）1999　産業カウンセリング事典　川島書店

⑯ Kerr, M., & Bowen, M. 1988 Family evaluation: An approach based on Bowen theory. W.W.Norton.
（藤縄　昭・福山和女監訳　2001　家族評価―ボーエンによる家族探求の旅―金剛出版）

⑰ 北九州いのちの電話・日本自殺予防研究会編　1982　自殺予防の実際活動―危機介入をめぐって―　星和書店

⑱ 小林利宣（編）1992　教育相談の心理学　東信堂

⑲ Korchin,S.J. 1973 Modern clinical psychology: Principles of intervention in the clinic and community. Basic Books
（村瀬孝雄監訳　1980　現代臨床心理学―クリニックとコミュニティにおける介入の原理―弘文堂）

⑳ 国谷誠朗　1998　ナレイティヴ・セラピィの技法的側面　日本家族心理学会（編）パーソナリティの障害　金子書房

㉑ Lester,D. & Brockopp, G. W. (eds.) 1973 Crisis intervention and counseling by telephone. C. C. Thomas, Springfield
（多田治夫・田中富士監訳　1982　電話カウンセリングの技法と実際　川島書店）

㉒ Lewis,J.A. & Lewis,M.D. 1977 Community Counseling:A Human Service Approach.John Willey & Sons.

㉓ ――― 1986 Counseling Program for Employees in the Workplace, Books／Cole Pub.

集
(111) ――― 2000 学習障害（LD）の判断・実態把握基準 山口 薫（編） 学習障害・学習困難への教育的対応 文教資料協会
(112) 氏原 寛・村山正治（編） 2000 ロジァーズ再考―カウンセリングの原点を探る― 培風館
(113) 若林慎一郎・本城秀次 1987 家庭内暴力 金剛出版
(114) ――― 1993 登校拒否 改訂２版 医歯薬出版
(115) Walrond-Skinner, S. 1986 Dictionary of Psychotherapy. Routledge & Kegan Paul.
（森岡正芳・藤見幸雄ほか訳 1999 心理療法事典 青土社）
(116) Wechsler 日本版WISC-Ⅲ刊行委員会（訳著） 1998 日本版WISC-Ⅲ知能検査法（１．理論編） 日本文化科学社
(117) Yalom, I. D. 1985 The Theory and Practice of Group Psychotherapy (3rd ed.) Basic Books.
(118) ――― & Vinogradov, S. 1989 Concise Guide to Group Psychotherapy American Psychiatric Press.
（川室 優訳 1991 グループサイコセラピー ヤーロムの集団精神療法の手引き 金剛出版）
(119) 山口 薫 2000 学習障害（LD）とは 山口 薫（編） 学習障害・学習困難への教育的対応 文教資料協会
(120) 山口 隆・増野 肇・中川賢幸（編） 1987 やさしい集団精神療法入門 星和書店
(121) ―――・中川賢幸（編） 1992 集団精神療法の進め方 星和書店
(122) ―――・松原太郎（監修） 1994 合本ウォン教授の集団精神療法セミナー 星和書店
(123) 山本和郎 2000 危機介入とコンサルテーション ミネルヴァ書房
(124) ―――・原 裕視・箕口雅博他（編著） 1995 臨床・コミュニティ心理学 ミネルヴァ書房
(125) 山崎晃資編 1995 プレイ・セラピィ 金剛出版
(126) 吉本伊信 1965 内観40年 春秋社
(127) 吉野 要 1992 日本的心理療法 岡田康伸・田畑 治・東山紘久（編） 心理療法 臨床心理学 ３巻 創元社

⑲ ―――― 1998 姿勢のふしぎ 講談社
⑳ ―――― 1999 臨床動作法から催眠治療を考える 催眠学研究 44（1）
㉛ ―――― 2000 動作療法 誠信書房
㉜ 日本臨床動作法学会（編著） 2000 臨床動作法の基礎と展開 コレール社
㉝ 野島一彦 2000 エンカウンター・グループのファシリテーション ナカニシヤ出版
㉞ 荻野恒一 1990 現存在分析と実存分析 小此木啓吾・成瀬悟策・福島 章（編） 心理療法 1 第VII章（臨床心理学体系 第7巻） 金子書房
㉟ 大原健士郎・藍沢鎮雄・岩井 寛 1970 森田療法 文光堂
㊱ 岡堂哲雄（編） 1975 心理検査学 垣内出版
㊲ Orford, J. 1992, Community Psychology―Theory and Practice―, John Wiley and Sons, Ltd.
（山本和郎監訳 1997 コミュニティ心理学―理論と実践― ミネルヴァ書房）
㊳ Perls, F. S. 1973 The Gestalt Therapy and Eye Witness to Therapy. Science and Behavior Books, Inc.
（倉戸ヨシヤ監訳 1990 ゲシュタルト療法―その理論と実際― ナカニシヤ出版）
㊴ ライスマン, J. M.（茨木俊夫訳） 1982 臨床心理学の歴史 誠信書房
㊵ Rogers, C. R. 1966-1972 友田不二男ほか（編） ロージァズ全集（全23巻） 岩崎学術出版社
㊶ ―――― 1970 Carl Rogers on Encounter Groups. Harper & Row.
（畠瀬 稔・直子訳 1973、1982 エンカウンター・グループ―人間信頼の原点を求めて― ダイヤモンド社 創元社）
㊷ 齋藤久美子 1991 人格理解の理論と方法 河合隼雄（監） 三好暁光・氏原 寛（編） 臨床心理学 2巻 アセスメント 創元社
㊸ 斎藤 学 1998 家族の闇をさぐる―現代の親子関係― 日本放送出版協会
㊹ 佐藤幸治（編） 1972 禅的療法・内観法 文光堂
㊺ 佐藤修策・山下 勲（編） 1978 講座心理療法 第2巻 遊戯療法 福村出版
㊻ 島津峰眞・生澤雅夫・中瀬 惇 1983 新版K式発達検査実施手引書 京都国際社会福祉センター
㊼ 下山晴彦（編） 2000 臨床心理学研究の技法 福村出版
㊽ 新福尚武 1968 森田療法 異常心理学講座3巻 みすず書房
㊾ 田畑 治 1994 諸外国の現状―1 アメリカ合衆国における臨床心理学の教育訓練 河合隼雄（監） 斎藤久美子・鑪 幹八郎・藤井 虔（編） 臨床心理学 4巻 実践と教育訓練 創元社
㊿ ―――― 1995 臨床心理学―その発展と課題の広がり― （財）放送大学教育振興会
(101) 高木四郎 1964 児童精神医学各論―児童相談の諸問題― 慶應通信
(102) 高橋省己 1985 ベンダー・ゲシュタルト・テスト・ハンドブック（増補版） 三京房
(103) 田中富士夫 1988 臨床心理学の理論的背景 田中富士夫（編著） 臨床心理学概説 北樹出版
(104) ――――（編） 1998 臨床心理学概説［新版］ 北樹出版
(105) 田中新正 1999 イメージ療法と催眠療法 藤原勝紀（編） イメージ療法 現代のエスプリ 387 至文堂
(106) ―――― 2000 催眠療法・動作療法 岡田康伸・鑪 幹八郎・鶴 光代（編） 臨床心理学大系 第18巻 心理療法の展開 金子書房
(107) Thorpe, G. L., & Olson, S. L. (1997) Behavior Therapy: Concepts, Procedure, and Applications (2nd ed.). Boston : Allyn and Bacon.
(108) 津守真・稲毛教子 1961 乳幼児精神発達診断法 大日本図書株式会社
(109) 上地安昭 1984 時間制限心理療法の理論と実際 金剛出版
(110) 上野一彦 1982 学習障害児の出現率に関する調査研究 日本特殊教育学会第23回発表論文

㊼ 神野秀雄　1986　著しい甘えと攻撃性を示し、小犬に退行したある緘黙女児のplay therapy　治療教育学研究（愛知教育大学障害児治療教育センター）　第7輯
㊽ 神谷育司　1997　学習障害課題と取組み　文教資料協会
㊾ 菅野　純　1987　心理臨床におけるノンバーバル・コミュニケーション　春木　豊（編）　心理臨床のノンバーバル・コミュニケーション：ことばではないことばへのアプローチ　川島書店
㊿ Kaufman, A.S., Kaufman, N.L., 1983, Kaufman Assesment Battery for Children Interpretive. Manual Chapter7.
（松原達哉・藤田和弘・前川久男・石隈利紀訳　1993　K-ABC心理教育アセスメントバッテリー「解釈マニュアル」丸善メイツ
51 河合隼雄・福島　章・星野　命（編）　1991　臨床心理学の周辺　金子書房
52 木村晴子　1992　検査レポートのまとめ方　氏原　寛・小川捷之・東山紘久他（編）　心理臨床大事典　培風館
53 Kirschenbaum, H. and Henderson, V. L. (Eds.) 1989 The Carl Rogers Reader. Boston: Houghton Mifflin.
（伊東　博・村山正治監訳　2001　カール・ロジャーズ選集(上)(下)　誠信書房）
54 小林重雄　1977　グッドイナフ人物画検査ハンドブック　三京房
55 ――――（編）　1990　グッドイナフ人物画知能検査の臨床的利用　三京房
56 子ども虐待防止の手引き編集委員会（編）　1999　子ども虐待防止の手引き
57 近藤喬一　1986　森田療法　精神科ＭＯＯＫ　15巻　金原出版
58 近藤章久　1967　森田療法　水島恵一・村瀬孝雄（編）　心理療法　臨床心理学講座　3巻　誠信書房
59 Korchin, S. J. 1976 Modern Clinical Psychology—Principles of Intervention in the Clinic and Community—, Basic Books, Inc., New York
（村瀬孝雄監訳　1980　現代臨床心理学—クリニックとコミュニティにおける介入の原理—　弘文堂）
60 松田章義（編）　2000　心をはぐくむ—子育てＱ＆Ａ—　全国情短治療施設協議会
61 Mearns, D. & Thorne, B. 1988 Person-Centred Counselling in Action. Sage Publications.
（伊藤義美訳　2000　パーソンセンタード・カウンセリング　ナカニシヤ出版）
62 三木善彦　1976　内観療法入門　創元社
63 文部省　1999　学習障害に関する調査研究協力者会議（報告）
64 森田正馬　1960　神経質の本態と療法　白揚社
65 本明　寛　1997　健康心理学　日本健康心理学会（編）　健康心理学辞典　実務教育出版
66 村上英治（編）　1974　心理学研究法　12（臨床診断）　東京大学出版会
67 村本詔司　1998　心理臨床と倫理　朱鷺書房
68 村瀬嘉代子　1995　子どもと大人の心の架け橋　金剛出版
69 村瀬孝雄　1989　内観療法　異常心理学講座　9巻　みすず書房
70 村山正治　1990　エンカウンターグループ　上里一郎・鑪幹八郎・前田重治（編）心理療法 [2]　第X章（臨床心理学体系　第8巻）　金子書房
71 ――――　1993　エンカウンターグループとコミュニティ—パーソンセンタードアプローチの展開—　ナカニシヤ出版
72 長畑正道　1968　行動異常と微細脳損傷　小児科診療　31巻9号
73 中井久夫　1996　いじめとは何か　仏教　37号　法藏館
74 中村道彦・小野　泉　2000　自殺の予防　臨床精神医学講座　「精神障害の予防」　中山書店
75 成瀬悟策（編）　1992　催眠療法　現代のエスプリ　297　至文堂
76 ――――（編）　1992　催眠療法を考える　誠信書房
77 ――――　1995　臨床動作学基礎「講座・臨床動作学」第1巻　学苑社
78 ――――　1997　催眠の科学　講談社

(宮本忠雄訳　1961　時代精神の病理学—心理療法の26章—　フランクル著作集３　みすず書房)
⑳ ———— V. E. 1956 Theorie und Therapie der Neurosen. Urban & Schwarzenberg, Wien.
(宮本忠雄・小田　晋訳　1961　神経症—その理論と治療—　フランクル著作集４　みすず書房、霜山徳爾訳　1961　神経症—その理論と治療—　フランクル著作集５　みすず書房)
㉑ フロイト，S. 1916 (高橋義孝・懸田克躬訳)　1971　フロイト著作集　第１巻　精神分析入門（正・続）　人文書院
㉒ 古畑和孝・平井　久　1992　心理学への招待：心理療法（第22巻）—ビデオ教材　丸善
㉓ 学習障害シンポジゥム実行委員会　1996　細川　徹　学習障害の歴史と概念
㉔ Gendlin, E. T. 1981 Focusing, Second Edition. New York : Bantam Books.
(村山正治・都留春夫・村瀬孝雄訳　1982　フォーカシング　福村出版)
㉕ ———— 1996 Focusing-Oriented Psychotherapy : A Manual of the Experiential Method.
(村瀬孝雄ほか監訳　1998,1999　フォーカシング指向療法(上)(下)　金剛出版)
㉖ 畠瀬　稔　1990　クライエント中心療法　小此木啓吾・成瀬悟策・福島　章(編)　心理療法 1　第VI章（臨床心理学体系　第７巻）　金子書房
㉗ ———— (編)　1996　人間性心理学とは何か　大日本図書
㉘ 畠瀬　稔　1990　エンカウンター・グループと心理的成長　創元社
㉙ 林　脩三　1964　情緒障害児短期治療施設の現状と問題点　青少年研究　第７号
㉚ Herink, R. (ed.) 1980 The Psychotherapy Handbook—The A to Z guide to more than 250 different therapies in use today. New American Library Publishers Signet, Mentor, Classic, Plume, Meredian & Nal Books.
㉛ Hinterkopf, E. 1998 Integrating Spirituality in Counseling : A Manual for Using the Experiential Focusing Method.
(日笠摩子・伊藤義美訳　2000　いのちとこころのカウンセリング—体験的フォーカシング法—　金剛出版)
㉜ 本城秀次　1998　家庭内暴力　大森健一・島　悟（編）　臨床精神医学講座　18　家庭・学校・職場・地域の精神保健　中山書店
㉝ ———— 1998　登校拒否：比較的典型的な治療経過をたどったと考えられる男児例　栗田広（編）　精神科ケースライブラリー　児童・青年期の精神障害　中山書店
㉞ 池田豊應　1995　心理テストによるアセスメント　野島一彦（編）　臨床心理学への招待　ミネルヴァ書房
㉟ ———— (編)　1995　臨床投映法入門　ナカニシヤ出版
㊱ ———— 2001　人間学的心理学　ナカニシヤ出版
㊲ 池田由子　1995　小児虐待の定義と歴史　小児内科　27巻　11号
㊳ 池見　陽（編）　1997　フォーカシングへの誘い—個人的成長と臨床に生かす「心の実感」—　サイエンス社
㊴ 稲村　博　1980　家庭内暴力　新曜社
㊵ 乾印孝子　1994　ベンダー・ゲシュタルト・テスト児童用　小児内科　26（6）　東京医学社
㊶ 石川道子　1994　津守・稲毛式乳幼児精神発達テスト　小児内科　26（6）　東京医学社
㊷ 伊藤義美・増田　實・野島一彦（編）　1999　パーソンセンタード・アプローチ—21世紀の人間関係を拓く—　ナカニシヤ出版
㊸ 伊藤義美　2000　フォーカシングの空間づくりに関する研究　風間書房
㊹ 伊藤善也・奥野晃正　1995　ネグレクトによる成長障害　小児内科　27巻　11号
㊺ 岩井　寛　1986　森田療法　講談社現代新書
㊻ 岩本隆茂・大野　裕・坂野雄二　1997　認知行動療法の理論と実際　培風館

文献／臨床心理学

① Aguilera, D. C., 1994: Crisis Intervention. The C. V. Mosbly Company.
(小松源助・荒川義子訳　1997　危機介入の理論と実際　川島書店)

② 穐山富太郎（監修）1996　ハイリスク新生児への早期介入・新生児行動評価　医歯薬出版

③ 安香　宏・田中富士夫・福島　章（編）1989　臨床心理学大系　第5巻（人格の理解1）金子書房

④ American Psychiatric Association 1994 : Diagnostic and Statistical Manual of Mental Disorders (Fourth edition). Washington D. C., pp. 235-239.
(高橋三郎・大野　裕・染矢俊幸訳 1999　DSM-IV　精神疾患の分類と診断の手引き　医学書院)

⑤ American Psychoogical Association 1989 Discovering Psychology. Vol.22. Psychother-apy. WGBH Boston.
(アメリカ心理学会監修；肥田野　直（日本語版監修／古畑和孝・平井　久（日本語版翻訳・監修）1992　心理学への招待：心理療法（第22巻）ビデオ教材　丸善)

⑥ APA 1994 Quick Reference to the Diagnostic Criteria from DSM-IV.
(高橋三郎・大野　裕・染矢俊幸訳　1995　DSM-IV　精神疾患の分類と診断の手引き　医学書院)

⑦ 新井清三郎・上野幸子　1968　微細脳損傷と学業不振　小児科診療　31巻9号

⑧ Axline, V. M. 1947 Play Therapy Houghton Miflin Co., Boston
(小林治夫訳　1972　遊戯療法　岩崎学術出版社)

⑨ 東　洋・森永良子　1979　Learnig Disabilities の問をめぐって　日本教育心理学会第21回総会論文集

⑩ 馬場禮子　1997　心理療法と心理検査　日本評論社

⑪ ―――　1999　精神分析的心理療法の実践―クライエントに出会う前に―　岩崎学術出版社

⑫ Brazelton, TB., 1984. Nonatal Behavioral Assesment Scale, 2nd Edn. Spastus International Medical Publications.
(穐山富太郎監訳　1988　ブラゼルトン新生児行動評価　第2版　医歯薬出版)

⑬ Caplan, G.,1961. An Approach to Community Mental Health. New York : Grune & Stratton.
(加藤正明監修　山本和郎訳　1968　地域精神衛生の理論と実際　医学書院)

⑭ カセム・H・ネッド(編)　1999　(黒澤　尚・保坂隆監訳)「MGH総合病院精神医学マニュアル」第5章　自殺患者　医学書院

⑮ DIAGNOSTIC CRITERIA from DSM-IV　高橋三郎・大野　裕・染矢俊幸　1999　DSM-IV　精神疾患の分類と診断の手引

⑯ Dufty, Karen Grover and Wong, Frank Y., 1996. Community Psychology, Allyn Bacon
(植村勝彦監訳　1999　コミュニティ心理学―社会問題への理解と援助―　ナカニシヤ出版)

⑰ Frankl, V. E. 1947 Ein Psycholog erlebt das Konzentrationslager. Jugend und Valk, Wien.
(霜山徳爾　1961　夜と霧―ドイツ強制収容所の体験記録―　フランクル著作集1　みすず書房)

⑱ ―――　1952 Aerztiche Seelsorge, Franz Deuticke, Wien.
(霜山徳爾訳　1957　死と愛―実存分析入門―　フランクル著作集2　みすず書房)

⑲ ―――　1955. Pathologie des Zeitgeistes. Franz Deuticke, Wien.

㉚ 日本リスク研究学会編　2000　「リスク学事典」　ＴＢＳブリタニカ
㉛ 二村英幸　1998　「人事アセスメントの科学」　産能大学出版部
㉜ 岡本浩一　1992　「リスク心理学入門」　サイエンス社
㉝ 小野公一　1993　「職務満足感と生活満足感」　白桃書房
㉞ ――――　1997　〝ひと〟の視点からみた人事管理　白桃書房
㉟ ――――　2000　人事管理から見た働く人々のメンタルヘルス　日本学術会議行動科学研究連絡委員会　『働く人々のメンタルヘルス』シンポジウム報告書
㊱ ――――　2000　メンタリング尺度の信頼性と妥当性の検証　亜細亜大学経営論集　第35巻
㊲ Schein,E.H. 1978 *Career Dynamics,* Addison-Wesley Publishing.
(二村敏子・三善勝代訳　1991　「キャリア・ダイナミックス」　白桃書房)
㊳ ――――　1980 *Organizational Psychology(3rd ed.),* Prentice-Hall.
(松井賚夫訳　1981　「組織心理学」　岩波書店)
㊴ 渋谷重光（編著）　1978　「広告の社会心理学」　ブレーン出版
㊵ Staw,B.M.and Sutton,R.I.(Eds)2000 *Research in Organizational Behavior,*Vol.22.JAI.
㊶ 杉本徹雄（編著）　1997　「消費者理解のための心理学」　福村出版
㊷ Super ,D.E. 1957 *The Psychology of Careers,* Happer and Brothers.
(日本職業指導学会訳　1960　「職業生活の心理学」　誠信書房)
㊸ 竹村和久（編集）　2000　「消費行動の社会心理学―消費する人間のこころと行動―」　北大路書房
㊹ 田中寛一　1921　「人間工学：能率研究」　右文館
㊺ 坪内和夫　1961　「人間工学」　日刊工業新聞
㊻ 宇留野藤雄　1975　「改訂　交通心理学」　技術書院
㊼ 山崎文子　1999　人事評価における「状況」要因の実証的研究　日本労務学会　第29回大会発表論文集

文献／産業・組織心理学

① 天野正子　1996　「生活者」とはだれか　中公新書

② 安藤瑞夫　1975 「産業心理学」　新曜社

③ Armstrong,M. 1995 *A Handbook of Personnel Management Practice* (5th ed.), Kogan Page.

④ Assael, H., 1998 Consumer Behavior and Marketing Action (6th ed.), South-Western College Publishing.

⑤ 馬場房子　1989 「消費者心理学（第２版）」 白桃書房

⑥ 馬場昌雄　1983 「組織行動（第２版）」 白桃書房

⑦ Bird,A., 1994 Careers as relationship of knowledge : A new perspective on boundaryless careers. *Journal of Organizational Behavior* , 15 , 325-344.

⑧ Cooper,C.L. and Locke,E.A.(Ed.)2000 *Industrial and Organizational Psychology,*Black-well.

⑨ ──── and Robertson,I.T.(Eds)*2000 International Review of Industrial and Organizational Psychology.*Vol.15.Wiley.

⑩ エドホルム，O．G．（長町三生訳）　1971 「作業の人間工学」 平凡社

⑪ エヒターホフ，W．（長塚泰弘訳）　2000 「交通心理学―歴史と成果―」 企業開発センター交通問題研究室

⑫ 深沢伸幸　2001 「リスクパーセプション」研究の展望　応用心理学研究（投稿中）

⑬ Gouws,D.J.1995 The role concept in career development. In D.E.Super and B.Šverko (Eds.), *Life Roles, Values, and Careers,* Jossey-Bass, Chap.2.

⑭ Hackman, J.R. and Oldham, G.R., 1975 Development of the job diagnostic survey. *Journal of Applied Psychology,* 60,159-170.

⑮ Herzberg, F., Mausner,B., and Snyderman,B.B. 1959 *The Motivation at Work,* John Wiley and Sons.

⑯ インタリスク　2000 「季刊　インタリスク2000　13号」 保険　毎日新聞社

⑰ 小林保彦他　1997 「新価値創造の広告コミュニケーション」 ダイヤモンド社

⑱ 小嶋外弘・林　英夫・小林貞夫（編著）　1993 「広告の心理学」 日経広告研究所

⑲ Kram,K.E. 1985 *Mentoring at Work,* Scott,Foresmen and Company.

⑳ Locke,E.A. 1976 The nature and cause of job satisfaction. In M.D.Dunnet (Ed.), *Handbook of Industrial and Organizational Psychology,* Rand McNally, College Publishing Company, Chap.30.

㉑ Lowenberg,G. and Conrad,K.A. 1998 *Current Perspectives in Industrial/Organizational Psychology,* Allyn and Bacon.

㉒ Maslow, A. H., 1954 *Motivation and Personality,* Harper & Row.
（小口忠彦監訳　1971 「人間性の心理学」 産能短大）

㉓ 松本亦太郎　1920 「能率研究」人間工学　心理学研究　第100号　心理学研究会

㉔ 長山泰久　1993 「新版　ドライバーの心理学」 企業開発センター交通問題研究室

㉕ 長塚康弘　1990 「日本における交通心理学研究の展開」 交通心理学研究　Vol.6 No.1

㉖ 楠田　丘　1982 「新しい人事考課　（第四版）」 産業労働研究所

㉗ 日本交通心理学会編　1993 「人と車の心理学　Q＆A100」 企業開発センター交通問題研究室

㉘ 「日本人間工学会　1999　人間工学専門家資格認定委員会　委員会報告」

㉙ 「日本人間工学会　2000　人間工学専門家資格認定委員会　委員会報告（案）」

（蘭　千壽・磯崎三喜年・内藤哲雄他訳　1995　社会集団の再発見：自己カテゴリー化理論　誠信書房）

⑼ Weiner,B. 1979　A theory of motivation for some classroom experiences. *Journal of Educational Psychology,* 71, 3-25.

⑽ ———, Frieze,L., Kukla,A., et al. 1972　Perceiving the causes of success and failure. In E.E.Jones, D.E.Kanouse, H.H.Kelly, et al. (Eds.), Attribution: Perceiving the causes of behavior. General Learning Press. pp.95-120.

⑾ Wish, M., Deutch, M., & Kaplan, S. J. 1976 Perceived dimensions of interpersonal relations. *Journal of Personality and Social Psychology*,33,409-420.

⑽ 山岸俊男　1990　社会的ジレンマのしくみ：「自分一人ぐらいの心理」の招くもの　サイエンス社

⑾ 山本眞理子　1998　はじめに　山本眞理子・外山みどり（編）　社会的認知（対人行動学研究シリーズ８）　誠信書房

⑭ Petty,R.E. & Cacioppo,J.T. 1986 Communication and persuasion: central and peripheral routes to attitude change. Springer.

⑮ Piliavin,J.A.,Dovidio,J.F.,Gaertner,S.L. & Clark,R.D. 1982 Responsive bystanders: The process of intervention. In V.J.Derlega & J.Grzelak (Eds.) Cooperation and helping behavior theories and research. Academic Press.

⑯ Rabbie,J.M.,Schot,J.C. & Visser,L. 1989 Social identity theory: A conceptual and empirical critique from the perspective of a behavioral interaction model. *European Journal of Social Psychology*, 19, 171-202.

⑰ Rusbult,C.E. 1987 Response to dissatisfaction in close relationships: The exit-voice-loyalty-neglect model. In D. Perman & S. Duck (Eds.) Intimate relationships. Sage.

⑱ 佐伯　胖　1981　認知　(監) 梅津八三他　新版心理学事典　平凡社

⑲ 佐々木　薫　1986　集団の意思決定と業績　佐々木　薫・永田良昭 (編)　集団行動の心理学　有斐閣大学双書

⑳ Schwarz,N. 1990　Feelings as information: Informational and motivational functions of affective states. In E.T.Higgins & R.M.Sorrentino (Eds.), *Handbook of motivation and cognition: Foundations of social behavior*, Vol.2.　The Guilford Press. Pp.527-561.

㉑ ———, Bless,H., & Bohner,G. 1991　Mood and persuasion: Affective states influence the processing of persuasive communications. In M.P.Zanna (Ed.), *Advances in Experimental Social Psychology*, Vol.24.　Academic Press. Pp.161-199.

㉒ Shannon,C.E. & Weaver,W. 1949 The mathematical theory of communication. University of Illinois Press.

㉓ Sherif,M. 1935 A study of some social factors in perception. *Archives of Psychology*, 27, 1-60.

㉔ ———, Harvey,O.J.,White,B.J.,Hood,W.R. & Sherif,C.W. 1961 Intergroup conflict and cooperation: The Robber's Cave experiment. University of Oklahoma Press.

㉕ 塩原　勉　1967　社会変動における運動過程　変動期における社会心理　培風館

㉖ Smelser, N. J. 1962　Theory of collective behavior. Routledge & Kegan Paul.

㉗ Stogdill,R.M. 1974 Handbook of leadership. The Free Press.

㉘ Stroebe,W. & Yonas,K. 1988　Attitude II In M.Hewstone et al. (Eds.), Introduction to social psychology: A European perspective. Basil Blackwell Ltd.
(上野徳美訳　1994　態度変容II—態度変容の方略—　末永俊郎・安藤清志監訳　社会心理学概論—ヨーロピアン・パースペクティブ1—　誠信書房)

㉙ 鈴木裕久　1977　流行　池内　一 (編)　講座社会心理学3　集合現象　東京大学出版会

㉚ Tajfel,H.,Flament,C.,Billig,M.G. & Bundy,R.P. 1971 Social categorization and intergroup behaviour. *European Journal of Social Psychology,* 1, 149-178.

㉛ ———　& Turner,J.C. 1986 The social identity theory of intergroup behavior. In S. Worchel & W.G.Austin (Eds.) Psychology of intergroup relations (2nd ed.). Nelson-Hall, 7-24.

㉜ 高木　修　1998　人を助ける心：援助行動の社会心理学　サイエンス社

㉝ 竹内郁郎　1973　社会的コミュニケーションの構造　内川芳美他 (編) 基礎理論 (講座現代の社会とコミュニケーション1)　東京大学出版会

㉞ Taylor,S.E. & Crocker,J. 1981　Schematic bases of social information processing. In E. T.Higgins, C.P.Herman, & M.P.Zanna (Eds.), *Social Cognition: The Ontario symposium*, Vol.1. Erlbaum. Pp.89-134.

㉟ Trope,Y. 1986　Identification and inferential processes in dispositional attribution. *Psychological Review*, 93, 239-257.

㊱ Turner,J.C. 1987 Rediscovering the social group: A self-categorization theory. Oxford: Blackwell.

社
㊽ 池内　一　1968　流行　八木　冕（編）　心理学II　培風館
㊾ Janis,I.L. 1982 Groupthink: Psychological studies of policy decisions and fiascoes （2nd ed.）. Boston: Houghton Mifflin.
㊿ 神　信人・山岸俊男・清成透子　1996　双方向依存性と最小条件集団パラダイム　心理学研究　67
51 Jones,E.E. & Davis,K.E. 1965　From acts to dispositions: The attribution processes in person perception. In L.Berkowitz （Ed.）, *Advances in Experimental Social Psychology*, Vol.2.　Academic Press. Pp.219-266.
52 上瀬由美子　1999　偏見・ステレオタイプの解消のメカニズム　岡　隆・佐藤達哉・池上知子（編）　偏見とステレオタイプの心理学　現代のエスプリ　384　至文堂
53 川本　勝　1981　流行の社会心理　勁草書房
54 Kelley,H.H. 1967　Attribution theory in social psychology. In D.Levine （Ed.）, *Nebraska Symposium on Motivation*, Vol.15.　University of Nebraska Press. Pp.192-238.
55 ―――― 1972　Causal schemata and the attribution process. In E.E.Jones, D.E. Kanouse, H.H.Kelley, et al. （Eds.）, Attribution: Perceiving the causes of behavior. General Learning Press. Pp.151-174.
56 Kelman,H.C. 1961　Processes of opinion change. *Public Opinion Quarterly*, 25, 57-78.
57 木下冨雄　1977　流言　池内　一（編）　講座社会心理学　3　東京大学出版会
58 児島和人　1978　集合行動　社会心理学　新曜社
59 Latané,B. & Darley,J.M. 1970 The unresponsive bystander: Why doesn't he help? Applenton-Century Crofts.
（竹村研一・杉崎和子訳　1977　冷淡な傍観者：思いやりの社会心理学　ブレーン出版）
60 Levinger,G. & Snoek,D.J. 1972 Attraction in relationship:A new look at interpersonal attraction. General Learning Press.
61 Lewin,K. 1951　Field theory in social science: selected theoretical papers. Harper & Row.
（猪股佐登留訳　1956　社会科学における場の理論　誠信書房）
62 Maslow, A. H. 1943 A thoery of human motivation. *Psychological Review*, 50,370-396.
63 松井　豊　1991　思いやりの構造　現代のエスプリ　291　至文堂
64 ―――― 1998　援助行動の意思決定過程モデル　松井　豊・浦　光博（編）　人を支える心の科学　誠信書房
65 McGuire,W.J. 1964　Inducing resistance to persuasion: Some contemporary approaches. In L.Berkowitz （Ed.）, *Advances in Experimental Social Psychology*, Vol.1.　Academic Press. Pp.191-229.
66 Mehrabian,A. & Ferris,S.R. 1967　Inference of attitudes from nonverbal communication in two channels. *Journal of Consulting Psychology*, 13, 37-58.
67 三隅二不二　1984　リーダーシップ行動の科学　有斐閣
68 ――――・関　文恭・篠原弘章　1969　討議集団におけるＰＭ機能評定尺度作成の試み　教育・社会心理学研究　8
69 宮本悦也　1972　流行学　ダイヤモンド社
70 中村陽吉　1990　「自己過程」の社会心理学　東京大学出版会
71 Newcomb,T.M. 1959　An approach to the study of communicative acts. *Psychological Review*, 60, 393-404.
72 西川正之　1998　援助研究の広がり　松井　豊・浦　光博（編）　人を支える心の科学　誠信書房
73 Osgood,C.E. & Tannenbaum,P.H. 1955　The principle of congruity in the prediction of attitude change. *Psychological Review*, 62, 42-55.

㉓ Fiedler,F.E. 1967 A theory of leadership effectiveness. New York: McGraw-Hill.
（山田雄一訳　1970　新しい管理者像の探求　産業能率短期大学出版部）

㉔ ――――　1978　The contingency model and the dynamics of the leadership process. In L.Berkowitz(Ed.), *Advances in Experimental Social Psychology*, Vol.11, Academic Press, Pp.59-112.

㉕ Fiske,S,T. & Taylor,S.E. 1991　Social cognition. (2nd. ed.).　McGraw-Hill.

㉖ Foa, U. G. 1971 Interpersonal and economic resources. *Science*,171,345-351.

㉗ Forgas,J.P. 1992　Affect and social judgments and decisions: A multiprocess model. In M.P.Zanna (Ed.), *Advances in Experimental Social Psychology*, Vol.25.　Academic Press. Pp.227-275.

㉘ ―――― & Bower,G.H. 1987　Mood effects on person perception judgments. *Journal of Personality and Social Psychology*, 53, 53-60.

㉙ Forsyth,D.R. 1999 Group dynamics. Wadsworth Publishing.

㉚ French,J.R.P.Jr. & Raven,B.H. 1959 The bases of social power. In D. Cartwright (Ed.), Studies in social power. Institute for social research, University of Michigan Press.
（千輪　浩監訳　1962　社会的勢力　誠信書房）

㉛ 藤原武弘　1977　態度の測定法　田中国夫（編著）　新版現代社会心理学　誠信書房

㉜ ――――　1982　社会的行動の動機　松山安雄（編）　現代社会心理学要説　北大路書房

㉝ ――――　1984　攻撃行動　杉本助男（編著）　心理学30講　北大路書房

㉞ ――――・高橋　超　1994　チャートで知る社会心理学　福村出版

㉟ 深田博己　1987　態度変容　小川一夫（監）社会心理学用語辞典　北大路書房

㊱ ――――　1998　インターパーソナル・コミュニケーション―対人コミュニケーションの心理学―　北大路書房

㊲ 蜂屋良彦　1986　集団の形成　佐々木　薫・永田良昭（編）　集団行動の心理学　有斐閣大学双書

㊳ Hamilton,D.L., Devine,P.G., & Ostrom,T.M. 1994　Social cognition and classic issues in social psychology. In P.G.Devine, D.L.Hamilton, & T.M.Ostrom (Eds.), Social cognition: Impact on social psychology. Academic Press. Pp.1-13.

㊴ Heider,F. 1946　Attitudes and cognitive organization. *Journal of Psychology*, 21, 107-112.

㊵ ――――　1958　The psychology of interpersonal relations. John Wiley & Sons.
（大橋正夫訳　1978　対人関係の心理学　誠信書房）

㊶ Hersey,P. & Blanchard,K.H. 1977 Management of organizational behavior, 3rd ed. Englewood Cliffs, NJ: Prentice-Hall.
（山本成二・水野　基・成田　功訳　1978　行動科学の展開：人的資源の活用　生産性出版）

㊷ 広瀬幸雄　1995　環境と消費の社会心理学　名古屋大学出版会

㊸ Hogg,M.A. 1992 The social psychology of group cohesiveness: From attraction to social identity. London, Harvester Wheatsheaf.
（廣田君美・藤澤　等監訳　1994　集団凝集性の社会心理学：魅力から社会的アイデンティティへ　北大路書房）

㊹ ――――　& Abrams,D. 1988 Social identifications: A social psychology of intergroup relations and group processes. London: Routledge.
（吉森　護・野村泰代訳　1995　社会的アイデンティティ理論：新しい社会心理学体系化のための一般理論　北大路書房）

㊺ 堀　洋道・山本真理子・吉田富二雄　1976　新編社会心理学　福村出版

㊻ House,R.J. 1971 A path-goal theory of leader effectiveness. *Administrative Science Quarterly*, 16, 321-338.

㊼ 池上知子　1998　感情　池上知子・遠藤由美（編）　グラフィック社会心理学　サイエンス

文献／社会心理学

① 相川　充　1989　援助行動　大坊郁夫・安藤清志・池田謙一（編）　社会心理学パースペクティブ1：個人から他者へ　誠信書房

② Allport,G.W. 1954 The nature of prejudice. Cambridge,MA: Addison-Wesley.
（原谷達夫・野村　昭訳　1961　偏見の心理　培風館）

③ 安藤清志　1990「自己の姿の表出」の段階　中村陽吉（編）「自己過程」の社会心理学　東京大学出版会

④ ―――― 1994　見せる自分／見せない自分　自己呈示の社会心理学　サイエンス社

⑤ Asch,S.E. 1951 Effects of group pressure upon the modification and distortion of judgments. In H.Guetzkow（Ed.）Groups, leadership, and men. Camegie Press. Pp.177-190.

⑥ ―――― 1952 Social Psychology. Oxford University Press.

⑦ Atkinson, J. W. 1957　Motivational determinants of risk-taking behavior. *Psychological Review,* 64,359-372.

⑧ Barron, R. A. 1977 Human aggression. Plenum.
（度會好一訳　1980　人間と攻撃　日本ブリタニカ）

⑨ Bass,B.M. 1998 Transformational leadership: Industry, military, and educational impact. NJ: Lawrence Erlbaum Associates.

⑩ Bower,G.H. 1991　Mood congruity of social judgments. In J.P.Forgas（Ed.）, Emotion and social judgments. Pergamon Press. Pp.31-53.

⑪ Brehm,J.W. 1966　A theory of psychological reactance. Academic Press.

⑫ Brown,R. 1988 Group processes: Dynamics within and between groups. Oxford: Basil Blackwell.
（黒川正流・橋口捷久・坂田桐子訳　1993　グループ・プロセス：集団内行動と集団間行動　北大路書房）

⑬ ―――― 1995 Prejudice: Its social psychology. Oxford: Blackwell Publishers.
（橋口捷久・黒川正流編訳　1999　偏見の社会心理学　北大路書房）

⑭ Brown, R. W. 1954　Mass phenomena. In Lindzey, G.（Ed.）Handbook of Social Psychology, vol. 2, Addison—Wesley.
（青井和夫訳　1957　大衆　社会心理学講座　Ⅶ　みすず書房）

⑮ Cartwright,D. & Zander,A. 1960 Group Dynamics, 2nd Ed. Evanston, IL: Row, Peterson.
（三隅二不二・佐々木　薫訳編　1969　グループ・ダイナミックスII　誠信書房）

⑯ Chemers,M.M. 1997 An integrative theory of leadership. Lawrence Erlbaum Associates.
（白樫三四郎訳編　1999　リーダーシップの統合理論　北大路書房）

⑰ Coke,J.,Batson,C.D. & McDavis,K. 1978 Empathic mediation of helping: A two-stage model. *Journal of Personality and Social Psychology,* 36, 752-766.

⑱ Dawes,R.M. 1980 Social dilemmas. *Annual Review of Psychology*, 31, 169-193.

⑲ Deutsch,M. & Gerard,H.B. 1955 A study of normative and informational social influence upon individual judgement. *Journal of Abnormal and Social Psychology*, 51, 629-636.

⑳ Dutton,D. & Aron,A. 1974　Some evidence for heightened sexual attraction under conditions of high anxiety. *Journal of Personality and Social Psychology*, 30, 510-517.

㉑ Festinger,L. 1950 Informal social communication. *Psychological Review*, 57, 271-282.

㉒ ―――― 1957　A theory of cognitive dissonance. Row, Peterson.
（末永俊郎監訳　1965　認知的不協和の理論　誠信書房）

心理学ハンドブック　福村出版
⑯ 詫摩武俊（編著）1967　性格の理論　誠信書房
⑰ 津守　真・稲毛教子　1961　乳幼児精神発達診断法——0歳～3歳まで　大日本図書
⑱ ————・磯部景子　1965　乳幼児精神発達診断法——3歳～7歳まで　大日本図書
⑲ 津留　宏　1979　壮年期の心理　（監）依田　新　新・教育心理学事典（普及版）　金子書房
⑳ 内田伸子　1989　幼児心理学への招待—子どもの世界づくり—　サイエンス社
⑧ ————　1990　児童心理学講座　第6巻　言語機能の発達　金子書房
⑫ 上田礼子　1983　日本版デンバー式発達スクリーニング検査-JDDSTとJPDQ-増補版　医歯薬出版
⑬ 上田吉一　1969　精神的に健康な人間　川島書店
⑭ 臼井　博　1990　乳幼児の家族関係　無藤　隆・高橋惠子・田島信元（編）　発達心理学入門Ⅰ—乳児・幼児・児童—　東京大学出版会
⑮ Vygotsky, L.S. 1962 Thought and language. Cambridge: MIT Press.
（柴田義松訳　1962　思考と言語　明治図書）
⑯ 渡部雅之　1992　愛着　子安増生（編著）　キーワードコレクション　発達心理学　新曜社
⑰ 山下直治　2000　年齢・性別と知能　新井邦二郎（編著）図でわかる学習と発達の心理学　福村出版
⑱ 矢野喜夫　1991　発達の生物学的基礎　矢野喜夫・落合正行（著）　発達心理学への招待—人間発達の全体像をさぐる—　サイエンス社
⑲ ————　1991　発達と育児システム　矢野喜夫・落合正行（著）　発達心理学への招待—人間発達の全体像をさぐる—　サイエンス社
⑳ ————　1992　発達の生物学的基礎　東　洋・繁多　進・田島信元（編）　発達心理学ハンドブック　福村出版
㉑ 依田　明（編）　1989　性格心理学新講座　第2巻　性格形成　金子書房

⑱ ———— 1976 飼育ニホンザルの初期母子関係（2） 動物心理学年報 26（1）
㊾ ———— 1990 系統発生からみた発達 無藤 隆・高橋惠子・田島信元（編） 発達心理学入門Ｉ－乳児・幼児・児童－ 東京大学出版会
㊿ 光岡征夫 1994 成人期の発達心理 伊藤隆二・橋口英俊・春日 喬（編） 人間の発達と臨床心理学５ 成人期の臨床心理学 駿河台出版社
51 三宅和夫 1979 縦断的研究法 （監）依田 新 新・教育心理学事典（普及版） 金子書房
52 ———— 1979 横断的研究法 （監）依田 新 新・教育心理学事典（普及版） 金子書房
53 文部省 1999 学習障害児に対する指導について（報告） 学習障害及びこれに類似する学習上の困難を有する児童生徒の指導方法に関する調査研究協力者会議
54 森 和代 1999 自分をとりまく人々とのかかわり－対人関係の発達－ 繁田 進（編著） 乳幼児発達心理学 福村出版
55 中里克治 1984 老年期における知能と加齢 心理学評論 27（3）
56 日本疫学会（編） 1996 疫学 基礎から学ぶために 南江堂
57 落合正行 1991 コミュニケーションの発達 発達心理学への招待－人間発達の全体像をさぐる－ 矢野喜夫・落合正行（著） サイエンス社
58 ———— 1991 思考の発達 発達心理学への招待－人間発達の全体像をさぐる－ 矢野喜夫・落合正行（著） サイエンス社
59 ———— 1992 ピアジェ理論の展開 東 洋・繁多 進・田島信元（編集企画） 発達心理学ハンドブック 福村出版
60 大久保孝治・嶋崎尚子 1995 ライフコース論 日本放送大学教育振興会
61 大西徳明 1983 年齢別にみた1950年代と1970年代の労働者の体力 （監）斉藤 一 年齢と機能 労働科学研究所
62 岡本祐子 1985 中年期の自我同一性に関する研究 教育心理学研究 33
63 ———— 1994 生涯発達心理学の動向と展望－成人発達研究を中心に 教育心理学年報 33
64 Radke-Yarrow, M., Cummings, E.M., Kucynski, l., et al. 1985 Patterns of attachment in two-and three-year-olds in normal families and families with parental depression. *Child Development*, 56, 884-893.
65 Rosenman, R. H., Brand, R. J., Jenkins, C. D., Friedman, M., Straus, R. & Wurm, M. 1975 Coronary heart disease in the Western Collaborative Group Study: Final follow-up experience of 8 1/2 years. *Journal of the American Medical Association,* 233, 872-877.
66 Sheldon, W.H. & Stevens, S.S. 1942 *The varieties of temperament.* Herper.
67 清水康夫 1997 発達障害の早期発見と早期対応 こころの科学 73 日本評論社
68 下仲順子 1990 中年期の発達 無藤 隆・高橋惠子・田島信元（編） 発達心理学入門II－青年・成人－老人－ 東京大学出版会
69 ————・中里克治・権藤恭之・高山 緑 1999 NEO-PI-R, NEO-FFI共通マニュアル 東京心理
70 Spielberger,C.D. 1966 Anxiety and Behavior. New York: Academic Press
71 杉本助男（編著） 1991 心理学20講 北大路書房
72 Swann,W.B.Jr. 1983 Self-verification:Bringing social reality into harmony with the self. In J.Sules & A.G.Greenwald (Eds.), *Psychological perspectives on the self*, Vol.2. Erlbaum, 33-66.
73 ———— 1985 The self as architect of social reality. In B.Schlenker (Ed.), The self and social life. McGraw-Hill.
74 ———— & Hill,C.A. 1982 When our identities are mistaken: Reaffirming self-conceptions through social interaction. *Journal of Personality and Social Psychology*, 43, 59-66.
75 田島信元 1992 ヴィゴツキー理論の展開 東 洋・繁多 進・田島信元（編集企画） 発達

with blood and cardiovascular findings. *Journal of the American Medical Association,* 169, 1286-1296.
㉑ 藤永　保　1981　言語相対仮説　新版心理学事典　平凡社
㉒ ――――　1981　発達心理学　下中邦彦（編）新版　心理学事典　平凡社
㉓ 藤崎眞知代・野田幸江　1998　泣くこと、笑うこと　藤崎眞知代・野田幸江・村田保太郎・中村美津子　保育のための発達心理学　新曜社
㉔ Greenwald,, A., H. 1980 The totalitarian ego: Fabrication and revise of personal history. *American Psychologist,* 35, 603-618.
㉕ 浜治世　1969　実験異常心理学　誠信書房
㉖ 長谷川和夫（編著）1975　老人心理へのアプローチ　医学書院
㉗ 長谷川真理子　1983　野生ニホンザルの育児行動　海鳴社
㉘ 波多野完治（編）1965　ピアジェの発達心理学　国土社
㉙ 平井　誠也　1988　子どもの発達と発達研究法　秦一士・平井　誠也（編）児童心理学要説　北大路書房
㉚ 生澤雅夫・松下　裕・中瀬　惇（編著）（監）嶋津峯真　1985　新版K式発達検査法，発達検査の考え方と使い方　ナカニシヤ出版
㉛ 今林俊一　1999　発達心理学の基礎　桜井茂男・大川一郎（編著）しっかり学べる発達心理学　福村出版
㉜ 糸魚川直祐　1981　系統発生的比較　下中邦彦（編）新版　心理学事典　平凡社
㉝ John, O.P. 1990 The "Big Five" factor taxonomy: Dimensions of personality in the natural language and in questionnaires. In L.A.Pervin (Ed.), Handbook of personality: Theory and research. Guilford Press: New York. pp.66-100.
㉞ 桑原（森）知子　1984　人格の二面性についての一考察―被験者の内省報告を手がかりとして―　京都大学教育学部紀要　30
㉟ 桑原知子　1993　TSPS人格の〝二面性〟スケール　（監）上里一郎　心理アセスメントハンドブック　西村書店
㊱ ――――　1998　性格の二面性について　現代のエスプリ　372号　至文堂
㊲ Lazarus,R.S. 1966 Psychological stress and the coping process. New York: McGraw-Hill.
㊳ Leary,M.R. 1983 Understanding Social Anxiety. Beverly Hills, California: Sage Publications.
（生和秀敏監訳　1990　対人不安　北大路書房）
㊴ Levinson, D.J. 1978 The Seasons of Man's Life. New York: Alfred A. Knopf.
（南 博訳　1980　人生の四季　講談社）
㊵ 前田　聰　1989　タイプA行動パターン　心身医学　29
㊶ Marcia, J. E. 1967 Ego-identity status: relationship to change in self-esteem, general maladjustment, and authoritarianism. *Journal of Personality,* 35, 118-133.
㊷ ―――― 1980 Identity in adolescence. In J. Adelson (Ed.), *Handbook of adolescent psychology.* John Wiley & Sons.
㊸ Maslow, A.H. 1962 Toward a psychology of being. New York; Van Norstrand.
（上田吉一訳　1964　完全なる人間　誠信書房）
㊹ 松尾直博　1999　人間関係の発達　桜井茂男・大川一郎（編著）しっかり学べる発達心理学　福村出版
㊺ McCrae,R.R., & Costa, P.T., Jr. 1990 Personality in adulthood. Guilford Press: New York.
㊻ Mead.G.H. 1934 Mind,Self,and society. University of Cicago Press.
（稲葉三千男他訳　1973　精神・自我・社会　青木書店）
㊼ 南　徹弘　1974　飼育ニホンザルの初期母子関係（1）動物心理学年報　24（1）

文献／人格心理学・発達心理学

① American Psychiatric Association 1987 Diagnostic and Statistical Manual of Mental Disorders, Third Edition, Revised. Washington, D.C.: American Psychiatric Association.
(高橋三郎訳　1988 DSM-III-R 精神障害の診断・統計マニュアル　医学書院)

② American Psychiatric Association 1994 Diagnostic and Statistical Manual of Mental Disorders, Fourth Edition. Washington, D.C.: American Psychiatric Association.
(高橋三郎・大野　裕・染矢俊幸訳　1996　DSM-IV　精神疾患の診断・統計マニュアル　医学書院)

③ 安藤富士子・坪井さとみ　2000　老年期の心とからだ　(監) 上里一郎・末松弘行・田畑治他　メンタルヘルス事典　同朋舎

④ 安藤清志・押見輝男 (編)　1998　自己の社会心理　誠信書房

⑤ 新井邦二郎　1997　気質　新井邦二郎 (編著)　図でわかる発達心理学　福村出版

⑥ Burt, C. 1966 The genetic determination of differences in intelligence. *British Journal of Psychology*, 57, 137-153.

⑦ Buss,A.H. 1980 Self-consciousness and social anxiety. San Francisco: Freeman.

⑧ ——— & Plomin, R. 1975 A temperament theory of personality development. Wiley: New York.

⑨ Butterworth, G. & Harris, M. 1994 Principles of developmental psychology. East Sussex: Lawrence Erlbaum Associates Ltd.
(小山　正訳　1997　現代の発達心理学における理論の統合に向けて—20世紀における包括的な理論—　村井潤一 (監訳)　発達心理学の基本を学ぶ—人間発達の生物学的・文化的基盤—　ミネルヴァ書房)

⑩ Cattell, R.B. 1965 The scientific analysis of personality. Penguin Books Ltd.: London.
(斉藤耕二・安塚俊行・米田弘枝訳　1981　パーソナリティーの心理学—パーソナリティー理論と科学的研究—　〈改訂版〉　金子書房)

⑪ Cooley,C.H. 1902 Human nature and the social order. Seribner's

⑫ Costa, P.T., Jr., & McCrae, R.R. 1992 Revised NEO Personality Inventory and NEO Five Factor Inventory: Professional manual. Prentice Hall: Englewood Cliffs, NJ.

⑬ Crain, W.C. 1981 Theories of development. New Jersey: Prentice-Hall.
(小林芳郎・中島　実　共訳　1984　発達の理論　田研出版)

⑭ Duval ,S & Wicklund,R.A. 1972 A theory of objective self-awareness. New York: Academic Press.

⑮ 遠城寺宗徳　1967　遠城寺式乳幼児分析的発達検査法　慶應通信

⑯ Erikson, E.H. 1968 Identity: Youth and society. Norton.
(仁科弥生訳　1980　幼児期と社会　1, 2　みすず書房　)

⑰ Eysenck, H. J. 1987 Personality as a predictor of cancer and cardio-vascular disease, and the application of behaviour therapy in prophylaxis. *European Journal of Psychiatry,* 1, 29-41.

⑱ Festinger,L. 1954 A theory of social comparison processes. *Human Relations*, 7, 117-140.

⑲ Freud, S. 1936 The problem of anxiety. *Psychoanalytic Quarterly*. New York: Press & Norton.
(井村恒郎・加藤正明訳　1974　不安の問題　フロイド選集10　日本教文社)

⑳ Friedman, M. & Rosenman, R. H. 1959 Association of specific overt behavior pattern

age of personal control. Oxford University Press.
（津田彰監訳　2000　学習性無力感―パーソナル・コントロールの時代をひらく理論―　二瓶社）

㉗ Rescorla, R.A. 1988 Pavlovian conditioning: It's not what you think it is. *American Psychologist,* 43, 151-160.

㉘ Reynolds, G.S. 1961 Attention in the pigeon. *Journal of the Experimental Analysis of Behavior,* 4, 203-208.

㉙ ――― 1975 Aprimer of operant conditioning. Glenvrew, Illinois: Scott, Foresman and Company
（浅野俊夫訳　1978　オペラント心理学入門　サイエンス社）

㉚ 佐々木正伸編　1982　現代基礎心理学　5　学習１―基礎過程―　東京大学出版会

㉛ Seligman, M.E.P. 1975 *Helplessness: On depression, development, and death.* New York: Freeman.
（平井　久・木村駿監訳　1985　うつ病の行動学―学習性絶望感とは何か―　誠信書房）

㉜ Shearn, D. W. 1962 Operant conditioning of heart rate. *Science*, 137, 530-531.

㉝ 篠原彰一　1983　弁別と選択的注意　佐藤方哉（編）現代基礎心理学　6　学習２―その展開―　東京大学出版会

㉞ Skinner, B. F. 1938 *The behavior of organisms*: An experimental analysis. New York: Appleton-Century-Crofts.

㉟ 高橋憲男　1995　行動の生理的基礎　岩本隆茂（共著者代表）『現代心理学の基礎と応用』培風館

㊱ Tryon, R. C. 1940. Genetic differences in maze ability in rats.*National Society of Studies of Education,* 39, 111-119.

㊲ 津田　彰　1982　学習の生物学的制約　佐々木正伸（編）現代基礎心理学　5　学習１―基礎過程―　東京大学出版会

㊳ Zentall, T.R., & Riley, D.A. 2000 Selective attention in animal discrimination learning. *Journal of General Psychology,* 127, 45-66.

文献／学習心理学

① 東　　正　1987　新版　子どもの行動変容　川嶋書店
② Blanchard, E. B., & Epstein, L. H. 1978 A biofeedback primer. Reading, Massachusetts: Addison-Wesley.
(江草安彦・濱野恵一・稲森義雄他訳　1984　バイオフィードバック入門　医学書院)
③ Fantino, E. 1969 Conditioned reinforcement, choice and the psychological distance to reward. In D. P. Hendry (Ed.), *Conditioned reinforcement.* pp.163-191.
④ 福井　至　1995　教育への応用と展開　岩本隆茂（共著者代表）『現代心理学の基礎と応用』培風館
⑤ Hanson,H.M. 1959 Effects of discrimination training on stimulus generalization. *Journal of Experimental Psychology,* 58, 321-334.
⑥ Hayes, N. 1994 Principles of comparative psychology. Erlbaum (UK)
(岩本隆茂監訳　2000　『比較心理学を知る』ブレーン出版)
⑦ 平井　久　1982　自律性反応の道具的条件づけ―実験事実と問題点―　佐々木正伸（編）現代基礎心理学 5　学習 I ―基礎過程―東京大学出版会
⑧ 異常行動研究会（編）　1985　オペラント行動の基礎と臨床　川島書店
⑨ 今田　寛　1996　学習の心理学　培風館
⑩ 伊藤正人　1983　選択行動　佐藤方哉（編）　現代基礎心理学　6　学習 2 ―その展開―東京大学出版会
⑪ 岩本隆茂　1982　強化スケジュール　佐々木正伸（編）　現代基礎心理学　5　学習 1 ―基礎過程―　東京大学出版会
⑫ ――――　1995　学習と記憶　岩本隆茂（共著者代表）『現代心理学の基礎と応用』　培風館
⑬ ――――　1995　心理学の歴史　岩本隆茂（共著者代表）『現代心理学の基礎と応用』　培風館
⑭ ――――・高橋憲男　1987　『改訂増補現代学習心理学』　川島書店
⑮ ――――・高橋雅治　1988　『オペラント心理学』　勁草書房
⑯ ――――・川俣甲子夫　1989　『シングルケース研究法』　勁草書房
⑰ ――――・大野　裕・坂野雄二（編）　1997　『認知行動療法の理論と実際』　培風館
⑱ 実森正子・中島定彦　2000　学習の心理―行動のメカニズムを探る―　サイエンス社
⑲ Kimble, G. A. 1961 *Hilgard and Marquis' conditioning and learning.* New York: Appleton-Century-Crofts.
⑳ 久野能弘　1993　行動療法　ミネルヴァ書房
㉑ Mazur, J.E. 1998 *Learning and behavior* (4th ed.). Prentice-Hall.
(磯　博行・坂上貴之・川合伸幸訳　1999　メイザーの学習と行動―日本語版第 2 版―　二瓶社)
㉒ Miller, N. E. 1969 Learning of visceral and glandular response. *Science,* 163, 434-445.
㉓ Mowrer, O. H. 1938 Preparatory set (expectancy)：A determinant in motivation and learning. *Psychological Review,* 45, 62-91.
㉔ 日本行動科学学会編　1997　動機づけの基礎と実際―行動の理解と制御をめざして―　川島書店
㉕ Okouchi, H. 1991 Effects of feedback on the control of skin temperature using the tension-relaxation experiment. *Psychophysiology,* 28, 673-677.
㉖ Peterson, C., Maier, S.F., & Seligman, M.E.P. 1993 *Learned helplessness: A theory for the*

文献／生理心理学

① Andreassi, J. L. 1980 Psychophysiology: Human behavior and physiological response. Oxford: Oxford University Press.
（辻敬一郎・伊藤法瑞・伊藤元雄他訳　1985　心理生理学　ヒトの行動と生理的反応　ナカニシヤ出版）

② Berntson, G. G., Uchino, B. N., & Cacioppo, J. T. 1994 Origins of baseline variance and the law of initial values. *Psychophysiology*, 31, 204-210.

③ 千葉喜彦・高橋清久（編）1991　時間生物学ハンドブック　朝倉書店

④ 藤澤　清・柿木昇治・山崎勝男（編）（監）宮田　洋　1998　新生理心理学　1巻　生理心理学の基礎　北大路書房

⑤ 藤澤　清・山岡　淳・杉本助男　1998　生理心理学と精神生理学　（監）宮田　洋　新生理心理学　1巻　生理心理学の基礎　北大路書房

⑥ 堀　浩・下河内　稔・西浦信博他　1999　脳波・筋電図用語辞典　永井書店

⑦ 加我君孝・古賀良彦・大澤美貴雄他（編）1995　事象関連電位（ＥＲＰ）マニュアル　篠原出版

⑧ 柿木昇治・山崎勝男・藤澤　清（編）（監）宮田　洋　1997　新生理心理学　2巻　生理心理学の応用分野　北大路書房

⑨ 宮内　哲　1997　ヒトの脳機能の非侵襲的測定―これからの生理心理学はどうあるべきか―　生理心理学と精神生理学　15巻　11―29頁

⑩ 投石保広　1997　認知障害の生理心理学：ＥＲＰの臨床応用　（監）宮田　洋　新生理心理学　2巻　生理心理学の応用分野　北大路書房

⑪ 日本自律神経学会（編）1997　自律神経機能検査　第2版　文光堂

⑫ 新美良純・鈴木二郎（編）1986　皮膚電気活動　星和書店

⑬ 大熊輝雄　1999　臨床脳波学　第5版　医学書院

⑭ 沖田庸嵩・諸冨　隆　1998　事象関連電位　（監）宮田　洋　新生理心理学　1巻　生理心理学の基礎　北大路書房

⑮ 苧阪良二・中溝幸夫・古賀一男（編）1993　眼球運動の実験心理学　名古屋大学出版会

⑯ 志和資朗・佐々木高信　1997　バイオフィードバック療法の実際　（監）宮田　洋　新生理心理学　2巻　生理心理学の応用分野　北大路書房

⑰ 田多英興・山田冨美雄・福田恭介（編）1991　まばたきの心理学　北大路書房

⑱ 高橋三郎・高橋清久・本間研一（編）1990　臨床時間生物学　朝倉書店

⑲ 田村　守・星　詳子　1998　光を利用した人高次脳機能計測　「脳の科学」編集委員会（編）脳機能のイメージング：基礎から臨床まで　星和書店

⑳ Wilder, J. 1967 Stimulus and response: The law of initial value. Bristle: Wright.

long-term retention intervals.*Japanese Psychological Research,*26, 191-200.
㉓ 栗栖　麗　2000　音楽と脳　谷口高士（編）　音は心の中で音楽になる―音楽心理学への招待―　北大路書房
㉔ Loftus,E.F.,Miller,D.G.,&Burns,H.J. 1978 Semantic integration of verbal information into a visual memory.*Journal of Experimental Psychology*: Human Learning and Memory,4, 19-31.
㉕ 松田隆夫　1995　視知覚　培風館
㉖ Meyer,D.E. & Schvaneveldt,R.W. 1971 Facilitation in recognizing pairs of words: Evidence of a dependence between retrieval operations. *Journal of Experimental Psychology,* 90, 227-234.
㉗ Neisser, U. 1976 Cognition and Reality. W. H. Freeman.
(古崎　敬・村瀬旻訳　1978　認知の構図　サイエンス社)
㉘ Newell,A. & Simon,H.A.　1972　*Human Problem Solving.* Prentice-Hall.
㉙ 二木宏明　1989　脳と記憶　ブレインサイエンス・シリーズ　4　共立出版
㉚ 太田信夫・多鹿秀継　2000　記憶研究の最前線　北大路書房
㉛ 大山　正他（編）　1994　新編感覚・知覚心理学ハンドブック　誠信書房
㉜ 大山　正　2000　視覚心理学への招待―見えの世界へのアプローチ―　サイエンス社
㉝ Palmer, S. & Rock, I. 1994 Rethinking perceptual organization: The role of uniform connectedness. *Psychonomic Bulletin & Review,* 1, 29-55.
㉞ Reed,S.K. 1972 Pattern recognition and categorization. *Cognitive Psychology,* 3, 382-407.
㉟ Rubin, E. 1921 Visuell wahrgenommene Figuren: Studien in psychologischer Analyse.
㊱ 佐伯　胖・松原　望（編）　2000　実践としての統計学　東京大学出版会
㊲ Selfridge, O. G. 1959 Pandemonium: A paradigm of learning. In The mechanization of thought processes. Her Majesty's Stationery Office.
㊳ Shiffman,H.R., 1982, *Sensation and Perception :An integrated Approach,* 2nd ed.,Wiley.
㊴ 椎名　健　1995　錯覚の心理学　講談社現代新書
㊵ 嶋田博行　1994　ストループ効果：認知心理学からのアプローチ　培風館
㊶ 篠原彰一　1998　学習心理学への招待　新心理学ライブラリ　6　サイエンス社
㊷ Spoehr, K. T. & Lehmkuhle, S. W. 1982 Visual information processing. Freeman.
(苧阪直行他訳　1986　視覚の情報処理：〈見ること〉のソフトウェア　サイエンス社)
㊸ Steavens,S.S., 1961, Psychophysics of sensory function. In W.A.Rosenblith (Ed.), *Sensory Comunication,* Cambrige, Mass. , MIT press.
㊹ 田所作太郎（編）　1985　抗痴呆薬の探求　星和書店
㊺ 高野陽太郎（編）　1995　記憶　認知心理学　2　東京大学出版会
㊻ 田中　敏・山際勇一郎　1989　ユーザーのための教育・心理統計と実験計画法　教育出版
㊼ 田崎京二・大山　正・樋渡涓二（編）　1979　視覚情報処理　朝倉書店
㊽ Treisman, A. M. 1960 Contextual cues in selective listening. *Quarterly Journal of Experimental Psychology,* 12, 242-248.
㊾ 和多田作一郎　1986　人工知能の理解を深める本　実務教育出版
㊿ Wald, G. 1945 Human vision and the spectrum. Science, 101, 653-658.
(51) Wertheimer, M. 1923 Untersuchungen zur Lehre von Gestalt. II. *Psychologische Forschung,* 4, 301-350.
(52) 吉田寿夫　1998　本当にわかりやすいすごく大切なことが書いてあるごく初歩の統計の本　北大路書房

文献／認知心理学

① Atkinson,R.C.&Shiffrin,R.M. 1971 The control of short-term memory.*Scientific American*,225,82-90.

② 阿山みよし 1995 虹はなぜ7色に見えるのか？—色覚研究への招待— 科学 65 岩波書店

③ Broadbent, D. E. 1958 Perception and communication. Pergamon Press.

④ Cherry, E. C. 1953 Some experiments on the recognition of speech with one and with two ears. *Journal of the Acoustic Society of America,* 25, 975-979.

⑤ Craik,F.I.M.&Lockhart,R.S. 1972 Levels of processing:A framework for memory research.*Journal of Verbal Learning and Verbal Behavior,*11,671-684.

⑥ 藤田和生 1998 比較認知科学への招待 ナカニシヤ出版

⑦ 古川 聡・川崎勝義・福田幸男 1998 脳とこころの不思議な関係 生理心理学入門 川島書店

⑧ Glanzer,M.&Canitz 1966 Two storage mechanisms infree recall. *Journal of Verbal Learning and Verbal Behavior,*5,351-360

⑨ Goldstein, E. B. 1989 Sensation and Perception 3rd edition. Wadsworth Publishing Company.

⑩ Guilford,J.P., 1954, *Psychometric Methods.* MacGrawHill.

⑪ Hecht, S., Haig, C., & Chase, A. M. 1937 The influence of light adaptation on subsequent dark adaptation of the eye. *Journal of General Physiology,* 20, 831-850.

⑫ Hochberg,J.E.,1978 Perception.2nd ed.,Prentice-Hall.
(上村保子訳 1981 知覚 岩波書店)

⑬ Holway, A.H., & Boring,E.G., 1941 Determinants of apparent visual size with distance variant.*American Journal of Psychology,* 54, 21-37.

⑭ Humphreys, G. W., & Riddoch, M. J. 1987 To see but not to see A case study of visual agnosia. Lawrence Erlbaum Associates.
(河内十郎・能智正博訳 1992 見えているのに見えない？ ある視覚失認症者の世界 新陽社)

⑮ 市川伸一（編著） 1991 心理測定法への招待—測定からみた心理学入門— サイエンス社

⑯ Johnson-Laird,P.N., Legrenzi,P. & Legrenzi, M.S. 1972 Reasoning and a sense of reality. *British Journal of Psychology,* 63,395-400.

⑰ Johonson-Laird,P.N. & Wason,P.C. 1977 A theoretical analysis of insight into a reasoning task. In P.N. Johnson-Laird & P.C.Wason (Eds.) *Thinking.* Cambridge University Press.

⑱ 金子隆芳 1988 色彩の科学 岩波新書

⑲ Kanizsa, G. 1979 Organization in vision : essays on Gestalt perception. New York : Praeger.
(野口 薫監訳 1985 視覚の文法 ゲシュタルト知覚論 サイエンス社)

⑳ Keppel,G. 1964 A facilitation in short-and long term retention of paired associates following distributed practice in learning. *Journal of Verbal Learning and Verbal Behavior,*3,91-111.

㉑ Klatzky, R. L. 1980 Human memory: structures and processes. 2nd ed. Freeman.
(箱田裕司・中溝幸夫訳 1984 記憶のしくみ：認知心理学的アプローチ サイエンス社)

㉒ Komatsu,S.&Ohta,N. 1984 Priming effects in word-fragment completion for short-and

文　献

各分野ごとに区分し、一貫番号を付した。
編者と監修者がある場合は、編者を初めに記載した。
執筆者の他に編者と監修者がある場合は、監修者のみ記載し、編者は省略した。
執筆者が異なる場合は、同じ書籍に収載されていても別番号を付した。
編者・執筆者が複数の場合は、３名までを掲出し、それ以上は「他」とした。
欧文の雑誌名はイタリックとした。

芝《しば》 山《やま》 幸《ゆき》 久《ひさ》　芝山内科

神《じん》 野《の》 秀《ひで》 雄《お》　愛知教育大学障害児治療教育センター

杉《すぎ》 若《わか》 弘《ひろ》 子《こ》　奈良教育大学助教授

鈴《すず》 木《き》 智《とも》 美《み》　福岡大学医学部精神医学教室講師

関《せき》 根《ね》 道《みち》 昭《あき》　交通安全環境研究所研究員

瀬《せ》 戸《と》 正《まさ》 弘《ひろ》　東亜大学大学院総合学術研究科助教授

高《たか》 尾《お》 岳《たけ》 久《ひさ》　福岡大学医学部精神医学教室助手

田《た》 中《なか》 新《しん》 正《まさ》　大分大学教育福祉科学部教授

出《で》 口《ぐち》 毅《たけし》　山形大学教育学部助教授

中《なか》 島《じま》 定《さだ》 彦《ひこ》　関西学院大学文学部心理学科助教授

永《なが》 田《た》 雅《まさ》 子《こ》　名古屋第二赤十字病院小児科臨床心理士

入《にっ》 戸《と》 野《の》 宏《ひろし》　広島大学総合科学部助手

野《の》 島《じま》 一《かず》 彦《ひこ》　九州大学大学院人間環境学研究院教授

端《はし》 詰《づめ》 勝《まさ》 敬《ひろ》　東邦大学大森病院心療内科助手

長《は》谷《せ》川《がわ》久《く》見《み》子《こ》　東邦大学心身医学講座助手

波《は》 多《だ》 野《の》 美《み》 佳《か》　東邦大学医学部心療内科

馬《ば》 場《ば》 昌《まさ》 雄《お》　日本大学経済学部教授

林《はやし》 光《みつ》 緒《お》　広島大学総合科学部

原《はら》 裕《ひろ》 視《み》　目白大学人間社会学部教授

久《ひさ》 松《まつ》 由《ゆ》 華《か》　東邦大学心身医学講座助手

福《ふく》 井《い》 敏《さとし》　福岡大学医学部精神医学教室

藤《ふじ》 井《い》 輝《てる》 男《お》　東京文化短期大学助教授

古《ふる》 川《かわ》 聡《さとし》　国立音楽大学音楽学部

本《ほん》 城《じょう》 秀《しゅう》 次《じ》　名古屋大学発達心理精神科学教育研究センター教授

益《ます》 子《こ》 雅《みや》 笛《び》　東邦大学心療内科

松《まつ》 坂《さか》 清《きよ》 俊《とし》　椙山女学園大学人間関係学部教授

三《み》 浦《うら》 正《まさ》 江《え》　広島国際大学人間環境学部

箕《み》 口《ぐち》 雅《まさ》 博《ひろ》　立教大学コミュニティ福祉学部助教授

宮《みや》 前《まえ》 義《よし》 和《かず》　香川大学教育学部附属教育実践総合センター

村《むら》 林《ばやし》 信《のぶ》 行《ゆき》　横浜相原病院心療内科医長

森《もり》 田《た》 美《み》 弥《や》 子《こ》　名古屋大学大学院教育発達科学研究科教授

諸《もろ》 江《え》 健《けん》 二《じ》　川谷医院

山《やま》 田《だ》 一《かず》 夫《お》　目白大学人間社会学部専任講師

横《よこ》 山《やま》 博《ひろ》 司《し》　下関市立大学教授

吉《よし》 野《の》 要《かなめ》　金城学院大学

和《わ》 田《だ》 博《ひろ》 美《み》　北海道大学医療技術短期大学部

◆編者一覧（50音順）

岩《いわ》崎《さき》庸《つね》男《お》　筑波大学心理学系教授
岩《いわ》本《もと》隆《たか》茂《しげ》　北海道医療大学心理科学部臨床心理学科教授
岡《おか》堂《どう》哲《てつ》雄《お》　聖徳大学人文学部教授
田《た》畑《ばた》治《おさむ》　名古屋大学大学院教育発達科学研究科教授
坪《つぼ》井《い》康《こう》次《じ》　東邦大学心身医学講座教授
西《にし》村《むら》良《りょう》二《じ》　福岡大学医学部精神医学教室教授
馬《ば》場《ば》房《ふさ》子《こ》　亜細亜大学経営学部教授
藤《ふじ》原《はら》武《たけ》弘《ひろ》　関西学院大学社会学部教授
堀《ほり》忠《ただ》雄《お》　広島大学総合科学部人間行動研究講座教授

◆執筆者一覧（50音順）

青《あお》木《き》滋《しげ》昌《まさ》　名古屋精神分析研究所
生《いく》島《しま》博《ひろ》之《ゆき》　愛知教育大学教育実践総合センター
池《いけ》田《だ》豊《ほう》應《おう》　愛知学院大学教授
石《いし》井《い》久《ひさ》敬《のり》　福岡大学病院精神神経科講師
市《いち》川《かわ》絵《え》梨《り》子《こ》　練馬区総合教育センター
伊《い》藤《とう》正《まさ》訓《くに》　福岡大学医学部精神医学教室
伊《い》藤《とう》義《よし》美《み》　名古屋大学大学院環境学研究科教授
猪《いの》子《こ》香《か》代《よ》　名古屋大学大学院医学研究科児童精神医学助教授
入《いり》澤《さわ》誠《まこと》　福岡大学医学部精神医学教室
上《うえ》地《ち》安《やす》昭《あき》　兵庫教育大学生徒指導講座教授
内《うち》田《だ》一《いっ》成《せい》　愛知学院大学文学部心理学科教授
内《うち》田《だ》信《しん》哉《や》　福岡大学医学部精神医学教室助手
大《おお》河《こう》内《ち》浩《ひろ》人《と》　大阪教育大学
小《お》野《の》公《こう》一《いち》　亜細亜大学経営学部教授
加《か》藤《とう》明《あき》子《こ》　東邦大学佐倉病院メンタルヘルスクリニック
神《かみ》谷《や》育《やす》司《じ》　名城大学教職課程部教授
亀《かめ》口《ぐち》憲《けん》治《じ》　東京大学大学院教授
川《かわ》崎《さき》勝《かつ》義《よし》　星薬科大学心理学研究室
河《かわ》本《もと》肇《はじめ》　広島国際大学人間環境学部助教授
岸《きし》田《だ》孝《こう》弥《や》　高崎経済大学教授
神《こう》山《やま》貴《たか》弥《や》　広島大学教育学部附属教育実践総合センター
坂《さか》田《た》桐《きり》子《こ》　広島大学総合科学部助教授
佐《さ》藤《とう》朝《あさ》子《こ》　東邦大学心療内科

〔監修者略歴〕

上里一郎（あがり・いちろう）

1933年広島に生まれる。

1962年広島大学大学院（教育心理学専攻）修了。広島大学総合科学部教授（行動制御論）、早稲田大学人間科学部教授を経て、現在は広島国際大学教授、東亜大学大学院客員教授。教育学博士。日本学術会議会員、(財)日本臨床心理士資格認定協会常任理事。

主要編著書「行動療法」「重度心身障害児の行動形成」「子どもの自殺」「心理アセスメントハンドブック」など。

心理学基礎事典

平成14年11月15日発行　監修　上里　一郎　発行所　至　文　堂

東京都新宿区西五軒町4－2　東京(3268)2441(代)　発行者　川上　潤

印刷・製本　凸版印刷

ISBN4-7843-0254-9